JN191131

ハリー・ポッターと炎のゴブレット

J・K・ローリング
松岡佑子 訳

静山社

ハリー・ポッターと炎のゴブレット　目次

主な登場人物

ハリー・ポッター
主人公。ホグワーツ魔法魔術学校の四年生。緑の目に黒い髪、額には稲妻形の傷

ロン・ウィーズリー
ハリーの親友。大家族の末息子で、一緒にホグワーツに通う兄妹は、双子でいたずら好きのフレッドとジョージ、妹のジニーがいる

ハーマイオニー・グレンジャー
ハリーの親友。マグル（人間）の子なのに、魔法学校の優等生

ドラコ・マルフォイ
スリザリン寮の生徒。ハリーのライバル

アルバス・ダンブルドア
ホグワーツ魔法魔術学校の校長先生

ミネルバ・マクゴナガル
ホグワーツの副校長で変身術の先生

セブルス・スネイプ
魔法薬学の先生

ルビウス・ハグリッド
ホグワーツの鍵と領地を守る番人。魔法生物飼育学の先生

シリウス・ブラック
ハリーの亡き父、ジェームズの親友で、ハリーの名付け親

セドリック・ディゴリー
ハッフルパフ寮の監督生でクィディッチのシーカー

パーシー・ウィーズリー
ロンの兄で魔法省につとめはじめたばかり

チョウ・チャン
レイブンクロウ寮のシーカー。ホグワーツの五年生

ドビー
ハリーが助けた元屋敷しもべ妖精

ダーズリー一家（バーノンおじさん、ペチュニアおばさん、ダドリー）
ハリーの親戚で育ての親とその息子。まともじゃないことを毛嫌いする

ワーム・テール
またの名をピーター・ペティグリュー

ヴォルデモート（例のあの人）
最強の闇の魔法使い。多くの魔法使いや魔女を殺した

ロナルド・リドリー氏の追悼のために、
父、ピーター・ローリングに。
そして、ハリーを物置から引っ張り出してくれた
スーザン・スラドンに

Original Title: HARRY POTTER AND THE GOBLET OF FIRE

First published in Great Britain in 2000
by Bloomsburry Publishing Plc, 50 Bedford Square, London WC1B 3DP

Japanese edition first published in 2002

This book is published in Japan by arrangement with
the author through The Blair Partnership

第1章　リドルの館

リドル家の人々がそこに住んでいたのはもう何年も前のことなのに、リトル・ハングルトンの村では、まだその家を「リドルの館」と呼んでいた。村を見下ろす小高い丘の上に建つ館は、窓のあちこちに板が打ちつけられ、屋根瓦ははがれ、蔦がからみ放題になっていた。かつては見事な館だった。その近辺何キロにもわたって、これほど大きく豪華な屋敷はなかったものを、いまやぼうぼうと荒れはて、住む人もない。

リトル・ハングルトンの村人は、誰もがこの古屋敷を「不気味」に思っていた。五十年前、この館で起きた、なんとも不可思議で恐ろしい出来事のせいだ。昔からの村人たちは、うわさ話の種が尽きてくると、いまでも好んでその話を持ち出した。くり返し語り継がれ、あちこちで尾ひれがついたので、何がほんとうなのか、いまでは誰もわからなくなっていた。

しかし、どの話も始まりはみな同じだった。五十年前、リドルの館がまだきちんと手入れされた壮大な屋敷だったころのこと。ある晴れた夏の日の明け方、居間に入ったメイドが、リドル家の三人が全員息絶えているのを見つけたのだ。メイドは悲鳴を上げて丘の上から村まで駆け下り、片っ端から村人を起こして回った。

「目ん玉ひんむいたまんま倒れてる！　氷みたいに冷たいよ！　ディナーの正装したまんまだ！」

警察が呼ばれ、リトル・ハングルトンの村中が、ショックに好奇心がからみ合い、隠しきれない興奮で沸き返った。誰一人としてリドル一家のために悲しみにくれるようなむだはしなかった。何しろこの一家はこの上なく評判が悪かった。年老いたリドル夫妻は、金持ちで、高慢ちきで、礼儀知らずだったし、成人した息子のトムはさらにひどかった。村人の関心事は、殺人犯が誰か、にしぼられていた――どう見ても、あたりまえに健康な三人が、そろいもそろってひと晩にコロリと逝くはずがない。

村のパブ「首吊り男」は、その晩大繁盛だった。村中が寄り集まり、犯人は誰か、の話で持ち切りだった。そこへリドル家の女料理人が物々しく登場し、一瞬静まり返ったパブに向かって、フランク・ブライスという人物が逮捕されたと言い放った。村人にとっては、家の炉端を離れてわざわざパブに来たかいがあったというものだ。

「フランクだって！」

何人かが叫んだ。

「まさか！」

フランク・ブライスはリドル家の庭番だった。屋敷内のボロ小屋に一人で寝泊まりしていた。戦争から引き揚げてきたとき、片足がこわばり、人混みと騒音をひどく嫌うようになっていたが、その時以来ずっとリドル家に仕えてきた。

村人は我も我もと料理人に酒をおごり、もっとくわしい話を聞き出そうとした。

「あの男、どっかヘンだと思ってたわ」

シェリー酒を四杯引っかけたあと、うずうずしている村人たちに向かって料理人はそう言った。

「愛想なし、っていうか。たとえばお茶でもどうって勧めたとするじゃない。何百回勧めてもダメさね。つき合わないんだから、絶対」

「でもねえ」カウンターにいた女が言った。「戦争でひどい目にあったのよ、フランクは。静かに暮らしたかったんだよ。なんにも疑う理由なんか――」

「ほかに誰が勝手口の鍵を持ってたっていうのさ？」料理人がかみついた。「あたしが覚えてるかぎり、とうの昔っから、あの庭番の小屋に合い鍵がぶら下がってた！　きのうの晩は誰も戸をこじ開けちゃいないんだ！　窓も壊れちゃいない！　フランクは、あたしたちみんなが寝てる間にこっそりお屋敷に忍び込みゃあよかった……」

村人たちは暗い顔で目を見交わした。

「あいつはどっかうさんくさいとにらんでた。そうだとも」カウンターの男がつぶやいた。

「戦争がそうさせたんだ。そう思うね」パブのおやじが言った。

「言ったよね。あたしゃあいつの気にさわることはしたくないって。ねえ、ドット、そう言っただろ？」隅っこの女が興奮してそう言った。

「ひどいかんしゃく持ちなのさ」

ドットがしきりにうなずきながら言った。

「あいつがガキのころ、そうだったわ……」

翌朝には、リトル・ハングルトンの村でフランク・ブライスがリドル一家を殺したことを疑う者はほとんどいなくなっていた。

しかし、隣村のグレート・ハングルトンの暗く薄汚い警察では、フランクが、自分は無実だと何度も頑固に言い張っていた。リドル一家が死んだあの日、館の付近で見かけたのは、たった一人。黒い髪で青白い顔をした、見たこともない十代の少年だけだったと、フランクはそう言い張った。ほかの村人は、ほかにだれもそんな男の子は見ていない。警察はフランクの作り話にちがいないと信じきっていた。

そんなふうに、フランクにとっては深刻な事態になりかけたその時、リドル一家の検死報告が警察に届き、すべてがひっくり返った。

警察でもこんな奇妙な報告は見たことがなかった。死体を調べた医師団の結論は、リドル一家のどの死体にも、毒殺、刺殺、射殺、絞殺、窒息の痕もなく、（医師の診るかぎり）まったく傷つけられた様子がないということだった。さらに報告書には、リドル一家は全員健康そのものである――死んでいるということ以外は――と明らかに困惑を隠しきれない調子で書き連ねられていた。医師団は、（死体になんとか異常を見つけようと決意したかのように）リドル一家のそれぞれの顔には恐怖の表情が見られた、と記していた。

――とはいえ、警察がいらいらしながら言っているように、**恐怖が**死因だなんて話を誰が聞いたことがあるものか？

リドル一家が殺害されたという証拠がない以上、警察はフランクを釈放せざるをえなかった。リドル一家の遺体はリトル・ハングルトンの教会墓地に葬られ、それからしばらくはその墓が好奇の的になった。村人の疑いがややもやもやする中、驚いたことにフランク・ブライスは、リドルの館の敷地内にある自分の小屋に戻っていった。

「なんてったって、あたしゃあいつが殺したと思う。警察の言うことなんかくそくらえだよ」

パブ「首吊り男」でドットが息巻いた。

「あいつに自尊心のかけらでもありゃ、ここを出ていくだろうに。わかってるはずだよ。あいつが殺ったのを、あたしらが知ってるってことをね」

しかし、フランクは出ていかなかった。リドルの館に次に住んだ家族のために庭の手入れをしたし、その次の家族にも――そのどちらも長くは住まなかったが……もしかしたらフランクのせいもあったかもしれない。どちらの家族も、この家は何かいやぁな雰囲気があると言った。誰も住まなくなると、屋敷は荒れ放題になった。

「リドルの館」のいまの持ち主は大金持ちで、屋敷に住んでもいなかったし、別に使っているわけでもなかった。村人たちは「税金対策」で所有しているだけだと言ったが、それがどういう意味なのか、はっきりわかっている者はいなかった。

大金持ちは、フランクに給料を払って庭仕事を続けさせていたが、もう七十七歳の誕生日が来ようというフランクは、耳も遠くなり、不自由な足はますますこわばっていた。それでも天気のよい日には、だらだらと花壇の手入れをする姿が見られたが、いつのまにか雑草が、おかまいなしに伸びはじめているのだった。

フランクの戦う相手は雑草だけではなかった。村の悪ガキどもが屋敷の窓にしょっちゅう石を投げつけたし、フランクがせっかくきれいに刈り込んだ芝生の上で自転車を乗り回した。一度か二度、肝試しに屋敷に忍び込んできたこともあった。悪ガキどもは、年老いた庭番がこの館と庭に執着しているのを知っていて、フランクがステッキを振り回し、しわがれ声を張り上げて、庭のむこうから足を引きずりながらやってくるのを見ておもしろがっていた。フランクのほうは、子供たちが自分を苦しめるのは、その親や祖父母と同じように、自分を殺人者だと思っているからだと考えていた。

だから、ある八月の夜、ふと目を覚まして、古い屋敷の中に何か奇妙なものが見えたときも、フランクは、悪ガキどもが自分を懲らしめるために、また一段と質(たち)の悪いことをやらかしているのだろう、くらいにしか思わなかった。

目が覚めたのは足が痛んだからだった。年とともに痛みはますますひどくなっていた。ひざの痛みをやわらげるのに、湯たんぽのお湯を入れ替えようと、フランクは起き上がって、一階の台所まで足を引きずりながら下りていった。

流し台の前でやかんに水を入れながら屋敷を見上げると、二階の窓にチラチラと灯りが見えた。フランクはすぐにピンときた。ガキどもがまた屋敷内に入り込んでいる。あの灯りのちらつきようから見ると、火をたきはじめたのだ。

フランクの所に電話はなかった。どのみち、リドル一家の死亡事件で警察に引っ張られ、尋問されて以来、フランクはまったく警察を信用していなかった。フランクはやかんをその場にうっちゃり、痛む足の許すかぎり急いで寝室に駆け上がり、服を着替えてすぐに台所に戻ってきた。そして、ドアの脇にかけてあるさびた古い鍵を取りはずし、壁に立てかけてあったステッキをつかんで、夜の闇へと出ていった。

「リドルの館」の玄関は、こじ開けられた様子がない。どの窓にもそんな様子はない。フランクは足を引きずりながら屋敷の裏に回り、ほとんどすっぽり蔦の陰に隠れている勝手口まで行くと、古い鍵を鍵穴に差し込み、音を立てずにドアを開けた。

中はだだっ広い台所だった。もう何年もそこに足を踏み入れてはいなかったのに、しかも真っ暗だったにもかかわらず、フランクは玄関の広間に向かうドアがどこにあるかを覚えていた。むっとするほどのかび臭さをかぎながら、上階から足音や人声が聞こえないかと耳をそばだて、手探りでそのドアに向かった。

広間は、正面玄関の両側にある大きな格子窓のおかげで少しは明るかった。石造りの床を厚く覆ったほこりが、足音もステッキの音も消してくれるのをありがたく思いながら、フランクは階段を上りはじめた。

階段の踊り場で右に曲がると、すぐに侵入者がどこにいるかがわかった。廊下の一番奥のドアが半開きになって、すきまから灯りがチラチラもれ、黒い床に金色の長い筋を描いていた。フランクはステッキをしっかり握りしめ、じりじりと近づいていった。ドアから数十センチの所で、細長く切り取られたように部屋の中が見えた。

火は、初めてそこから見えたが、暖炉の中で燃えていた。意外だった。フランクは立ち止まり、じっと耳を澄ました。男の声が部屋の中から聞こえてきたからだ。おどおどと、おののいている声だった。

「ご主人様、まだお腹(なか)がお空(す)きでしたら、瓶にいま少しは残っておりますが」

「あとにする」

別の声が言った。これも男の声だった——が、不自然にかん高い、しかもひやりと吹き抜ける風のような冷たい声だ。なぜかその声は、まばらになったフランクの後頭部の毛を逆立たせた。

「ワームテール、俺様をもっと火に近づけるのだ」

フランクは右の耳をドアのほうに向けた。ましなほうの耳だ。瓶を何か硬いものの上に置く音がして、それから重い椅子が床をこする鈍い音がした。椅子を押している小柄な男の背中がちらりとフランクの目に入った。長い黒いマントを着ている。後頭部にはげがあるのが見えた。そして再び小男の姿は視界から消えた。

「ナギニはどこだ?」冷たい声が言った。

「わ——わかりません。ご主人様」びくびくした声が答えた。「家の中を探索に出かけたのではないかと……」

「寝る前にナギニのエキスをしぼるのだぞ、ワームテール」別の声が言った。「夜中に飲む必要がある。この旅でずいぶんとつかれた」

眉根を寄せながら、フランクは聞こえるほうの耳をもっとドアに近づけた。一瞬間を置いて、ワームテールと呼ばれた男がまた口を開いた。

「ご主人様、ここにはどのくらいご滞在のおつもりか、うかがってもよろしいでしょうか？」

「一週間だ」

冷たい声が答えた。

「もっと長くなるかもしれぬ。ここはまあまあ居心地がよいし、まだ計画を実行はできぬ。クィディッチのワールドカップが終わる前に動くのは愚かであろう」

フランクは節くれだった指を耳に突っ込んで、かっぽじった。耳糞(みみくそ)がたまったせいにちがいない。「クィディッチ」なんて、言葉とはいえない言葉が聞こえたのだから。

「ご主人様、ク――クィディッチ・ワールドカップと？」

ワームテールが言った（フランクはますますグリグリと耳をほじった）。

「お許しください。しかし――わたくしめにはわかりません――どうしてワールドカップが終わるまで待たなければならないのでしょう？」

「愚か者めが。いまこの時こそ、世界中から魔法使いがこの国に集まり、魔法省のおせっかいどもがこぞって警戒に当たり、不審な動きがないかどうか、鵜(う)の目鷹(たか)の目で身元の確認をしている。マグルが何も気づかぬようにと、安全対策に血眼だ。だから待つのだ」

フランクは耳をほじるのをやめた。紛れもなく、「魔法省」「魔法使い」「マグル」という言葉を聞いた。どの言葉も何か秘密の意味があることは明白だ。こんな暗号を使う人種は、フランクには二種類しか思いつかない――スパイと犯罪者だ。フランクはもう一度ステッキを固く握りしめ、ますます耳をそばだてた。

「それでは、あなた様は、ご決心がお変わりにならないと？」

ワームテールがひっそりと言った。

「ワームテールよ。もちろん、変わらぬ」

冷たい声に脅すような響きがこもっていた。

一瞬会話がとぎれた──そしてワームテールが口を開いた。言葉があわてて口から転げ出てくるようで、まるで気がくじけないうちに無理にでも言ってしまおうとしているようだった。

「ご主人様、ハリー・ポッターなしでもお出来になるのではないでしょうか」

また言葉がとぎれた。今度は少し長い間があいた。

「ハリー・ポッターなしでだと？」

別の声がささやくように言った。

「なるほど……」

「ご主人様、わたくしめは何も、あの小僧のことを心配して申し上げているのではありません！」

ワームテールの声がキーキーと上ずった。

「あんな小僧っこ、わたくしめはなんとも思っておりません！　ただ、誰かほかの魔女でも魔法使いでも使えば──どの魔法使いでも──事はもっと迅速に行えますすでございましょう！　ほんのしばらくおそばを離れさせていただきますならば──ご存じのようにわたくしめはいとも都合のよい変身ができますので──ほんの二日もあれば、適当な者を連れて戻って参ることができましょう──」

「確かに、ほかの魔法使いを使うこともできよう」

もう一人が低い声で言った。

「確かに……」

「ご主人様、そうでございますとも」

ワームテールがいかにもホッとした声で言った。

「ハリー・ポッターは何しろ厳重に保護されておりますので、手をつけるのは非常に難しいかと――」

「だから貴様は、進んで身代わりの誰かを捕まえにいくというのか？　はたしてそうなのか……ワームテールよ。俺様の世話をするのが面倒になってきたのではないのか？　計画を変えようというおまえの意図は、俺様を置き去りにしようとしているだけではないのか？」

「滅相もない！――わ、わたくしめがあなた様を置き去りになど、けっしてそんな――」

「俺様に向かってうそをつくな！」

別の声が歯がみしながら言った。

「俺様にはお見透(みとお)しだぞ、ワームテール！　貴様は俺様の所に戻ったことを後悔しているな。貴様は俺様を見ると反吐(へど)が出るのだろう。おまえは俺様を見るたびにたじろぐし、俺様に触れるときも身震いしているだろう……」

「ちがいます！　わたくしめはあなた様に献身的に――」

「貴様の献身は臆病以外の何物でもない。どこかほかに行く所があったら、貴様はここにはおるまい。俺様は数時間ごとに食事をせねばならぬ。おまえがいなければ生き延びることはできまい？　誰がナギニのエキスをしぼるというのだ？」

「しかし、ご主人様、前よりずっとお元気におなりでは――」

「うそをつくな」

別の声が低く唸(うな)った。

「元気になってなどいるものか。二、三日も放置されれば、おまえの不器用な世話でなんとか取り戻したわずかな力もすぐ失ってしまうわ。だまれ！」

アワアワと言葉にもならない声を出していたワームテールは、すぐにだまった。

数秒間、フランクの耳には火のはじける音しか聞こえなかった。

それからまた先ほどの声が話した。シューッ、シューッと息がもれるようなささやき声だ。

「あの小僧を使うには、おまえにももう話したように、俺様なりの理由がある。ほかのやつは使わぬ。十三年も待った。あと数か月がなんだというのだ。あの小僧の周辺が護られている件だが、俺様の計画はうまくいくはずだ。あとは、ワームテール、おまえがわずかな勇気を持てばよい——ヴォルデモート卿の極限の怒りに触れたくなければ、勇気を振りしぼるがよい——」

「ご主人様、お言葉を返すようですが！」

ワームテールの声はいまやおびえきっていた。

「この旅の間ずっと、わたくしめは頭の中でこの計画を考え抜きました——ご主人様、バーサ・ジョーキンズが消えたことは早晩気づかれてしまいます。もしこのまま実行し、もしわたくしめが死の呪いをかければ——」

「もし？」

ささやき声が言った。

「もし？　ワームテール、おまえがこの計画どおり実行すれば、魔法省はほかの誰が消えようとけっして気づきはせぬ。おまえはそっと、下手に騒がずにやればよい。俺様自身が手を下せればよいものを、いまのこのありさまでは……。さあ、ワームテール。あと一人邪魔者を消せば、ハリー・ポッターへの道は一直線だ。おまえに一人でやれとは言わぬ。その時までには忠実なる下僕が再び我々に加わるであろう——」

「**わたくしめ**も忠実な下僕でございます」

ワームテールの声がかすかにすねていた。

「ワームテールよ、俺様には頭のある人物が必要なのだ。揺らぐことなき忠誠心を持った者が。貴様は、不幸にして、どちらの要件も満たしてはおらぬ」

「わたくしがあなた様を見つけました」

ワームテールの声には、今度ははっきりと口惜しさが漂っていた。

「あなた様を見つけたのはこのわたくしめです。バーサ・ジョーキンズを連れてきたのはわたくしめです」

「確かに」

別の声が、楽しむように言った。

「わずかなひらめき――ワームテール、貴様にそんな才覚があろうとは思わなかったわ――しかし、本音を明かせば、あの女を捕らえたときには、どんなに役に立つ女か、おまえは気づいていなかったであろうが？」

「わ――わたくしめはあの女が役に立つだろうと思っておりました、ご主人様」

「うそつきめが」

声には残酷な楽しみの色が、これまで以上にはっきりと出ていた。

「しかしながら、あの女の情報は価値があった。あれなくして我々の計画を練ることはできなかったであろう。そのことで、ワームテール、おまえにはほうびを授けよう。俺様のために一つ重要な仕事をはたすことを許そう。我につき従う者の多くが、諸手を挙げて馳せ参ずるような仕事を……」

「ま、まことでございますか？　ご主人様。どんな――？」

ワームテールがまたしてもおびえた声を出した。

「ああ、ワームテールよ。せっかく驚かしてやろうという楽しみをだいなしにする気か？　おまえの役目は最後の最後だ……しかし、約束する。おまえはバーサ・ジョーキンズと同じように役に立つという名誉を与えられるであろう」

「あ……あなた様は……」

まるで口がカラカラになったかのようにワームテールの声が突然かすれた。

「あなた様は……わたくしめも……殺すと？」

「ワームテール、ワームテールよ」

冷たい声が猫なで声になった。

「なんでおまえを殺す？　バーサを殺したのは、そうしなければならなかったからだ。俺様が聞き出したあとは、あの女は用済みだ。なんの役にも立たぬ。いずれにせよあの女が魔法省に戻って、休暇中におまえに出会ったなどとしゃべったら、やっかいな疑念を引き起こすはめになったろう。死んだはずの魔法使いが片田舎の旅籠（はたご）で魔法省の魔女に出くわすなど、そんなことは起こらぬほうがよかろう……」

ワームテールは何か小声でつぶやいたが、フランクには聞き取れなかった。しかし別の声が笑った――話すときと同じく冷酷そのものの笑いだった。

「記憶を消せばよかっただと？　しかし、『忘却術』は強力な魔法使いなら破ることができる。俺様があの女を尋問したときのようにな。せっかく聞き出した情報を利用しなければ、ワームテールよ、それこそあの死んだ女の『記憶』に対して失礼であろうが」

外の廊下で、フランクは突然、ステッキを握りしめた手が汗でつるつるすべるのを感じた。冷たい声の主は女を一人殺した。それを後悔のかけらもなく話している――**楽しむように**。危険人物だ――狂っている。それにまだ殺すつもりだ――誰か知らないが、ハリー・ポッターとかいう子供が――危ない――。

何をすべきか、フランクにはわかっていた。警察に知らせる時があるとするなら、いまだ。いましかない。こっそり屋敷を抜け出し、まっすぐに村の公衆電話の所に行くのだ……。しかし、またしても冷たい声がして、フランクはその場に凍りついたようになって全身を耳にした。

「もう一度死の呪いを……わが忠実なる下僕はホグワーツに……。ワームテールよ、ハリー・ポッターはもはやわが手の内にある。決定したことだ。議論の余地はない。シッ、静かに……あの音はナギニらしい……」

男の声が変わった。フランクがいままで聞いたことのないような音を立てはじめた。息を吸い込むことなしに、シューッ、シューッ、シャーッ、シャーッと息を吐いている。フランクは男がひきつけの発作か何かを起こしたと思った。

次にフランクが聞いたのは、背後の暗い通路で何かがうごめく音だった。振り返ったとたん、フランクは恐怖で金縛りにあった。

暗い廊下を、ずるずると何かがフランクのほうへと這ってくる。ドアのすきまから細長くもれる暖炉の灯りに近づくその「何か」を見て、フランクは震え上がった。ゆうに四メートルはある巨大な蛇だった。床を厚く覆ったほこりの上に太い曲がりくねった跡を残しながら、くねくねと近づいてくるその姿を、フランクは恐怖で身動きもできずに見つめていた――どうすればよいのだろう？　逃げ道は一つ、二人の男が殺人をくわだてているその部屋しかない。このまま動かずにいれば、まちがいなく蛇に殺される――。

決めかねている間に、蛇はそばまでやってきた。そして、信じられないことに、奇跡的にそのまま通り過ぎていった。ドアのむこうの冷たい声の主が出す、シューッ、シューッ、シャーッ、シャーッという音をたどり、菱形模様の尾はたちまちドアのすきまから中へと消えていった。

フランクの額には汗が噴き出し、ステッキを握った手が震えていた。部屋の中では冷たい声がシューシュー言い続けている。フランクはふと奇妙な、ありえない考えにとらわれた……**この男は蛇と話ができるのではないか。**

何事が起こっているのか、フランクにはわからなかった。湯たんぽを抱えてベッドに戻りたいと、ひたすらそれだけを願った。自分の足が動こうとしないのが問題だった。震えながらその場に突っ立ち、なんとか自分を取り戻そうとしていたその時、冷たい声が急に普通の言葉に変わった。

「ワームテール、ナギニがおもしろい報せを持ってきたぞ」

「さ――さようでございますか、ご主人様」ワームテールが答えた。

「ああ、そうだとも」

冷たい声が言った。

「ナギニが言うには、この部屋のすぐ外に老いぼれマグルが一人立っていて、我々の話を全部聞いているそうだ」

身を隠す間もなかった。足音がして、部屋のドアがパッと開いた。

フランクの目の前に、鼻のとがった、色の薄い小さい目をした白髪まじりのはげた小男が、恐れと驚きの入りまじった表情で立っていた。

「中にお招きするのだ。ワームテールよ。礼儀を知らぬのか？」

冷たい声は暖炉前の古めかしいひじかけ椅子から聞こえていたが、声の主は見えなかった。蛇は、朽ちかけた暖炉マットにとぐろを巻いてうずくまり、まるで恐ろしい姿のペット犬のようだった。

ワームテールは部屋に入るようにとフランクに合図した。ショックを受けてはいたが、フランクはステッキをしっかり握りなおし、足を引きずりながら敷居をまたいだ。

部屋の明かりは暖炉の火だけだった。その灯りが壁にクモのような影を長く投げかけている。フランクはひじかけ椅子の背を見つめたが、男の後頭部さえ見えなかった。座っている男は、召使いの小男より小さいにちがいない。

「マグルよ。すべて聞いたのだな？」冷たい声が言った。

「俺のことをなんと呼んだ？」

フランクは食ってかかった。もう部屋の中に入ってしまった以上、何かしなければならない。フランクは大胆になっていた。戦争でもいつもそうだった。

「おまえをマグルと呼んだ」

声が冷たく言い放った。

「つまりおまえは魔法使いではないということだ」

「おまえさまが魔法使いと言いなさる意味はわからねえ」

フランクの声がますますしっかりしてきた。

「ただ、俺は、今晩警察の気を引くのに充分のことを聞かせてもらった。ああ、聞いたとも。おまえさまは人殺しをした。しかもまだ殺すつもりだ！　それに、言っとくが」

フランクは急に思いついたことを言った。

「かみさんは、俺がここに来たことを知ってるぞ。もし俺が戻らなかったら――」

「おまえに妻はいない」

冷たい声は落ち着き払っていた。

「おまえがここにいることは誰も知らぬ。ここに来ることを、おまえは誰にも言っていない。ヴォルデモート卿にうそをつくな。マグルよ、俺様にはお見透しだ……すべてが……」

「へえ？」

フランクはぶっきらぼうに言った。

『卿』だって？　はて、**卿にしちゃ**礼儀をわきまえていなさらん。こっちを向いて、一人前の男らしく俺と向き合ったらどうだ。できないのか？」

「マグルよ。俺様は人ではない」

冷たい声は、暖炉の火のはじける音でほとんど聞き取れないほどだった。

「人よりずっと上の存在なのだ。しかし……よかろう。おまえと向き合おう……ワームテール、ここに来て、この椅子を回すのだ」

召使いはヒーッと声を上げた。

「ワームテール、聞こえたのか」

ご主人様や蛇のうずくまる暖炉マットのほうへ行かなくてすむのなら、なんだってやるとでも言うように、そろそろと、顔をゆがめながら小男が進み出て椅子を回しはじめた。椅子の脚がマットに引っかかり、蛇が醜悪な三角の鎌首をもたげてかすかにシューッと声を上げた。

そして、椅子がフランクのほうに向けられ、そこに座っているものを、フランクは見た。ステッキがポロリと床に落ち、カタカタと音を立てた。フランクは口を開け、叫び声を上げた。あまりに大声で叫んだので、椅子に座っている何ものかが杖（つえ）を上げて何か言ったのも聞こえなかった。緑色の閃光（せんこう）が走り、音がほとばしり、フランク・ブライスはグニャリとくずおれた。床に倒れる前にフランクは事切れていた。


そこから三百キロ離れた所で、一人の少年、ハリー・ポッターがハッと目を覚ました。

第2章　傷痕

仰向けに横たわったまま、ハリーは全力疾走したあとのように荒い息をしていた。生々しい夢で目が覚め、ハリーは両手を顔にギュッと押しつけていた。その指の下で、稲妻の形をした額の古傷が、いましがた白熱した針金を押しつけられたかのように痛んだ。

ベッドに起き上がり、片手で傷を押さえながら、暗がりで、ハリーはもう一方の手をベッド脇の小机に置いてあっためがねに伸ばした。めがねをかけると寝室の様子がよりはっきり見えてきた。街灯の明かりが、窓の外からカーテン越しに、ぼんやりとかすんだオレンジ色の光で部屋を照らしていた。

ハリーはもう一度指で傷痕をなぞった。まだうずいている。枕元の灯り（あか）をつけ、ベッドから這い（は）出して、部屋の奥にある洋だんすを開け、ハリーはたんすの扉裏の鏡をのぞき込んだ。やせた十四歳の自分が見つめ返していた。くしゃくしゃの黒髪の下で、輝く緑の目が戸惑った表情をしている。ハリーは鏡に映る稲妻形の傷痕をじっくり調べた。いつもと変わりはない。しかし、傷はまだ刺すように痛かった。

目が覚める前にどんな夢を見ていたのか、思い出そうとした。あまりにも生々しかった……二人は知っている。三人目は知らない……ハリーは顔をしかめ、夢を思い出そうと懸命に集中した……。

暗い部屋がぼんやりと思い出された……暖炉マットに蛇がいた……小男はピーター、別名ワームテールだ……そして、冷たいかん高い声……ヴォルデモート卿（きょう）の声だ。そう思っただけで、胃袋に氷の塊がすべり落ちるような感覚が走った……。

ハリーは固く目を閉じて、ヴォルデモートの姿を思い出そうとしたが、できない……ヴォルデモートの椅子がくるりとこちらを向き、そこに座っている何ものかが見えた。ハリー自身がそれを見た瞬間、恐ろしい戦慄で目が覚めた。それだけは覚えている……それとも傷痕の痛みで目が覚めたのだろうか？

それに、あの老人は誰だったのだろう？　確かに年老いた男がいた。その男が床に倒れるのを、ハリーは見た。なんだかすべて混乱している。ハリーは両手に顔をうずめ、いま自分がいる寝室の様子をさえぎるようにして、あの薄明かりの部屋のイメージをしっかりとらえようとした。

しかし、とらえようとすればするほど、まるで両手にくんだ水がもれるように、細かなことが指の間からこぼれ落ちていった……ヴォルデモートとワームテールが誰かを殺したと話していた。誰だったか、ハリーは名前を思い出せなかった……それにほかの誰かを殺す計画を話していた……**僕を**……。

ハリーは顔から手を離し、目を開けて自分の部屋をじっと見回した。何か普通ではないものを見つけようとするかのように。たまたまこの部屋には、異常なほどたくさん、普通ではないものがある。大きな木のトランクが開けっ放しでベッドの足元に置いてあり、中から大鍋や箒、黒いローブの制服、呪文集が数冊のぞいていた。机の上に大きな鳥かごがあり、いつもなら雪のように白いふくろうのヘドウィグが止まっているのだが、いまはからっぽだった。鳥かごに占領されていない机の隅に、羊皮紙の巻紙が散らばっている。

ベッド脇の床に、寝る前に読んでいた本が開いたまま置かれていた。本の中の写真はみな動き回っている。鮮やかなオレンジ色のローブを着た選手たちが、箒に乗り赤いボールを投げ合いながら、写真から出たり入ったりしていた。

ハリーは本の所まで歩いていき、拾い上げた。ちょうど選手の一人が十五メートルの高さにあるゴールリングに鮮やかなシュートを決めて得点したところだった。ハリーはピシャリと本を閉じた。クィディッチでさえ——ハリーがこれぞ最高のスポーツだと思っているものでさえ——いまはハリーの気をそらしてはくれなかった。『キャノンズと飛ぼう』をベッド脇の小机に置くと、ハリーは部屋を横切り、窓のカーテンを開けて下の通りの様子をうかがった。

　プリベット通りは、土曜日の明け方のきちんとした郊外の町並みはこうでなければならない、といった模範的なたたずまいだった。どの家のカーテンも閉まったままだ。まだ暗い街には、見渡すかぎり、人っ子一人、猫の子一匹いなかった。

　でも、何かおかしい……なにかが……ハリーはなんだか落ち着かないままベッドに戻り、座り込んでもう一度傷痕を指でなぞった。痛みが気になったわけではない。痛みやけがなら、ハリーはいやというほど味わってきた。一度は右腕の骨が全部なくなり、ひと晩中痛い思いをして再生させたこともある。それからほどなく、その同じ右腕を、三十センチもある毒牙が刺し貫いた。飛行中の箒から十五メートルも落下したのはほんの一年前のことだ。とんでもない事故やけがなら、もう慣れっこだった。ホグワーツ魔法魔術学校に学び、しかも、なぜか知らないうちに事件を呼び寄せてしまうハリーにとって、それはさけられないことだった。

　ちがうんだ。何か気になるのは、傷の痛む原因だ。前回は、ヴォルデモートが近くにいたからだった……しかし、ヴォルデモートがいま、ここにいるはずがない……ヴォルデモートがプリベット通りにひそんでいるなんて、ばかげた考えだ。ありえない……。

　ハリーは静寂の中で耳を澄ました。階段のきしむ音、マントのひるがえる音が聞こえるのではないかと、どこかでそんな気がしたのだろうか？　ちょうどその時、隣の部屋から、いとこのダドリーが巨大ないびきをかく音が聞こえ、ハリーはびくりとした。

　ハリーは心の中で頭（かぶり）を振った。なんてばかなことを……この家にいるのは、ハリーのほかにバーノンおじさん、ペチュニアおばさんとダドリーだけだ。悩みも痛みもない夢を貪り、全員まだ眠りこけている。

ハリーは、ダーズリー一家が眠っているときが一番気に入っていた。起きていたからといって、ハリーのために何かしてくれるわけではない。

バーノンおじさん、ペチュニアおばさん、ダドリーは、ハリーにとって唯一の親戚だった。一家はマグル（魔法族ではない）で、魔法と名がつくものはなんでも忌み嫌っていた。つまり、ハリーはまるで犬のクソ扱いだった。

この三年間、ハリーがホグワーツに行って長期間不在だったことは、「セント・ブルータス更生不能非行少年院」に行ったと言いふらして取りつくろっていた。ハリーのように半人前の魔法使いは、ホグワーツの外では魔法を使ってはいけないことを、一家はよく知っていた。それでもこの家で何かがおかしくなると、やはりハリーがとがめられるはめになった。

魔法世界での生活がどんなものか、ハリーはただの一度も、この一家に打ち明けたり話したりできなかった。この連中が朝になって起きてきたときに、傷が痛むだとか、ヴォルデモートのことが心配だとか打ち明けるなんて、まさにお笑いぐさだ。

だが、そのヴォルデモートこそ、そもそもハリーがダーズリー一家と暮らすようになった原因なのだ。ヴォルデモートがいなければ、ハリーは額に稲妻形の傷を受けることもなかったろう。ヴォルデモートがいなければ、ハリーはいまでも両親と一緒だったろうに……。

あの夜、ハリーはまだ一歳だった。ヴォルデモート――十一年間、徐々に勢力を集めていった、今世紀最強の闇の魔法使い――が、ハリーの家にやってきて父親と母親を殺したあの夜、ヴォルデモートは杖をハリーに向け、呪いをかけた。勢力を伸ばす過程で、何人もの大人の魔法使いや魔女を処分した、その呪いを。

ところが――信じられないことに、呪いが効かなかった。幼子を殺すどころか、呪いはヴォルデモート自身に跳ね返った。ハリーは、額に稲妻のような切り傷を受けただけで生き残り、ヴォルデモートはかろうじて命を取りとめるだけの存在になった。力は失せ、命も絶えなんとする姿で、ヴォルデモートは逃げ去った。隠された魔法社会で、魔法使いや魔女が何年にもわたり戦々恐々と生きてきた、その恐怖が取り除かれ、ヴォルデモートの家来は散り散りになり、ハリー・ポッターは有名になった。

十一歳の誕生日に、初めて自分が魔法使いだとわかったことだけでも、ハリーにとっては充分なショックだった。その上、隠された社会である魔法界では、誰もが自分の名前を知っているのだとわかったときは、さらに面食らった。ホグワーツ校に着くと、どこに行ってもみんながハリーを振り返り、ささやき交わした。しかし、いまではハリーもそれに慣れっこになっていた。この夏が終われば、ハリーはホグワーツ校の四年生になる。ホグワーツのあの城に戻れる日を、ハリーはいまから指折り数えて待っていた。

しかし、学校に戻るまでにまだ二週間もあった。ハリーはやりきれない気持ちで部屋の中を見回し、誕生祝いカードに目をとめた。七月末の誕生日に二人の親友から送られたカードだ。あの二人に手紙を書いて、傷痕が痛むと言ったら、なんと言うだろう？

たちまち、ハーマイオニー・グレンジャーが驚いてかん高く叫ぶ声が、ハリーの頭の中で鳴り響いた。

「傷痕が痛むんですって？　ハリー、それって、大変なことよ……ダンブルドア先生に手紙を書かなきゃ！　それから、私、『よくある魔法病と傷害』を調べるわ……呪いによる傷痕に関して、何か書いてあるかもしれない……」

そう、それこそハーマイオニーらしい忠告だ。すぐホグワーツの校長の所に行くこと、その間に本で調べること。ハリーは窓から群青色に塗り込められた空を見つめた。この場合、本が役に立つとはとうてい思えなかった。ハリーの知るかぎり、ヴォルデモートの呪いほどのものを受けて生き残ったのは、自分一人だけだ。つまり、ハリーの症状が、『よくある魔法病と傷害』にのっているとはほとんど考えられない。校長先生に知らせるといっても、ダンブルドアが夏休みをどこで過ごしているのか、ハリーには見当もつかない。長い銀色のひげを蓄えたダンブルドアが、あのかかとまで届く丈長のローブを着て三角帽子をかぶり、どこかのビーチに寝そべって、あの曲がった鼻に日焼けクリームを塗り込んでいる姿を一瞬想像して、ハリーはおかしくなった。ダンブルドアがどこにいようとも、ハリーのペットふくろうのヘドウィグはきっと見つけるにちがいない。たとえ住所がわからなくても、ヘドウィグはいままで一度も手紙を届けそこなったことはない。でも、なんと書けばいいんだろう?

ダンブルドア先生

休暇中にお邪魔してすみません。でも今朝、傷痕がうずいたのです。

では、また。

ハリー・ポッター

頭の中で考えただけでも、こんな文句はばかげている。

ハリーはもう一人の親友、ロン・ウィーズリーがどんな反応を示すか想像してみた。そばかすだらけの、鼻の高いロンの顔が、ふわっと目の前に現れた。当惑した表情だ。

「傷が痛いって？　だけど……だけど『例のあの人』がいま、君のそばにいるわけないよ。そうだろ？　だって……もしいるなら、君、わかるはずだろ？　また君を殺そうとするはずだろ？　ハリー、僕、わかんないけど、呪いの傷痕って、いつでも少しはずきずきするものなんじゃないかなぁ……。パパに聞いてみるよ……」

ロンの父親は魔法省の「マグル製品不正使用取締局」に勤めるれっきとした魔法使いだが、ハリーの知るかぎり、呪いに関しては特に専門家ではなかった。いずれにせよ、たった数分間傷がうずいたからといって自分がびくびくしているなどと、ウィーズリー家のみんなに知れわたるのは困る。ウィーズリー夫人はハーマイオニーよりも大騒ぎして心配するだろうし、ロンの兄、十六歳になるフレッドとジョージは、ハリーが意気地なしだと思うかもしれない。

ウィーズリー一家はハリーが世界中で一番好きな家族だった。明日にもウィーズリー家から、泊まりにくるようにと招待が来るはずだ（ロンが何かクィディッチ・ワールドカップのことを話していたし）。せっかくの滞在中に、傷痕はどうかと心配そうに何度も聞かれたりするのは、ハリーはなんだかいやだった。

ハリーは拳で額をもんだ。ほんとうは（自分でそうだと認めるのは恥ずかしかったが）、誰か――**父親や母親**のような人が欲しかった。大人の魔法使いで、そんなばかなことを、などと思わずに相談できる誰か、自分のことを心配してくれる誰か、闇の魔術の経験がある誰か……。

するとふっと答えが思い浮かんだ。こんな簡単な、こんな明白なことを思いつくのに、こんなに時間がかかるなんて――**シリウスだ**。

ハリーはベッドから飛び下り、急いで部屋の反対側にある机に座った。羊皮紙をひと巻引き寄せ、鷲羽根ペンにインクをふくませ、「シリウス、元気ですか」と書きだした。そこでペンが止まった。どうやったらうまく説明できるのだろう。はじめからシリウスを思い浮かべなかったことに、ハリーは自分でもまだ驚いていた。しかし、そんなに驚くことではないのかもしれない——そもそも、シリウスが自分の名付け親だと知ったのはほんの二か月前のことなのだから。

シリウスが、それまでハリーの人生にまったく姿を見せなかった理由は、簡単だった——シリウスはアズカバンにいたのだ。吸魂鬼（ディメンター）という、目を持たない、魂を吸い取る鬼に監視された、恐ろしい魔法界監獄、アズカバンだ。

そこを脱獄したシリウスを追って、吸魂鬼はホグワーツにやってきた。しかし、シリウスは無実だった——殺人の罪に問われていたが、真にその殺人を犯したのはヴォルデモートの家来、ワームテールだった。ワームテールは死んだと、ほとんどみんながそう思っている。

しかし、ハリー、ロン、ハーマイオニーは、そうではないことを知っている。夏休み前、三人は真正面からワームテールと対面したのだ。でも三人の話を信じたのはダンブルドア校長だけだった。

あの輝かしい一時間の間だけ、ハリーはついにダーズリーたちと別れることができると思った。シリウスが、汚名をそそいだら一緒に暮らそうとハリーに言ってくれたからだ。しかし、そのチャンスはたちまち奪われてしまった——ワームテールを、魔法省に引き渡す前に逃がしてしまったのだ。

シリウスは身を隠さなければ命を落とすところだった。ハリーは、シリウスがバックビークという名のヒッポグリフの背に乗って逃亡するのを助けた。それ以来ずっと、シリウスは逃亡生活を続けている。ワームテールさえ逃がさなかったら、シリウスと暮らせたのにという思いが、夏休みに入ってからずっとハリーの頭を離れなかった。もう少しでダーズリーの所から永久に逃れることができたのにと思うと、この家に戻るのは二倍もつらかった。

一緒に暮らせはしないが、それでも、シリウスはハリーの役に立っていた。学用品を全部自分の部屋に持ち込むことができたのもシリウスのおかげだった。これまではダーズリー一家がけっしてそれを許してくれなかった。常々ハリーをなるべくみじめにしておきたいという思いもあり、その上ハリーの力を恐れていたので、ダーズリーたちは夏休みになると、ハリーの学校用のトランクを階段下の物置に入れて鍵をかけておいたものだった。ところが、あの危険な殺人犯がハリーの名付け親だとわかると、ダーズリーたちの態度が一変した——シリウスは無実だとダーズリーたちに告げるのを、ハリーは都合よく忘れることにした。

プリベット通りに戻ってから、ハリーはシリウスの手紙を二通受け取った。二回とも、ふくろうが届けたのではなく（魔法使いは普通、ふくろうを使う）、派手な色をした大きな南国の鳥が持ってきた。ヘドウィグはけばけばしい侵入者が気に入らず、鳥が帰路に着く前に自分の水受け皿から水を飲むのをなかなか承知しなかった。ハリーは、この鳥たちが気に入っていた。椰子の木や白い砂浜の気分にさせてくれるからだ。シリウスがどこにいようとも（手紙が途中で他人の手に渡ることも考えられるので、シリウスは居場所を明かさなかった）、元気で暮らしていてほしいとハリーは願った。強烈な太陽の光の下では、なぜか吸魂鬼は長生きしないような気がした。たぶん、それでシリウスは南へ行ったのだろう。

シリウスの手紙は、ベッド下の床板のゆるくなった所に隠してあった。このすきまはとても役に立つ。二通とも元気そうで、必要なときにはいつでも連絡するようにと念を押していた。そうだ。いまこそシリウスが必要だ。よし……。

夜明け前の冷たい灰色の光が、ゆっくりと部屋に忍び込み、机の灯りが薄暗くなるように感じられた。太陽が昇り、部屋の壁が金色に映え、バーノンおじさんとペチュニアおばさんの部屋から人の動く気配がしはじめたとき、ハリーはくしゃくしゃに丸めた羊皮紙を片づけ、机をきれいにして、いよいよ書き終えた手紙を読みなおした。

シリウスおじさん、元気ですか。

この間はお手紙をありがとう。あの鳥はとても大きくて、窓から入るのがやっとでした。

こちらは何も変わっていません。ダドリーのダイエットはあまりうまくいっていません。きのう、ダドリーがこっそりドーナツを部屋に持ち込もうとするのを、おばさんが見つけました。こんなことが続くようならこづかいを減らさないといけなくなると、二人がダドリーに言うと、ダドリーはものすごく怒って、プレイステーションを窓から投げ捨てました。これはゲームをして遊ぶコンピュータのようなものです。ばかなことをしたものです。だって、もうダドリーの気を紛らすものは何もないんです。メガ・ミューチレーション・パート3で遊べなくなってしまったのですから。

僕は大丈夫です。それというのも、僕が頼めばあなたがやってきて、ダーズリー一家をコウモリに変えてしまうかもしれないと、みんな怖がっているからです。

でも、今朝、気味の悪いことが起こりました。傷痕がまた痛んだのです。この前痛んだのは、ヴォルデモートがホグワーツにいたからでした。でも、いまは僕の身近にいるとは考えられません。そうでしょう？　呪いの傷痕って、何年もあとに痛むことがあるのですか？

ヘドウィグが戻ってきたら、この手紙を持たせます。いまは餌を捕りに出かけています。

バックビークによろしく。

ハリーより

よし、これでいい、とハリーは思った。夢のことを書いてもしょうがない。ハリーは、あんまり心配しているように思われたくはなかった。

羊皮紙をたたみ、机の脇に置き、ヘドウィグが戻ったらいつでも出せるようにした。それから立ち上がり、伸びをして、もう一度洋だんすを開けた。扉裏の鏡に映る自分を見もせず、ハリーは朝食に下りていくために着替えはじめた。

第3章　招待状

ハリーがキッチンに下りてきたときには、ダーズリー一家はもうテーブルに着いていた。ハリーが入ってきても、座っても、誰も見向きもしない。バーノンおじさんのでっかい赤ら顔は「デイリー・メール新聞」の陰に隠れたままだったし、ペチュニアおばさんは馬のような歯の上で唇をきっちり結び、グレープフルーツを四つに切っているところだった。

ダドリーは怒って機嫌が悪く、なんだかいつもより余計に空間を占領しているようだった。これはただ事ではない。何しろいつもだって四角いテーブルの一辺を、ダドリー一人でまるまる占領しているのだから。ペチュニアおばさんがおろおろ声で「さあ、かわいいダドちゃん」と言いながら、グレープフルーツの四半分を砂糖もかけずにダドリーの皿に取り分けると、ダドリーはおばさんを怖い顔でにらみつけた。夏休みで学校から通信簿を持って家に帰ってきたとき以来、ダドリーの生活は一変して最悪の状態になっていた。

おじさんもおばさんも、ダドリーの成績が悪いことに関しては、いつものように都合のよい言い訳で納得していた。ペチュニアおばさんは、ダドリーの才能の豊かさを先生が理解していないと言い張ったし、バーノンおじさんは、ガリ勉の女々しい男の子なんか息子に持ちたくないと主張した。いじめをしているという叱責も、二人は難なくやり過ごした――「ダドちゃんは元気がいいだけよ。ハエ一匹殺せやしないわ！」とおばさんは涙ぐんだ。

ところが、通信簿の最後に、短く、しかも適切な言葉で書かれていた養護の先生の報告だけには、さすがのおじさんおばさんもグウの音も出なかった。ペチュニアおばさんは、ダドリーが骨太なだけで、体重だって子犬がころころ太っているのと同じだし、育ち盛りの男の子はたっぷり食べ物が必要だと泣き叫んだ。しかし、どうわめいてみても、もはや学校には、ダドリーに合うようなサイズのニッカーボッカーの制服がないのは確かだった。

養護の先生には、おばさんの目には見えないものが見えていたのだ。ピカピカの壁に指紋を見つけるとか、お隣さんの動きに関しては、おばさんの目の鋭いことといったら――そのおばさんの目が見ようとしなかっただけなのだが、養護の先生は、ダドリーがこれ以上栄養をとる必要がないどころか、体重も大きさも若いシャチ並みに育っていることを見抜いていた。

そこで――さんざんかんしゃくを起こし、ハリーの部屋の床がぐらぐら揺れるほどの言い争いをし、ペチュニアおばさんがたっぷり涙を流したあと、食事制限が始まった。スメルティングズ校の養護の先生から送られてきたダイエット表が、冷蔵庫に貼りつけられた。ダドリーの好物――ソフト・ドリンク、ケーキ、チョコレート、バーガー類――は、全部冷蔵庫から消え、かわりに果物、野菜、その他バーノンおじさんが「ウサギの餌」と呼ぶものが詰め込まれた。

ダドリーの気分がよくなるように、ペチュニアおばさんは家族全員がダイエットするよう主張した。今度はグレープフルーツの四半分がハリーに配られた。ダドリーのよりずっと小さいことにハリーは気づいた。ペチュニアおばさんは、ダドリーのやる気を保つ一番よい方法は、少なくとも、ハリーよりダドリーのほうがたくさん食べられるようにすることだと思っているらしい。

ただし、ペチュニアおばさんは、二階の床板のゆるくなった所に何が隠されているかを知らない。ハリーが全然ダイエットなどしていないことを、おばさんはまったく知らないのだ。

この夏をニンジンの切れっ端だけで生き延びるはめになりそうだとの気配を察したハリーは、すぐにヘドウィグを飛ばして友達の助けを求めた。友達はこの一大事に敢然と立ち上がった。ハーマイオニーの家から戻ったヘドウィグは、「砂糖なし」スナックのいっぱい詰まった大きな箱を持ってきた（ハーマイオニーの両親は歯医者なのだ）。ホグワーツの森番、ハグリッドは、わざわざお手製のロックケーキを袋いっぱい送ってよこした（ハリーはこれには手をつけなかった。ハグリッドのお手製はいやというほど経験済みだった）。

一方、ウィーズリーおばさんは、家族のペットふくろうのエロールに、大きなフルーツケーキといろいろなミートパイを持たせてよこした。年老いてよぼよぼのエロールは、哀れにもこの大旅行から回復するのにまるまる五日もかかった。そしてハリーの誕生日には（ダーズリー一家は完全に無視していたが）、最高のバースデーケーキが四つも届いた。ロン、ハーマイオニー、ハグリッド、そしてシリウスからだった。まだ二つ残っている。

そんなわけで、ハリーは早く二階に戻ってちゃんとした朝食をとりたいと思いながら、愚痴もこぼさずにグレープフルーツを食べはじめた。

バーノンおじさんは、気に入らんとばかり大きくフンと鼻を鳴らし、新聞を脇に置くと、四半分のグレープフルーツを見下ろした。

「これっぽっちか？」

おじさんはおばさんに向かって不服そうに言った。

ペチュニアおばさんはおじさんをキッとにらみ、ダドリーのほうをあごで指してうなずいてみせた。ダドリーはもう自分の四半分を平らげ、豚のような目でハリーの分を意地汚く眺めていた。

バーノンおじさんは、巨大なもじゃもじゃの口ひげがざわつくほど深いため息をついて、スプーンを手にした。

玄関のベルが鳴った。バーノンおじさんが重たげに腰を上げ、廊下に出ていった。電光石火、母親がやかんに気を取られているすきに、ダドリーはおじさんのグレープフルーツの残りをかすめ取った。

玄関先で誰かが話をし、笑い、バーノンおじさんが短く答えているのがハリーの耳に入ってきた。それから玄関の戸が閉まり、廊下から紙を破る音が聞こえてきた。

ペチュニアおばさんはテーブルにティーポットを置き、おじさんはどこに行ったのかと、きょろきょろとキッチンを眺め回した。待つほどのこともなく、約一分後におじさんが戻ってきた。カンカンになっている様子だ。

「来い」ハリーに向かっておじさんが吠えた。「居間に。すぐにだ」

わけがわからず、いったい今度は自分が何をやったのだろうと考えながら、ハリーは立ち上がり、おじさんについてキッチンの隣の部屋に入った。入るなり、バーノンおじさんはドアをピシャリと閉めた。

「それで」

暖炉のほうに突進し、くるりとハリーに向きなおると、いまにもハリーを逮捕しそうな剣幕でおじさんが言った。

「**それで**」

「それでなんだって言うんだ?」と言えたらどんなにいいだろう。

しかし、こんな朝早くから、バーノンおじさんの虫の居所を試すのはよくない、と思った。それでなくとも欠食状態でかなりいらいらしているのだから。そこでハリーは、おとなしく驚いたふうをしてみせるだけでがまんすることにした。

「こいつがいま届いた」

おじさんはハリーの鼻先で紫色の紙切れをひらひら振った。

「おまえに関する手紙だ」

ハリーはますますこんがらがった。いったい誰が、僕についての手紙をおじさん宛に書いたのだろう？　郵便配達を使って手紙をよこすような知り合いがいたかな？

おじさんはハリーをギロリとにらむと、手紙を見下ろし、読み上げた。

親愛なるダーズリー様、御奥様

私どもはまだ面識がございませんが、ハリーから息子のロンのことはいろいろお聞きおよびでございましょう。

ハリーがお話ししたかと思いますが、クィディッチ・ワールドカップの決勝戦が、次の月曜の夜、行われます。夫のアーサーが、魔法省のゲーム・スポーツ部につてがございまして、とてもよい席を手に入れることができました。

つきましては、ハリーを試合に連れていくことをお許しいただけませんでしょうか。これは一生に一度のチャンスでございます。イギリスが開催地になるのは三十年ぶりのことで、切符はとても手に入りにくいのです。もちろん、それ以後、夏休みの間ずっと、喜んでハリーを家にお預かりいたしますし、学校に戻る汽車に無事乗せるようにいたします。

お返事は、なるべく早く、ハリーから普通の方法で私どもにお送りいただくのがよろしいかと存じます。何しろマグルの郵便配達は、私どもの家に配達にきたことがございませんし、家がどこにあるかを知っているかどうかも確かじゃございませんので。

ハリーにまもなく会えることを楽しみにしております。

敬具

モリー・ウィーズリーより

追伸　切手は不足していないでしょうね。

読み終えると、おじさんは胸ポケットに手を突っ込んで何か別のものを引っ張り出した。

「これを見ろ」おじさんが唸った。

おじさんは、ウィーズリー夫人の手紙が入っていた封筒を掲げていた。

ハリーは噴き出したいのをやっとこらえた。封筒いっぱいに一分のすきもなく切手が貼り込んであり、真ん中に小さく残った空間に詰め込むように、ダーズリー家の住所が細々した字で書き込まれていた。

「切手は不足していなかったね」

ハリーは、ウィーズリー夫人がごくあたりまえのまちがいを犯しただけだというような調子を取りつくろった。おじさんの目が一瞬光った。

「郵便配達は感づいたぞ」おじさんが歯がみをした。「手紙がどこから来たのか、やけに知りたがっていたぞ、やつは。だから玄関のベルを鳴らしたのだ。**『奇妙だ』**と思ったらしい」

ハリーは何も言わなかった。ほかの人には、切手を貼りすぎたくらいでバーノンおじさんがなぜ目くじらを立てるのかがわからなかったろう。しかしずっと一緒に暮らしてきたハリーには、いやというほどわかっていた。ほんのちょっとでもまともな範囲からはずれると、この一家はピリピリするのだ。ウィーズリー夫人のような連中と関係があると誰かに感づかれることを（どんなに遠い関係でも）、ダーズリー一家は一番恐れていた。

バーノンおじさんはまだハリーをねめつけていた。ハリーはなるべく感情を顔に表さないように努力した。何もばかなことを言わなければ、人生最高の楽しみが手に入るかもしれないのだ。バーノンおじさんが何か言うまで、ハリーはだまっていた。しかし、おじさんはにらみ続けるだけだった。ハリーのほうから沈黙を破ることにした。

「それじゃ――僕、行ってもいいですか？」

バーノンおじさんのでっかい赤ら顔が、かすかにビリリと震えた。口ひげが逆立った。口ひげの陰で何が起こっているか、ハリーにはわかる気がした。おじさんの最も根深い二種類の感情が対立して、激しく闘っている。ハリーを行かせることは、ハリーを幸福にすることだ。この十三年間、おじさんはそれを躍起になって阻止してきた。しかし、夏休みの残りを、ハリーがウィーズリー家で過ごすことを許せば、期待したより二週間も早くやっかい払いができる。ハリーがこの家にいるのは、バーノンおじさんにとっておぞましいことだった。考える時間をかせぐために、という感じで、おじさんはウィーズリー夫人の手紙にもう一度視線を落とした。

「この女は誰だ？」

名前の所を汚らわしそうに眺めながら、おじさんが聞いた。

「おじさんはこの人に会ったことがあるよ。僕の友達のロンのお母さんで、ホグ――学校から学期末に汽車で帰ってきたとき、迎えに来てた人」

うっかり「ホグワーツ特急」と言いそうになったが、そんなことをすれば確実におじさんを怒らせてしまう。ダーズリー家では、ハリーの学校の名前は、誰も、ただの一度も口に出したことはなかった。

バーノンおじさんはひどく不ゆかいなものを思い出そうとしているかのように、巨大な顔をゆがめた。

「ずんぐりした女か？」しばらくしておじさんが唸った。「赤毛の子供がうじゃうじゃの？」

ハリーは眉をひそめた。自分の息子を棚に上げて、バーノンおじさんが誰かを「ずんぐり」と呼ぶのはあんまりだと思った。ダドリーは、三歳のときからいまかいまかと恐れられていたことをついに実現し、いまでは縦より横幅のほうが大きくなっていた。

おじさんはもう一度手紙を眺め回していた。

「クィディッチ」

おじさんが声をひそめて吐き出すように言った。

「**クィディッチ**――このくだらんものはなんだ？」

ハリーはまたむかむかした。

「スポーツです」簡潔に答えた。

「競技は、箒(ほうき)に――」

「もういい、もういい！」

おじさんが声を張り上げた。かすかにうろたえたのを見て取って、ハリーは少し満足した。自分の家の居間で、「箒」などという言葉が聞こえるなんて、おじさんにはがまんできないらしい。逃げるように、おじさんはまた手紙を眺め回した。おじさんの唇の動きを、ハリーは「普通の方法で私どもにお送りいただくのがよろしいかと」と読み取った。おじさんがしかめっ面をした。

「どういう意味だ、この『**普通の方法**』っていうのは？」

吐きすてるようにおじさんが言った。

「僕たちにとって普通の方法」

おじさんが止める間も与えず、ハリーは言葉を続けた。

「つまり、ふくろう便のこと。それが魔法使いの普通の方法だよ」

バーノンおじさんは、まるでハリーが汚らしいののしりの言葉でも吐いたかのように、カンカンになった。怒りで震えながら、おじさんは神経をとがらせて窓の外を見た。まるで隣近所が窓ガラスに耳を押しつけて聞いていると思っているかのようだった。

「何度言ったらわかるんだ？　この屋根の下で『不自然なこと』を口にするな」

赤ら顔を紫にして、おじさんがすごんだ。

「恩知らずめが。わしとペチュニアのおかげで、そんなふうに服を着ていられるものを――」

「ダドリーが着古したあとにだけどね」ハリーは冷たく言った。

まさに、お下がりのコットンシャツは大きすぎて、そでを五つ折りにしてたくし上げないと手が使えなかったし、シャツの丈はぶかぶかなジーンズのひざ下まであった。

「わしに向かってその口のききようはなんだ！」おじさんは怒り狂って震えていた。

しかしハリーは引っ込まなかった。ダーズリー家のばかばかしい規則を、一つ残らず守らなければならなかったのはもう昔のことだ。ハリーはダーズリー一家のダイエットに従ってはいなかったし、バーノンおじさんがクィディッチ・ワールドカップに行かせまいとしても、そうはさせないつもりだった。うまく抵抗できればの話だが。

ハリーは深く息を吸って気持ちを落ち着けた。

「じゃ、僕、ワールドカップを見にいけないんだ。もう行ってもいいですか？　シリウスに書いてる手紙を書き終えなきゃ。ほら――僕の名付け親」

やったぞ。殺し文句を言ってやった。バーノンおじさんの顔から紫色がブチになって消えていくのが見えた。まるで混ぜそこなったクロスグリ・アイスクリーム状態だ。

「おまえ――おまえはヤツに手紙を書いているのか？」

おじさんの声は平静を装っていた――しかし、ハリーは、もともと小さいおじさんの瞳が、恐怖でもっと縮んだのを見た。

「ウン――まあね」ハリーはさりげなく言った。

「もうずいぶん長いこと手紙を出してなかったから。それに、僕からの便りがないと、ほら、何か悪いことが起こったんじゃないかって心配するかもしれないし」

ハリーはここで言葉を切り、言葉の効果を楽しんだ。きっちり分け目をつけたバーノンおじさんのたっぷりした黒髪の下で、歯車がどう回っているかが見えるようだった。シリウスに手紙を書くのをやめさせれば、シリウスはハリーが虐待されていると思うだろう。クィディッチ・ワールドカップに行ってはならんとハリーに言えば、ハリーは手紙にそれを書き、ハリーが虐待されていることをシリウスが**知ってしまう**。バーノンおじさんの採るべき道はただ一つだ。巨大な口ひげのついた頭の中が透けて見えるかのように、ハリーにはおじさんの頭の中でその結論が出来上がっていくのが見えるようだった。ハリーはニンマリしないよう、なるべく無表情でいるように努力した。すると――。

「まあ、よかろう。そのいまいましい……そのバカバカしい……そのワールドカップとやらに行ってよい。手紙を書いて、この連中――この**ウィーズリー**とかに、迎えにくるように言え。いいか。わしはおまえをどこへやらわからん所へ連れていくひまはない。それから、夏休みはあとずっとそこで過ごしてよろしい。それから、おまえの――おまえの名付け親に……そやつに言うんだな……おまえが行くことになったと、言え」

「オッケーだよ」ハリーはほがらかに言った。

ハリーは居間のドアのほうに向きなおり、飛び上がって「ヤッタ！」と叫びたいのをこらえながら歩きだした。行けるんだ……ウィーズリー家に行けるんだ。クィディッチ・ワールドカップに行けるんだ！

居間から廊下に出ると、ダドリーにぶつかりそうになった。ドアの陰にひそんで、ハリーが叱られるのを盗み聞きしようとしていたにちがいない。ハリーがニッコリ笑っているのを見て、ダドリーはショックを受けたようだった。

「**すばらしい**朝食だったね？　僕、満腹さ。君は？」ハリーが言った。

ダドリーが驚いた顔をするのを見て笑いながら、ハリーは階段を一度に三段ずつ駆け上がり、飛ぶように自分の部屋に戻った。

最初に目に入ったのは帰宅していたヘドウィグだった。かごの中から、大きな琥珀色の目でハリーを見つめ、何か気に入らないことがあるような調子でくちばしをカチカチ鳴らした。いったい何が気に入らないのかはすぐにわかった。

「**アイタッ！**」

小さな灰色のふかふかしたテニスボールのようなものが、ハリーの頭の横にぶつかった。ハリーは頭をもんだりさすったりしながら、何がぶつかったのかを探した。豆ふくろうだ。片方の手のひらに収まるくらい小さなふくろうが、迷子の花火のように、興奮して部屋中をヒュンヒュン飛び回っている。気がつくと、豆ふくろうはハリーの足元に手紙を落としていた。かがんで見ると、ロンの字だ。封筒を破ると、走り書きの手紙が入っていた。

ハリー――パパが切符を手に入れたぞ――アイルランド対ブルガリア。月曜の夜だ。ママがマグルに手紙を書いて、君が家に泊まれるよう頼んだよ。もう手紙が届いているかもしれない。マグルの郵便ってどのくらい速いか知らないけど。どっちにしろ、ピッグにこの手紙を持たせるよ。

ハリーは「ピッグ」という文字を眺めた。それから豆ふくろうを眺めた。今度は天井のランプの傘の周りをブンブン飛び回っている。こんなに「豚(ピッグ)」らしくないふくろうは見たことがない。ロンの文字を読みちがえたのかもしれない。ハリーはもう一度手紙を読んだ。

マグルがなんと言おうと、僕たち、君を迎えにいくよ。ワールドカップを見逃す手はないからな。ただ、パパとママは一応マグルの許可をお願いするふりをしたほうがいいと思ったんだ。連中がイエスと言ったら、そう書いてピッグをすぐ送り返してくれ。日曜の午後五時に迎えにいくよ。連中がノーと言っても、ピッグをすぐ送り返してくれ。やっぱり日曜の午後五時に迎えにいくよ。

ハーマイオニーは今日の午後に来るはずだ。パーシーは就職した――魔法省の国際魔法協力部だ。家にいる間、外国のことはいっさい口にするなよ。さもないと、うんざりするほど聞かされるからな。

じゃあな。

ロン

「落ち着けよ！」豆ふくろうに向かってハリーが言った。今度はハリーの頭の所まで低空飛行して、ピーピー狂ったように鳴いている。受取人にちゃんと手紙を届けたことが誇らしくて仕方がないらしい。「ここへおいで。返事を出すのに君が必要なんだから！」

豆ふくろうはヘドウィグのかごの上にパタパタ舞い降りた。ヘドウィグは、それ以上近づけるものなら近づいてごらん、と言うかのように冷たい目で見上げた。

ハリーはもう一度鷲(わし)羽根ペンを取り、新しい羊皮紙を一枚つかみ、こう書いた。

ロン。すべてオッケーだ。マグルは僕が行ってもいいって言った。明日の午後五時に会おう。待ち遠しいよ。

ハリー

ハリーはメモ書きを小さくたたみ、豆ふくろうの脚にくくりつけたが、興奮してピョンピョン飛び上がるものだから、結ぶのにひと苦労だった。メモがきっちりくくりつけられると、豆ふくろうは出発した。窓からブーンと飛び出し、姿が見えなくなった。

ハリーはヘドウィグの所に行った。

「長旅できるかい？」

ヘドウィグは威厳たっぷりにホーと鳴いた。

「これをシリウスに届けられるかい？」

ハリーは手紙を取り上げた。

「ちょっと待って……一言書き加えるから」

羊皮紙をもう一度広げ、ハリーは急いで追伸を書いた。

僕に連絡を取りたければ、僕、これから夏休み中ずっと、友達のロン・ウィーズリーの所にいます。ロンのパパがクィディッチ・ワールドカップの切符を手に入れてくれたんだ！

書き終えた手紙を、ハリーはヘドウィグの脚にくくりつけた。ヘドウィグはいつにも増してじっとしていた。本物の「伝書ふくろう」がどう振る舞うべきかを、ハリーにしっかり見せてやろうとしているようだった。

「君が戻るころ、僕、ロンの所にいるから。わかったね？」

ヘドウィグは愛情を込めてハリーの指をかみ、やわらかいシュッという羽音をさせて大きな翼を広げ、開け放った窓から高々と飛び立っていった。

ハリーはヘドウィグの姿が見えなくなるまで見送り、それからベッド下に這い込んで、ゆるんだ床板をこじ開け、バースデーケーキの大きな塊を引っ張り出した。床に座ってそれを食べながら、ハリーは幸福感がひたひたとあふれてくるのを味わった。ハリーにはケーキがある。ダドリーにはグレープフルーツしかない。明るい夏の日だ。明日にはプリベット通りを離れる。傷痕はもうなんともない。それに、クィディッチ・ワールドカップを見にいくのだ。いまは、何かを心配しろというほうが無理だ——たとえ、ヴォルデモート卿のことだって。

第4章　再び「隠れ穴」へ

翌日十二時までには、学用品やらそのほか大切な持ち物が全部、ハリーのトランクに詰め込まれた――父親から譲り受けた「透明マント」やシリウスにもらった箒、ウィーズリー家のフレッドとジョージから去年もらったホグワーツ校の「忍びの地図」などだ。ゆるんだ床板の下の隠し場所から、食べ物を全部出してからっぽにし、呪文集や羽根ペンを忘れていないかどうか部屋の隅々まで念入りに調べ、九月一日までの日にちを数えていた壁の表もはがした。ホグワーツに帰る日まで、表の日付に毎日×印をつけるのがハリーには楽しみだった。

プリベット通り四番地には極度に緊張した空気がみなぎっていた。魔法使いの一行がまもなくこの家にやってくるというので、ダーズリー一家はガチガチに緊張し、いらいらしていた。ウィーズリー一家が日曜の五時にやってくるとハリーが知らせたとき、バーノンおじさんはまちがいなく度胆を抜かれた。

「きちんとした身なりで来るように言ってやったろうな。連中に」

おじさんはすぐさま歯をむき出してどなった。

「おまえの仲間の服装を、わしは見たことがある。まともな服を着てくるぐらいの礼儀は持ち合わせたほうがいいぞ。それだけだ」

ハリーはちらりと不吉な予感がした。ウィーズリー夫妻が、ダーズリー一家が「まとも」と呼ぶような格好をしているのを見たことがない。子供たちは、休み中はマグルの服を着ることもあるが、ウィーズリー夫妻はいつも、よれよれの度合いこそちがえ、着古した長いローブを着ていた。隣近所がなんと思おうと、ハリーは気にならなかった。ただ、もし、ウィーズリー一家が、ダーズリーたちが持つ「魔法使い」の最悪のイメージそのものの姿で現れたら、ダーズリーたちがどんなに失礼な態度を取るかと思うと心配だった。

バーノンおじさんは一張羅の背広を着込んでいた。他人が見たら、これは歓迎の気持ちの表れだと思うかもしれない。しかし、ハリーにはわかっていた。おじさんは威風堂々、威嚇的に見えるようにしたかったのだ。

一方ダドリーは、なぜか縮んだように見えた。ついにダイエット効果が表れた、というわけではなく、恐怖のせいだった。ダドリーがこの前に魔法使いに出会ったときは、ズボンの尻から豚のしっぽがくるりと飛び出す結末になり、おじさんとおばさんはロンドンの私立病院でしっぽを取ってもらうのに高いお金を払った。だから、ダドリーが尻のあたりをしょっちゅうそわそわなでながら、前回と同じ的を敵に見せまいと、蟹(かに)歩きで部屋から部屋へと移動するというありさまも、まったく変だというわけではない。

昼食の間、ほとんど沈黙が続いた。ダドリーは（カッテージチーズにセロリおろしの）食事に文句も言わなかった。ペチュニアおばさんはなんにも食べない。腕を組み、唇をギュッと結び、ハリーに向かってさんざん投げつけたい悪口雑言をかみ殺しているかのように、舌をもごもごさせているようだった。

「当然、車で来るんだろうな？」

テーブル越しにおじさんが吠(ほ)えた。

「えーと」

ハリーは考えてもみなかった。ウィーズリー一家は**どうやって**ハリーを迎えにくるのだろう？　もう車は持っていない。昔持っていた中古のフォード・アングリアは、いまはホグワーツの「禁じられた森」で野生化している。でも、ウィーズリーおじさんは昨年、魔法省から車を借りているし、また今日も借りるのかな？

「そうだと思うけど」ハリーは答えた。

バーノンおじさんはフンと口ひげに鼻息をかけた。いつもなら、ウィーズリー氏はどんな車を運転しているのかと聞くところだ。おじさんは、どのくらい大きい、どのくらい高価な車を持っているかで他人の品定めをするのが常だ。しかし、たとえフェラーリを運転していたところで、それでおじさんがウィーズリー氏を気に入るとは思えなかった。

ハリーはその日の午後、ほとんど自分の部屋にいた。まるで動物園からサイが逃げたと警告があったかのように、ペチュニアおばさんが数秒ごとにレース編みのカーテンから外をのぞくのを、見るにたえなかったからだ。やっと、五時十五分前に、ハリーは二階から下りて居間に入った。

ペチュニアおばさんは、強迫観念にとらわれたようにクッションのしわを伸ばしていた。バーノンおじさんは新聞を読むふりをしていたが、小さい目はじっと止まったままだ。ほんとうは全神経を集中して車の近づく音を聞き取ろうとしているのが、ハリーにはよくわかった。ダドリーはひじかけ椅子に体を押し込み、ぶくぶくした両手を尻に敷き、両脇から尻をがっちり固めていた。ハリーはこの緊張感にたえられず、居間を出て玄関の階段に腰かけ、時計を見つめた。興奮と不安で心臓がドキドキしていた。

ところが、五時になり、五時が過ぎた。背広を着込んだバーノンおじさんは汗ばみはじめ、玄関の戸を開けて通りを端から端まで眺め、それから急いで首を引っ込めた。

「連中は遅れとる！」

ハリーに向かっておじさんがどなった。

「わかってる。たぶん――えーと――道が混んでるとか、そんなんじゃないかな」

五時十分が過ぎ……やがて五時十五分が過ぎ……ハリー自身も不安になりはじめた。五時半、おじさんとおばさんが居間でブツブツと短い言葉を交わしているのが聞こえた。

「失礼ったらありゃしない」

「わしらにほかの約束があったらどうしてくれるんだ」

「遅れてくれれば夕食に招待されるとでも思ってるんじゃないかしら」

「そりゃ、絶対にそうはならんぞ」

そう言うなり、おじさんが立ち上がって居間を往ったり来たりする足音が聞こえた。

「連中はあいつめを連れてすぐ帰る。長居は無用。もちろんやつらが来ればの話だが。日をまちがえとるんじゃないか。まったく、**あの連中ときたら**時間厳守など念頭にありゃせん。さもなきゃ、安物の車を運転していて、ぶっ壊れ――**ああああああああ――――っ！**」

ハリーは飛び上がった。居間のドアのむこう側で、ダーズリー一家三人がパニックして、部屋の隅に逃げ込む音が聞こえる。次の瞬間、ダドリーが恐怖で引きつった顔をして廊下に飛び出してきた。

「どうした？　何が起こったんだ？」ハリーが聞いた。

しかし、ダドリーは口もきけない様子だ。両手でぴったり尻をガードしたまま、ダドリーはドタドタと、それなりに急いでキッチンに駆け込んだ。ハリーは急いで居間に入った。

板を打ちつけてふさいだ暖炉の中から、バンバンたたいたり、ガリガリこすったり、大きな音がしていた。暖炉の前には石炭を積んだ形の電気ストーブが置いてあるのだ。

「あれはなんなの？」

ペチュニアおばさんは、あとずさりして壁に張りつき、こわごわ暖炉を見つめ、あえぎながら言った。

「バーノン、なんなの？」

二人の疑問は、一秒もたたないうちに解けた。ふさがれた暖炉の中から声が聞こえてきた。

「イタッ！　だめだ、フレッド——戻って、戻って。何か手ちがいがあった——ジョージにだめだって言いなさい——**痛い！**　ジョージ、だめだ。場所がない。早く戻って、ロンにそう言いなさい——」

「パパ、ハリーには聞こえてるかもしれないぜ——ハリーがここから出してくれるかもしれない——」

電気ストーブの後ろから、板をドンドンとこぶしでたたく大きな音がした。

「ハリー？　聞こえるかい？　ハリー？」

ダーズリー夫妻が、怒り狂ったクズリのつがいのごとくハリーのほうを振り向いた。

「これはなんだ？」おじさんが唸(うな)った。「何事なんだ？」

「みんなが——煙突飛行粉(フルーパウダー)でここに来ようとしたんだ」ハリーは噴き出しそうになるのをぐっとこらえた。

「みんなは暖炉の火を使って移動できるんだ——でも、この暖炉はふさがれてるから——ちょっと待って——」

ハリーは暖炉に近づき、打ちつけた板越しに声をかけた。

「ウィーズリーおじさん？　聞こえますか？」

バンバンたたく音がやんだ。煙突の中の誰かが「シーッ！」と言った。

「ウィーズリーおじさん。ハリーです……この暖炉はふさがれているんです。ここからは出られません」

「バカな！」ウィーズリー氏の声だ。「暖炉をふさぐなんて、まったくどういうつもりなんだ？」

「電気の暖炉なんです」ハリーが説明した。

「ほう？」ウィーズリー氏の声がはずんだ。

「『気電』、そう言ったかね？　**プラグ**を使うやつ？　そりゃまた、ぜひ見ないと……どうすりゃ……アイタッ！　ロンか！」

ロンの声が加わって聞こえてきた。

「ここで何をもたもたしてるんだい？　何かまちがったの？」

「どういたしまして、ロン」

フレッドの皮肉たっぷりな声が聞こえた。

「ここは、まさに俺たちの目指したドンヅマリさ」

「ああ、まったく人生最高の経験だよ」

ジョージの声は、壁にべったり押しつけられているかのようにつぶれていた。

「まあ、まあ……」

ウィーズリー氏が誰に言うともなく言った。

「どうしたらよいか考えているところだから……うむ……これしかない……ハリー、下がっていなさい」

ハリーはソファの所まで下がった。バーノンおじさんは逆に前に出た。

「ちょっと待った！」

おじさんが暖炉に向かって声を張り上げた。

「一体全体、何をやらかそうと――？」

バーン。

暖炉の板張りが破裂し、電気ストーブが部屋を横切って吹っ飛んだ。瓦礫（がれき）や木っ端と一緒くたに、ウィーズリー氏、フレッド、ジョージ、ロンが吐き出されてきた。ペチュニアおばさんは悲鳴を上げ、コーヒーテーブルにぶつかって仰向けに倒れたが、床に倒れ込む寸前、バーノンおじさんがそれをかろうじて支え、大口を開けたまま、物も言えずにウィーズリー一家を見つめた。そろいもそろって燃えるような赤毛一家で、フレッドとジョージはそばかすの一つ一つまでそっくりだ。

「これでよし、と」

ウィーズリー氏が息を切らし、長い緑のローブのほこりを払い、ずれためがねをかけなおした。

「ああ――ハリーのおじさんとおばさんでしょうな！」

やせて背が高く、髪が薄くなりかかったウィーズリー氏が、手を差し出してバーノンおじさんに近づいた。おじさんは、おばさんを引きずって、二、三歩あとずさりした。口をきくどころではない。一張羅の背広はほこりで真っ白、髪も口ひげもほこりまみれで、おじさんは急に三十歳も老けて見えた。

「あぁ――いや――申し訳ない」

手を下ろし、吹っ飛んだ暖炉を振り返りながら、ウィーズリー氏が言った。

「すべて私のせいです。まさか到着地点で出られなくなるとは思いませんでしたよ。実は、お宅の暖炉を、『煙突飛行ネットワーク』に組み込みましてね――なに、ハリーを迎えにくるために、今日の午後にかぎってですがね。マグルの暖炉は、厳密には結んではいかんのですが――しかし、『煙突飛行規制委員会』にちょっとしたコネがありましてね、その者が細工してくれましたよ。なに、あっという間に元どおりにできますので、ご心配なく。子供たちを送り返す火をおこして、それからお宅の暖炉を直して、そのあとで私は『姿くらまし』いたしますから」

賭けてもいい、ダーズリー夫妻には、一言もわからなかったにちがいない、とハリーは思った。夫妻は雷に打たれたように、あんぐり大口を開け、ウィーズリー氏を見つめたままだった。ペチュニアおばさんはよろよろと立ち上がり、おじさんの陰に隠れた。

「やあ、ハリー！」

ウィーズリー氏がほがらかに声をかけた。

「トランクは準備できているかね？」

「二階にあります」ハリーもニッコリした。

「俺たちが取ってくる」

そう言うなり、フレッドはハリーにウィンクし、ジョージと一緒に部屋を出ていった。一度、真夜中にハリーを救い出したことがあるので、二人はハリーの部屋がどこにあるかを知っていた。たぶん、二人ともダドリーを——ハリーからいろいろ話を聞いていたダドリーを——ひと目見たくて出ていったのだろうと、ハリーはそう思った。

「さーて」

ウィーズリー氏は、なんとも気まずい沈黙を破る言葉を探して、腕を少しぶらぶらさせながら言った。

「なかなか——エヘン——なかなかいいお住まいですな」

いつもはしみ一つない居間が、ほこりとれんがのかけらで埋まっているいま、ダーズリー夫妻にはこのセリフがすんなり納得できはしない。バーノンおじさんの顔にまた血が上り、ペチュニアおばさんは口の中で舌をごにょごにょやりはじめた。それでも怖くて何も言えないようだった。

ウィーズリー氏はあたりを見回した。マグルに関するものはなんでも大好きなのだ。テレビとビデオのそばに行って調べてみたくてむずむずしているのが、ハリーにはわかった。

「みんな『気電』で動くのでしょうな？」

ウィーズリー氏が知ったかぶりをした。

「ああ、やっぱり。プラグがある。私はプラグを集めていましてね」

ウィーズリー氏はおじさんに向かってそうつけ加えた。

「それに電池も。電池のコレクションは相当なものでして。妻などは私がどうかしてると思ってるらしいのですがね。でもこればっかりは」

ダーズリーおじさんもウィーズリー氏を奇人だと思ったにちがいない。ペチュニアおばさんを隠すようにして、ほんのわずか右のほうにそろりと体を動かした。まるでウィーズリー氏がいまにも二人に飛びかかって攻撃すると思ったかのようだった。

ダドリーが突然居間に戻ってきた。トランクがゴツンゴツン階段に当たる音が聞こえたので、音におびえてキッチンから出てきたのだと、ハリーには察しがついた。

ダドリーはウィーズリー氏をこわごわ見つめながら壁伝いにそろそろと歩き、母親と父親の陰に隠れようとした。残念ながら、バーノンおじさんの図体でさえ、ペチュニアおばさんを隠すのには充分でも、ダドリーを覆い隠すにはとうてい間に合わない。

ウィーズリー氏はなんとかして会話を成り立たせようと、勇敢にもう一言突っ込みを入れた。

「ああ、この子が君のいとこか。そうだね、ハリー?」

「そう。ダドリーです」ハリーが答えた。

ハリーはロンと目を見交わし、急いで互いに顔を背けた。噴き出したくてがまんできなくなりそうだった。ダドリーは尻が抜け落ちるのを心配しているかのように、しっかり尻を押さえたままだった。ところがウィーズリー氏は、この奇怪な行動を心から心配したようだった。

ウィーズリー氏が次に口を開いたとき、その口調に気持ちが表れていた。ダーズリー夫妻がウィーズリー氏を変だと思ったと同じように、ウィーズリー氏もダドリーを変だと思ったらしい。それがハリーにははっきりわかった。ただ、ウィーズリー氏の場合は、恐怖心からではなく、気の毒に思う気持ちからだというところがちがっていた。

「ダドリー、夏休みは楽しいかね？」

ウィーズリー氏がやさしく声をかけた。

ダドリーはヒッと低い悲鳴を上げた。巨大な尻に当てた手が、さらにきつく尻をしめつけたのをハリーは見た。

フレッドとジョージがハリーの学校用のトランクを持って居間に戻ってきた。入るなり部屋をサッと見渡し、ダドリーを見つけると、二人はそっくり同じ顔で、ニヤリといたずらっぽく笑った。

「あー、では」ウィーズリー氏が言った。「そろそろ行こうか」

ウィーズリー氏がローブのそでをたくし上げて、杖（つえ）を取り出すと、ダーズリー一家がひと塊になって壁に張りついた。

「**インセンディオ！　燃えよ！**」

ウィーズリー氏が背後の壁の穴に向かって杖を向けた。

たちまち暖炉に炎が上がり、何時間も燃え続けていたかのように、パチパチと楽しげな音を立てた。ウィーズリー氏はポケットから小さな巾着袋を取り出し、ひもを解き、中の粉をひとつまみ炎の中に投げ入れた。すると炎はエメラルド色に変わり、いっそう高く燃え上がった。

「さあ、フレッド、行きなさい」ウィーズリー氏が声をかけた。

「いま行くよ。あっ、しまった――ちょっと待って――」フレッドが言った。

フレッドのポケットから、菓子袋が落ち、中身がそこら中に転がりだした――色鮮やかな紙に包まれた、大きなうまそうなヌガーだった。

フレッドは急いで中身をかき集め、ポケットに突っ込み、ダーズリー一家に愛想よく手を振って炎に向かってまっすぐ進み、火の中に入ると「**隠れ穴!**」と唱えた。ペチュニアおばさんが身震いしながらあっと息をのんだ。ヒュッという音とともに、フレッドの姿が消えた。

「よし。次はジョージ。おまえとトランクだ」ウィーズリー氏が言った。

ジョージがトランクを炎の所に運ぶのをハリーが手伝い、トランクを縦にして抱えやすくした。ジョージが「**隠れ穴!**」と叫び、もう一度ヒュッという音がして、消えた。

「ロン、次だ」ウィーズリー氏が言った。

「じゃあね」

ロンがダーズリー一家に明るく声をかけた。ハリーに向かってニッコリ笑いかけてから、ロンは火の中に入り、「**隠れ穴!**」と叫び、そして姿を消した。

ハリーとウィーズリー氏だけがあとに残った。

「それじゃ……さよなら」ハリーはダーズリー一家に挨拶した。

ダーズリー一家は何も言わない。ハリーは炎に向かって歩いた。暖炉の端の所まで来たとき、ウィーズリー氏が手を伸ばしてハリーを引き止めた。ウィーズリー氏はあぜんとしてダーズリーたちの顔を見ていた。

「ハリーがさよならと言ったんですよ。聞こえなかったんですか?」

「いいんです」

ハリーがウィーズリー氏に言った。

「ほんとに、そんなことどうでもいいんです」

ウィーズリー氏はハリーの肩をつかんだままだった。

「来年の夏まで甥(おい)ごさんに会えないんですよ」

ウィーズリー氏は軽い怒りを込めてバーノンおじさんに言った。

「もちろん、さよならと言うのでしょうね」

バーノンおじさんの顔が激しくゆがんだ。居間の壁を半分吹っ飛ばしたばかりの男から、礼儀を説教されることに、ひどく屈辱を感じているらしい。

しかしウィーズリー氏の手には杖が握られたままだ。バーノンおじさんの小さな目がちらっと杖を見た。それから無念そうに「それじゃ、さよならだ」と言った。

「じゃあね」

ハリーはそう言うと、エメラルド色の炎に片足を入れた。温かい息を吹きかけられるような心地よさだ。そのとき、突然背後で、ゲエゲエとひどく吐く声が聞こえ、ペチュニアおばさんの悲鳴が上がった。

ハリーが振り返ると、ダドリーはもはや両親の背後に隠れてはいなかった。コーヒーテーブルの脇にひざをつき、三十センチほどもある紫色のぬるぬるしたものを口から突き出して、ゲエゲエ、ゲホゲホむせ込んでいた。一瞬なんだろうと当惑したが、ハリーはすぐにその三十センチの何やらがダドリーの舌だとわかった――そして、色鮮やかなヌガーの包み紙が一枚、ダドリーのすぐ前の床に落ちているのを見つけた。

ペチュニアおばさんはダドリーの脇に身を投げ出し、ふくれ上がった舌の先をつかんでもぎ取ろうとした。当然、ダドリーはわめき、いっそうひどくむせ込み、母親を振り放そうともがいた。

バーノンおじさんが大声でわめくわ、両腕を振り回すわで、ウィーズリー氏は、何を言おうにも大声を張り上げなければならなかった。

「ご心配なく。私がちゃんとしますから！」

そう叫ぶと、ウィーズリー氏は手を伸ばし、杖を掲げてダドリーのほうに歩み寄った。しかし、ペチュニアおばさんがますますひどい悲鳴を上げ、ダドリーに覆いかぶさってウィーズリー氏からかばおうとした。

「ほんとうに、大丈夫ですから！」

ウィーズリー氏は困りはてて言った。

「簡単な処理ですよ――ヌガーなんです――息子のフレッドが――しょうのないやんちゃ者で――しかし、単純な『肥らせ術』です――まあ、私はそうじゃないかと……どうかお願いです。元に戻せますから――」

ダーズリー一家はそれで納得するどころか、ますますパニック状態におちいった。おばさんはヒステリーを起こして、泣きわめきながらダドリーの舌をちぎり取ろうとがむしゃらに引っ張り、ダドリーは母親と自分の舌の重みで窒息しそうになり、おじさんは完全にキレて、サイドボードの上にあった陶器の飾り物をひっつかみ、ウィーズリー氏めがけて力まかせに投げつけた。ウィーズリー氏が身をかわしたので、陶器は爆破された暖炉にぶつかって粉々になった。

「まったく！」

ウィーズリー氏は怒って杖を振り回した。

「私は**助けようと**しているのに！」

手負いのカバのように唸りを上げ、バーノンおじさんがまた別の飾り物を引っつかんだ。

「ハリー、行きなさい！　いいから早く！」

杖をバーノンおじさんに向けたまま、ウィーズリー氏が叫んだ。

「私がなんとかするから！」

こんなおもしろいものを見逃したくはなかったが、バーノンおじさんの投げた二つ目の飾り物が耳元をかすめたし、結局はウィーズリーおじさんに任せるのが一番よいとハリーは思った。

火に足を踏み入れ、「**隠れ穴！**」と叫びながら後ろを振り返ると、居間の最後の様子がちらりと見えた。バーノンおじさんがつかんでいた三つ目の飾り物を、ウィーズリー氏が杖で吹き飛ばし、ペチュニアおばさんはダドリーの上に覆いかぶさって悲鳴を上げ、ダドリーの舌はぬめぬめしたニシキヘビのようにのたくっていた。

次の瞬間、ハリーは急旋回をはじめた。エメラルド色の炎が勢いよく燃え上がり、そして、ダーズリー家の居間はサッと視界から消えていった。

第5章　ウィーズリー・ウィザード・ウィーズ

ハリーはひじをぴったりわきにつけ、ますますスピードを上げて旋回した。ぼやけた暖炉の影が次々と矢のように通り過ぎ、やがてハリーは気持ちが悪くなって目を閉じた。しばらくして、スピードが落ちるのを感じ、止まる直前に手を突き出したので、顔からつんのめらずにすんだ。そこはウィーズリー家のキッチンの暖炉だった。

「やつは食ったか？」

フレッドがハリーを助け起こしながら、興奮して聞いた。

「ああ」ハリーは立ち上がりながら答えた。

「**いったい**なんだったの？」

「ベロベロ飴（トン・タン・タフィー）さ」フレッドがうれしそうに言った。

「ジョージと俺とで発明したんだ。誰かに試したくて夏休み中カモを探してた……」

狭い台所に笑いがはじけた。ハリーが見回すと、洗い込まれた白木のテーブルに、ロンとジョージが座り、ほかにもハリーの知らない赤毛が二人座っていた。すぐに誰だか察しがついた。ビルとチャーリー、ウィーズリー家の長男と次男だ。

「やあ、ハリー、調子はどうだい？」

ハリーに近いほうの一人がニコッと笑って大きな手を差し出した。ハリーが握手すると、タコや水ぶくれが手に触れた。ルーマニアでドラゴンの仕事をしているチャーリーにちがいない。

チャーリーは双子の兄弟と同じような体つきで、ひょろりと背の高いパーシーやロンに比べると背が低く、がっしりしていた。人のよさそうな大振りの顔は、雨風にきたえられ、顔中そばかすだらけで、それがまるで日焼けのように見えた。両腕は筋骨隆々で、片腕に大きなテカテカした火傷(やけど)の痕があった。

ビルがほほえみながら立ち上がって、ハリーと握手した。ビルにはちょっと驚かされた。魔法銀行のグリンゴッツに勤めていること、ホグワーツでは首席だったことを知っているハリーは、パーシーがやや年を取ったような感じだろうと、ずっとそう思っていた。規則を破るとうるさくて、周囲を仕切るのが好きなタイプだ。ところが、ビルは——ぴったりの言葉はこれしかない——**かっこいい**。背が高く、髪を伸ばしてポニーテールにしていた。片耳に牙のようなイヤリングをぶら下げている。服装は、ロックコンサートに行っても場ちがいの感がないだろう。ただし、ブーツは牛革ではなくドラゴン革なのにハリーは気づいた。

みんながそれ以上言葉を交わさないうちに、ポンと小さな音がして、ジョージの肩のあたりに、ウィーズリーおじさんがどこからともなく現れた。ハリーがこれまで見たことがないほど怒った顔をしている。

「フレッド！　**冗談じゃすまんぞ！**」おじさんが叫んだ。「あのマグルの男の子に、いったい何をやった？」

「俺、なんにもやらなかったよ」

フレッドがまたいたずらっぽくニヤッとしながら答えた。

「俺、**落としちゃった**だけだよ……拾って食べたのはあの子が悪いんだ。俺が食えって言ったわけじゃない」

「わざと落としたろう！」

ウィーズリーおじさんが吠えた。

「あの子が食べると、わかっていたはずだ。おまえは、あの子がダイエット中なのを知っていただろう――」

「あいつのベロ、どのくらい大きくなった？」ジョージが熱っぽく聞いた。

「ご両親がやっと私に縮めさせてくれたときには、一メートルを超えていたぞ！」

ハリーもウィーズリー家の息子たちも、また大爆笑だった。

「**笑い事じゃない！**」

ウィーズリーおじさんがどなった。

「こういうことがマグルと魔法使いの関係をいちじるしくそこなうのだ！　父さんが半生かけてマグルの不当な扱いに反対する運動をしてきたというのに、よりによってわが息子たちが――」

「俺たち、あいつがマグルだからあれを食わせたわけじゃない！」フレッドが憤慨した。

「そうだよ。あいつがいじめっ子のワルだからやったんだ。そうだろ、ハリー？」ジョージがあいづちを打った。

「うん、そうですよ、ウィーズリーおじさん」ハリーも熱を込めて言った。

「それとこれとはちがう！」

ウィーズリーおじさんが怒った。

「母さんに言ったらどうなるか――」

「私に何をおっしゃりたいの？」

後ろから声がした。

ウィーズリーおばさんが台所に入ってきたところだった。小柄なふっくらしたおばさんで、とても面倒見のよさそうな顔をしていたが、いまはいぶかしげに目を細めていた。

「まあ、ハリー、こんにちは」

ハリーを見つけるとおばさんは笑いかけた。それからまたすばやくその目を夫に向けた。

「アーサー、**何事なの？**　聞かせて」

ウィーズリーおじさんはためらった。ジョージとフレッドのことでどんなに怒っても、実は何が起こったかをウィーズリーおばさんに話すつもりはないのだと、ハリーにはわかった。

ウィーズリーおじさんがおろおろとおばさんを見つめ、沈黙が漂った。

その時、キッチンの入口に、おばさんの陰から女の子が二人現れた。一人はたっぷりした栗色の髪、前歯がちょっと大きい女の子、ハリーとロンの仲良しのハーマイオニー・グレンジャーだ。もう一人は、小柄な赤毛で、ロンの妹、ジニーだ。二人ともハリーに笑いかけ、ハリーもニッコリ笑い返した。するとジニーが真っ赤になった――ハリーがはじめて「隠れ穴」に来たとき以来、ジニーはハリーにお熱だった。

「アーサー、**いったいなんなの？**　言ってちょうだい」

ウィーズリーおばさんの声が、今度は険しくなっていた。

「モリー、たいしたことじゃない」

おじさんがもごもご言った。

「フレッドとジョージが、ちょっと――だが、もう言って聞かせた――」

「今度は何をしでかしたの？　まさか、**ウィーズリー・ウィザード・ウィーズ**じゃないでしょうね――」

ウィーズリーおばさんが詰め寄った。

「ロン、ハリーを寝室に案内したらどう？」

ハーマイオニーが入口から声をかけた。

「ハリーはもう知ってるよ」ロンが答えた。「僕の部屋だし、前のときもそこで――」

「みんなで行きましょう」

ハーマイオニーが語気を強めた。

「あっ」ロンもピンときた。「オッケー」

「ウン、俺たちも行くよ」ジョージが言ったが――。

「**あなたたちはここにいなさい！**」おばさんがすごんだ。

ハリーとロンはそろそろと台所から抜け出し、ハーマイオニー、ジニーと一緒に狭い廊下を渡り、ぐらぐらする階段を上の階へ、ジグザグと上っていった。

「**ウィーズリー・ウィザード・ウィーズ**って、なんなの？」

階段を上りながらハリーが聞いた。

ロンもジニーも笑いだしたが、ハーマイオニーは笑わなかった。

「ママがね、フレッドとジョージの部屋を掃除してたら、注文書が束になって出てきたんだ」

ロンが声をひそめた。

「二人が発明したものの価格表で、なが－いリストさ。いたずらおもちゃの。『だまし杖（づえ）』とか、『ひっかけ菓子』だとか、いっぱいだ。すごいよ。僕、あの二人があんなにいろいろ発明してたなんて知らなかった……」

「昔っからずっと、二人の部屋から爆発音が聞こえてたけど、何か**作ってる**なんて考えもしなかったわ。あの二人はうるさい音が好きなだけだと思ってたの」とジニーが言った。

「ただ、作ったものがほとんど――っていうか、全部だな――ちょっと危険なんだ」

ロンが続けた。

「それに、ね、あの二人、ホグワーツでそれを売ってかせごうと計画してたんだ。ママがカンカンになってさ。もう何も作っちゃいけません、って二人に言い渡して、注文書を全部焼き捨てちゃった……ママったら、その前からあの二人にさんざん腹を立ててたんだ。二人が『O・W・L（ふくろう）試験』でママが期待してたような点を取らなかったから」

O・W・Lは、「普通魔法使いレベル」試験の略だ。ホグワーツ校の生徒は十五歳でこの試験を受ける。

「それから大論争があったの」

ジニーが続けた。

「ママは二人に、パパみたいに『魔法省』に入ってほしかったの。でも二人はどうしても『いたずら専門店』を開きたいって、ママに言ったの」

ちょうどその時、二つ目の踊り場のドアが開き、角縁めがねをかけた、迷惑千万という顔がひょこっと飛び出した。

「やあ、パーシー」ハリーが挨拶した。

「ああ、しばらく、ハリー」パーシーが言った。

「誰がうるさく騒いでいるのかと思ってね。僕、ほら、ここで仕事中なんだ――役所の仕事で報告書を仕上げなくちゃならない――階段でドスンドスンされたんじゃ、集中しにくくってかなわない」

「**ドスンドスン**なんかしてないぞ」ロンがいらいらと言い返した。

「僕たち、歩いてるだけだ。すみませんね、魔法省極秘のお仕事のお邪魔をいたしまして」

「なんの仕事なの？」ハリーが聞いた。

「『国際魔法協力部』の報告書でね」

パーシーが気取って言った。

「大鍋の厚さを標準化しようとしてるんだ。輸入品にはわずかに薄いのがあってね——漏れ率が年間約三パーセント増えてるんだ——」

「世界がひっくり返るよ。その報告書で」ロンが言った。

「『日刊予言者新聞』の一面記事だ。きっと。『鍋が漏る』って」

パーシーの顔に少し血が上った。

「ロン、おまえはばかにするかもしれないが」

パーシーが熱っぽく言った。

「なんらかの国際法を敷かないと、いまに市場はぺらぺらの底の薄い製品であふれ、深刻な危険が——」

「はい、はい、わかったよ」

ロンはそう言うとまた階段を上がりはじめた。パーシーは部屋のドアをバタンと閉めた。ハリー、ハーマイオニー、ジニーがロンのあとについて、そこからまた三階上まで階段を上がっていくと、下の台所からガミガミどなる声が上まで響いてきた。ウィーズリーおじさんがおばさんに「ベロベロ飴（あめ）」の一件を話してしまったらしい。

家の一番上にロンの寝室があり、ハリーが前に泊まったときとあまり変わってはいなかった。相変わらずロンのひいきのクィディッチ・チーム、チャドリー・キャノンズのポスターが、壁と切妻の天井に貼られ、飛び回ったり手を振ったりしているし、前にはカエルの卵が入っていた窓際の水槽には、とびきり大きなカエルが一匹入っていた。ロンの老ネズミ、スキャバーズはもうここにはいない。かわりに、プリベット通りのハリーに手紙を届けた灰色の豆ふくろうがいた。小さい鳥かごの中で、飛び上がったり飛び下りたり、興奮してさえずっている。

「**静かにしろ、**ピッグ」

部屋に詰め込まれた四つのベッドのうち二つの間をすり抜けながら、ロンが言った。

「フレッドとジョージがここで僕たちと一緒なんだ。だって、二人の部屋はビルとチャーリーが使っているし、パーシーは**仕事を**しなくちゃならないからって、自分の部屋をひとり占めしてるんだ」

「あの――どうしてこのふくろうのことピッグって呼ぶの？」ハリーがロンに聞いた。

「この子がバカなんですもの。ほんとは、ピッグウィジョンていう名前なのよ」ジニーが言った。

「ウン、名前はちっともバカじゃないんだけどね」

ロンが皮肉っぽく言った。

「ジニーがつけたんだ。かわいい名前だからってね」ロンがハリーに説明した。「それで、僕は名前を変えようとしたんだけど、もう手遅れで、こいつ、ほかの名前だと応えないんだ。それでピッグになったわけさ。ここに置いとかないと、エロールやヘルメスがうるさがるんだ。それを言うなら僕だってうるさいんだけど」

ピッグウィジョンはかごの中でかん高くホッホッと鳴きながら、うれしそうに飛びまわっていた。ハリーはロンの言葉を真に受けはしなかった。ロンのことはよく知っている。老ネズミのスキャバーズのこともしょっちゅうボロクソに言っていたくせに、ハーマイオニーの猫、クルックシャンクスがスキャバーズを食ってしまったように見えたとき、ロンがどんなに嘆いたか。

「クルックシャンクスは？」

ハリーは今度はハーマイオニーに聞いた。

「庭だと思うわ。庭小人を追いかけるのが好きなのよ。はじめて見たものだから」

「パーシーは、それじゃ、仕事が楽しいんだね？」

ベッドに腰かけ、チャドリー・キャノンズが天井のポスターから出たり入ったりするのを眺めながら、ハリーが言った。

「楽しいかだって？」

ロンは憂鬱そうに言った。

「パパに帰れとでも言われなきゃ、パーシーは家に帰らないと思うな。ほとんど病気だね。パーシーのボスのことには触れるなよ。**クラウチ氏によれば……クラウチさんに僕が申し上げたように……クラウチ氏の意見では……クラウチさんが僕におっしゃるには……**。きっとこの二人、近いうち婚約発表するぜ」

「ハリー、あなたのほうは、夏休みはどうだったの？」ハーマイオニーが聞いた。

「私たちからの食べ物の小包とか、いろいろ届いた？」

「うん、ありがとう。ほんとに命拾いした。ケーキのおかげで」

「それに、便りはあるのかい？　ほら――」

ハーマイオニーの表情を見て、ロンは言葉を切り、だまり込んだ。ロンがシリウスのことを聞きたかったのだと、ハリーにはわかった。ロンもハーマイオニーもシリウスが魔法省の手から逃れるのにずいぶん深くかかわったので、ハリーの名付け親であるシリウスのことを、ハリーと同じぐらい心配していた。しかし、ジニーの前でシリウスの話をするのはよくない。三人とダンブルドア先生以外は誰も、シリウスがどうやって逃げたのか知らなかったし、無実であることも信じていなかった。

「どうやら下での論争は終わったみたいだね」

ハーマイオニーが気まずい沈黙をごまかすために言った。ジニーがロンからハリーへと何か聞きたそうな視線を向けていたからだ。

「下りていって、お母さまが夕食の支度をするのを手伝いましょうか？」

「ウン、オッケー」

ロンが答えた。四人はロンの部屋を出て、下りていった。キッチンにはウィーズリーおばさん一人しかいなかった。ひどくご機嫌斜めらしい。

「庭で食べることにしましたよ」

四人が入っていくと、おばさんが言った。

「ここじゃ十一人はとても入りきらないわ。お嬢ちゃんたち、お皿を外に持っていってくれる？　ビルとチャーリーがテーブルを準備してるわ。そこのお二人さん、ナイフとフォークをお願い」

おばさんがロンとハリーに呼びかけながら、流しに入っているジャガイモの山に杖を向けたが、どうやら杖の振り方が激しすぎたらしく、ジャガイモは弾丸のように皮から飛び出し、壁や天井にぶつかって落ちてきた。

「**まったく**、どうしようもないわ」

おばさんは腹立たしげに、杖をちりとりに向けた。食器棚にかかっていたちりとりがピョンと飛び下り、床をすべってジャガイモを集めて回った。

「あの二人ときたら！」

おばさんは今度は戸棚から鍋やフライパンを引っ張り出しながら、鼻息も荒くしゃべりだした。フレッドとジョージのことだなとハリーにはわかった。

「あの子たちがどうなるやら、私にはわからないわ。まったく。志ってものがまるでないんだから。できるだけたくさんやっかい事を引き起こそうってこと以外には……」

おばさんは大きな銅製のソース鍋を台所のテーブルにドンと置き、杖をその中で回しはじめた。かき回すにつれて、杖の先から、クリームソースが流れ出した。

「脳みそがないってわけじゃないのに」

おばさんはいらいらとしゃべりながら、ソース鍋をのせたかまどを、杖で突いて火をたきつけた。

「でも頭のむだ使いをしてるのよ。いますぐ心を入れ替えないと、あの子たち、ほんとにどうしようもなくなるわ。ホグワーツからあの子たちのことで受け取ったふくろう便ときたら、ほかの子のを全部合わせた数より多いんだから。このままいったら、ゆくゆくは『魔法不適正使用取締局』のごやっかいになることでしょうよ」

ウィーズリーおばさんが、杖をナイフやフォークの入った引き出しに向けてひと突きすると、引き出しが勢いよく開いた。包丁が数本引き出しから舞い上がり、台所を横切って飛んだので、ハリーとロンは飛びのいて道をあけた。包丁は、ちりとりが集めて流しに戻したばかりのジャガイモを、切り刻みはじめた。

「どこで育て方をまちがえたのかしらね」

ウィーズリーおばさんは杖を置くと、またソース鍋をいくつか引っ張り出した。

「もう何年もおんなじことのくり返し。次から次と。あの子たち、言うことを聞かないんだから――

ンまっ、まただわ！」

おばさんがテーブルから杖を取り上げると、杖がチューチューと大きな声を上げて、巨大なゴム製のおもちゃのネズミになってしまったのだ。

「また『だまし杖』だわ！」

おばさんがどなった。

「こんなものを置きっぱなしにしちゃいけないって、あの子たちに何度言ったらわかるの？」

本物の杖を取り上げておばさんが振り向くと、かまどにかけたソース鍋が煙を上げていた。

「行こう」

引き出しからナイフやフォークをひとつかみ取り出しながら、ロンがあわてて言った。

「外に行ってビルとチャーリーを手伝おう」

二人はおばさんをあとに残して、勝手口から裏庭に出た。
二、三歩も行かないうちに、二人はハーマイオニーの猫、赤毛でガニマタのクルックシャンクスが裏庭から飛び出してくるのに出会った。瓶洗いブラシのようなしっぽをピンと立て、足の生えた泥んこのジャガイモのようなものを追いかけている。ハリーはそれが庭小人だとすぐにわかった。身の丈せいぜい三十センチの庭小人は、ゴツゴツした小さな足をパタパタさせて庭を疾走し、ドアのそばに散らかっていたゴム長靴にヘッドスライディングをした。クルックシャンクスがゴム長靴に前脚を一本突っ込み、捕まえようと引っかくのを、庭小人が中でゲタゲタ笑っている声が聞こえた。
一方、家の前のほうからは、何かがぶつかる大きな音が聞こえてきた。前庭に回ると、騒ぎの正体がわかった。ビルとチャーリーが二人とも杖をかまえ、使い古したテーブルを二つ、芝生の上に高々と飛ばし、お互いにぶっつけて落としっこをしていた。フレッドとジョージは応援し、ジニーは笑い、ハーマイオニーはおもしろいやら心配やら、複雑な顔で、生け垣のそばでハラハラしていた。

ビルのテーブルがものすごい音でぶちかましをかけ、チャーリーのテーブルの脚を一本もぎ取った。上のほうからカタカタと音がして、みんなが見上げると、パーシーの頭が三階の窓から突き出していた。

「静かにしてくれないか？」パーシーがどなった。

「ごめんよ、パース」ビルがニヤッとした。「鍋底はどうなったい？」

「最悪だよ」

パーシーは気難しい顔でそう言うと、窓をバタンと閉めた。ビルとチャーリーはクスクス笑いながら、テーブルを二つ並べて安全に芝生に下ろし、ビルが杖をひと振りして、もげた脚を元に戻し、どこからともなくテーブルクロスを取り出した。

七時になると、二卓のテーブルは、ウィーズリーおばさんの腕を振るったごちそうがいく皿もいく皿も並べられ、重みで唸（うな）っていた。紺碧（こんぺき）に澄み渡った空の下で、ウィーズリー家の九人と、ハリー、ハーマイオニーとが食卓についた。ひと夏中、だんだん古くなっていくケーキで生きてきた者にとって、これは天国だった。はじめのうち、ハリーはしゃべるよりもっぱら聞き役に回り、チキンハム・パイ、ゆでたジャガイモ、サラダと食べ続けた。

テーブルの一番端で、パーシーが父親に鍋底の報告書について話していた。

「火曜日までに仕上げますって、僕、クラウチさんに申し上げたんですよ」

パーシーがもったいぶって言った。

「クラウチさんが思ってらしたより少し早いんですが、僕としては、何事も余裕を持ってやりたいので。クラウチさんは僕が早く仕上げたらお喜びになると思うんです。だって、僕たちの部はいまものすごく忙しいんですよ。何しろワールドカップの手配なんかがいろいろ。『魔法ゲーム・スポーツ部』からの協力があってしかるべきなんですが、これがないんですねぇ。ルード・バグマンが――」

「私はルードが好きだよ」

ウィーズリー氏がやんわりと言った。

「ワールドカップのあんなにいい切符を取ってくれたのもあの男だよ。ちょっと恩を売ってあってね。

弟のオットーが面倒を起こして――不自然な力を持つ芝刈り機のことで――私がなんとか取りつくろってやった」

「まあ、もちろん、バグマンは**好かれる**くらいが関の山ですよ」

パーシーが一蹴した。

「でも、いったいどうして部長にまでなれたのか……クラウチさんと比べたら！　クラウチさんだったら、部下がいなくなったのに、どうなったのか調査もしないなんて考えられませんよ。バーサ・ジョーキンズがもう一か月も行方不明なのをご存じでしょう？　休暇でアルバニアに行って、それっきりだって？」

「ああ、そのことは私もルードに尋ねた」

ウィーズリーおじさんは眉をひそめた。

「ルードは、バーサは以前にも何度かいなくなったと言うのだ――もっとも、これが私の部下だったら、私は心配するだろうが……」

「まあ、バーサは確かに**救いようがない**ですよ」

パーシーが言った。

「これまで何年も、部から部へとたらい回しにされて、役に立つというよりやっかい者だし……しかし、それでもバグマンはバーサを探す努力をすべきですよ。クラウチさんが個人的にも関心をお持ちで――バーサは一度うちの部にいたことがあるんで。それに、僕はクラウチさんがバーサのことをなかなか気に入っていたのだと思うんですよ――それなのに、バグマンは笑うばかりで、バーサはたぶん地図を見まちがえて、アルバニアでなくオーストラリアに行ったのだろうって言うんですよ。しかし」

パーシーは、大げさなため息をつき、ニワトコの花のワインをぐいっと飲んだ。

「僕たちの『国際魔法協力部』はもう手いっぱいで、ほかの部の捜索どころではないんですよ。ご存じのように、ワールドカップのすぐあとに、もう一つ大きな行事を組織するのでね」

パーシーはもったいぶって咳払いをすると、テーブルの反対端のほうに目をやり、ハリー、ロン、ハーマイオニーを見た。

「**お父さんは**知っていますね、僕が言ってること」

ここでパーシーはちょっと声を大きくした。

「あの極秘のこと」

ロンはまたかという顔でハリーとハーマイオニーにささやいた。

「パーシーのやつ、仕事に就いてからずっと、なんの行事かって僕たちに質問させたくて、この調子なんだ。厚底鍋の展覧会か何かだろ」

テーブルの真ん中で、ウィーズリーおばさんがビルのイヤリングのことで言い合っていた。最近つけたばかりらしい。

「……そんなとんでもない大きい牙なんかつけて、まったく、ビル、銀行でみんななんと言ってるの？」

「ママ、銀行じゃ、僕がちゃんとお宝を持ち込みさえすれば、誰も僕の服装なんか気にしやしないよ」

ビルが辛抱強く話した。

「それに、あなた、髪もおかしいわよ」

ウィーズリーおばさんは杖をやさしくもてあそびながら言った。

「私に切らせてくれるといいんだけどねぇ……」

「あたし、好きよ」

ビルの隣に座っていたジニーが言った。

「ママったら古いんだから。それに、ダンブルドア先生のほうが断然長いわ……」

ウィーズリーおばさんの隣で、フレッド、ジョージ、チャーリーが、ワールドカップの話で持ち切りだった。

「絶対アイルランドだ」

チャーリーはポテトを口いっぱいほおばったまま、もごもご言った。

「準決勝でペルーをペチャンコにしたんだから」

「でも、ブルガリアにはビクトール・クラムがいるぞ」フレッドが言った。

「クラムはいい選手だが一人だ。アイルランドはそれが七人だ」チャーリーがきっぱり言った。

「イングランドが勝ち進んでりゃなぁ。あれはまったく赤っ恥だった。まったく」

「どうしたの？」

ハリーが引き込まれて聞いた。プリベット通りでぐずぐずしている間、魔法界から切り離されていたことがとても悔やまれた。ハリーはクィディッチに夢中だった。グリフィンドール・チームでは一年生のときからずっとシーカーで、世界最高の競技用箒、ファイアボルトを持っていた。

「トランシルバニアにやられた。三九〇対一〇だ」

チャーリーががっくりと答えた。

「なんてざまだ。それからウェールズはウガンダにやられたし、スコットランドはルクセンブルクにボロ負けだ」

庭が暗くなってきたので、ウィーズリーおじさんがろうそくを創り出し、灯りをつけた。それからデザート（手作りのストロベリーアイスクリームだ）。みんなが食べ終わるころ、夏の蛾がテーブルの上を低く舞い、芝草とスイカズラの香りが暖かい空気を満たしていた。ハリーはとても満腹で、平和な気分に満たされ、クルックシャンクスに追いかけられてゲラゲラ笑いながらバラの茂みを逃げ回っている数匹の庭小人を眺めていた。

ロンがテーブルをずっと見渡し、みんなが話に気を取られているのを確かめてから、低い声でハリーに聞いた。

「それで――シリウスから、近ごろ便りは**あった**のかい？」

ハーマイオニーが振り向いて聞き耳を立てた。

「うん」ハリーもこっそり言った。

「二回あった。元気みたいだよ。僕、おととい手紙を書いた。ここにいる間に返事が来るかもしれない」

ハリーは突然シリウスに手紙を書いた理由を思い出した。そして、一瞬、ロンとハーマイオニーに傷痕がまた痛んだこと、悪夢で目が覚めたことを打ち明けそうになったが……いまは二人を心配させたくなかった。ハリー自身がとても幸せで平和な気持ちなのだから。

「もうこんな時間」

ウィーズリーおばさんが腕時計を見ながら急に言った。

「みんなもう寝なくちゃ。全員よ。ワールドカップに行くのに、夜明け前に起きるんですからね。ハリー、学用品のリストを置いていってね。明日、ダイアゴン横丁で買ってきてあげますよ。みんなの買い物もするついでがあるし。ワールドカップのあとは時間がないかもしれないわ。前回の試合なんか、五日間も続いたんだから」

「ワーッ――今度もそうなるといいな！」ハリーが熱くなった。

「あー、僕は逆だ」パーシーがしかつめらしく言った。

「五日間もオフィスを空けたら、未処理の書類の山がどんなになっているかと思うと、**ぞっとするね**」

「そうとも。また誰かがドラゴンのフンを忍び込ませるかもしれないし。な、パース？」

フレッドが言った。

「あれは、ノルウェーからの肥料のサンプルだった！」

パーシーが顔を真っ赤にして言った。

「僕への**個人的なもの**じゃなかったんだ！」

「個人的だったとも」

フレッドが、テーブルを離れながらハリーにささやいた。

「俺たちが送ったのさ」

第6章　移動キー

ウィーズリーおばさんに揺り動かされて目が覚めたとき、ハリーはたったいまロンの部屋で横になったばかりのような気がした。

「ハリー、出かける時間ですよ」

おばさんは小声でそう言うと、ロンを起こしに行った。

ハリーは手探りでめがねを探し、めがねをかけてから起き上がった。外はまだ暗い。ロンは母親に起こされると、わけのわからないことをブツブツつぶやいた。ハリーの足元のくしゃくしゃになった毛布の中から、ぐしゃぐしゃ頭の大きな体が二つ現れた。

「もう時間か？」フレッドがもうろうとしながら言った。

四人はだまって服を着た。眠くてしゃべるどころではない。それからあくびをしたり、伸びをしたりしながら、台所へと下りていった。

ウィーズリーおばさんはかまどにかけた大きな鍋をかき回していた。ウィーズリーおじさんはテーブルに座って、大きな羊皮紙の切符の束を検めていた。

四人が入っていくと、おじさんは目を上げ、両腕を広げて、着ている洋服がみんなによく見えるようにした。ゴルフ用のセーターのようなものと、よれよれのジーンズというでたちで、ジーンズが少しだぶだぶなのを太い革のベルトで吊り上げている。

「どうかね？」

おじさんが心配そうに聞いた。

「隠密に行動しなければならないんだが――マグルらしく見えるかね、ハリー?」

「うん」ハリーはほほえんだ。「とってもいいですよ」

ジョージが大あくびをかみ殺しそこないながら言った。

「ビルとチャーリーと、パぁ――パぁ――パぁーシーは?」

「あぁ、あの子たちは『姿あらわし』で行くんですよ」

おばさんは大きな鍋をよいしょとテーブルに運び、みんなの皿にオートミールを分けはじめた。

「だから、あの子たちはもう少しお寝坊できるの」

ハリーは「姿あらわし」が難しい術だということは知っていた。ある場所から姿を消して、そのすぐあとに別の場所に現れる術だ。

「それじゃ、連中はまだベッドかよ?」

フレッドがオートミールの皿を引き寄せながら、不機嫌に言った。

「俺たちはなんで『姿あらわし』術を使っちゃいけないんだい?」

「あなたたちはまだその年齢じゃないのよ。テストも受けてないでしょ」

おばさんはピシャリと言った。

「ところで女の子たちは何をしてるのかしら?」

おばさんがせかせかとキッチンを出ていき、階段を上がる足音が聞こえてきた。

「『姿あらわし』はテストに受からないといけないの?」ハリーが聞いた。

「そうだとも」

切符をジーンズの尻ポケットにしっかりとしまい込みながら、ウィーズリーおじさんが答えた。

「この間も、無免許で『姿あらわし』術を使った魔法使い二人に、『魔法運輸部』が罰金を科した。そう簡単じゃないんだよ、『姿あらわし』は。きちんとやらないと、やっかいなことになりかねない。この二人は術を使ったはいいが、バラけてしまった」

ハリー以外のみんながぎくりとのけぞった。

「あの――**バラけたって？**」ハリーが聞いた。

「体の半分が置いてけぼりだ」

ウィーズリーおじさんがオートミールにたっぷり糖蜜をかけながら答えた。

「当然、にっちもさっちもいかない。どっちにも動けない。『魔法事故リセット部隊』が来て、なんとかしてくれるのを待つばかりだ。いやはや、事務的な事後処理が大変だったよ。置き去りになった体のパーツを目撃したマグルのことやらなんやらで……」

ハリーは突然、両脚と目玉が一個、プリベット通りの歩道に置き去りになっている光景を思い浮かべた。

「助かったんですか？」ハリーは驚いて聞いた。

「そりゃ、大丈夫」おじさんはこともなげに言った。

「しかし、相当の罰金だ。それに、あの連中はまたすぐに術を使うということもないだろう。『姿あらわし』はいたずら半分にやってはいけないんだよ。大の大人でも、使わない魔法使いが大勢いる。箒(ほうき)のほうがいいってね――遅いが、安全だ」

「でもビルやチャーリーやパーシーはできるんでしょう？」

「チャーリーは二回テストを受けたんだ」フレッドがニヤッとした。

「一回目はすべってね。姿を現す目的地より八キロも南に現れちゃってさ。気の毒に、買い物していたばあさんの上にだ。そうだったろ？」

「そうよ。でも、二度目に受かったわ」

みんなが大笑いのさなか、おばさんがきびきびとキッチンに戻ってきた。

「パーシーなんか、二週間前に受かったばかりだ」ジョージが言った。

「それからは毎朝、一階まで『姿あらわし』で下りてくるのさ。できるってことを見せたいばっかりに」

廊下に足音がして、ハーマイオニーとジニーがキッチンに入ってきた。二人とも眠そうで、血の気のない顔をしていた。

「どうしてこんなに早起きしなきゃいけないの？」

ジニーが目をこすりながらテーブルについた。

「けっこう歩かなくちゃならないんだ」おじさんが言った。

「歩く？」ハリーが言った。「え？　僕たち、ワールドカップの所まで、歩いていくんですか？」

「いやいや、それは何キロもむこうだ」ウィーズリーおじさんがほほえんだ。

「少し歩くだけだよ。マグルの注意を引かないようにしながら、大勢の魔法使いが集まるのは非常に難しい。私たちは普段でさえ、どうやって移動するかについては細心の注意を払わなければならない。ましてや、クィディッチ・ワールドカップのような一大イベントはなおさらだ――」

「ジョージ！」ウィーズリーおばさんの鋭い声が飛んだ。全員が飛び上がった。

「なんだい？」ジョージがしらばっくれたが、見え透いていた。

「ポケットにあるものは何？」

「なんにもないよ！」

「うそおっしゃい！」

おばさんは杖をジョージのポケットに向けて唱えた。

「**アクシオ！　出てこい！**」

鮮やかな色の小さいものが数個、ジョージのポケットから飛び出した。ジョージが捕まえようとしたが、その手をかすめ、小さいものはウィーズリーおばさんの伸ばした手にまっすぐ飛び込んだ。

「捨てなさいって言ったでしょう！」

おばさんはカンカンだ。紛れもなくあの「ベロベロ飴」を手に掲げている。

「全部捨てなさいって言ったでしょう！　ポケットの中身を全部お出し。さあ、二人とも！」

情けない光景だった。どうやら双子はこの飴を、隠密にできるだけたくさん持ち出そうとしたらしい。「呼び寄せ呪文」を使わなければ、ウィーズリーおばさんはとうてい全部を見つけ出すことができなかったろう。

「**アクシオ！　出てこい！　アクシオ！**」

おばさんは叫び、飴は思いもかけない所から、ピュンピュン飛び出してきた。ジョージのジャケットの裏地や、フレッドのジーンズの折り目からまで出てきた。

「俺たち、それを開発するのに六か月もかかったんだ！」

「ベロベロ飴」を放りすてる母親に向かって、フレッドが叫んだ。

「おや、ご立派な六か月の過ごし方ですこと！」

母親も叫び返した。

「『O・W・L試験』の点が低かったのも当然だわね！」

そんなこんなで、出発のときはとてもなごやかとは言えない雰囲気だった。ウィーズリーおばさんは、しかめっ面のままでおじさんのほおにキスしたが、双子はおばさんよりもっと恐ろしく顔をしかめていた。双子はリュックサックを背負い、母親に口もきかずに歩きだした。

「それじゃ、楽しんでらっしゃい」おばさんが言った。「**お行儀よくするのよ**」

離れていく双子の背中に向かっておばさんが声をかけたが、二人は振り向きもせず、返事もしなかった。

「ビルとチャーリー、パーシーもお昼ごろそっちへやりますから」

おばさんがおじさんに言った。おじさんは、ハリー、ロン、ハーマイオニー、ジニーを連れて、ジョージとフレッドに続いて、まだ暗い庭へと出ていくところだった。

外は肌寒く、まだ月が出ていた。右前方の地平線が鈍い緑色に縁取られていることだけが、夜明けの近いことを示している。ハリーは、何千人もの魔法使いがクィディッチ・ワールドカップの地を目指して急いでいる姿を想像していたので、足を速めてウィーズリーおじさんと並んで歩きながら聞いた。

「マグルたちに気づかれないように、みんな**いったいい**どうやってそこに行くの?」

「組織的な大問題だったよ」

おじさんがため息をついた。

「問題はだね、およそ十万人もの魔法使いがワールドカップに来るというのに、当然だが、全員を収容する広い魔法施設がないということでね。マグルが入り込めないような場所はあるにはある。でも、考えてもごらん。十万人もの魔法使いを、ダイアゴン横丁や九と四分の三番線にぎゅう詰めにしたらどうなるか。そこで人里離れた格好な荒れ地を探し出し、できるかぎりの『マグルよけ』対策を講じなければならなかったのだ。魔法省を挙げて、何か月もこれに取り組んできたよ。まずは、当然のことだが、到着時間を少しずつずらした。安い切符を手にした者は、二週間前に着いていないといけない。マグルの交通機関を使う魔法使いも少しはいるが、バスや汽車にあんまり大勢詰め込むわけにもいかない――何しろ世界中から魔法使いがやってくるのだから――」

「『姿あらわし』をする者ももちろんいるが、現れる場所を、マグルの目に触れない安全なポイントに設定しないといけない。確か、手ごろな森があって、『姿あらわし』ポイントに使ったはずだ。『姿あらわし』をしたくない者、またはできない者は、『移動キー(ポートキー)』を使う。これは、あらかじめ指定された時間に、魔法使いたちをある地点から別の地点に移動させるのに使う鍵だ。必要とあれば、これで大集団を一度に運ぶこともできる。イギリスには二百個の移動キーが戦略的拠点に設置されたんだよ。そして、わが家に一番近い鍵が、ストーツヘッド・ヒルのてっぺんにある。いま、そこに向かっているんだ」

ウィーズリーおじさんは行く手を指差した。オッタリー・セント・キャッチポールの村のかなたに、大きな黒々とした丘が盛り上がっている。

「移動キーって、どんなものなんですか?」

ハリーは興味を引かれた。

「そうだな。なんでもありだよ」

ウィーズリーおじさんが答えた。

「当然、目立たないものだ。マグルが拾って、もてあそんだりしないように……マグルががらくただと思うようなものだ……」

一行は村に向かって、暗い湿っぽい小道をただひたすら歩いた。静けさを破るのは、自分の足音だけだった。村を通り抜けるころ、ゆっくりと空が白みはじめた。墨を流したような夜空が薄れ、群青色に変わった。ハリーは手も足も凍えついていた。おじさんが何度も時計を確かめた。

ストーツヘッド・ヒルを登りはじめると、息切れで話をするどころではなくなった。あちこちでウサギの隠れ穴につまずいたり、黒々と生い茂った草の塊に足を取られたりした。ひと息ひと息が、ハリーの胸に突き刺さるようだった。足が動かなくなりはじめたとき、やっとハリーは平らな地面を踏みしめた。

「フーッ」

ウィーズリーおじさんはあえぎながらめがねをはずし、セーターでふいた。

「やれやれ、ちょうどいい時間だ——あと十分ある……」

ハーマイオニーが最後に上ってきた。ハァハァと脇腹を押さえている。

「さあ、あとは移動キーがあればいい」

ウィーズリーおじさんはめがねをかけなおし、目を凝らして地面を見た。

「そんなに大きいものじゃない……さあ、探して……」

一行はバラバラになって探した。探しはじめてほんの二、三分もたたないうちに、大きな声がしんとした空気を破った。

「ここだ、アーサー！　息子や、こっちだ。見つけたぞ！」

丘の頂のむこう側に、星空を背に長身の影が二つ立っていた。

「エイモス！」

ウィーズリーおじさんが、大声の主のほうにニコニコと大股で近づいていった。みんなもおじさんのあとに従った。

おじさんは、褐色のごわごわしたあごひげの、血色のよい顔の魔法使いと握手した。男は左手にかびだらけの古いブーツをぶら下げていた。

「みんな、エイモス・ディゴリーさんだよ」おじさんが紹介した。

『魔法生物規制管理部』にお勤めだ。みんな、息子さんのセドリックは知ってるね？」

セドリック・ディゴリーは十七歳のとてもハンサムな青年だった。ホグワーツでは、ハッフルパフ寮のクィディッチ・チームのキャプテンで、シーカーでもあった。

「やあ」セドリックがみんなを見回した。

みんなも「やあ」と挨拶を返したが、フレッドとジョージはだまって頭をこくりと下げただけだった。去年、自分たちの寮、グリフィンドールのチームを、セドリックがクィディッチ開幕戦で打ち負かしたことが、いまだに許しきれていないのだ。

「アーサー、ずいぶん歩いたかい？」セドリックの父親が聞いた。

「いや、まあまあだ」おじさんが答えた。

「村のすぐむこう側に住んでるからね。そっちは？」

「朝の二時起きだよ。なあ、セド？　まったく、こいつが早く『姿あらわし』のテストを受ければいいのにと思うよ。いや……愚痴は言うまい……クィディッチ・ワールドカップだ。たとえガリオン金貨ひと袋やるからと言われたって、それで見逃せるものじゃない――もっとも切符二枚で金貨ひと袋分くらいはしたがな。いや、しかし、私の所は二枚だから、まだ楽なほうだったらしいな……」

エイモス・ディゴリーは人のよさそうな顔で、ウィーズリー家の三人の息子と、ハリー、ハーマイオニー、ジニーを見回した。

「全部君の子かね、アーサー？」

「まさか。赤毛の子だけだよ」

ウィーズリーおじさんは子供たちを指差した。

「この子はハーマイオニー、ロンの友達だ――こっちがハリー、やっぱり友達だ――」

「おっと、どっこい」

エイモス・ディゴリーが目を丸くした。

「ハリー？　ハリー・**ポッター**かい？」

「あー……うん」ハリーが答えた。

誰かに会うたびにしげしげと見つめられることに、ハリーはもう慣れっこになっていたし、視線がすぐに額の稲妻形の傷痕に走るのにも慣れてはいたが、そのたびになんだか落ち着かない気持ちになった。

「セドが、もちろん、君のことを話してくれたよ」

エイモス・ディゴリーが言葉を続けた。

「去年、君と対戦したこともくわしく話してくれた……私は息子に言ったね、こう言った——セド、そりゃ、孫子の代まで語り伝えることだ。そうだとも……**おまえはハリー・ポッターに勝ったんだ！**」

ハリーはなんと答えてよいやらわからなかったので、ただだまっていた。フレッドとジョージの二人が、そろってまたしかめっ面になった。セドリックはちょっと困ったような顔をした。

「父さん、ハリーは箒から落ちたんだよ」セドリックが口ごもった。

「そう言ったでしょう……事故だったって……」

「ああ。でも**おまえは**落ちなかった。そうだろうが？」

エイモスは息子の背中をバシンとたたき、快活に大声で言った。

「うちのセドは、いつも謙虚なんだ。いつだってジェントルマンだ……しかし、最高の者が勝つんだ。ハリーだってそう言うだろう。そうだろうが、え、ハリー？　一人は箒から落ち、一人は落ちなかった。天才じゃなくったって、どっちがうまい乗り手かわかるってもんだ！」

「そろそろ時間だ」

ウィーズリーおじさんがまた懐中時計を引っ張り出しながら、話題を変えた。

「エイモス、ほかに誰か来るかどうか、知ってるかね？」

「いいや、ラブグッド家はもう一週間前から行ってるし、フォーセット家は切符が手に入らなかった」

エイモス・ディゴリーが答えた。

「この地域には、ほかには誰もいないと思うが、どうかね？」

「私も思いつかない」

ウィーズリーおじさんが言った。

「さあ、あと一分だ……準備しないと……」

おじさんはハリーとハーマイオニーのほうを見た。

「移動キーにさわっていればいい。それだけだよ。指一本でいい――」

背中のリュックがかさばって簡単ではなかったが、エイモス・ディゴリーの掲げた古ブーツの周りに九人がぎゅうぎゅうと詰め合った。

一陣の冷たい風が丘の上を吹き抜ける中、全員がぴっちりと輪になってただ立っていた。誰も何も言わない。マグルがいまここに上がってきてこの光景を見たら、どんなに奇妙に思うだろう。ハリーはちらっとそんなことを考えた。……薄明かりの中、大の男二人を含めて九人もの人間が、汚らしい古ブーツにつかまって、何かを待っている……。

「三秒……」

ウィーズリーおじさんが片方の目で懐中時計を見たままつぶやいた。

「二……一……」

突然だった。ハリーは、急にへその裏側がぐいっと前方に引っ張られるような感じがした。両足が地面を離れた。ロンとハーマイオニーがハリーの両脇にいて、互いの肩と肩がぶつかり合うのを感じた。風の唸りと色の渦の中を、全員が前へ前へとスピードを上げていった。ハリーの人差し指はブーツに張りつき、まるで磁石でハリーを引っ張り、前進させているようだった。そして――。

ハリーの両足が地面にぶつかった。ロンが折り重なってハリーの上に倒れ込んだ。ハリーの頭の近くに、移動キーがドスンと重々しい音を立てて落ちてきた。

見上げると、ウィーズリーおじさん、ディゴリーさん、セドリックはしっかり立ったままだったが、強い風に吹きさらされたあとがありありと見えた。三人以外はみんな地べたに転がっていた。

アナウンスの声が聞こえた。

「五時七ふーん。ストーツヘッド・ヒルからとうちゃーく」

第7章　バグマンとクラウチ

ハリーはロンとのもつれをほどいて立ち上がった。どうやら霧深い辺鄙（へんぴ）な荒れ地のような所に到着したらしい。

目の前に、つかれて不機嫌な顔の魔法使いが二人立っていた。一人は大きな金時計を持ち、もう一人は太い羊皮紙の巻紙と羽根ペンを持っている。二人ともマグルの格好をしてはいたが、素人丸出しだった。時計を持ったほうは、ツイードの背広に、ふともまでの長いゴムのオーバーシューズをはいていたし、相方はキルトにポンチョの組み合わせだった。

「おはよう、バージル」

ウィーズリーおじさんが古ブーツを拾い上げ、キルトの魔法使いに渡しながら声をかけた。受け取ったほうは、自分の脇にある「使用済み移動キー（ポートキー）」用の大きな箱にそれを投げ入れた。ハリーが見ると、箱には古新聞やら、ジュースの空き缶、穴の開いたサッカーボールなどが入っていた。

「やあ、アーサー」

バージルはつかれた声で答えた。

「非番なのかい、え？　まったく運がいいなあ……私らは夜通しここだよ……。さ、早くそこをどいて。五時十五分に黒い森から大集団が到着する。ちょっと待ってくれ。君のキャンプ場を探すから……ウィーズリー……ウィーズリーと……」

バージルは羊皮紙のリストを調べた。

「ここから四百メートルほどあっち。歩いていって最初にでくわすキャンプ場だ。管理人はロバーツさんという名だ。ディゴリー……二番目のキャンプ場……ペインさんを探してくれ」

「ありがとう、バージル」

ウィーズリーおじさんは礼を言って、みんなについてくるよう合図した。

一行は荒涼とした荒れ地を歩きはじめた。霧でほとんど何も見えない。ものの二十分も歩くと、目の前にゆらりと、小さな石造りの小屋が見えてきた。その脇に門がある。そのむこうに、ゴーストのように白く、ぼんやりと、何百というテントが立ち並んでいるのが見えた。テントは広々としたなだらかな傾斜地に立ち、地平線上に黒々と見える森へと続いていた。そこでディゴリー父子(おやこ)にさよならを言い、ハリーたちは小屋の戸口へ近づいていった。

戸口に男が一人、テントのほうを眺めて立っていた。ひと目見て、ハリーは、この周辺数キロ四方で、本物のマグルはこの人一人だけだろうと察しがついた。足音を聞きつけて男が振り返り、こっちを見た。

「おはよう!」ウィーズリーおじさんが明るい声で言った。

「おはよう」マグルも挨拶した。

「ロバーツさんですか?」

「あいよ。そうだが」ロバーツさんが答えた。

「そんで、おめえさんは?」

「ウィーズリーです――テントを二張り、二、三日前に予約しましたよね?」

「あいよ」

ロバーツさんはドアに貼りつけたリストを見ながら答えた。

「おめえさんの場所はあそこの森のそばだ。一泊だけかね?」

「そうです」ウィーズリーおじさんが答えた。

「そんじゃ、いますぐ払ってくれるんだろうな？」ロバーツさんが言った。

「え――ああ――いいですとも――」

ウィーズリーおじさんは小屋からちょっと離れ、ハリーを手招きした。

「ハリー、手伝っておくれ」

ウィーズリーおじさんはポケットから丸めたマグルの札束を引っ張り出し、一枚一枚はがしはじめた。

「これは――っと――十かね？　あ、なるほど、数字が小さく書いてあるようだ――すると、これは五かな？」

「二十ですよ」

ハリーは声を低めて訂正した。ロバーツさんが一言一句聞きもらすまいとしているので、気が気ではなかった。

「ああ、そうか。……どうもよくわからんな。こんな紙切れ……」

「おめえさん、外国人かね？」

ちゃんとした金額をそろえて戻ってきたおじさんに、ロバーツさんが聞いた。

「外国人？」

おじさんはキョトンとしてオウム返しに言った。

「金勘定ができねえのは、おめえさんがはじめてじゃねえ」

ロバーツさんはウィーズリーおじさんをじろじろ眺めながら言った。

「十分ほど前にも、二人ばっかり、車のホイールキャップぐれえのでっけえ金貨で払おうとしたな」

「ほう、そんなのがいたかね？」おじさんはどぎまぎしながら言った。

ロバーツさんは釣り銭を出そうと、四角い空き缶をゴソゴソ探った。

「いままでこんなに混んだこたぁねえ」

霧深いキャンプ場にまた目を向けながら、ロバーツさんが唐突に言った。

「何百ってぇ予約だ。客はだいたいふらっと現れるもんだが……」

「そうかね？」

ウィーズリーおじさんは釣り銭をもらおうと手を差し出したが、ロバーツさんは釣りをよこさなかった。

「そうよ」

ロバーツさんは考え深げに言った。

「あっちこっちからだ。外国人だらけだ。それもただの外国人じゃねえ。変わりもんよ。なあ？　キルトにポンチョ着て歩き回ってるやつもいる」

「いけないのかね？」

ウィーズリーおじさんが心配そうに聞いた。

「なんていうか……その……集会かなんかみてえな」ロバーツさんが言った。

「お互いに知り合いみてえだし。大がかりなパーティかなんか」

その時、どこからともなく、ニッカーボッカーをはいた魔法使いが小屋の戸口の脇に現れた。

「**オブリビエイト！　忘れよ！**」

杖(つえ)をロバーツさんに向け、鋭い呪文が飛んだ。

とたんにロバーツさんの目がうつろになり、八文字眉も解け、夢見るようなとろんとした表情になった。ハリーは、これが記憶を消された瞬間の症状なのだとわかった。

「キャンプ場の地図だ」

ロバーツさんはウィーズリーおじさんに向かっておだやかに言った。

「それと、釣りだ」

「どうも、どうも」おじさんが礼を言った。

ニッカーボッカーをはいた魔法使いがキャンプ場の入口まで付き添ってくれた。つかれきった様子で、無精ひげをはやし、目の下に濃いくまができていた。ロバーツさんには聞こえない所まで来ると、その魔法使いがウィーズリーおじさんにボソボソ言った。

「あの男はなかなかやっかいでね。『忘却術』を日に十回もかけないと機嫌が保てないんだ。しかもルード・バグマンがまた困り者で。あちこち飛び回ってはブラッジャーがどうの、クアッフルがどうのと大声でしゃべっている。マグル安全対策なんてどこ吹く風だ。まったく、これが終わったら、どんなにホッとするか。それじゃ、アーサー、またな」

「姿くらまし」術で、その魔法使いは消えた。

「バグマンさんて、『魔法ゲーム・スポーツ部』の部長さんでしょ？」

ジニーが驚いて言った。

「マグルのいる所でブラッジャーとか言っちゃいけないことぐらい、わかってるはずじゃないの？」

「そのはずだよ」

ウィーズリーおじさんはほほえみながらそう言うと、みんなを引き連れてキャンプ場の門をくぐった。

「しかし、ルードは安全対策にはいつも、少し……なんというか……**甘い**んでね。スポーツ部の部長としちゃ、こんなに熱心な部長はいないがね。何しろ、自分がクィディッチのイングランド代表選手だったし。それに、プロチームのウィムボーン・ワスプスじゃ最高のビーターだったんだ」

霧の立ちこめるキャンプ場を、一行は長いテントの列を縫って歩き続けた。ほとんどのテントはごくあたりまえに見えた。テントの主が、なるべくマグルらしく見せようと努力したことは確かだ。しかし、煙突をつけてみたり、ベルを鳴らす引きひもや風見鶏をつけたところでボロが出ている。しかも、あちこちにどう見ても魔法仕掛けと思えるテントがあり、これではロバーツさんが疑うのも無理はないとハリーは思った。キャンプ場の真ん中あたりに、縞模様のシルクでできた、まるで小さな城のような豪華絢爛なテントがあり、入口に生きた孔雀が数羽つながれていた。もう少し行くと、三階建てに尖塔が数本立っているテントがあった。そこから少し先に、前庭つきのテントがあり、鳥の水場や、日時計、噴水までそろっていた。

「毎度のことだ」

ウィーズリーおじさんがほほえんだ。

「大勢集まると、どうしても見栄を張りたくなるらしい。ああ、ここだ。ごらん、この場所が私たちのだ」

たどり着いた所は、キャンプ場の一番奥で、森の際だった。その空き地に小さな立て札が打ち込まれ、「**うーいづり**」と書いてあった。

「最高のスポットだ！」

ウィーズリーおじさんはうれしそうに言った。

「競技場はちょうどこの森の反対側だから、こんなに近い所はないよ」

おじさんは肩にかけていたリュックを下ろした。

「よし、と」

おじさんは興奮気味に言った。

「魔法は、厳密に言うと、許されない。これだけの数の魔法使いがマグルの土地に集まっているのだからな。テントは手作りでいくぞ！　そんなに難しくはないだろう……マグルがいつもやっていることだし……さあ、ハリー、どこから始めればいいと思うかね？」

ハリーは生まれてこの方、キャンプなどしたことがなかった。ダーズリー家では、休みの日にハリーをどこかへ連れていってくれたためしがない。いつも近所のフィッグばあさんの所へ預けて置き去りにした。だが、ハーマイオニーと二人で考え、柱や杭がどこに打たれるべきかを解明した。ウィーズリーおじさんは、木槌を使う段になると、完全に興奮状態だったので、役に立つどころか足手まといだった。それでもなんとかみんなで、二人用の粗末なテントを二張り立ち上げた。

みんなちょっと下がって、自分たちの手作り作品を眺め、大満足だった。誰が見たって、これが魔法使いのテントだとは気づくまい、とハリーは思った。しかし、ビル、チャーリー、パーシーが到着したら、全部で十人になってしまうのが問題だ。ハーマイオニーもこの問題に気づいたようだった。おじさんが四つんばいになってテントに入っていくのを見ながら、ハーマイオニーは「どうするつもりかしら」という顔でハリーを見た。

「ちょっと窮屈かもしれないよ」

おじさんが中から呼びかけた。

「でも、みんななんとか入れるだろう。入って、中を見てごらん」

ハリーは身をかがめて、テントの入口をくぐり抜けた。そのとたん、口があんぐり開いた。ハリーは、古風なアパートに入り込んでいた。寝室とバスルーム、キッチンの三部屋だ。おかしなことに、家具や置き物が、フィッグばあさんの部屋とまったく同じ感じだ。不ぞろいな椅子には、鉤針編みがかけられ、おまけに猫のにおいがプンプンしていた。

「あまり長いことじゃないし」

おじさんはハンカチで頭のはげた所をゴシゴシこすり、寝室に置かれた四個の二段ベッドをのぞきながら言った。

「同僚のパーキンズから借りたのだがね。やっこさん気の毒に、もうキャンプはやらないんだ。腰痛で」

おじさんはほこりまみれのやかんを取り上げ、中をのぞいて言った。

「水がいるな……」

「マグルがくれた地図に、水道の印があるよ」

ハリーに続いてテントに入ってきたロンが言った。テントの中が、こんなに不釣り合いに大きいのに、なんとも思わないようだった。

「キャンプ場のむこう端だ」

「よし、それじゃ、ロン、おまえはハリーとハーマイオニーの三人で、水をくみにいってくれないか――」

ウィーズリーおじさんはやかんとソース鍋を二つ三つよこした。

「――それから、ほかの者は薪を集めにいこう」

「でも、かまどがあるのに」ロンが言った。「簡単にやっちゃえば――?」

「ロン、マグル安全対策だ！」

ウィーズリーおじさんは期待に顔を輝かせていた。

「本物のマグルがキャンプするときは、外で火をおこして料理するんだ。そうやっているのを見たことがある！」

女子用テントをざっと見学してから――男子用より少し小さかったが、猫のにおいはしなかった――ハリー、ロン、ハーマイオニーの三人は、やかんとソース鍋をぶら下げ、キャンプ場を通り抜けていった。

朝日が初々しく昇り、霧も晴れ、いまはあたり一面に広がったテント村が見渡せた。三人は周りを見るのがおもしろくて、ゆっくり進んだ。世界中にどんなにたくさん魔法使いや魔女がいるのか、ハリーはやっと実感が湧いてきた。これまではほかの国の魔法使いのことなど考えてもみなかった。

ほかのキャンパーも次々と起きだしていた。最初にゴソゴソするのは、小さな子供のいる家族だ。ハリーはこんなに幼いチビッコ魔法使いを見たのははじめてだった。大きなピラミッド形のテントの前で、まだ二歳にもなっていない小さな男の子が、しゃがんで、うれしそうに杖で草地のナメクジをつっついていた。ナメクジは、ゆっくりとサラミ・ソーセージぐらいにふくれ上がった。三人が男の子のすぐそばまで来ると、テントから母親が飛び出してきた。

「ケビン、**何度言ったら**わかるの？　いけません。**パパの――杖に――さわっちゃ――**きゃあ！」

母親が巨大ナメクジを踏みつけ、ナメクジが破裂した。母親の叱る声にまじって、小さな男の子の泣き叫ぶ声が、静かな空気を伝って三人を追いかけてきた――「ママがナメクジをつぶしちゃったぁ！　つぶしちゃったぁ！」

そこから少し歩くと、ケビンよりちょっと年上のおチビ魔女が二人、おもちゃの箒(ほうき)に乗っているのが見えた。つま先が露をふくんだ草々をかすめる程度までしか上がらない箒だ。魔法省の役人が一人、さっそくそれを見つけて、ハリー、ロン、ハーマイオニーの脇を急いで通り過ぎながら、困惑した口調でつぶやいた。

「こんな明るい中で！　親は朝寝坊を決め込んでいるんだ。きっと――」

あちこちのテントから、大人の魔法使いや魔女が顔をのぞかせ、朝餉(あさげ)の支度に取りかかっていた。何やらコソコソしていると思うと、杖で火をおこしていたり、マッチをすりながら、こんなことで絶対に火がつくものかとけげんな顔をしている者もいた。

三人のアフリカ魔法使いが、全員白い長いローブを着て、ウサギのようなものを鮮やかな紫の炎であぶりながら、まじめな会話をしていた。かと思えば、中年のアメリカ魔女たちが、テントとテントの間にピカピカ光る横断幕を張り渡し、その下に座り込んで楽しそうにうわさ話にふけっていた。幕には「魔女裁判の町セーレムの魔女協会」と書いてある。

テントを通り過ぎるたびに、中から聞き覚えのない言葉を使った会話が、断片的にハリーの耳に聞こえてきた。一言もわかりはしなかったが、どの声も興奮していた。

ロンが言った。

「あれっ――僕の目がおかしいのかな。それとも何もかも緑になっちゃったのかな?」

ロンの目のせいではなかった。三人は、シャムロック――三つ葉のクローバー――でびっしりと覆われたテントの群れに足を踏み入れていた。まるで、変わった形の小山がニョッキリと地上に生え出したかのようだった。テントの入口が開いている所からは、住人がニコニコしているのが見えた。その時、背後から誰かが三人を呼んだ。

「ハリー! ロン! ハーマイオニー!」

同じグリフィンドールの四年生、シェーマス・フィネガンだった。やはり三つ葉のクローバーで覆われたテントの前に座っている。そばにいる黄土色の髪をした女性はきっと母親だろう。それに親友の、同じくグリフィンドール生のディーン・トーマスも一緒だった。

三人はテントに近づいて挨拶した。

「この飾りつけ、どうだい?」シェーマスはニッコリした。

「魔法省は気に入らないみたいなんだ」

「あら、国の紋章を出して何が悪いっていうの？」

フィネガン夫人が口をはさんだ。

「ブルガリアなんか、**あちらさん**のテントに何をぶら下げているか見てごらんよ。あなたたちは、もちろん、アイルランドを応援するんでしょう？」

夫人はキラリと目を光らせてハリー、ロン、ハーマイオニーを見た。

フィネガン夫人に、ちゃんとアイルランドを応援するからと約束して、三人はまた歩きはじめた。もっともロンは「あの連中に取り囲まれてちゃ、ほかになんとも言えないよな？」と言った。

「ブルガリア側のテントに、何がいっぱいぶら下がってるのかしら」

ハーマイオニーが言った。

「見にいこうよ」

ハリーが大きなキャンプ群を指差した。そこには赤、緑、白のブルガリア国旗が翩翻（へんぽん）とひるがえっていた。

こちらのテントには植物こそ飾りつけられてはいなかったが、どのテントにもまったく同じポスターがべたべた貼られていた。真っ黒なげじげじ眉の、無愛想な顔のポスターだ。もちろん顔は動いていたが、ただ瞬（まばた）きして顔をしかめるだけだった。

「クラムだ」ロンがそっと言った。

「なあに？」とハーマイオニー。

「クラムだよ！　ビクトール・クラム。ブルガリアのシーカーの！」

「とっても気難しそう」

ハーマイオニーは、三人に向かって瞬きしたりにらんだりしている大勢のクラムの顔を見回しながら言った。

「『**とっても気難しそう**』**だって？**」

ロンは目をグリグリさせた。

「顔がどうだって関係ないだろ？　すっげぇんだから。それにまだほんとに若いんだ。十八かそこらだよ。**天才**なんだから。まあ、今晩、見たらわかるよ」

キャンプ場の隅にある水道にはもう、何人かが並んでいた。ハリー、ロン、ハーマイオニーも列に加わった。そのすぐ前で、男が二人、大論争をしていた。一人は年寄りの魔法使いで、花模様の長いネグリジェを着ている。もう一人はまちがいなく魔法省の役人だ。細縞のズボンを差し出し、困りはてて泣きそうな声を上げている。

「アーチー、とにかくこれをはいてくれ。聞き分けてくれよ。そんな格好で歩いたらダメだ。門番のマグルがもう疑いはじめてる――」

「わしゃ、マグルの店でこれを買ったんだ」

年寄り魔法使いが頑固に言い張った。

「マグルが着るものじゃろ」

「それはマグルの**女性**が着るものだよ、アーチー。男のじゃない。男は**こっちを**着るんだ」

魔法省の役人は、細縞のズボンをひらひら振った。

「わしゃ、そんなものは着んぞ」

アーチーじいさんが腹立たしげに言った。

「わしゃ、大事な所にさわやかな風が通るのがいいんじゃ。ほっとけ」

これを聞いて、ハーマイオニーはクスクス笑いが止まらなくなり、苦しそうに列を抜けた。戻ってきたときには、アーチーは水をくみ終わって、どこかに行ってしまったあとだった。

くんだ水の重みで、三人はいままでよりさらにゆっくり歩いてキャンプ場を引き返した。あちこちでまた顔見知りに出会った。ホグワーツの生徒やその家族たちだ。ハリーの寮のクィディッチ・チームのキャプテンだったオリバー・ウッドもいた。ウッドは卒業したばかりだったが、自分のテントにハリーを引っ張っていき、両親にハリーを紹介したあと、プロチームのパドルミア・ユナイテッドと二軍入りの契約を交わしたばかりだと、興奮してハリーに告げた。

次に出会ったのは、ハッフルパフの四年生、アーニー・マクミラン。それからまもなく、チョウ・チャンに出会った。とてもかわいい子で、レイブンクローのシーカーでもある。チョウ・チャンはハリーにほほえみかけて手を振り、ハリーも手を振り返したが、水をどっさりはねこぼして洋服の前をぬらしてしまった。ロンがニヤニヤするのをなんとかしたいばっかりに、ハリーは大急ぎで、いままで会ったことがないティーンエイジャーの一大集団を指差した。

「あの子たち、誰だと思う？」ハリーが聞いた。「ホグワーツの生徒、じゃないよね？」

「どっか外国の学校の生徒だと思うな」ロンが答えた。

「学校がほかにもあるってことは知ってるよ。ほかの学校の生徒に会ったことはないけど。ビルはブラジルの学校にペンフレンドがいたな……もう何年も前のことだけど……それでビルは学校同士の交換訪問旅行に行きたかったんだけど、家じゃお金が出せなくて。ビルが行かないって書いたら、ペンフレンドがすごく腹を立てて、帽子に呪いをかけて送ってよこしたんだ。おかげでビルの耳がしなびちゃってさ」

ハリーは笑ったが、魔法学校がほかにもあると聞いて驚いたことはだまっていた。キャンプ場にこれだけ多くの国の代表が集まっているのを見たいま、ホグワーツ以外にも魔法学校があるということに気づかなかった自分がばかだった、と思った。ハーマイオニーのほうをちらりと見ると、まったく平気な顔をしていた。ほかにも魔法学校があることを、何かの本で読んだにちがいない。

「遅かったなあ」

三人がやっとウィーズリー家のテントに戻ると、ジョージが言った。

「いろんな人に会ったんだ」

水を下ろしながらロンが言った。

「まだ火をおこしてないのか？」

「親父がマッチと遊んでてね」フレッドが言った。

ウィーズリーおじさんは火をつける作業がうまくいかなかったらしい。しかし、努力が足りなかったわけではない。折れたマッチが、おじさんの周りにぐるりと散らばっていた。しかも、おじさんは、わが人生最高の時、という顔をしていた。

「うわっ！」

おじさんは、マッチをすって火をつけたものの、驚いてすぐ取り落とした。

「ウィーズリーおじさん、こっちに来てくださいな」

ハーマイオニーがやさしくそう言うと、マッチ箱をおじさんの手から取り、正しいマッチの使い方を教えはじめた。

やっと火がついた。しかし、料理ができるようになるには、それから少なくとも一時間はかかった。それでも、見物するものには事欠かなかった。ウィーズリー家のテントは、いわば競技場への大通りに面しているらしく、魔法省の役人が気ぜわしく行き交った。通りがかりに、みんながおじさんにていねいに挨拶した。おじさんは、ひっきりなしに解説した。自分の子供たちは魔法省のことをいやというほど知っているので、いまさら関心はなく、主にハリーとハーマイオニーのための解説だった。

「いまのはカスバート・モックリッジ。『小鬼連絡室』の室長だ……いまやってくるのがギルバート・ウィンプル。『実験呪文委員会』のメンバーだ。あの角が生えてからもうずいぶんたつな……やあ、アーニー……アーノルド・ピーズグッドだ。『忘却術士』――ほら、『魔法事故リセット部隊』の隊員だ……そして、あれがボードとクローカー……『無言者』だ……」

「え？　なんですか？」

『神秘部』に属している者だ。極秘部門でね。いったいあの部門は何をやっているのやら……」

ついに火の準備が整った。卵とソーセージを料理しはじめたとたん、ビル、チャーリー、パーシーが森のほうからゆっくりと歩いてきた。

「お父さん、ただいま『姿あらわし』ました」パーシーが大声で言った。

「ああ、ちょうどよかった。昼食だ！」

卵とソーセージの皿が半分ほどからになったとき、ウィーズリーおじさんが急に立ち上がってニコニコと手を振った。大股で近づいてくる魔法使いがいた。

「これは、これは！」おじさんが言った。「時の人！　ルード！」

ルード・バグマンはハリーがこれまでに出会った人の中でも――あの花模様ネグリジェのアーチーじいさんもふくめて――一番目立っていた。鮮やかな黄色と黒の太い横縞が入ったクィディッチ用の長いローブを着ている。胸の所に巨大なスズメバチが一匹描かれている。たくましい体つきの男が、少したるんだという感じだった。イングランド代表チームでプレーしていたころにはなかっただろうと思われる大きな腹のあたりで、ローブがパンパンになっていた。鼻はつぶれている（迷走ブラッジャーにつぶされたのだろうとハリーは思った）。しかし、丸いブルーの瞳、短いブロンドの髪、ばら色の顔が、育ちすぎた少年のような感じを与えていた。

「よう、よう！」

バグマンがうれしそうに呼びかけた。まるでかかとにバネがついているようにはずんで、完全に興奮しまくっている。

「わが友、アーサー」

バグマンはフーッフーッと息を切らしながら、たき火に近づいた。

「どうだい、この天気は。え？　どうだい！　こんな完全な日和はまたとないだろう？　今夜は雲一つないぞ……それに準備は万全……俺の出る幕はほとんどないな！」

バグマンの背後を、げっそりやつれた魔法省の役人が数人、遠くのほうで魔法火が燃えている印の火花を指差しながら、急いで通り過ぎた。魔法火は、六メートルもの上空に紫の火花を上げていた。

パーシーが急いで進み出て、握手を求めた。ルード・バグマンが担当の部を取り仕切るやり方が気に入らなくとも、それはそれ。バグマンに好印象を与えるほうが大切らしい。

「ああ――そうだ」

ウィーズリーおじさんはニヤッとした。

「私の息子のパーシーだ。魔法省に勤めはじめたばかりでね――こっちはフレッド――おっと、ジョージだ。すまん――**こっちが**フレッドだ――ビル、チャーリー、ロン――娘のジニーだ――それからロンの友人のハーマイオニー・グレンジャーとハリー・ポッターだ」

ハリーの名前を聞いて、バグマンがほんのわずかたじろぎ、目があのおなじみの動きで、ハリーの額の傷痕を探った。

「みんな、こちらはルード・バグマンさんだ。誰だか知ってるね。この人のおかげでいい席が手に入ったんだ――」

バグマンはニッコリして、そんなことはなんでもないというふうに手を振った。

「試合に賭ける気はないかね、アーサー？」

バグマンは黄色と黒のローブのポケットに入った金貨をチャラつかせながら、熱心に誘った。相当額の金貨のようだ。

「ロディ・ポントナーが、ブルガリアが先取点を上げると賭けた――いい賭け率にしてやったよ。アイルランドのフォワードの三人は、近来にない強豪だからね――それと、アガサ・ティムズ嬢は、試合が一週間続くと賭けて、自分の鰻(うなぎ)養殖場の半分を張ったね」

「ああ……それじゃ、賭けようか」ウィーズリーおじさんが言った。

「そうだな……アイルランドが勝つほうにガリオン金貨一枚じゃどうだ？」

「一ガリオン？」

バグマンは少しがっかりしたようだったが、気を取りなおした。

「よし、よし……ほかに賭ける者は？」

「この子たちにギャンブルは早すぎる」おじさんが言った。「妻のモリーがいやがる――」

「賭けるよ。三十七ガリオン、十五シックル、三クヌートだ」

ジョージと二人で急いでコインをかき集めながら、フレッドが言った。

「まずアイルランドが勝つ――でも、ビクトール・クラムがスニッチを捕る。あ、それから、『だまし杖』も賭け金に上乗せするよ」

「バグマンさんに、そんなつまらないものをお見せしてはダメじゃないか――」

パーシーが口をすぼめて非難がましく言ったが、バグマンはつまらないものとは思わなかったらしい。

それどころか、フレッドから杖を受け取ると、子供っぽい顔が興奮で輝き、杖がガアガア大きな鳴き声を上げてゴム製のおもちゃの鶏に変わると、大声を上げて笑った。

「すばらしい！　こんなに本物そっくりな杖を見たのは久しぶりだ。私ならこれに五ガリオン払ってもいい！」

パーシーは驚いて、こんなことは承知できないとばかりに身をこわばらせた。

「おまえたち」ウィーズリーおじさんが声をひそめた。「賭けはやってほしくないね……貯金の全部だろうが……母さんが――」

「お堅いことを言うな、アーサー！」

ルード・バグマンが興奮気味にポケットをチャラチャラいわせながら声を張り上げた。

「もう子供じゃないんだ。自分たちのやりたいことはわかってるさ！　アイルランドが勝つが、クラムがスニッチを捕るって？　そりゃありえないな、お二人さん、そりゃないよ……二人にすばらしい倍率をやろう……その上、おかしな杖に五ガリオンつけよう。それじゃ……」

バグマンがすばやくノートと羽根ペンを取り出して双子の名前を書きつけるのを、ウィーズリーおじさんはなす術（すべ）もなく眺めていた。

「サンキュ」バグマンがよこした羊皮紙メモを受け取り、ローブの内ポケットにしまい込みながら、ジョージが言った。

バグマンは上機嫌でウィーズリーおじさんのほうに向きなおった。

「お茶がまだだったな？　バーティ・クラウチをずっと探しているんだが。ブルガリア側の責任者がゴネていて、俺には一言もわからん。バーティならなんとかしてくれるだろう。かれこれ百五十か国語が話せるし」

「クラウチさんですか？」

表情を硬くして不服そうにしていたパーシーが、突然堅さをかなぐり捨て、興奮でのぼせ上がった。

「あの方は二百か国語以上話します！　水中人（マーピープル）のマーミッシュ語、小鬼（ゴブリン）のゴブルディグック語、トロールの……」

「トロール語なんて誰だって話せるよ」

フレッドがばかばかしいという調子で言った。

「指差してブーブー言えばいいんだから」

パーシーはフレッドに思いっきりいやな顔を向け、乱暴にたき火をかき回してやかんをぐらぐらっと沸騰させた。

「バーサ・ジョーキンズのことは、何か消息があったかね、ルード？」

バグマンがみんなと一緒に草むらに座り込むと、ウィーズリーおじさんが尋ねた。

「なしのつぶてだ」バグマンは気楽に言った。

「だが、そのうち現れるさ。あのしょうのないバーサのことだ……漏れ鍋みたいな記憶力。方向音痴。迷子になったのさ。絶対まちがいない。十月ごろになったら、ひょっこり役所に戻ってきて、まだ七月だと思ってるだろうよ」

「そろそろ捜索人を出して探したほうがいいんじゃないのか？」

パーシーがバグマンにお茶を差し出すのを見ながら、ウィーズリーおじさんが遠慮がちに提案した。

「バーティ・クラウチはそればっかり言ってるなあ」

バグマンは丸い目を見開いてむじゃきに言った。

「しかし、いまはただの一人もむだにはできん。おっ――うわさをすればだ！　バーティ！」

たき火のそばに魔法使いが一人「姿あらわし」でやってきた。ルード・バグマンとは物の見事に対照的だ。バグマンは昔着ていたスズメバチ模様のチームのユニフォームを着て、草の上に足を投げ出している。バーティ・クラウチはシャキッと背筋を伸ばし、非の打ち所のない背広とネクタイ姿の初老の魔法使いだ。短い銀髪の分け目は不自然なまでにまっすぐで、歯ブラシ状の口ひげは、まるで定規を当てて刈り込んだかのようだった。靴はピカピカに磨き上げられている。ひと目見て、ハリーはパーシーがなぜこの人を崇拝しているかがわかった。パーシーは規則を厳密に守ることが大切だと固く信じているし、クラウチ氏はマグルの服装に関する規則を完璧に守っていた。銀行の頭取だと言っても通用しただろう。バーノンおじさんでさえこの人の正体を見破れるかどうか疑問だ、とハリーは思った。

「ちょっと座れよ、バーティ」

バグマンはそばの草むらをポンポンたたいてほがらかに言った。

「いや、ルード、遠慮する」

クラウチ氏の声が少しいらだっていた。

「ずいぶんあちこち君を探したのだ。ブルガリア側が、貴賓席にあと十二席設けろと強く要求しているのだ」

「ああ、**そういうこと**を言ってたのか。私はまた、あいつが毛抜きを貸してくれと頼んでいるのかと思った。なまりがきつくて」

「クラウチさん！」

パーシーは息もつけずにそう言うと、上体を折り曲げおじぎをしたので、ひどい猫背に見えた。

「よろしければお茶はいかがですか？」

「ああ」

クラウチ氏は少し驚いた様子でパーシーのほうを見た。

「いただこう――ありがとう、ウェーザビー君」

フレッドとジョージが飲みかけのお茶にむせて、カップの中にゲホゲホと咳き込んだ。パーシーは耳元をポッと赤らめ、急いでやかんを準備した。

「ああ、それにアーサー、君とも話したかった」

クラウチ氏は鋭い目でウィーズリーおじさんを見下ろした。

「アリ・バシールが怒って襲撃してくるぞ。空飛ぶじゅうたんの輸入禁止について君と話したいそうだ」

ウィーズリーおじさんは深いため息をついた。

「そのことについては先週ふくろう便を送ったばかりだ。何百回言われても答えは同じだよ。じゅうたんは『魔法をかけてはいけない物品登録簿』にのっていて、『マグルの製品』だと定義されている。しかし、言ってわかる相手かね？」

「だめだろう」

クラウチ氏がパーシーからカップを受け取りながら言った。

「わが国に輸出したくて必死だから」

「まあ、イギリスでは箒にとってかわることはあるまい？」バグマンが言った。

「アリは家族用乗り物として市場に入り込める余地があると考えている」クラウチ氏が言った。「私の祖父が、十二人乗りのアクスミンスター織のじゅうたんを持っていた――しかし、もちろんじゅうたんが禁止になる前だがね」

まるで、クラウチ氏の先祖がみな厳格に法を遵守したことに、毛ほども疑いを持たれたくないという言い方だった。

「ところで、バーティ、忙しくしてるかね」バグマンがのどかに言った。

「かなり」クラウチ氏は愛想のない返事をした。

「五大陸にわたって移動キーを組織するのは並大抵のことではありませんぞ、ルード」

「二人とも、これが終わったらホッとするだろうね」ウィーズリーおじさんが言った。

バグマンが驚いた顔をした。

「ホッとだって！　こんなに楽しんだことはないのに……それに、その先も楽しいことが待ちかまえているじゃないか。え？　バーティ？　そうだろうが？　まだまだやることがたくさんある。だろう？」

クラウチ氏は眉を吊り上げてバグマンを見た。

「まだそのことは公にしないとの約束だろう。詳細がまだ——」

「あぁ、詳細なんか」

バグマンはうるさいユスリカの群れを追い払うかのように手を振った。

「みんな署名したんだ。そうだろう？　みんな合意したんだ。そうだろう？　ここにいる子供たちには、どのみちまもなくわかることだ。賭けてもいい。だって、事はホグワーツで起こるんだし——」

「ルード、さあ、ブルガリア側に会わないと」

クラウチ氏はバグマンの言葉をさえぎり、鋭く言った。

「お茶をごちそうさま、ウェーザビー君」

飲んでもいないお茶をパーシーに押しつけるようにして返し、クラウチ氏はバグマンが立ち上がるのを待った。お茶の残りをぐいっと飲み干し、ポケットの金貨を楽しげにチャラチャラいわせ、バグマンはどっこいしょと再び立ち上がった。

「じゃ、あとで！　みんな、貴賓席で私と一緒になるよ——私が解説するんだ！」

バグマンは手を振り、クラウチ氏は軽く頭を下げ、二人とも「姿くらまし」で消えた。

「パパ、ホグワーツで何があるの？」

フレッドがすかさず聞いた。

「あの二人、なんのことを話してたの？」

「すぐにわかるよ」

ウィーズリーおじさんがほほえんだ。

「魔法省が解禁するときまでは機密情報だ」

パーシーがかたくなに言った。

「クラウチさんが明かさなかったのは正しいことなんだ」

「おい、だまれよ、ウェーザビー」フレッドが言った。


夕方が近づくにつれ、興奮の高まりがキャンプ場を覆う雲のようにはっきりと感じ取れた。夕暮れには、凪いだ夏の空気さえ、期待で打ち震えているかのようだった。試合を待つ何千人という魔法使いたちを、夜の帳がすっぽりと覆うと、最後の慎みも吹き飛んだ。あからさまな魔法の印があちこちで上がっても、魔法省はもはやお手上げだとばかり、戦うのをやめた。

行商人がそこいら中にニョキニョキと「姿あらわし」した。超珍品のみやげ物を盆やカートに山と積んでいる。光るロゼット――アイルランドは緑でブルガリアは赤だ――これが黄色い声で選手の名前を叫ぶ。踊る三つ葉のクローバーがびっしり飾られた緑のとんがり帽子。ほんとうに吠えるライオン柄のブルガリアのスカーフ。打ち振ると国歌を演奏する両国の国旗。ほんとうに飛ぶファイアボルトのミニチュア模型。コレクター用の有名選手の人形は、手のひらにのせると自慢げに歩き回った。

「夏休み中、ずっとこのためにおこづかい貯めてたんだ」

ハリー、ハーマイオニーと一緒に物売りの間を歩き、みやげ物を買いながら、ロンがハリーに言った。ロンは踊るクローバー帽子と大きな緑のロゼットを買ったくせに、ブルガリアのシーカー、ビクトール・クラムのミニチュア人形も買った。ミニ・クラムはロンの手の中を往(い)ったり来たりしながら、ロンの緑のロゼットを見上げて顔をしかめた。

「わあ、これ見てよ！」

ハリーは真鍮(しんちゅう)製の双眼鏡のようなものがうずたかく積んであるカートに駆け寄った。ただし、この双眼鏡には、あらゆる種類のおかしなつまみやダイヤルがびっしりついていた。

「万眼鏡(オムニオキュラー)だよ」セールス魔(マ)ンが熱心に売り込んだ。

「アクション再生ができる……スローモーションで……必要なら、プレーをひとコマずつ静止させることもできる。大安売り――一個十ガリオンだ」

「こんなのさっき買わなきゃよかった」

ロンは踊るクローバーの帽子を指差してそう言うと、万眼鏡をいかにも物欲しげに見つめた。

「三個ください」ハリーはセールス魔ンにきっぱり言った。

「いいよ――気を使うなよ」

ロンが赤くなった。ハリーが両親からちょっとした財産を相続したこと、ロンよりずっと金持ちだということ――このことで、ロンはいつも神経過敏になる。

「クリスマスプレゼントはなしだよ」

ハリーは万眼鏡をロンとハーマイオニーの手に押しつけながら言った。

「しかも、これから十年ぐらいはね」

「いいとも」ロンがニッコリした。

「うわぁぁ、ハリー、ありがとう」ハーマイオニーが言った。

「じゃ、私が三人分のプログラムを買うわ。ほら、あれ――」

財布がだいぶ軽くなり、三人はテントに戻った。ビル、チャーリー、ジニーの三人も、みな緑のロゼットを着けていた。ウィーズリーおじさんはアイルランド国旗を持っている。フレッドとジョージは、全財産をはたいてバグマンに渡したので、何もなしだった。

その時、どこか森のむこうから、ゴーンと深く響く音が聞こえ、同時に木々の間に赤と緑のランタンがいっせいに明々とともり、競技場への道を照らし出した。

「いよいよだ！」

ウィーズリーおじさんも、みんなに負けず劣らず興奮していた。

「さあ、行こう！」

第8章　クィディッチ・ワールドカップ

買い物をしっかり握りしめ、ウィーズリーおじさんを先頭に、みんな急ぎ足でランタンに照らされた小道を森へと入っていった。周辺のそこかしこで動き回る、何千人もの魔法使いたちのさんざめきが聞こえた。叫んだり、笑ったりする声や歌声が切れ切れに聞こえてくる。熱狂的な興奮の波が次々と伝わっていく。

ハリーも顔がゆるみっぱなしだ。大声で話したり、ふざけたりしながら、ハリーたちは森の中を二十分ほど歩いた。ついに森のはずれに出ると、そこは巨大なスタジアムの影の中だった。ハリーには競技場を囲む壮大な黄金の壁のほんの一部しか見えなかったが、この中に、大聖堂ならゆうに十個はすっぽり収まるだろうと思った。

「十万人入れるよ」

圧倒されているハリーの顔を読んで、ウィーズリーおじさんが言った。

「魔法省の特務隊五百人が、まる一年がかりで準備したのだ。『マグルよけ呪文』で一分のすきもない。この一年というもの、この近くまで来たマグルは、突然急用を思いついてあわてて引き返すことになった……気の毒に」

おじさんは最後に愛情込めてつけ加えた。おじさんが先に立って一番近い入口に向かったが、そこにはすでに魔法使いや魔女がぐるりと群がり、大声で叫び合っていた。

「特等席！」

魔法省の魔女が入口で切符を検(あらた)めながら言った。

「最上階貴賓席！　アーサー、まっすぐ上がって。一番高い所までね」

観客席への階段は深紫色のじゅうたんが敷かれていた。一行は大勢にまじって階段を上った。途中、観客が少しずつ、右や左のドアからそれぞれのスタンド席へと消えていった。ウィーズリー家の一行は上り続け、いよいよ階段のてっぺんにたどり着いた。そこは小さなボックス席で、観客席の最上階、しかも両サイドにある金色のゴールポストのちょうど中間に位置していた。紫に金箔の椅子が二十席ほど、二列に並んでいる。ハリーはウィーズリー家のみんなと一緒に前列に並んだ。そこから見下ろすと、想像さえしたことのない光景が広がっていた。

十万人の魔法使いたちが着席したスタンドは、細長い楕円(だえん)形のピッチに沿って階段状にせり上がっている。競技場そのものから発すると思われる神秘的な金色の光が、あたりにみなぎっていた。この高みから見ると、ピッチはビロードのようになめらかに見えた。両サイドに三本ずつ、十五メートルの高さのゴールポストが立っている。貴賓席の真正面、ちょうどハリーの目の位置に、巨大な黒板があった。見えない巨人の手が書いたり消したりしているかのように、金文字が黒板の上をサッと走ってはサッと消えた。しばらく眺めていると、それがピッチの右端から左端までの幅で点滅する広告塔だとわかった。

ブルーボトル――ご家族全員にぴったりの箒(ほうき)――安全で信頼できて、しかも防犯ブザーつき……ミセス・ゴシゴシの万能魔法汚れ落とし――手間知らず、汚れ知らず……グラドラグス魔法ファッション――ロンドン、パリ、ホグズミード

ハリーは広告塔から目を離し、ボックス席にほかに誰かいるかと振り返って見た。まだ誰もいない。

ただ、後ろの列の、奥から二番目の席に小さな生き物が座っていた。短すぎる脚を、椅子の前方にちょこんと突き出し、キッチン・タオルをトーガ風にかぶっている。顔を両手で覆っているが、長いコウモリのような耳に、なんとなく見覚えがあった……。

「**ドビー？**」

ハリーは半信半疑で呼びかけた。

小さな生き物は、顔を上げ、指を開いた。とてつもなく大きい茶色の目と、大きさも形も大型トマトそっくりの鼻が指の間から現れた。ドビーではなかったが、屋敷しもべ妖精にまちがいない。ハリーの友達のドビーもかつて屋敷しもべだった。ハリーはドビーをかつての主人であるマルフォイ一家から自由にしてやったのだ。

「旦那さまはあたしのこと、ドビーってお呼びになりましたか？」

しもべ妖精は指の間からけげんそうに、かん高い声で尋ねた。ドビーの声も高かったが、もっと高く、か細い、震えるようなキーキー声だった。ハリーは――屋敷しもべ妖精の場合はとても判断しにくいが――これはたぶん女性だろうと思った。ロンとハーマイオニーがくるりと振り向き、よく見ようとした。二人とも、ハリーからドビーのことをずいぶん聞いてはいたが、ドビーに会ったことはなかった。ウィーズリーおじさんでさえ興味を持って振り返った。

「ごめんね。僕の知っている人じゃないかと思って」

ハリーがしもべ妖精に言った。

「でも、旦那さま、あたしもドビーをご存じです！」

かん高い声が答えた。貴賓席の照明が特に明るいわけではないのに、まぶしそうに顔を覆っている。

「あたしはウィンキーでございます。旦那さま――あなたさまは――」

焦げ茶色の目がハリーの傷痕をとらえたとたん、小皿くらいに大きく見開かれた。

「あなたさまは、紛れもなくハリー・ポッターさま！」

「うん、そうだよ」

「ドビーが、あなたさまのことをいつもおうわさしてます！」

ウィンキーは尊敬で打ち震えながら、ほんの少し両手を下にずらした。

「ドビーはどうしてる？　自由になって元気にやってる？」ハリーが聞いた。

「ああ、旦那さま」

ウィンキーは首を振った。

「ああ、それがでございます。けっして失礼を申し上げるつもりはございませんが、あなたさまがドビーを自由になさったのは、ドビーのためになったのかどうか、あたしは自信をお持ちになれません」

「どうして？」

ハリーは不意をつかれた。

「ドビーに何かあったの？」

「ドビーは自由で頭がおかしくなったのでございます、旦那さま」

ウィンキーが悲しげに言った。

「身分不相応の高望みでございます、旦那さま。勤め口が見つからないのでございます」

「どうしてなの？」

ウィンキーは声を半オクターブ落としてささやいた。

「**仕事にお手当てをいただこうとしているのでございます**」

「お手当て？」

ハリーはポカンとした。

「だって――なぜ給料をもらっちゃいけないの？」

ウィンキーがそんなこと考えるだに恐ろしいという顔で少し指を閉じたので、また顔半分が隠れてしまった。

「屋敷しもべはお手当てなどいただかないのでございます！」

ウィンキーは押し殺したようなキーキー声で言った。

「ダメ、ダメ、ダメ。あたしはドビーにおっしゃいました。ドビー、どこかよいご家庭を探して、落ち着きなさいって、そうおっしゃいました。旦那さま、ドビーはのぼせて、思い上がっているのでございます。屋敷しもべ妖精にふさわしくないのでございます。ドビー、あなたがそんなふうに浮かれていらっしゃったら、しまいには、ただの小鬼みたいに、『魔法生物規制管理部』に引っ張られることになっても知らないからって、あたし、そうおっしゃったのでございます」

「でも、ドビーは、もう、少しぐらい楽しい思いをしてもいいんじゃないかな」

ハリーが言った。

「ハリー・ポッターさま、屋敷しもべは楽しんではいけないのでございます」

ウィンキーは顔を覆った手の下で、きっぱりと言った。

「屋敷しもべは、言いつけられたことをするのでございます。あたしは、ハリー・ポッターさま、高い所がまったくお好きではないのでございますが――」

ウィンキーはボックス席の前端をちらりと見てゴクッと生つばを飲んだ。

「――でも、ご主人さまがこの貴賓席に行けとおっしゃいましたので、あたしはいらっしゃいましたのでございます」

「君が高い所が好きじゃないと知ってるのに、どうしてご主人様は君をここによこしたの？」

ハリーは眉をひそめた。

「ご主人さまは――ご主人さまは自分の席をあたしに取らせたのです。ハリー・ポッターさま、ご主人さまはとてもお忙しいのでございます」

ウィンキーは隣の空席のほうに頭をかしげた。

「ウィンキーは、ハリー・ポッターさま、ご主人さまのテントにお戻りにない、い、いなりたい、いのでございます。でも、ウィンキーは言いつけられたことをするのでございます。ウィンキーはよい屋敷しもべでございますから」

ウィンキーはボックス席の前端をもう一度こわごわ見て、それからまた完全に手で目を覆ってしまった。ハリーはみんなのほうを見た。

「そうか、あれが屋敷しもべ妖精なのか？」ロンがつぶやいた。

「へんてこりんなんだ、ね？」

「ドビーはもっとへんてこだったよ」

ハリーの言葉に力が入った。

ロンは万眼鏡を取り出し、向かいの観客席にいる観衆を見下ろしながら、あれこれ試しはじめた。

「スッゲェ！」

ロンが万眼鏡の横の「再生つまみ」をいじりながら声を上げた。

「あそこにいるおっさん、何回でも鼻をほじるぜ……ほら、また……ほら、また……」

一方、ハーマイオニーは、ビロードの表紙に房飾りのついたプログラムに熱心に目を通していた。

「試合に先立ち、チームのマスコットによるマスゲームがあります」

ハーマイオニーが読み上げた。

「ああ、それはいつも見応えがある」

ウィーズリーおじさんが言った。

「ナショナルチームが自分の国から何か生き物を連れてきてね、ちょっとしたショーをやるんだよ」

それから三十分の間に、貴賓席も徐々に埋まってきた。ウィーズリーおじさんは、続けざまに握手していた。かなり重要な魔法使いたちにちがいない。パーシーは、まるでハリネズミが置いてある椅子に座ろうとしているかのように、ひっきりなしに椅子から飛び上がっては、ピンと直立不動の姿勢をとった。魔法大臣、コーネリウス・ファッジ閣下直々のお出ましにいたっては、パーシーはあまりに深々と頭を下げたので、めがねが落ちて割れてしまった。大いに恐縮したパーシーは杖でめがねを元どおりにし、それからはずっと椅子に座っていた。それでも、コーネリウス・ファッジがハリーに昔からの友人のように親しげに挨拶するのを、うらやましげな目で見た。ファッジとハリーは以前に会ったことがある。ファッジは、まるで父親のようなしぐさでハリーと握手し、元気かと声をかけ、自分の両脇にいる魔法使いにハリーを紹介した。

「ご存じのハリー・ポッターですよ」

ファッジは、金の縁取りをした豪華な黒ビロードのローブを着たブルガリアの大臣に大声で話しかけたが、大臣は言葉が一言もわからない様子だった。

「**ハリー・ポッターですぞ**……ほら、ほら、ご存じでしょうが。誰だか……『例のあの人』から生き残った男の子ですよ……**まさか**、知ってるでしょうね――」

ブルガリアの大臣は突然ハリーの額の傷痕に気づき、それを指差しながら、何やら興奮してワーワーわめきだした。

「なかなか通じないものだ」

ファッジがうんざりしたようにハリーに言った。

「私はどうも言葉は苦手だ。こういうことになると、バーティ・クラウチが必要だ。ああ、クラウチのしもべ妖精が席を取っているな……いや、なかなかやるものだわい。ブルガリアの連中がよってたかって、よい席を全部せしめようとしているし……ああ、ルシウスのご到着だ！」

ハリー、ロン、ハーマイオニーは急いで振り返った。後列のちょうどウィーズリーおじさんの真後ろが三席空いていて、そこに向かって席伝いに歩いてくるのは、ほかならぬ、しもべ妖精ドビーの昔の主人――ルシウス・マルフォイとその息子ドラコ、それに女性が一人――ハリーはドラコの母親だろうと思った。

ホグワーツへの初めての旅からずっと、ハリーとドラコは敵同士だった。あごのとがった青白い顔にプラチナ・ブロンドの髪のドラコは、父親に瓜二つだ。母親もブロンドで、背が高くほっそりしている。「なんていやなにおいなんでしょう」という表情さえしていなかったら、この母親は美人なのにと思わせた。

「ああ、ファッジ」

マルフォイ氏は魔法大臣の所まで来ると、手を差し出して挨拶した。

「お元気ですかな？　妻のナルシッサとは初めてでしたな？　息子のドラコもまだでしたか？」

「これはこれは、お初にお目にかかります」

ファッジは笑顔でマルフォイ夫人におじぎした。

「ご紹介いたしましょう。こちらはオブランスク大臣――オバロンスクだったかな――ミスター、ええと――とにかく、ブルガリア魔法大臣閣下です。どうせ私の言っていることは一言もわかっとらんのですから、まあ、気にせずに。ええと、ほかには誰か——アーサー・ウィーズリー氏はご存じでしょうな？」

一瞬、緊張が走った。ウィーズリー氏とマルフォイ氏がにらみ合った。ハリーは最後に二人が顔を合わせたときのことをありありと覚えている。フローリシュ・アンド・ブロッツ書店だった。二人は大げんかしたのだ。マルフォイ氏の冷たい灰色の目がウィーズリー氏をひとなめし、それから列の端から端までずいっと眺めた。

「これは驚いた、アーサー」

マルフォイ氏が低い声で言った。

「貴賓席の切符を手に入れるのに、何をお売りになりましたかな？　お宅を売っても、それほどの金にはならんでしょうが？」

「アーサー、ルシウスは先ごろ、聖マンゴ魔法疾患傷害病院に、**それは多額**の寄付をしてくれてね。今日は私の客として招待したんだ」

マルフォイの言葉を聞いてもいなかったファッジが言った。

「それは——それはけっこうな」

ウィーズリーおじさんは無理に笑顔を取りつくろった。

マルフォイ氏の目が今度はハーマイオニーに移った。ハーマイオニーは少し赤くなったが、ひるまずにマルフォイ氏をにらみ返した。マルフォイ氏の口元がニヤリとゆがんだのはなぜなのか、ハリーにははっきりわかっていた。マルフォイ一家は「純血」であることを誇りにし、逆に、ハーマイオニーのようにマグルの血を引くものを下等だと見下していた。しかし、魔法大臣の目が光っている所では、マルフォイ氏もさすがに何も言えない。ウィーズリーおじさんにさげすむような会釈をすると、マルフォイ氏は自分の席まで進んだ。ドラコはハリー、ロン、ハーマイオニーに小ばかにしたような視線を投げ、父親と母親にはさまれて席についた。

「むかつくやつだ」

ハリー、ハーマイオニー、ロンの三人がピッチに目を戻したとき、ロンが声を殺して言った。次の瞬間、ルード・バグマンが貴賓席に勢いよく飛び込んできた。

「みなさん、よろしいかな?」

丸顔がつやつやと光り、まるで興奮したエダム・チーズさながらのバグマンが言った。

「大臣——ご準備は?」

「君さえよければ、ルード、いつでもいい」ファッジが満足げに言った。

ルードはサッと杖を取り出し、自分ののどに当ててひと声「**ソノーラス! 響け!**」と呪文を唱え、満席のスタジアムから湧き立つどよめきに向かって呼びかけた。その声は大観衆の上に響き渡り、スタンドの隅々までにとどろいた。

「レディーズ・アンド・ジェントルメン……ようこそ! 第四二二回、クィディッチ・ワールドカップ決勝戦に、ようこそ!」

観衆が叫び、拍手した。何千という国旗が打ち振られ、お互いにハモらない両国の国歌が騒音をさらに盛り上げた。貴賓席正面の巨大黒板が、最後の広告をサッと消し(バーティー・ボッツの百味ビーンズ——ひと口ごとに危ない味!)、いまや、こう書いてあった。

ブルガリア　0　　アイルランド　0

「さて、前置きはこれくらいにして、さっそくご紹介しましょう……ブルガリア・ナショナルチームのマスコット！」

深紅一色のスタンドの上手から、ワッと歓声が上がった。

「いったい何を連れてきたのかな？」

ウィーズリーおじさんが席から身を乗り出した。

「あーっ！」

おじさんは急にめがねをはずし、あわててローブでふいた。

「**ヴィーラだ！**」

「なんですか、ヴィー——？」

百人のヴィーラがするするとピッチに現れ、ハリーの質問に答えを出してくれた。ヴィーラは女性だった……ハリーがこれまで見たことがないほど美しい……ただ、人間ではなかった——人間であるはずがない。それじゃ、いったいなんだろう、とハリーは一瞬考え込んだ。どうしてあんなに月の光のように輝く肌で、風もないのにどうやってシルバー・ブロンドの髪をなびかせて……。しかし、音楽が始まると、ハリーはヴィーラが人間だろうとなかろうと、どうでもよくなった——そればかりか、何もかも、どうでもよくなった。

ヴィーラが踊りはじめると、ハリーはすっかり心を奪われ、頭はからっぽで、ただ幸せだった。この世で大切なのは、ただヴィーラを見つめ続けていることだけだった。ヴィーラが踊りをやめれば、恐ろしいことが起こりそうな気がする……。

ヴィーラの踊りがどんどん速くなると、ぼうっとなったハリーの頭の中で、まとまりのない、何か激しい感情が駆けめぐりはじめた。何か派手なことをしたい。いますぐ。ボックス席からピッチに飛び下りるのもいいかもしれない……でも、それで充分目立つだろうか？

「ハリー、あなた**いったい**何してるの？」

遠くのほうでハーマイオニーの声がした。

音楽がやんだ。ハリーは目をしばたたいた。ハリーは椅子から立ち上がって、片足をボックス席の前の壁にかけていた。隣でロンが、飛び込み台からまさに飛び込むばかりの格好で固まっていた。

スタジアム中に怒号が飛んでいた。群集は、ヴィーラの退場を望まなかった。ハリーも同じだった。もちろん、僕はブルガリアを応援するはずなのに、どうしてアイルランドの三つ葉のクローバーなんかを胸に刺しているんだろう。ハリーはぼんやりとそう思った。一方ロンも、無意識に自分の帽子のシャムロックをむしっていた。ウィーズリーおじさんが苦笑しながらロンのほうに身を乗り出して、帽子をひったくった。

「きっとこの帽子が必要になるよ。アイルランド側のショーが終わったらね」

おじさんが言った。

「はぁー？」

ロンは口を開けてヴィーラに見入っていた。ヴィーラはいまはもう、ピッチの片側に整列していた。

ハーマイオニーは大きく舌打ちし、「**まったく、もう！**」と言いながら、ハリーに手を伸ばして、席に引き戻した。

「さて、次は」

ルード・バグマンの声がとどろいた。

「どうぞ、杖を高く掲げてください……アイルランド・ナショナルチームのマスコットに向かって！」

次の瞬間、大きな緑と金色の彗星（すいせい）のようなものが、競技場に音を立てて飛び込んできた。上空を一周し、それから二つに分かれ、少し小さくなった彗星が、それぞれ両端のゴールポストに向かってヒューッと飛んだ。突然、二つの光の玉を結んで、競技場にまたがる虹の橋がかかった。観衆は花火を見ているように、「オォォォォーッ」「アァァァアーッ」と歓声を上げた。虹が薄れると、二つの光の玉は再び合体し、一つになった。今度は輝く巨大なシャムロックを形作り、空高く昇り、スタンドの上空に広がった。すると、そこから金色の雨のようなものが降りはじめた——。

「すごい！」

ロンが叫んだ。シャムロックは頭上に高々と昇り、金貨の大雨を降らせていた。金貨の雨粒が観客の頭といわずに客席といわず、当たっては跳ねた。まぶしげにシャムロックを見上げたハリーは、それがあごひげを生やした何千という小さな男たちの集まりだと気づいた。みんな赤いチョッキを着て、手に手に金色か緑色の豆ランプを持っている。

「レプラコーンだ！」

群集の割れるような大喝采の間を縫って、ウィーズリーおじさんが叫んだ。金貨を拾おうと、椅子の下を探し回り、奪い合っている観衆がたくさんいる。

「ほーら」

金貨をひとつかみハリーの手に押しつけながら、ロンがうれしそうに叫んだ。

「万眼鏡の分だよ！　これで君、僕にクリスマスプレゼントを買わないといけないぞ、やーい！」

巨大なシャムロックが消え、レプラコーンはヴィーラとは反対側のピッチに降りてきて、試合観戦のため、あぐらをかいて座った。

「さて、レディーズ・アンド・ジェントルメン、どうぞ拍手を——ブルガリア・ナショナルチームです！　ご紹介しましょう——ディミトロフ！」

ブルガリアのサポーターたちの熱狂的な拍手に迎えられ、箒に乗った真っ赤なローブ姿が、はるか下方の入場口からピッチに飛び出した。あまりの速さに、姿がぼやけて見えるほどだ。

「イワノバ！」

二人目の選手の真紅のローブ姿はたちまち飛び去った。

「ゾグラフ！　レブスキー！　ボルチャノフ！　ボルコフ！　そしてぇぇぇぇぇぇ――**クラム！**」

「クラムだ、クラムだ！」

ロンが万眼鏡で姿を追いながら叫んだ。ハリーも急いで万眼鏡の焦点を合わせた。

ビクトール・クラムは、色黒で黒髪のやせた選手で、大きな曲がった鼻に濃い黒い眉をしていた。育ちすぎた猛禽類のようだ。まだ十八歳だとはとても思えない。

「では、みなさん、どうぞ拍手を――アイルランド・ナショナルチーム！」

バグマンが声を張り上げた。

「ご紹介しましょう――コノリー！　ライアン！　トロイ！　マレット！　モラン！　クィグリー！　そしてぇぇぇぇぇ――**リンチ！**」

七つの緑の影が、サッと横切りピッチへと飛んだ。ハリーは万眼鏡の横の小さなつまみを回し、選手の動きをスローモーションにして、やっと箒に「ファイアボルト」の字を読み取った。選手の背中にそれぞれの名前が銀の糸で刺繍してある。

「そしてみなさん、はるばるエジプトからおいでの我らが審判、国際クィディッチ連盟の名チェア魔ン、ハッサン・モスタファー！」

やせこけた小柄な魔法使いだ。つるつるにはげているが、口ひげはバーノンおじさんといい勝負だ。スタジアムにマッチした純金のローブを着て、堂々とピッチに歩み出た。口ひげの下から銀のホイッスルが突き出し、大きな木箱を片方の腕に抱え、もう片方で箒を抱えている。ハリーは万眼鏡のスピード・ダイヤルを元に戻し、モスタファーが箒にまたがり木箱を蹴って開けるところをよく見た――四個のボールが勢いよく外に飛び出した。真っ赤なクアッフル、黒いブラッジャーが二個、そして、羽のある小さな金のスニッチ（ハリーはほんの一瞬、それを目撃したが、あっという間に見失った）。ホイッスルを鋭くひと吹きし、モスタファーはボールに続いて空中に飛び出した。

「試あぁぁぁぁぁぁぁい、**開始！**」バグマンが叫んだ。

「そしてあれはマレット！　トロイ！　モラン！　ディミトロフ！　またマレット！　トロイ！　レブスキー！　モラン！」

ハリーは、こんなクィディッチの試合振りは見たことがなかった。万眼鏡にしっかりと目を押しつけていたので、めがねの縁が鼻柱に食い込んだ。選手の動きが、信じられないほど速い――チェイサーがクアッフルを投げ合うスピードが速すぎて、バグマンは名前を言うだけで精いっぱいだ。

ハリーは万眼鏡の右横の「スロー」のつまみをもう一度回し、上についている「一場面ごと」のボタンを押した。するとたちまちスローモーションに切り替わった。その間、レンズにはキラキラした紫の文字が明滅し、歓声が耳にビンビン響いてきた。

「**ホークスヘッド攻撃フォーメーション**」ハリーは文字を読んだ。アイルランドのチェイサー三人が固まり、トロイを真ん中にして、少し後ろをマレットとモランが飛び、ブルガリア陣に突っ込んでいった。次に「**ポルスコフの計略**」の文字が明滅した。トロイがクアッフルを持ち、ブルガリアのチェイサー、イワノバを誘導して急上昇したかのように見せかけながら、下を飛んでいたモランにクアッフルを落とすようにパスした。ブルガリアのビーターの一人、ボルコフが手にした小さな棍棒（こんぼう）で、通過中のブラッジャーをモランの行く手めがけて強打した。モランがヒョイとブラッジャーをかわしたとたん、クアッフルを取り落とし、下から上がってきたレブスキーがそれをキャッチした——。

「**トロイ、先取点！**」

バグマンの声がとどろき、競技場は拍手と歓声の大音響に揺れ動いた。

「一〇対〇、アイルランドのリード！」

「えっ？」

ハリーは万眼鏡であたりをぐるぐる見回した。

「だって、レブスキーがクアッフルを取ったのに！」

「ハリー、普通のスピードで観戦しないと、試合を見逃すわよ！」

ハーマイオニーが叫んだ。トロイが競技場を一周するウイニング飛行をしているところで、ハーマイオニーはピョンピョン飛び上がりながら、トロイに向かって両手を大きく振っていた。ハリーは急いで万眼鏡をずらして外を見た。サイドラインの外側で試合を見ていたレプラコーンが、またもや空中に舞い上がり、輝く巨大なシャムロックを形作った。ピッチの反対側で、ヴィーラが不機嫌な顔でそれを見ていた。

ハリーは自分に腹を立てながらスピードのダイヤルを元に戻した。その時、試合が再開された。

ハリーもクィディッチについてはいささかの知識があったので、アイルランドのチェイサーたちがとびきりすばらしいことがわかった。一糸乱れぬ連携プレー。まるで互いの位置関係で互いの考えを読み取っているかのようだった。ハリーの胸の緑のロゼットが、かん高い声でひっきりなしに三人の名を呼んだ。

「**トロイ——マレット——モラン！**」

最初の十分で、アイルランドはあと二回得点し、三〇対〇と点差を広げた。緑一色のサポーターたちから、雷鳴のような歓声と嵐のような拍手が湧き起こった。

試合運びがますます速くなり、しかも荒っぽくなった。ブルガリアのビーター、ボルコフとボルチャノフは、アイルランドのチェイサーに向かって思いきり激しくブラッジャーをたたきつけ、三人の得意技を封じはじめた。チェイサーの結束が二度も崩されてバラバラにされた。ついにイワノバが敵陣を突破、キーパーのライアンをもかわしてブルガリアが初のゴールを決めた。

「耳に指で栓をして！」

ウィーズリーおじさんが大声を上げた。ヴィーラが祝いの踊りを始めていた。ハリーは目も細めた。ゲームに集中していたかった。数秒後、ピッチをちらりと見ると、ヴィーラはもう踊りをやめ、クアッフルはまたブルガリアが持っていた。

「ディミトロフ！　レブスキー！　ディミトロフ！　イワノバ――うおっ、これは！」

バグマンが唸(うな)り声を上げた。

十万人の観衆が息をのんだ。二人のシーカー、クラムとリンチがチェイサーたちの真ん中を割って一直線にダイビングしていた。その速いこと。飛行機からパラシュートなしに飛び降りたかのようだった。ハリーは万眼鏡で落ちていく二人を追い、スニッチはどこにあるかと目を凝らした。

「地面に衝突するわ！」

隣でハーマイオニーが悲鳴を上げた。

半分当たっていた――ビクトール・クラムは最後の一秒でかろうじてぐいっと箒を引き上げ、くるくると螺旋(らせん)を描きながら飛び去った。ところがリンチは、ドスッという鈍い音をスタジアム中に響かせ、地面に衝突した。アイルランド側の席から大きなうめき声が上がった。

「ばかものが！」ウィーズリーおじさんがうめいた。

「クラムはフェイントをかけたのに！」

「タイムです！」

バグマンが声を張り上げた。

「エイダン・リンチの様子を見るため、専門の魔法医が駆けつけています！」

「大丈夫だよ。衝突しただけだから！」

真っ青になってボックス席の手すりから身を乗り出しているジニーに、チャーリーがなぐさめるように言った。

「もちろん、それがクラムのねらいだけど……」

ハリーは急いで「再生」と「一場面ごと」のボタンを押し、スピード・ダイヤルを回し、再び万眼鏡をのぞき込んだ。

ハリーは、クラムとリンチがダイブするところを、スローモーションで見た。レンズを横断して紫に輝く文字が現れた。「**ウロンスキー・フェイント——シーカーを引っかける危険技**」と読める。間一髪でダイブから上昇に転ずるとき、全神経を集中させ、クラムの顔がゆがむのが見えた。一方リンチはペシャンコになっていた。ハリーはやっとわかった——クラムはスニッチを見つけたのではない。ただリンチについてこさせたかっただけなのだ。こんなふうに飛ぶ人を、ハリーはいままで見たことがなかった。クラムはまるで箒など使っていないかのように飛ぶ。自由自在に軽々と、まるで無重力でなんの支えもなく空中を飛んでいるかのようだ。ハリーは万眼鏡を元に戻し、クラムに焦点を合わせた。いまは、リンチのはるか上空を輪を描いて飛んでいる。リンチは魔法医に魔法薬を何杯も飲まされて、蘇生しつつあった。ハリーはさらにクラムの顔をアップにした。クラムの暗い目が、三十メートル下のピッチを隅々まで走っている。リンチが蘇生するまでの時間を利用して、邪魔されることなくスニッチを探しているのだ。

リンチがやっと立ち上がった。緑をまとったサポーターたちがワッと沸いた。リンチはファイアボルトにまたがり、地を蹴って空へと戻った。リンチが回復したことで、アイルランドは心機一転したようだった。モスタファーが再びホイッスルを鳴らすと、チェイサーが、いままでハリーの見たどんな技も比べ物にならないようなすばらしい動きを見せた。

それからの十五分、試合はますます速く、激しい展開を見せ、アイルランドが勢いづいて十回もゴールを決めた。一三〇対一〇とアイルランドがリードして、試合はしだいに泥仕合になってきた。

マレットがクアッフルをしっかり抱え、またまたゴールめがけて突進すると、ブルガリアのキーパー、ゾグラフが飛び出し、彼女を迎え撃った。何が起こったやら、ハリーの見る間も与えず、あっという間の出来事だったが、アイルランド応援団から怒りの叫びがあがった。モスタファーが鋭く、長くホイッスルを吹き鳴らしたので、ハリーはいまのは反則だったとわかった。

「モスタファーがブルガリアのキーパーから反則を取りました。『コビング』です――過度なひじの使用です！」

どよめく観衆に向かって、バグマンが解説した。

「そして――よーし、アイルランドがペナルティ・スロー！」

マレットがブルガリアの反則を受けたとき、怒れるスズメバチの大群のようにキラキラ輝いて空中に舞い上がっていたレプラコーンが、今度はすばやく集まって空中に文字を書いた。

「**ハッ！　ハッ！　ハッ！**」

ピッチの反対側にいたヴィーラがパッと立ち上がり、怒りに髪を打ち振り、再び踊りはじめた。

ウィーズリー家の男の子とハリーはすぐに指で耳栓をしたが、そんな心配のないハーマイオニーが、すぐにハリーの腕を引っ張った。ハリーが振り向くと、ハーマイオニーはもどかしそうにハリーの指を耳から引き抜いた。

「審判を見てよ！」

ハーマイオニーはクスクス笑っていた。

ハリーが見下ろすと、ハッサン・モスタファー審判が踊るヴィーラの真ん前に降りて、なんともおかしなしぐさをしていた。腕の筋肉をモリモリさせたり、夢中で口ひげをなでつけたりしている。

「さーて、これは放ってはおけません！」

そう言ったものの、バグマンはおもしろくてたまらないという声だ。

「誰か、審判をひっぱたいてくれ！」

魔法医の一人がピッチのむこうから大急ぎで駆けつけ、自分は指でしっかり耳栓をしながら、モスタファーのむこうずねをこれでもかとばかり蹴飛ばした。モスタファーはハッと我に返ったようだった。ハリーがまた万眼鏡をのぞいて見ると、審判は思いきりバツの悪そうな顔で、ヴィーラをどなりつけていた。ヴィーラは踊るのをやめ、反抗的な態度をとっていた。

「さあ、私の目に狂いがなければ、モスタファーはブルガリア・チームのマスコットを本気で退場させようとしているようであります！」

バグマンの声が響いた。

「さーて、**こんなことは**前代未聞……。ああ、これは面倒なことになりそうです……」

なりそうどころか、そうなってしまった。ブルガリアのビーター、ボルコフとボルチャノフが、モスタファーの両脇に着地し、身振り手振りでレプラコーンのほうを指差し、激しく抗議しはじめた。レプラコーンはいまや上機嫌で「**ヒー、ヒー、ヒー**」の文字になっていた。モスタファーはブルガリアの抗議に取り合わず、人差し指を何度も空中に突き上げていた。飛行体制に戻るように言っているにちがいない。二人が拒否すると、モスタファーはホイッスルを短く二度吹いた。

「アイルランドに**ペナルティ二つ！**」

バグマンが叫んだ。ブルガリアの応援団が怒ってわめいた。

「さあ、ボルコフ、ボルチャノフは箒に乗ったほうがよいようです……よーし……乗りました……そして、トロイがクアッフルを手にしました……」

試合はいまや、これまで見たことがないほど凶暴になってきた。両チームのビーターとも、情け容赦なしの動きだ。ボルコフ、ボルチャノフは特に、棍棒をめちゃめちゃに振り回し、ブラッジャーに当たろうが選手に当たろうが見境なしだった。ディミトロフがクアッフルを持ったモランめがけて体当たりし、彼女は危うく箒から突き落とされそうになった。

「**ファウルだ！**」

アイルランドのサポーターが、緑の波がうねるように次々と立ち上がり、いっせいに叫んだ。

「反則！」

魔法で拡声されたルード・バグマンの声が鳴り響いた。

「ディミトロフがモランに反則技をかけました――わざとぶつかるように飛びました――これはまたペナルティを取らないといけません――よーし、ホイッスルです！」

レプラコーンがまた空中に舞い上がり、今度は巨大な手の形になり、ヴィーラに向かって、ピッチいっぱいに下品なサインをしてみせた。これにはヴィーラも自制心を失った。ピッチのむこうから襲撃をかけ、レプラコーンに向かって火の玉のようなものを投げつけはじめた。万眼鏡でのぞいていたハリーには、ヴィーラがいまやどう見ても美しいとは言えないことがわかった。それどころか、顔は伸びて、鋭い、獰猛なくちばしをした鳥の頭になり、うろこに覆われた長い翼が肩から飛び出していた。

「ほら、おまえたち、**あれを**よく見なさい」

下の観客席からの大喧騒にも負けない声で、ウィーズリーおじさんが叫んだ。

「だから、外見だけにつられてはだめなんだ！」

魔法省の役人が、ヴィーラとレプラコーンを引き離すのに、ドヤドヤッとフィールドにくり出したが、手に負えなかった。一方、上空での激戦に比べればグラウンドの戦いなど物の数ではない。ハリーは万眼鏡で目を凝らし、あっちへこっちへと首を振った。何しろ、クアッフルが弾丸のような速さで手から手へと渡る――。

「レブスキー――ディミトロフ――モラン――トロイ――マレット――イワノバ――またモラン――モラン――**モラン決めたぁ！**」

しかし、アイルランド・サポーターの歓声も、ヴィーラの叫びや魔法省役人の杖から出る爆発音、ブルガリア・サポーターの怒り狂う声でほとんど聞こえない。試合はすぐに再開した。今度はレブスキーがクアッフルを持っている――そしてディミトロフ――。

アイルランドのビーター、クィグリーが、目の前を通るブラッジャーを大きく打ち込み、クラムめがけて力のかぎりたたきつけた。クラムはよけそこない、ブラッジャーがしたたか顔に当たった。

競技場がうめき声一色になった。クラムの鼻が折れたかに見え、そこら中に血が飛び散った。しかし、モスタファー審判はホイッスルを鳴らさない。ほかのことに気を取られている。ハリーはそれも当然だと思った。ヴィーラの一人が投げた火の玉で、審判の箒の尾が火事になっていたのだ。

誰かクラムがけがをしたことに気づいてほしい、とハリーは思った。アイルランドを応援してはいたが、クラムはこのピッチで最高の、わくわくさせてくれる選手だ。ロンもハリーと同じ思いらしい。

「タイムにしろ！　ああ、早くしてくれ。あんなんじゃ、プレーできないよ。見て――」

「リンチを見て！」ハリーが叫んだ。

アイルランドのシーカーが急降下していた。これはウロンスキー・フェイントなんかじゃないと、ハリーには確信があった。今度は本物だ……。

「スニッチを見つけたんだよ！　見つけたんだ！　行くよ！」

観客の半分が事態に気づいたらしい。アイルランドのサポーターが緑の波のように立ち上がり、チームのシーカーに大声援を送った……しかし、クラムがぴったり後ろについていた。クラムが自分の行く先をどうやって見ているのか、ハリーにはまったくわからなかった。クラムのあとに、点々と血が尾を引いていた。それでもクラムはいまやリンチと並んだ。二人が一対になって再び地面に突っ込んでいく……。

「二人ともぶつかるわ！」ハーマイオニーが金切り声を上げた。

「そんなことない！」ロンが大声を上げた。

「リンチがぶつかる！」ハリーが叫んだ。

そのとおりだった――またもや、リンチが地面に激突し、怒れるヴィーラの群れがたちまちそこに押し寄せた。

「スニッチ、スニッチはどこだ？」

チャーリーが列のむこうから叫んだ。

「捕った――クラムが捕った――試合終了だ！」

ハリーが叫び返した。

赤いローブを血に染め、血糊（ちのり）を輝かせながら、クラムがゆっくりと舞い上がった。高々と突き上げた拳のその中に、金色のきらめきが見えた。
大観衆の頭上にスコアボードが点滅した。

ブルガリア　一六〇　アイルランド　一七〇

何が起こったのか観衆には飲み込めていないらしい。しばらくして、ゆっくりと、ジャンボ機が回転速度を上げていくように、アイルランドのサポーターのざわめきがだんだん大きくなり、歓喜の叫びとなって爆発した。

「アイルランドの勝ち！」

バグマンが叫んだ。アイルランド勢と同じく、バグマンもこの突然の試合終了に度胆を抜かれていた。

「クラムがスニッチを捕りました――しかし勝者はアイルランドです――なんたること。誰がこれを予想したでしょう！」

「クラムはいったいなんのためにスニッチを捕ったんだ？」

ロンはピョンピョン飛びはね、頭上で手をたたきながら大声で叫んだ。

「アイルランドが一六〇点もリードしてるときに試合を終わらせるなんて、ヌケサク！」

「絶対に点差を縮められないってわかってたんだよ」

大喝采しながら、ハリーは騒音に負けないように叫び返した。

「アイルランドのチェイサーがうますぎたんだ……クラムは自分のやり方で終わらせたかったんだ、きっと……」

「あの人、とっても勇敢だと思わない？」

ハーマイオニーがクラムの着地するところを見ようと身を乗り出した。魔法医の大集団が、戦いもたけなわのレプラコーンとヴィーラを吹っ飛ばして道をつくり、クラムに近づこうとしていた。

「めちゃめちゃ重傷みたいだわ……」

ハリーはまた万眼鏡を目に当てた。レプラコーンが大喜びでピッチ中をブンブン飛んでいるので、下で何が起こっているのかなかなか見えない。やっとのことで魔法医に取り囲まれたクラムの姿をとらえた。前にも増してむっつりした表情で、医師団が治療しようとするのをはねつけていた。その周りでチームメートががっくりした様子で首を振っている。その少しむこうでは、アイルランドの選手たちが、マスコットの降らせる金貨のシャワーを浴びながら、狂喜して踊っていた。スタジアムいっぱいに国旗が打ち振られ、四方八方からアイルランド国歌が流れてきた。ヴィーラは意気消沈してみじめそうだったが、いまは縮んで、元の美しい姿に戻っていた。

「まぁ、ヴぁれヴぁれは、勇敢に戦った」

ハリーの背後で沈んだ声がした。振り返ると、声の主はブルガリア魔法大臣だった。

「ちゃんと話せるんじゃないですか！」ファッジの声が怒っていた。

「それなのに、一日中私にパントマイムをやらせて！」

「いやぁ、ヴぉんとにおもしろかったです」

ブルガリア魔法大臣は肩をすくめた。

「さて、アイルランド・チームがマスコットを両脇に、グラウンド一周のウイニング飛行をしている間に、クィディッチ・ワールドカップ優勝杯が貴賓席へと運び込まれます！」

バグマンの声が響いた。

突然まばゆい白い光が射し、ハリーは目がくらんだ。貴賓席の中がスタンドの全員に見えるよう魔法の照明がついたのだ。目を細めて入口のほうを見ると、二人の魔法使いが息を切らしながら巨大な金の優勝杯を運び入れるところだった。大優勝杯はコーネリウス・ファッジに手渡されたが、ファッジは一日中むだに手話をさせられていたことを根に持って、まだぶすっとしていた。

「勇猛果敢な敗者に絶大な拍手を——ブルガリア！」バグマンが叫んだ。

すると、敗者のブルガリア選手七人が、階段を上がってボックス席へ入ってきた。スタンドの観衆が、称讃の拍手を贈った。ハリーは、何千、何万という万眼鏡のレンズがこちらに向けられ、チカチカ光っているのを見た。

ブルガリア選手はボックス席の座席の間に一列に並び、バグマンが選手の名前を呼び上げると、一人ずつブルガリア魔法大臣と握手し、次にファッジと握手した。列の最後尾がクラムで、まさにぼろぼろだった。顔は血まみれで、両目の周りに見事な黒いあざが広がりつつあった。まだしっかりとスニッチを握っている。地上ではどうもぎくしゃくしているとハリーは思った。O脚気味だし、はっきり猫背だ。それでも、クラムの名が呼び上げられると、スタジアム中がワッと鼓膜が破れんばかりの大歓声を送った。

それからアイルランド・チームが入ってきた。エイダン・リンチはモランとコノリーに支えられている。二度目の激突で目を回したままらしく、目がうろうろしている。それでも、トロイとクィグリーが優勝杯を高々と掲げ、下の観客席から祝福の声がとどろき渡ると、うれしそうにニッコリした。ハリーは拍手のしすぎで手の感覚がなくなった。

いよいよアイルランド・チームがボックス席を出て、箒に乗り、もう一度ウイニング飛行を始めると（エイダン・リンチはコノリーの箒の後ろに乗り、コノリーの腰にしっかりしがみついて、まだぼうっとあいまいに笑っていた）、バグマンは杖を自分ののどに向け、「**クワイエタス、静まれ**」と唱えた。

「この試合は、これから何年も語り草になるだろうな」

しわがれた声でバグマンが言った。

「実に予想外の展開だった。実に……いや、もっと長い試合にならなかったのは残念だ……ああ、そうか……そう、君たちに借りが……いくらかな？」

フレッドとジョージが自分たちの座席の背をまたいで、ルード・バグマンの前に立っていた。顔中でニッコリ笑い、手を突き出して。

第9章　闇の印

「賭けをしたなんて母さんには**絶対**言うんじゃないよ」

紫のじゅうたんを敷いた階段を、みんなでゆっくり下りながら、ウィーズリーおじさんがフレッドとジョージに哀願した。

「パパ、心配ご無用」

フレッドはうきうきしていた。

「このお金にはビッグな計画がかかってる。取り上げられたくはないさ」

ウィーズリーおじさんは、一瞬、ビッグな計画が何かと聞きたそうな様子だったが、かえって知らないほうがよいと考えなおしたようだった。

まもなく一行は、スタジアムから吐き出されてキャンプ場に向かう群集に巻き込まれてしまった。ランタンに照らされた小道を引き返す道すがら、夜気が騒々しい歌声を運んできた。レプラコーンは、ケタケタ高笑いしながら手にしたランタンを打ち振り、勢いよく一行の頭上を飛び交った。やっとテントにたどり着いたときは、周りが騒がしいこともあり、誰もとても眠る気にはなれなかった。ウィーズリーおじさんは、寝る前にみんなでもう一杯ココアを飲むことを許した。たちまち試合の話に花が咲き、ウィーズリーおじさんは反則技の「コビング」についてチャーリーとの議論にはまってしまった。ジニーが小さなテーブルに突っ伏して眠り込み、そのはずみにココアを床にこぼしてしまったので、ウィーズリーおじさんもやっと舌戦を中止し、「全員もう寝なさい」とうながした。

ハーマイオニーとジニーは隣のテントに行き、ハリーはウィーズリー一家と一緒にパジャマに着替えて二段ベッドの上に登った。キャンプ場のむこうはずれから、まだまだ歌声が聞こえてきたし、バーンという音がときどき響いてきた。

「やれやれ、非番でよかった」

ウィーズリーおじさんが眠そうにつぶやいた。

「アイルランド勢にお祝い騒ぎをやめろ、なんて言いにいく気がしないからね」

ハリーはロンの上の段のベッドに横になり、テントの天井を見つめ、ときどき頭上を飛んでいくレプラコーンのランタンの灯りを眺めては、クラムのすばらしい動きの数々を思い出していた。ファイアボルトに乗ってウロンスキー・フェイントを試してみたくてうずうずした。……オリバー・ウッドはごにょごにょ動く戦略図をさんざん描いてはくれたが、実際にこの技がどんなものなのかを説明しきれなかった……ハリーは背中に自分の名前を書いたローブを着ていた。十万人の観衆が歓声を上げるのが聞こえるような気がする。ルード・バグマンの声がスタジアムに鳴り響いた。「ご紹介しましょう……**ポッター！**」

ほんとうに眠りに落ちたのかどうか、ハリーにはわからなかった――クラムのように飛びたいという夢が、いつの間にか本物の夢にかわっていたのかもしれない――はっきりわかっているのは、突然ウィーズリーおじさんが叫んだことだ。

「起きなさい！　ロン――ハリー――さあ、起きて。緊急事態だ！」

飛び起きたとたん、ハリーはテントに頭のてっぺんをぶっつけた。

「ど、どしたの？」

ハリーは、ぼんやりと、何かがおかしいと感じ取った。キャンプ場の騒音が様変わりし、歌声はやんでいた。人々の叫び声、走る音が聞こえた。

ハリーはベッドからすべり下り、洋服に手を伸ばした。

「ハリー、時間がない——上着だけ持って外に出なさい——早く！」

もうパジャマの上にジーンズをはいていたウィーズリーおじさんが言った。

ハリーは言われたとおりにして、テントを飛び出した。すぐあとにロンが続いた。

まだ残っている火の明かりで、みんなが追われるように森へと駆け込んでいくのが見えた。キャンプ場のむこうから、何かが奇妙な光を発射し、大砲のような音を立てながらこちらに向かってくる。大声でヤジり、笑い、酔ってわめき散らす声がだんだん近づいてくる。そして、突然強烈な緑の光が炸裂し、あたりが照らし出された。

魔法使いたちがひと塊になって、杖をいっせいに真上に向け、キャンプ場を横切り、ゆっくりと行進してくる。ハリーは目を凝らした……魔法使いたちの顔がない……いや、フードをかぶり、仮面をつけている。そのはるか頭上に、宙に浮かんだ四つの影が、グロテスクな形にゆがめられ、もがいている。仮面の一団が人形使いのように、杖から宙に伸びた見えない糸で人形を浮かせて、地上から操っているかのようだった。四つの影のうち二つはとても小さかった。

だんだん多くの魔法使いが、浮かぶ影を指差し、笑いながら、次々と行進に加わった。行進する群れがふくれ上がると、テントはつぶされ、倒された。行進しながら行く手のテントを杖で吹き飛ばすのを、ハリーは一、二度目撃した。火がついたテントもあった。叫び声がますます大きくなった。

燃えるテントの上を通過するとき、宙に浮いた姿が急に照らし出された。ハリーはその一人に見覚えがあった——キャンプ場管理人のロバーツさんだ。あとの三人は、奥さんと子供たちだろう。行進中の一人が、杖で奥さんを逆さまに引っくり返した。ネグリジェがめくれて、だぶだぶしたズロースがむきた。

出しになった。奥さんは隠そうともがいたが、下の群集は大喜びでギャーギャー、ピーピーはやし立てた。

「むかつく」

一番小さい子供のマグルが、首を左右にぐらぐらさせながら、二十メートル上空で独楽(こま)のように回りはじめたのを見て、ロンがつぶやいた。

「ほんと、むかつく……」

ハーマイオニーとジニーが、ネグリジェの上にコートを引っかけて急いでやってきた。そのすぐあとにウィーズリーおじさんがいた。同時に、ビル、チャーリー、パーシーがちゃんと服を着て、杖を手にそでをまくり上げて、男子用テントから現れた。

「私らは魔法省を助太刀する」

騒ぎの中で、おじさんが腕まくりしながら声を張り上げた。

「おまえたち――森へ入りなさい。**バラバラになるんじゃないぞ**。片がついたら迎えにいくから！」

ビル、チャーリー、パーシーは近づいてくる一団に向かって、もう駆けだしていた。ウィーズリーおじさんもそのあとを急いだ。魔法省の役人が四方八方から飛び出し、騒ぎの現場に向かっていた。ロバーツ一家を宙に浮かべた一団が、ずんずん近づいてきた。

「さあ」

フレッドがジニーの手をつかみ、森のほうに引っ張っていった。ハリー、ロン、ハーマイオニー、ジョージがそれに続いた。森にたどり着くと、全員が振り返った。ロバーツ一家の下にいる群集はこれまでより大きくなっていた。魔法省の役人が、なんとかして中心にいるフードをかぶった一団に近づこうとしているのが見えた。苦戦している。ロバーツ一家が落下してしまうことを恐れて、なんの魔法も使えずにいるらしい。

競技場への小道を照らしていた色とりどりのランタンはすでに消えていた。木々の間を黒い影がまごまごと動き回っていた。子供たちが泣きわめいている。ひんやりとした夜気を伝って、不安げに叫ぶ声、恐怖におののく声が、ハリーたちの周りに響いている。ハリーは顔も見えない誰かに、あっちへこっちへと押されているのを感じた。その時、ロンが痛そうに叫ぶ声が聞こえた。

「どうしたの？」

ハーマイオニーが心配そうに聞いた。ハリーは出し抜けに立ち止まったハーマイオニーにぶつかってしまった。

「ロン、どこなの？　ああ、こんなばかなことやってられないわ――**ルーモス！　光よ！**」

ハーマイオニーは杖灯り(つえあか)をともし、その細い光を小道に向けた。ロンが地面に這(は)いつくばっていた。

「木の根につまずいた」

ロンが腹立たしげに言いながら立ち上がった。

「まあ、そのデカ足じゃ、無理もない」背後で気取った声がした。

ハリー、ロン、ハーマイオニーはキッとなって振り返った。すぐそばに、ドラコ・マルフォイが一人で立っていた。木に寄りかかり、平然とした様子だ。腕組みしている。木の間からキャンプ場の様子をずっと眺めていたらしい。

ロンはマルフォイに向かって悪態をついた。ウィーズリーおばさんの前ではロンはけっしてそんな言葉を口にしないだろう、とハリーは思った。

「言葉に気をつけるんだな。ウィーズリー」

マルフォイの薄青い目がギラリと光った。

「君たち、急いで逃げたほうがいいんじゃないのかい？　**その子が**見つかったら困るんじゃないのか？」

マルフォイはハーマイオニーのほうをあごでしゃくった。ちょうどその時、爆弾の破裂するような音がキャンプ場から聞こえ、緑色の閃光が、一瞬周囲の木々を照らした。

「それ、どういう意味？」

ハーマイオニーが食ってかかった。

「グレンジャー、連中は**マグルを**ねらってる。空中で下着を見せびらかしたいかい？　それだったら、ここにいればいい……連中はこっちへ向かっている。みんなでさんざん笑ってあげるよ」

「ハーマイオニーは魔女だ」ハリーがすごんだ。

「勝手にそう思っていればいい。ポッター」

マルフォイが意地悪くニヤリと笑った。

「連中が『穢れた血』を見つけられないとでも思うなら、そこにじっとしてればいい」

「口をつつしめ！」ロンが叫んだ。

「穢れた血」がマグル血統の魔法使いや魔女を侮辱するいやな言葉だということは、その場にいる全員が知っていた。

「気にしないで、ロン」

マルフォイのほうに一歩踏み出したロンの腕を押さえながら、ハーマイオニーが短く言った。

森の反対側で、これまでよりずっと大きな爆発音がした。周りにいた数人が悲鳴を上げた。

マルフォイはせせら笑った。

「臆病な連中だねぇ？」けだるそうな言い方だ。

「君のパパが、みんな隠れているようにって言ったんだろう？　いったい何を考えているやら——マグルたちを助け出すつもりかねぇ？」

「そっちこそ、**君の**親はどこにいるんだ？」ハリーは熱くなっていた。

「あそこに、仮面をつけているんじゃないのか？」

マルフォイはハリーのほうに顔を向けた。ほくそ笑んだままだ。

「さあ……そうだとしても、僕が君に教えてあげるわけはないだろう？　ポッター」

「さあ、行きましょうよ」

ハーマイオニーが、いやなヤツ、という目つきでマルフォイを見た。

「さあ、ほかの人たちを探しましょ」

「そのでっかちのぼさぼさ頭をせいぜい低くしているんだな、グレンジャー」

マルフォイがあざけった。

「**行きましょうったら**」

ハーマイオニーはもう一度そう言うと、ハリーとロンを引っ張って、また小道に戻った。

「あいつの父親は**きっと**仮面団の中にいる。賭けてもいい！」ロンはカッカしていた。

「そうね。うまくいけば、魔法省が取っ捕まえてくれるわ！」

ハーマイオニーも激しい口調だ。

「まあ、いったいどうしたのかしら。あとの三人はどこに行っちゃったの？」

小道は不安げにキャンプ場の騒ぎを振り返る人でびっしり埋まっているのに、フレッド、ジョージ、ジニーの姿はどこにも見当たらない。

道の少し先で、パジャマ姿のティーンエイジャーたちがひと塊になって、何かやかましく議論している。ハリー、ロン、ハーマイオニーを見つけると、豊かな巻き毛の女の子が振り向いて早口に話しかけた。

「ウ　エ　マダム　マクシーム？　ヌ　ラヴォン　ペルデュー（マクシーム先生はどこに行ったのかしら？　先生を見失ってしまったわ）」

「え――なに？」ロンが言った。

「オゥ……」

女の子はくるりとロンに背を向けた。三人が通り過ぎるとき、その子が「オグワーツ」と言うのがはっきり聞こえた。

「ボーバトンだわ」ハーマイオニーがつぶやいた。

「え？」ハリーが聞いた。

「きっとボーバトン校の生徒たちだわ。ほら……ボーバトン魔法アカデミー……私、『ヨーロッパにおける魔法教育の一考察』でそのこと読んだわ」

「あ……うん……そう」とハリー。

「フレッドもジョージもそう遠くへは行けないはずだ」

ロンが杖を引っ張り出し、ハーマイオニーと同じに灯りをつけ、目を凝らして小道を見つめた。ハリーも杖を出そうと上着のポケットを探った――しかし、杖はそこにはなかった。あるのは万眼鏡だけだった。

「あれ、いやだな。そんなはずは……僕、杖をなくしちゃったよ！」

「冗談だろ？」

ロンとハーマイオニーが杖を高く掲げ、細い光の先が地面に広がるようにした。ハリーはそのあたりをくまなく探したが、杖はどこにも見当たらなかった。

「テントに置き忘れたかも」とロン。

「走ってるときにポケットから落ちたのかもしれないわ」

ハーマイオニーが心配そうに言った。

「ああ。そうかもしれない……」とハリー。

魔法界にいるときは、ハリーはいつも肌身離さず杖を持っている。こんな状況の真っただ中で杖なしでいるのは、とても無防備に思えた。

ガサガサッと音がして、三人は飛び上がった。屋敷しもべ妖精のウィンキーが近くの灌木(かんぼく)の茂みから抜け出そうともがいていた。動き方が奇妙キテレツで、見るからに動きにくそうだ。まるで、見えない誰かが後ろから引き止めているようだった。

「悪い魔法使いたちがいる！」

前のめりになって懸命に走り続けようとしながら、ウィンキーはキーキー声で口走った。

「人が高く――空に高く！　ウィンキーはどくのです！」

そしてウィンキーは、自分を引き止めている力に抵抗しながら、息を切らし、キーキー声を上げ、小道のむこう側の木立へと消えていった。

「いったいどうなってるの？」

ロンは、ウィンキーの後ろ姿をいぶかしげに目で追った。

「どうしてまともに走れないんだろ？」

「きっと、隠れてもいいっていう許可を取ってないんだよ」ハリーが言った。

ドビーのことを思い出していたのだ。マルフォイ一家の気に入らないことをするとき、ドビーはいつも自分をいやというほどなぐった。

「ねえ、屋敷妖精って、**とっても**不当な扱いを受けてるわ！」

ハーマイオニーが憤慨した。

「奴隷だわ。そうなのよ！　あのクラウチさんていう人、ウィンキーをスタジアムのてっぺんに行かせて、ウィンキーはとっても怖がってた。その上、ウィンキーに魔法をかけて、あの連中がテントを踏みつけにしはじめても逃げられないようにしたんだわ！　どうして誰も**抗議**しないの？」

「でも、妖精たち、満足してるんだろ？」ロンが言った。

「ウィンキーちゃんが競技場で言ったこと、聞いたじゃないか……『しもべ妖精は楽しんではいけないのでございます』って……そういうのが好きなんだよ。振り回されてるのが……」

「ロン、**あなたのような**人がいるから」

ハーマイオニーが熱くなりはじめた。

「腐敗した不当な制度を支える人たちがいるから。単に面倒だからという理由で、なんにも――」

森のはずれから、またしても大きな爆音が響いてきた。

「とにかく先へ行こう。ね？」

ロンがそう言いながら、気づかわしげにちらっとハーマイオニーを見たのを、ハリーは見逃さなかった。マルフォイの言ったことも真実を突いているかもしれない。ハーマイオニーがほかの誰よりも**ほんとうに**危険なのかもしれない。三人はまた歩きだした。杖がポケットにはないことを知りながら、ハリーはまだそこを探っていた。

暗い小道を、フレッド、ジョージ、ジニーを探しながら、三人はさらに森の奥へと入っていった。途中、小鬼の一団を追い越した。金貨の袋を前に高笑いしている。きっと試合の賭けで勝ったにちがいない。キャンプ場のトラブルなどまったくどこ吹く風という様子だった。さらに進むと、銀色の光を浴びた一角に入り込んだ。木立の間からのぞくと、開けた場所に三人の背の高い美しいヴィーラが立っていた。若い魔法使いたちがそれを取り巻いて、声を張り上げ、口々にがなりたてている。

「僕は、一年にガリオン金貨百袋かせぐ」一人が叫んだ。「我こそは『危険生物処理委員会』のドラゴン・キラーなのだ」

「いや、ちがうぞ」

その友人が声を張り上げた。

「君は『漏れ鍋』の皿洗いじゃないか……ところが、僕は吸血鬼(バンパイア)ハンターだ。我こそは、これまで約九十の吸血鬼を殺せし――」

言葉をさえぎった三人目の若い魔法使いは、ヴィーラの放つ銀色の薄明かりにもはっきりとにきびの痕が見えた。

「おれはまもなく、いままでで最年少の魔法大臣になる。なるってったらなるんでえ」

ハリーはプッと噴き出した。にきび面の魔法使いに見覚えがあった。スタン・シャンパイクという名で、実は三階建ての「夜の騎士(ナイト)バス」の車掌だった。

ロンにそれを教えようと振り向くと、ロンの顔が奇妙にゆるんでいた。次の瞬間、ロンが叫びだした。

「僕は木星まで行ける箒(ほうき)を発明したんだ。言ったたっけ？」

「**まったく！**」

ハーマイオニーはまたかという声を出した。ハーマイオニーとハリーとでロンの腕をしっかりつかみ、回れ右させ、とっとと歩かせた。ヴィーラとその崇拝者の声が完全に遠のいたころ、三人は森の奥深くに入り込んでいた。三人だけになったらしい。周囲がずっと静かになっていた。

ハリーはあたりを見回しながら言った。

「僕たち、ここで待てばいいと思うよ。ほら、何キロも先から人の来る気配も聞こえるし」

その言葉が終わらないうちに、ルード・バグマンがすぐ目の前の木の陰から現れた。

二本の杖灯りから出るかすかな光の中でさえ、ハリーはバグマンの変わりようをはっきり読み取った。あの陽気な表情も、ばら色の顔色も消え、足取りははずみがなく、真っ青で緊張していた。

「誰だ？」

バグマンは、目をしばたたきながらハリーたちを見下ろし、顔を見定めようとした。

「こんな所でポツンと、いったい何をしてるんだね？」

三人とも驚いて、互いに顔を見合わせた。

「それは——暴動のようなものが起こってるんです」ロンが言った。

バグマンがロンを見つめた。

「なんと？」

「キャンプ場です……誰かがマグルの一家を捕まえたんです……」

「なんてやつらだ！」

バグマンは度を失い、大声でののしった。あとは一言も言わず、**ポン**という音とともにバグマンは「姿くらまし」した。

「ちょっとズレてるわね、バグマンさんて。ね？」ハーマイオニーが顔をしかめた。

「でも、あの人、すごいビーターだったんだよ」

そう言いながら、ロンはみんなの先頭に立って小道をそれ、ちょっとした空き地へと誘い、木の根元の乾いた草むらに座った。

「あの人がチームにいたときに、ウィムボーン・ワスプスが連続三回もリーグ優勝したんだぜ」

ロンはクラム人形をポケットから取り出し、地面に置いて歩かせ、しばらくそれを見つめていた。本物のクラムと同じに、人形はちょっとO脚で、猫背で、地上では箒に乗っているときのようにかっこよくはなかった。ハリーはキャンプ場からの物音に耳を澄ました。シーンとしている。暴動が治まったのかもしれない。

「みんな無事だといいけど」

しばらくしてハーマイオニーが言った。

「大丈夫さ」ロンが言った。

「君のパパがルシウス・マルフォイを捕まえたらどうなるかな」

ロンの隣に座り、クラム人形が落ち葉の上をとぼとぼと歩くのを眺めながら、ハリーが言った。

「おじさんは、マルフォイのしっぽをつかみたいって、いつもそう言ってたけど」

「そうなったら、あのドラコのいやみな薄笑いも吹っ飛ぶだろうな」ロンが言った。

「でも、あの気の毒なマグルたち」

ハーマイオニーが心配そうに言った。

「下ろしてあげられなかったら、どうなるのかしら?」

「下ろしてあげるさ」ロンがなぐさめた。

「きっと方法を見つけるよ」

「でも、今夜のように魔法省が総動員されてるときにあんなことをするなんて、狂ってるわ」

ハーマイオニーが言った。

「つまりね、あんなことをしたら、ただじゃすまないじゃない？　飲みすぎたのかしら、それとも、単に――」

ハーマイオニーが突然言葉を切って、後ろを振り向いた。ハリーとロンも急いで振り返った。誰かがこの空き地に向かってよろよろとやってくる音がする。三人は暗い木々の陰から聞こえる不規則な足音に耳を澄まし、じっと待った。突然足音が止まった。

「誰かいますか?」ハリーが呼びかけた。

しんとしている。ハリーは立ち上がって木の陰からむこうをうかがった。暗くて、遠くまでは見えない。それでも、目の届かない所に誰かが立っているのが感じられた。

「どなたですか?」ハリーが聞いた。

すると、なんの前触れもなく、この森では聞き覚えのない声が静寂を破った。その声は恐怖にかられた叫びではなく、呪文のような音を発した。

「**モースモードル!**」

すると、巨大な、緑色に輝く何かが、ハリーが必死に見透(みとお)そうとしていたあたりの暗闇から立ち昇った。それは木々の梢(こずえ)を突き抜け、空へと舞い上がった。

「あれは、いったい――?」

ロンがはじけるように立ち上がり、息をのんで、空に現れたものを凝視した。

一瞬、ハリーはそれが、またレプラコーンの描いた文字かと思った。しかし、すぐにちがうと気づいた。巨大などくろだった。エメラルド色の星のようなものが集まって描くどくろの口から、舌のように蛇が這い出していた。見る間に、それは高く高く昇り、緑がかった靄(もや)を背負って、あたかも新星座のように輝き、真っ黒な空にギラギラと刻印を押した。

突然、周囲の森から爆発的な悲鳴が上がった。ハリーにはなぜ悲鳴が上がるのかわからなかった。ただ、唯一考えられる原因は、急に現れたどくろだ。いまやどくろは、気味の悪いネオンのように、森全体を照らし出すほど高く上がっていた。だれがどくろを出したのかと、ハリーは闇に目を走らせた。しかし、誰も見当たらなかった。

「誰かいるの？」

ハリーはもう一度声をかけた。

「ハリー、早く。**行くのよ！**」

ハーマイオニーがハリーの上着の背をつかみ、ぐいと引き戻した。

「いったいどうしたんだい？」

ハーマイオニーが蒼白（そうはく）な顔で震えているのを見て、ハリーは驚いた。

「ハリー、あれ、『闇の印』よ！」

ハーマイオニーは力のかぎりハリーを引っ張りながら、うめくように言った。

「『例のあの人』の印よ！」

「**ヴォルデモートの**――？」

「ハリー、**とにかく**急いで！」

ハリーは後ろを向いた――ロンが急いでクラム人形を拾い上げるところだった――三人は空き地を出ようとした――が、急いだ三人がほんの数歩も行かないうちに、ポン、ポンと立て続けに音がして、どこからともなく二十人の魔法使いが現れ、三人を包囲した。

ぐるりと周りを見回した瞬間、ハリーは、ハッとあることに気づいた。包囲した魔法使いが手に手に杖を持ち、いっせいに杖先をハリー、ロン、ハーマイオニーに向けているのだ。考える余裕もなく、ハリーは叫んだ。

「**伏せろ！**」

ハリーは二人をつかんで地面に引き下ろした。

「**ステューピファイ！　まひせよ！**」

二十人の声がとどろいた――目のくらむような閃光（せんこう）が次々と走り、空き地を突風が吹き抜けたかのように、ハリーは髪の毛が波立つのを感じた。わずかに頭を上げたハリーは、包囲陣の杖先から炎のような赤い光がほとばしるのを見た。光は互いに交錯し、木の幹にぶつかり、跳ね返って闇の中へ――。

「やめろ！」聞き覚えのある声が叫んだ。

「**やめてくれ！　私の息子だ！**」

ハリーの髪の波立ちが収まった。頭をもう少し高く上げてみた。目の前の魔法使いが杖を下ろした。身をよじると、ウィーズリーおじさんが真っ青になって、大股でこちらにやってくるのが見えた。

「ロン――ハリー――」おじさんの声が震えていた。「――ハーマイオニー――みんな無事か？」

「どけ、アーサー」無愛想な冷たい声がした。

クラウチ氏だった。魔法省の役人たちと一緒に、じりじりと三人の包囲網をせばめていた。ハリーは立ち上がって包囲陣と向かい合った。クラウチ氏の顔が怒りで引きつっていた。

「誰がやった？」

刺すような目で三人を見ながら、クラウチ氏がバシリと言った。

「おまえたちの誰が『闇の印』を出したのだ？」

「僕たちがやったんじゃない！」ハリーはどくろを指差しながら言った。

「僕たち、なんにもしてないよ！」

ロンはひじをさすりながら、憤然として父親を見た。

「なんのために僕たちを攻撃したんだ？」

「白々しいことを！」

クラウチ氏が叫んだ。杖をまだロンに突きつけたまま、目が飛び出している――狂気じみた顔だ。

「おまえたちは犯罪の現場にいた！」

「バーティ」長いウールのガウンを着た魔女がささやいた。「みんな子供じゃないの。バーティ、あんなことができるはずは――」

「おまえたち、あの『印』はどこから出てきたんだね？」

ウィーズリーおじさんがすばやく聞いた。

「あそこよ」

ハーマイオニーは声の聞こえたあたりを指差し、震え声で言った。

「木立の陰に誰かがいたわ……大声で何か言葉を言ったの――呪文を――」

「ほう。あそこに誰かが立っていたと言うのかね？」

クラウチ氏は飛び出した目を今度はハーマイオニーに向けた。顔中にありありと「誰が信じるものか」と書いてある。

「呪文を唱えたと言うのかね？　お嬢さん、あの『印』をどうやって出すのか、大変よくご存じのようだ――」

しかし、クラウチ氏以外は、魔法省の誰もが、ハリー、ロン、ハーマイオニーがあのどくろを創り出すなど、とうていありえないと思っているようだった。ハーマイオニーの言葉を聞くと、みんなまたいっせいに杖を上げ、暗い木立の間を透かすように見ながら、ハーマイオニーの指差した方向に杖を向けた。

「遅すぎるわ」

ウールのガウン姿の魔女が頭を振った。

「もう『姿くらまし』しているでしょう」

「そんなことはない」

茶色いごわごわひげの魔法使いが言った。セドリックの父親、エイモス・ディゴリーだった。

「『失神光線』があの木立を突き抜けた……犯人に当たった可能性は大きい……」

「エイモス、気をつけろ！」

肩をそびやかし、杖をかまえ、空き地を通り抜けて暗闇へと突き進んでいくディゴリー氏に向かって、何人かの魔法使いが警告した。ハーマイオニーは口を手で覆ったまま、闇に消えるディゴリー氏を見送った。

数秒後、ディゴリー氏の叫ぶ声が聞こえた。

「よし！　捕まえたぞ。ここに誰かいる！　気を失ってるぞ！　こりゃあ――なんと――まさか……」

「誰か捕まえたって？」

信じられないという声でクラウチ氏が叫んだ。

「誰だ？　いったい誰なんだ？」

小枝が折れる音、木の葉のこすれ合う音がして、ザックザックという足音とともに、ディゴリー氏が木立の陰から再び姿を現した。両腕に小さなぐったりしたものを抱えている。ハリーはすぐにキッチン・タオルに気づいた。ウィンキーだ。

ディゴリー氏がクラウチ氏の足元にウィンキーを置いたとき、クラウチ氏は身動きもせず、無言のままだった。魔法省の役人がいっせいにクラウチ氏を見つめた。数秒間、蒼白な顔に目だけをメラメラと燃やし、クラウチ氏はウィンキーを見下ろしたまま立ちすくんでいた。やがてやっと我に返ったかのように、クラウチ氏が言った。

「こんな――はずは――ない」とぎれとぎれだ。「絶対に――」

クラウチ氏はサッとディゴリー氏の後ろに回り、荒々しい歩調でウィンキーが見つかったあたりへと歩きだした。

「むだですよ、クラウチさん」ディゴリー氏が背後から声をかけた。

「そこにはほかに誰もいない」

しかしクラウチ氏は、その言葉を鵜呑みにはできないようだった。あちこち動き回り、木の葉をガサガサいわせながら、しげみをかき分けて探す音が聞こえてきた。

「なんとも恥さらしな」

ぐったり失神したウィンキーの姿を見下ろしながら、ディゴリー氏が表情をこわばらせた。

「バーティ・クラウチ氏の屋敷しもべとは……なんともはや」

「エイモス、やめてくれ」

ウィーズリーおじさんがそっと言った。

「まさかほんとうにしもべ妖精がやったと思ってるんじゃないだろう？『闇の印』は魔法使いの合図だ。創り出すには杖がいる」

「そうとも」ディゴリー氏が応じた。「そしてこの屋敷しもべは杖を**持っていた**んだ」

「**なんだって？**」

「ほら、これだ」

ディゴリー氏は杖を持ち上げ、ウィーズリーおじさんに見せた。

「これを手に持っていた。まずは『杖の使用規則』第三条の違反だ。『**ヒトにあらざる生物は、杖を携帯し、またはこれを使用することを禁ず**』」

ちょうどその時、また**ポン**と音がして、ルード・バグマンがウィーズリーおじさんのすぐ脇に「姿あらわし」した。息を切らし、ここがどこかもわからない様子でくるくる回りながら、目をぎょろつかせてエメラルド色のどくろを見上げた。

「『闇の印』！」

バグマンがあえいだ。仲間の役人たちに何か聞こうと顔を向けた拍子に、危うくウィンキーを踏みつけそうになった。

「いったい誰の仕業だ？　捕まえたのか？　バーティ！　いったい何をしてるんだ？」

クラウチ氏が手ぶらで戻ってきた。幽霊のように蒼白な顔のまま、両手も歯ブラシのような口ひげもピクピクけいれんしている。

「バーティ、いったいどこにいたんだ？」バグマンが聞いた。「どうして試合に来なかった？　君の屋敷しもべが席を取っていたのに——おっとどっこい！」

バグマンは足元に横たわるウィンキーにやっと気づいた。

「**この屋敷しもべ**はいったいどうしたんだ？」

「ルード、私は忙しかったのでね」

クラウチ氏は、相変わらずぎくしゃくした話し方で、ほとんど唇を動かしていない。

「それと、私のしもべ妖精は『失神術』にかかっている」

「『失神術』？　ご同輩たちがやったのかね？　しかし、どうしてまた——？」

バグマンの丸いテカテカした顔に、突如「そうか！」という表情が浮かんだ。バグマンはどくろを見上げ、ウィンキーを見下ろし、それからクラウチ氏を見た。

「**まさか！**　ウィンキーが？　『闇の印』を創った？　やり方も知らないだろうに！　そもそも杖がいるだろうが！」

「ああ、まさに、持っていたんだ」ディゴリー氏が言った。

「杖を持った姿で、私が見つけたんだよ、ルード。さて、クラウチさん、あなたにご異議がなければ、屋敷しもべ自身の言い分を聞いてみたいんだが」

　クラウチ氏はディゴリー氏の言葉が聞こえたという反応をまったく示さなかった。しかし、ディゴリー氏は、その沈黙がクラウチ氏の了解だと取ったらしい。杖を上げ、ウィンキーに向けて、ディゴリー氏が唱えた。

「**リナベイト！　蘇生せよ！**」

　ウィンキーがかすかに動いた。大きな茶色の目が開き、寝ぼけたように二、三度瞬きした。魔法使いたちがだまって見つめる中、ウィンキーはよろよろと身を起こした。ディゴリー氏の足に目を止め、ウィンキーはゆっくり、おずおずと目を上げ、ディゴリー氏の顔を見つめた。それから、さらにゆっくりと、空を見上げた。巨大な、ガラス玉のようなウィンキーの両目に、空のどくろが一つずつ映るのを、ハリーは見た。ウィンキーはハッと息をのみ、狂ったようにあたりを見回した。空き地に詰めかけた大勢の魔法使いを見て、ウィンキーはおびえたように突然すすり泣きはじめた。

「しもべ！」

　ディゴリー氏が厳しい口調で言った。

「私が誰だか知っているか？　『魔法生物規制管理部』の者だ！」

　ウィンキーは座ったまま、体を前後に揺すりはじめ、ハッハッと激しい息づかいになった。ハリーは、ドビーが命令に従わなかったときのおびえた様子を、いやでも思い出した。

「見てのとおり、しもべよ、いましがた『闇の印』が打ち上げられた」ディゴリー氏が言った。「そして、おまえは、その直後に印の真下で発見されたのだ！　申し開きがあるか！」

「あ――あ――あたしはなさっていませんです！」

ウィンキーは息をのんだ。

「あたしはやり方をご存じないでございます！」

「おまえが見つかったとき、杖を手に持っていた！」

ディゴリー氏はウィンキーの目の前で杖を振り回しながら吠えた。浮かぶどくろからの緑色の光が空き地を照らし、その明かりが杖に当たったとき、ハリーはハッと気がついた。

「あれっ――それ、僕のだ！」

空き地の目がいっせいにハリーを見た。

「なんと言った？」

ディゴリー氏は自分の耳を疑うかのように聞いた。

「それ、僕の杖です！」ハリーが言った。「落としたんです！」

「落としたんです？」

ディゴリー氏が信じられないというように、ハリーの言葉をくり返した。

「自白しているのか？　『闇の印』を創り出したあとで投げ捨てたとでも？」

「エイモス、いったい誰に向かって物を言ってるんだ！」

ウィーズリーおじさんは怒りで語調を荒らげた。

「いやしくも**ハリー・ポッターが**、『闇の印』を創り出すことがありえるか？」

「あー――いや、そのとおり――」ディゴリー氏が口ごもった。「すまなかった……どうかしてた……」

「それに、僕、あそこに落としたんじゃありません」

ハリーはどくろの下の木立のほうを親指を反らして指差した。

「森に入ったすぐあとになくなっていることに気づいたんです」

「すると」

ディゴリー氏の目が厳しくなり、再び足元で縮こまっているウィンキーに向けられた。

「しもべよ、おまえがこの杖を見つけたのか、え？　そして杖を拾い、ちょっと遊んでみようと、そう思ったのか？」

「あたしはそれで魔法をお使いにはなりませんです！」

ウィンキーはキーキー叫んだ。涙が、つぶれたような団子鼻の両脇を伝って流れ落ちた。

「あたしは……あたしは……ただそれをお拾いになっただけです！　あたしは『闇の印』をおつくりにはなりません！　やり方をご存じありません！」

「ウィンキーじゃないわ！」

ハーマイオニーだ。魔法省の役人たちの前で緊張しながらも、ハーマイオニーはきっぱりと言った。

「ウィンキーの声はかん高くて小さいけれど、私たちが聞いた呪文は、ずっと太い声だったわ！」

ハーマイオニーはハリーとロンに同意を求めるように振り返った。

「ウィンキーの声とは全然ちがってたわよね？」

「ああ」ハリーがうなずいた。「しもべ妖精の声とははっきりちがってた」

「うん、あれはヒトの声だった」ロンが言った。

「まあ、すぐにわかることだ」

ディゴリー氏は、そんなことはどうでもよいというように唸(うな)った。

「杖が最後にどんな術を使ったのか、簡単にわかる方法がある。しもべ、そのことは知っていたか？」

ウィンキーは震えながら、耳をパタパタさせて必死に首を横に振った。ディゴリー氏は再び杖を掲げ、自分の杖とハリーの杖の先をつき合わせた。

「**プライオア　インカンタート！　直前呪文！**」ディゴリー氏が吠えた。

杖の合わせ目から、蛇を舌のようにくねらせた巨大などくろが飛び出した。ハーマイオニーが恐怖に息をのむのをハリーは聞いた。しかし、それは空中高く浮かぶ緑のどくろの影にすぎなかった。灰色の濃い煙でできているかのようだ。まるで呪文のゴーストだった。

「**デリトリウス！　消えよ！**」

ディゴリー氏が叫ぶと、煙のどくろはフッと消えた。

「さて」

ディゴリー氏は、まだヒクヒクと震え続けているウィンキーを、勝ち誇った容赦ない目で見下ろした。

「あたしはなさっていません！」

恐怖で目をグリグリ動かしながら、ウィンキーがかん高い声で言った。

「あたしは、けっして、けっして、やり方をご存じありません！　あたしはよいしもべ妖精さんです。杖はお使いいになりません。杖の使い方をご存じありません！」

「**おまえは現行犯なのだ、しもべ！**」ディゴリー氏が吠えた。「**凶器の杖を手にしたまま捕まったのだ！**」

「エイモス」ウィーズリーおじさんが声を大きくした。

「考えてもみたまえ……あの呪文が使える魔法使いはわずかひと握りだ……ウィンキーがいったいどこ

でそれを習ったというのかね？」

「おそらく、エイモスが言いたいのは」

クラウチ氏が一言一言に冷たい怒りを込めて言った。

「私が召使いたちに常日頃から『闇の印』の創り出し方を教えていたとでも？」

ひどく気まずい沈黙が流れた。

「クラウチさん……そ……そんなつもりはまったく……」

エイモス・ディゴリーが蒼白な顔で言った。

「いまや君は、この空き地の全員の中でも、最もあの印を創り出しそうにない二人に嫌疑をかけようとしている！」

クラウチ氏がかみつくように言った。

「ハリー・ポッター――それにこの私だ！　この子の身の上は君も重々承知なのだろうな、エイモス？」

「もちろんだとも――みんなが知っている――」

ディゴリー氏はひどくうろたえて、口ごもった。

「その上、『闇の魔術』も、それを行う者をも、私がどんなに侮蔑し、嫌悪してきたか、長いキャリアの中で私の残してきた証（あかし）を、君はまさか忘れたわけではあるまい？」

クラウチ氏は再び目をむいて叫んだ。

「クラウチさん、わ――私はあなたがこれにかかわりがあるなどとは一言も言ってはいない！」

エイモス・ディゴリーは茶色のごわごわひげに隠れた顔を赤らめ、また口ごもった。

「ディゴリー！　私のしもべをとがめるのは、私をとがめることだ！」クラウチ氏が叫んだ。

「ほかにどこで、このしもべが印の創出法を身につけるというのだ？」

「ど――どこででも修得できただろうと――」ディゴリーが言った。

「エイモス、そのとおりだ」

ウィーズリーおじさんが口をはさんだ。

「**どこででも『拾得』できただろう**……ウィンキー？」

おじさんはやさしくしもべ妖精に話しかけた。が、ウィンキーはおじさんにもどなりつけられたかのように、ぎくりと身を引いた。

ウィンキーがキッチン・タオルの縁をしゃにむにひねり続けていたので、手の中でタオルがぼろぼろになっていた。

「正確に言うと、どこで、ハリーの杖を見つけたのかね？」

「あ……あたしが発見なさったのは……そこでございます……」ウィンキーは小声で言った。

「そこ……その木立の中でございます……」

「ほら、エイモス、わかるだろう？」

ウィーズリーおじさんが言った。

「『闇の印』を創り出したのが誰であれ、そのすぐあとに、ハリーの杖を残して『姿くらまし』したのだろう。あとで足がつかないようにと、狡猾にも自分の杖を使わなかった。ウィンキーは運の悪いことに、その直後にたまたま杖を見つけて拾った」

「しかし、それなら、ウィンキーは真犯人のすぐ近くにいたはずだ！」

ディゴリー氏は急き込むように言った。

「しもべ、どうだ？　誰か見たか？」

ウィンキーはいっそう激しく震えだした。巨大な目玉が、ディゴリー氏からルード・バグマンへ、そしてクラウチ氏へと走った。

それから、ゴクリとつばを飲んだ。

「あたしは誰もごらんになっ、い、い、いておりません……誰も……」

「エイモス」クラウチ氏が無表情に言った。

「通常なら君は、ウィンキーを役所に連行して尋問したいだろう。しかしながら、この件は私に処理を任せてほしい」

ディゴリー氏はこの提案が気に入らない様子だったが、クラウチ氏が魔法省の実力者なので、断るわけにはいかないのだと、ハリーにははっきりわかった。

「心配ご無用。必ず罰する」クラウチ氏が冷たく言葉をつけ加えた。

「ご、ご、ご主人さま……」

ウィンキーはクラウチ氏を見上げ、目に涙をいっぱい浮かべ、言葉を詰まらせた。

「ご、ご、ご主人さま……ど、ど、どうか……」

クラウチ氏はウィンキーをじっと見返した。しわの一本一本がより深く刻まれ、どことはなしに顔つきが険しくなっていた。なんの哀れみもない目つきだ。

「ウィンキーは今夜、私がとうていありえないと思っていた行動をとった」

クラウチ氏がゆっくりと言った。

「私はウィンキーに、テントにいるようにと言いつけた。トラブルの処理に出かける間、その場にいるように申し渡した。ところが、このしもべは私に従わなかった。**それは『洋服』に値する**」

「おやめください！」

ウィンキーはクラウチ氏の足元に身を投げ出して叫んだ。

「どうぞ、ご主人さま！　洋服だけは、洋服だけはおやめください！」

屋敷しもべ妖精を自由の身にする唯一の方法は、ちゃんとした洋服をくれてやることだと、ハリーは知っていた。クラウチの足元でさめざめと泣きながら、キッチン・タオルにしがみついているウィンキーの姿は見るからに哀れだった。

「でも、ウィンキーは怖がってたわ！」

ハーマイオニーはクラウチ氏をにらみつけ、怒りをぶつけるように話した。

「あなたのしもべ妖精は高所恐怖症だわ。仮面をつけた魔法使いたちが、誰かを空中高く浮かせていたのよ！　ウィンキーがそんな魔法使いたちの通り道から逃れたいって思うのは当然だわ！」

クラウチ氏は、磨きたてられた靴を汚すくさった汚物でも見るような目で、足元のウィンキーを観察していたが、一歩ひいて、ウィンキーに触れられないようにした。

「私の命令に逆らうしもべに用はない」

クラウチ氏はハーマイオニーを見ながら冷たく言い放った。

「主人や主人の名誉への忠誠を忘れるようなしもべに用はない」

ウィンキーの激しい泣き声が、あたり一面に響き渡った。

ひどく居心地の悪い沈黙が流れた。やがてウィーズリーおじさんが静かな口調で沈黙を破った。

「さて、差し支えなければ、私はみんなを連れてテントに戻るとしよう。エイモス、その杖は語るべきことを語り尽くした――よかったら、ハリーに返してもらえまいか――」

ディゴリー氏はハリーに杖を渡し、ハリーはポケットにそれを収めた。

「さあ、三人とも、おいで」

ウィーズリーおじさんが静かに言った。しかし、ハーマイオニーはその場を動きたくない様子だ。泣きじゃくるウィンキーに目を向けたままだった。

「ハーマイオニー！」

おじさんが少し急かすように呼んだ。ハーマイオニーが振り向き、ハリーとロンのあとについて空き地を離れ、木立の間を抜けて歩いた。

「ウィンキーはどうなるの？」空き地を出るなり、ハーマイオニーが聞いた。

「わからない」ウィーズリーおじさんが言った。

「みんなのひどい扱い方ったら！」

ハーマイオニーはカンカンだった。

「ディゴリーさんははじめっからあの子を『しもべ』って呼び捨てにするし……それに、クラウチさんたら！　犯人はウィンキーじゃないってわかってるくせに、それでもクビにするなんて！　ウィンキーがどんなに怖がっていたかなんて、どんなに気が動転してたかなんて、クラウチさんはどうでもいいんだわ——まるで、ウィンキーがヒトじゃないみたいに！」

「そりゃ、ヒトじゃないだろ」ロンが言った。

ハーマイオニーはキッとなってロンを見た。

「だからと言って、ロン、ウィンキーがなんの感情も持ってないことにはならないでしょ。あのやり方には、むかむかするわ——」

「ハーマイオニー、私もそう思うよ」

ウィーズリーおじさんがハーマイオニーに早くおいでと合図しながら、急いで言った。

「でも、いまはしもべ妖精の権利を論じている時じゃない。なるべく早くテントに戻りたいんだ。ほかのみんなはどうしたんだ？」

「暗がりで見失っちゃった」ロンが言った。

「パパ、どうしてみんな、あんなどくろなんかでピリピリしてるの？」

「テントに戻ってから全部話してやろう」ウィーズリーおじさんは緊張していた。

しかし、森のはずれまでたどり着いたとき、足止めを食ってしまった。

おびえた顔の魔女や魔法使いたちが大勢そこに集まっていた。ウィーズリー氏の姿を見つけると、ワッと一度に近寄ってきた。「あっちで何があったんだ？」「誰があれを創り出した？」「アーサー——もしや——**『あの人』**？」

「いいや、『あの人』じゃないとも」

ウィーズリーおじさんがたたみかけるように言った。

「誰なのかわからない。どうも『姿くらまし』したようだ。さあ、道をあけてくれないか。ベッドで寝みたいんでね」

おじさんはハリー、ロン、ハーマイオニーを連れて群集をかき分け、キャンプ場に戻ってきた。もうすべてが静かだった。仮面の魔法使いの気配もない。ただ、壊されたテントがいくつか、まだくすぶっていた。

男子用テントから、チャーリーが首を突き出している。

「父さん、何が起こってるんだい？」

チャーリーが暗がりのむこうから話しかけた。

「フレッド、ジョージ、ジニーは無事戻ってるけど、ほかの子が——」

「私と一緒だ」

ウィーズリーおじさんがかがんでテントにもぐり込みながら言った。ハリー、ロン、ハーマイオニーがあとに続いた。

ビルは腕にシーツを巻きつけて、小さなテーブルの前に座っていた。腕からかなり出血している。チャーリーのシャツは大きく裂け、パーシーは鼻血を流していた。フレッド、ジョージ、ジニーは、けがはないようだったがショック状態だった。

「捕まえたのかい、父さん？」ビルが鋭い語調で聞いた。「あの印を創ったヤツを？」

「いや。バーティ・クラウチのしもべ妖精がハリーの杖を持っているのを見つけたが、あの印を実際に創り出したのが誰かは、皆目わからない」

「えーっ？」ビル、チャーリー、パーシーが同時に叫んだ。

「ハリーの杖？」フレッドが言った。

「クラウチさんのしもべ？」パーシーは雷に打たれたような声を出した。

ハリー、ロン、ハーマイオニーに話を補ってもらいながら、ウィーズリーおじさんは森の中の一部始終を話して聞かせた。四人が話し終わると、パーシーは憤然とそり返った。

「そりゃ、そんなしもべをお払い箱にしたのは、まったくクラウチさんが正しい！」

パーシーが言った。

「逃げるなとはっきり命令されたのに逃げ出すなんて……魔法省全員の前でクラウチさんに恥をかかせるなんて……ウィンキーが『魔法生物規制管理部』に引っ張られたら、どんなに体裁が悪いか――」

「ウィンキーはなんにもしてないわ――間の悪いときに間の悪いところに居合わせただけよ！」

ハーマイオニーがパーシーにかみついた。パーシーは不意を食らったようだった。ハーマイオニーはたいていパーシーとはうまくいっていた――ほかの誰よりずっと馬が合っていたと言える。

「ハーマイオニー。クラウチさんのような立場にある方は、杖を持ってむちゃくちゃをやるような屋敷しもべを置いておくことはできないんだ！」

気を取りなおしたパーシーがもったいぶって言った。

「むちゃくちゃなんかしてないわ！」ハーマイオニーが叫んだ。「あの子は落ちていた杖を拾っただけよ！」

「ねえ、誰か、あのどくろみたいなのがなんなのか、教えてくれないかな？」

ロンが待ちきれないように言った。

「別にあれが悪さをしたわけでもないのに……なんで大騒ぎするの？」

「言ったでしょ。ロン、あれは『例のあの人』の印よ」

真っ先にハーマイオニーが答えた。

「私、『闇の魔術の興亡』で読んだわ」

「それに、この十三年間、一度も現れなかったのだ」

ウィーズリーおじさんが静かに言った。

「みんなが恐怖にかられるのは当然だ……戻ってきた『例のあの人』を見たも同然だからね」

「よくわかんないな」ロンが眉をしかめた。

「だって……あれはただ、空に浮かんだ形にすぎないのに……」

「ロン、『例のあの人』も、その家来も、誰かを殺すときに、決まってあの『闇の印』を空に打ち上げたのだ」おじさんが言った。

「それがどんなに恐怖をかき立てたか……おまえはまだ若いから、昔のことはわかるまい。想像してごらん。帰宅して、自分の家の上に『闇の印』が浮かんでいるのを見つけたら、家の中で何が起きているかわかる……」

　おじさんはブルッと身震いした。

「誰だって、それは最悪の恐怖だ……最悪も最悪……」

　一瞬みながしんとなった。

　ビルが腕のシーツを取り、傷の具合を確かめながら言った。

「まあ、誰が打ち上げたかは知らないが、今夜は僕たちのためにはならなかったな。『死喰い人』たちがあれを見たとたん、怖がって逃げてしまった。誰かの仮面を引っぺがしてやろうとしても、そこまで近づかないうちにみんな『姿くらまし』してしまった。ただ、ロバーツ家の人たちが地面にぶつかる前に受け取めることはできたけどね。あの人たちはいま、記憶修正を受けているところだ」

「死喰い人？」ハリーが聞きとがめた。「死喰い人って？」

「『例のあの人』の支持者が、自分たちをそう呼んだんだ」ビルが答えた。

「今夜僕たちが見たのは、その残党だと思うね――少なくとも、アズカバン行きをなんとか逃れた連中さ」

「そうだという証拠はない、ビル」ウィーズリーおじさんが言った。

「その可能性は強いがね」おじさんはあきらめたようにつけ加えた。

「うん、絶対そうだ！」ロンが急に口をはさんだ。

「パパ、僕たち、森の中でドラコ・マルフォイに出会ったんだ。そしたら、あいつ、父親があの狂った仮面の群れの中にいるって認めたも同然の言い方をしたんだ！　それに、マルフォイ一家が『例のあの人』の腹心だったって、僕たちみんなが知ってる！」

「でも、ヴォルデモートの支持者って――」

　ハリーがそう言いかけると、みんながぎくりとした――魔法界ではみんなそうだが、ウィーズリー一家もヴォルデモートを直接名前で呼ぶことをさけていた。

「ごめんなさい」

ハリーは急いで謝った。

「『例のあの人』の支持者は、何が目的でマグルを宙に浮かせてたんだろう？　つまり、そんなことをして何になるのかなぁ？」

「何になるかって？」

ウィーズリーおじさんが、乾いた笑い声を上げた。

「ハリー、連中にとってはそれがおもしろいんだよ。『例のあの人』が支配していたあの時期には、マグル殺しの半分はお楽しみのためだった。今夜は酒の勢いで、まだこんなにたくさん捕まってないのがいるんだぞ、と誇示したくてたまらなくなったのだろう。連中にとっては、ちょっとした同窓会気分だ」

おじさんは最後の言葉に嫌悪感を込めた。

「でも、連中が**ほんとうに**死喰い人だったら、『闇の印』を見たとき、どうして『姿くらまし』しちゃったんだい？」ロンが聞いた。「印を見て喜ぶはずじゃない。ちがう？」

「ロン、頭を使えよ」ビルが言った。

「連中がほんとうの死喰い人だったら、『例のあの人』が力を失ったとき、アズカバン行きを逃れるのに必死で工作したはずの連中なんだ。『あの人』に無理やりやらされて、殺したり苦しめたりしましたと、ありとあらゆるうそをついたわけだ。『あの人』が戻ってくるとなったら、連中は僕たちよりずっと戦々恐々だろうと思うね。『あの人』が凋落（ちょうらく）したとき、自分たちはなんのかかわりもありませんでした、と『あの人』との関係を否定して、日常生活に戻ったんだからね……『あの人』が連中に対しておほめの言葉をくださるとは思えないよ。だろう？」

「なら……あの『闇の印』を打ち上げた人は……」ハーマイオニーが考えながら言った。「死喰い人を支持するためにやったのかしら、それとも怖がらせるために？」

「ハーマイオニー、私たちにもわからない」ウィーズリーおじさんが言った。「でも、これだけは言える……あの印の創り方を知っているのは、死喰い人だけだ。たとえいまはそうでないにしても、一度は死喰い人だった者でなかったとしたら、つじつまが合わない……さあ、もうだいぶ遅い。何が起こったか、母さんが聞いたら、死ぬほど心配するだろう。あと数時間眠って、早朝に出発する移動（ポート）キーに乗ってここを離れるようにしよう」

ハリーは自分のベッドに戻ったが、頭がいっぱいだった。つかれはてているはずだった。もう朝の三時だ。しかし、目が冴えていた――目が冴えて、心配でたまらなかった。

三日前――もっと昔のような気がしたが、ほんの三日前だった――焼けるような傷痕の痛みで目を覚ましたのは。そして今夜、この十三年間見られなかったヴォルデモート卿（きょう）の印が空に現れた。どういうことなのだろう？

ハリーは、プリベット通りを離れる前にシリウス・ブラックに書いた手紙のことを思った。シリウスはもう受け取っただろうか？　返事はいつ来るのだろう？　横たわったまま、ハリーはテントの天井を見つめていた。いつのまにか本物の夢に誘い込んでくれるような、空を飛ぶ夢も湧いてこない。

チャーリーのいびきがテント中に響く中で、ハリーがやっとまどろみはじめたのは、それからずいぶんあとだった。

第10章　魔法省スキャンダル

ほんの数時間眠っただけで、みんなウィーズリーおじさんに起こされた。おじさんが魔法でテントをたたみ、できるだけ急いでキャンプ場を離れた。途中で小屋の戸口にいたロバーツさんのそばを通ると、ロバーツさんは奇妙にどろんとして、みんなに手を振り、ぼんやりと「メリークリスマス」と挨拶をした。

「大丈夫だよ」

荒れ地に向かってせっせと歩きながら、おじさんがみんなにそっと言った。

「記憶修正されると、しばらくの間はちょっとぼけることがある……それに、今度はずいぶん大変なことを忘れてもらわなきゃならなかったしね」

移動キー(ポート)が置かれている場所に近づくと、せっぱ詰まったような声がガヤガヤと聞こえてきた。その場に着くと、大勢の魔法使いたちが移動キーの番人、バージルを取り囲んで、とにかく早くキャンプ場を離れたいと大騒ぎしていた。

ウィーズリーおじさんはバージルと手早く話をつけ、みんなで列に並んだ。そして、古タイヤに乗り、朝日が昇り初める前にストーツヘッド・ヒルに戻ることができた。

夜明けの薄明かりの中、みんなでオッタリー・セント・キャッチポールを通り、「隠れ穴」へと向かった。つかれはて、誰もほとんど口をきかず、ただただ朝食のことしか頭になかった。路地を曲がり、「隠れ穴」が見えてきたとき、朝露に濡れた路地のむこうから、叫び声が響いてきた。

「ああ！　よかった。ほんとによかった！」

家の前でずっと待っていたのだろう。ウィーズリーおばさんが、真っ青な顔を引きつらせ、手に丸めた「日刊予言者新聞」をしっかり握りしめて、スリッパのまま走ってきた。

「アーサー――心配したわ――**ほんとに心配したわ**――」

おばさんはおじさんの首に腕を回して抱きついた。手から力が抜け、「日刊予言者新聞」がポトリと落ちた。ハリーが見下ろすと、新聞の見出しが目に入った。「クィディッチ・ワールドカップでの恐怖」。梢（こずえ）の上空に、「闇の印」がモノクロ写真でチカチカ輝いている。

「無事だったのね」

おばさんはおろおろ声でつぶやくと、おじさんから離れ、真っ赤な目で子供たちを一人一人見つめた。

「みんな、生きててくれた……ああ、**おまえたち**……」

驚いたことに、おばさんはフレッドとジョージをつかんで、思いっきりきりきつく抱きしめた。あまりの勢いに、二人は鉢合わせをした。

「**イテッ！**　ママ――窒息しちゃうよ――」

「家を出るときにおまえたちにガミガミ言って！

『例のあの人』がおまえたちをどうにかしてしまっていたら……母さんがおまえたちに言った最後の言葉が『O・W・L試験（ふくろう）の点が低かった』だったなんて、いったいどうしたらいいんだろうって、ずっとそればっかり考えてたわ！　ああ、フレッド……ジョージ……」

おばさんはすすり泣きはじめた。

「さあさあ、母さん、みんな無事なんだから」

ウィーズリーおじさんはやさしくなだめながら、双子の兄弟を固く抱きしめているおばさんを引き離し、家の中へと連れ帰った。

「ビル」

おじさんが小声で言った。

「新聞を拾ってきておくれ。何が書いてあるか読みたい……」

狭いキッチンにみんなでぎゅうぎゅう詰めになり、ハーマイオニーがおばさんに濃い紅茶をいれた。おじさんはその中に、オグデンのオールド・ファイア・ウィスキーをたっぷり入れると言ってきかなかった。それからビルがおじさんに新聞を渡した。おじさんは一面にざっと目を通し、パーシーがその肩越しに新聞をのぞき込んだ。

「思ったとおりだ」おじさんが重苦しい声で言った。

「**魔法省のへま……犯人を取り逃がす……警備の甘さ……闇の魔法使い、やりたい放題……国家的恥辱**……いったい誰が書いてる？　ああ……やっぱり……リータ・スキーターだ」

「あの女、魔法省に恨みでもあるのか！」パーシーが怒りだした。

「先週なんか、鍋底の厚さのあら探しなんかで時間をむだにせず、吸血鬼撲滅に力を入れるべきだって言ったんだ。そのことは『非魔法使い半ヒト族の取り扱いに関するガイドライン』の第十二項に**はっきり**規定してあるのに、まるで無視して――」

「パース、頼むから」ビルがあくびしながら言った。「だまれよ」

「私のことが書いてある」

「日刊予言者新聞」の記事の一番下まで読んだとき、めがねの奥でおじさんが目を見開いた。

「どこに？」

急にしゃべったので、おばさんはウィスキー入り紅茶にむせた。

「それを見ていたら、あなたがご無事だとわかったでしょうに！」

「名前は出ていない」おじさんが言った。

「こう書いてある。『森のはずれで、おびえながら、情報をいまや遅しと待ちかまえていた魔法使いたちが、魔法省からの安全確認の知らせを期待していたとすれば、誰もが見事に失望させられた。「闇の印」の出現からしばらくして、魔法省の役人が姿を現し、けが人はなかったと主張し、それ以上の情報を提供することを拒んだ。それから一時間後に数人の遺体が森から運び出されたといううわさを、この発表だけで充分に打ち消すことができるかどうか、大いに疑問である……』ああ、やれやれ」

ウィーズリーおじさんはあきれたようにそう言うと、新聞をパーシーに渡した。

「事実、けが人は**なかった**。ほかになんと言えばいいのかね？『**数人の遺体が森から運び出されたといううわさ**……』そりゃ、こんなふうに書かれてしまったら、確実にうわさが立つだろうよ」

おじさんは深いため息をついた。

「モリー、これから役所に行かないと。善後策を講じなければなるまい」

「お父さん、僕も一緒に行きます」

パーシーが胸を張った。

「クラウチさんはきっと手が必要です。それに、僕の鍋底報告書を直接に手渡せるし」

パーシーはあわただしくキッチンを出ていった。

おばさんは心配そうだった。

「アーサー、あなたは休暇中じゃありませんか！これはあなたの部署にはなんの関係もないことですし、あなたがいなくともみなさんがちゃんと処理なさるでしょう？」

「行かなきゃならない、モリー。私が事態を悪くしたようだ。ローブに着替えて出かけよう……」

「ウィーズリーおばさん」

ハリーはがまんできなくなって、唐突に聞いた。

「ヘドウィグが僕宛の手紙を持ってきませんでしたか？」

「ヘドウィグですって？」

おばさんはよく飲み込めずに聞き返した。

「いいえ……来ませんよ。郵便は全然来ていませんよ」

ロンとハーマイオニーも、どうしたことかとハリーを見た。

「そうですか。それじゃ、ロン、君の部屋に荷物を置きにいってもいいかな？」

ハリーは二人に意味ありげな目配せをした。

「ウン……僕も行くよ。ハーマイオニー、君は？」ロンがすばやく応じた。

「ええ」

ハーマイオニーも早かった。そして三人は、さっさとキッチンを出て、階段を上った。

「ハリー、どうしたんだ？」

屋根裏部屋のドアを閉めたとたんに、ロンが聞いた。

「君たちにまだ話してないことがあるんだ」ハリーが言った。

「土曜日の朝のことだけど、僕、また傷が痛んで目が覚めたんだ」

二人の反応は、プリベット通りの自分の部屋でハリーが想像したこととほとんど同じだった。

ハーマイオニーは息をのみ、すぐさま意見を述べだした。参考書を何冊か挙げ、アルバス・ダンブルドアからホグワーツの校医のマダム・ポンフリーまで、あらゆる名前を挙げた。

ロンはびっくり仰天して、まともに言葉も出ない。

「だって――そこにはいなかったんだろ？　『例のあの人』は？　ほら――前に傷が痛んだとき、『あの人』はホグワーツにいたんだ。そうだろ？」

「確かに、プリベット通りにはいなかった。だけど、僕はあいつの夢を見たんだ……あいつとピーターの――ほら、あのワームテールだよ。もう全部は思い出せないけど、あいつら、たくらんでたんだ。殺すって……誰かを」

「僕を」とのどまで出かかったが、ハーマイオニーのおびえる顔を見ると、これ以上怖がらせることはできないと思った。

「たかが夢だろ」ロンが励ますように言った。「ただの悪い夢さ」

「ウン、だけど、ほんとにそうなのかな？」

ハリーは窓のほうを向いて、明け染めてゆく空を見た。

「なんだか変だと思わないか……僕の傷が痛んだ。その三日後に死喰い人の行進。そしてヴォルデモートの印がまた空に上がった」

「あいつの――名前を――言っちゃ――ダメ！」

ロンは歯を食いしばりながら言った。

「それに、トレローニー先生が言ったこと、覚えてるだろ？」

ハリーはロンの言ったことを聞き流して言葉を続けた。

「三年生の終わりだったね？」

トレローニー先生はホグワーツの「占い学」の先生だ。

ハーマイオニーの顔から恐怖が吹き飛び、フンとあざけるように鼻を鳴らした。

「まあ、ハリー、あんなインチキさんの言うことを真に受けてるんじゃないでしょうね？」

「君はあの場にいなかったから」ハリーが言った。「先生の声を聞いちゃいないんだ。あの時だけはいつもとちがってた。言ったよね、霊媒状態だったって――本物の。『闇の帝王』は再び立ち上がるであろうって、そう言ったんだ……**以前よりさらに偉大に、より恐ろしく**……召使いがあいつの下に戻るから、その手を借りて立ち上がるって……その夜にワームテールが逃げ去ったんだ」

沈黙が流れた。ロンは無意識にチャドリー・キャノンズを描いたベッドカバーの穴を指でほじくっていた。

「ハリー、どうしてヘドウィグが来たかって聞いたの？」ハーマイオニーが聞いた。

「手紙を待ってるの？」

「傷痕のこと、シリウスに知らせたのさ」

ハリーはちょっと肩をすくめた。

「返事を待ってるんだ」

「そりゃ、いいや！」

ロンの表情が明るくなった。

「シリウスなら、どうしたらいいかきっと知ってると思うよ！」

「早く返事をくれればいいなって思ったんだ」ハリーが言った。

「でも、シリウスがどこにいるか、私たち知らないでしょ……アフリカかどこかにいるんじゃないかしら？」

ハーマイオニーは理性的だった。

「**そんな長旅**、ヘドウィグが二、三日でこなせるわけないわ」

「ウン、わかってる」

　そうは言ったものの、ヘドウィグの姿の見えない窓の外を眺めながら、ハリーは胃に重苦しいものを感じた。

「さあ、ハリー、果樹園でクィディッチして遊ぼうよ」ロンが誘った。

「やろうよ――三対三で、ビルとチャーリー、フレッドとジョージの組だ……君はウロンスキー・フェイントを試せるよ……」

「ロン、ハリーはいま、クィディッチをする気分じゃないわ……心配だし、つかれてるし……みんなも眠らなくちゃ……」

　ハーマイオニーは「まったくあなたって、なんて鈍感なの」という声で言った。

「ううん、僕、クィディッチしたい」ハリーが出し抜けに言った。

「待ってて。ファイアボルトを取ってくる」

　ハーマイオニーはなんだかブツブツ言いながら部屋を出ていった。「**まったく、男の子ったら**」とか聞こえた。


　それから一週間、ウィーズリーおじさんもパーシーも、ほとんど家にいなかった。二人とも朝はみんなが起きだす前に家を出て、夜は夕食後遅くまで帰らなかった。

「まったく大騒動だったよ」

　明日はみんながホグワーツに戻るという日曜の夜、パーシーがもったいぶって話しだした。

「一週間ずっと火消し役だった。『吠(ほ)えメール』が次々送られてくるんだからね。当然、すぐに開封しないと、吠えメールは爆発する。僕の机は焼け焦げだらけだし、一番上等の羽根ペンは灰になるし」

「どうしてみんな吠えメールをよこすの？」

居間の暖炉マットに座り、スペロテープで教科書の『薬草とキノコ一〇〇〇種』をつくろいながら、ジニーが聞いた。

「ワールドカップでの警備への苦情だよ」パーシーが答えた。

「壊された私物の損害賠償を要求してる。マンダンガス・フレッチャーなんか、寝室が十二もある、ジャクージつきのテントを弁償しろときた。だけど僕はあいつの魂胆を見抜いているんだ。棒切れにマントを引っかけて、その中で寝てたという事実を押さえてる」

ウィーズリーおばさんは部屋の隅の大きな柱時計をちらっと見た。ハリーはこの時計が好きだった。時間を知るにはまったく役に立たなかったが、それ以外なら、とてもいろいろなことがわかる。金色の針が九本、それぞれに家族の名前が彫り込まれている。文字盤には数字はなく、家族全員がいそうな場所が書いてあった。「家」、「学校」、「仕事」はもちろん、「迷子」、「病院」、「牢獄（ろうごく）」などもあったし、普通の時計の十二時の位置には、「命が危ない」と書いてある。

八本の針がいまは「家」の位置を指していた。しかし、一番長いおじさんの針は、まだ「仕事」を指していた。おばさんがため息をついた。

「お父さまが週末にお仕事にお出かけになるのは、『例のあの人』のとき以来のことだわ」

おばさんが言った。

「お役所はあの人を働かせすぎるわ。早くお帰りにならないと、夕食がだいなしになってしまう」

「でも、父さんは、ワールドカップのときのミスを埋め合わせなければ、と思っているのでしょう？」

パーシーが言った。

「ほんとうのことを言うと、公の発表をする前に、部の上司の許可を取りつけなかったのは、ちょっと軽率だったと――」

「あのスキーターみたいな卑劣な女が書いたことで、お父さまを責めるのはおやめ！」

ウィーズリーおばさんがたちまちメラメラと怒った。

「父さんがなんにも言わなかったら、あのリータのことだから、魔法省の誰も何もコメントしないのはけしからんとか、どうせそんなことを言ったろうよ」

ロンとチェスをしていたビルが言った。

「リータ・スキーターってやつは、誰でもこき下ろすんだ。グリンゴッツの呪い破り職員を全員インタビューした記事、覚えてるだろう？　僕のこと、『長髪のアホ』って呼んだんだぜ」

「ねえ、おまえ、確かに長すぎるわよ」おばさんがやさしく言った。「ちょっと私に切――」

「母さん、**ダメだよ**」

雨が居間の窓を打った。ハーマイオニーは、おばさんがダイアゴン横丁でハリー、ロン、ハーマイオニーのそれぞれに買ってきた『基本呪文集（四学年用）』を読みふけっている。チャーリーは防火頭巾をつくろっていた。ハリーは十三歳の誕生日にハーマイオニーからプレゼントされた「箒磨きセット」を足元に広げ、ファイアボルトを磨いていた。フレッドとジョージは隅っこのほうに座り込み、羽根ペンを手に、羊皮紙の上で額を突き合わせて何やらヒソヒソ話している。

「二人で何してるの？」おばさんがはたと二人を見すえて、鋭く言った。

「宿題さ」フレッドがボソボソ言った。

「バカおっしゃい。まだお休み中でしょう」おばさんが言った。

「ウン、やり残してたんだ」ジョージが言った。

「まさか、新しい**注文書**なんか作ってるんじゃないでしょうね？」

おばさんがズバッと指摘した。

「万が一にも、**ウィーズリー・ウィザード・ウィーズ**再開なんかを考えちゃいないでしょうね？」

「ねえ、ママ」

フレッドが見るも痛々しげな表情をつくっておばさんを見上げた。

「もしだよ、あしたホグワーツ特急が衝突して、俺もジョージも死んじゃって、ママからの最後の言葉がいわれのない中傷だったたってわかったら、ママはどんな気持ちがする？」

みんなが笑った。おばさんまで笑った。

「あら、お父さまのお帰りよ！」

もう一度時計を見たおばさんが、突然言った。

ウィーズリーおじさんの針が「仕事」から「移動中」になっていた。一瞬あとに、針はプルプルと震えて、みんなの針のある「家」の所で止まり、キッチンからおじさんの呼ぶ声が聞こえてきた。

「いま行くわ、アーサー！」おばさんがあわてて部屋を出ていった。

数分後、夕食をお盆にのせて、おじさんが暖かな居間に入ってきた。つかれきった様子だ。

「まったく、火に油を注ぐとはこのことだ」

暖炉のそばのひじかけ椅子に座り、少ししなびたカリフラワーを食べるともなくつっつき回しながら、ウィーズリーおじさんがおばさんに話しかけた。

「リータ・スキーターが、ほかにも魔法省のごたごたがないかと、この一週間ずっとかぎ回って、記事のネタ探しをしていたんだが、とうとうかぎつけた。あの哀れなバーサの行方不明事件を。明日の『日刊予言者新聞』のトップ記事になるだろう。とっくに誰かを派遣して、バーサの捜索をやっていなければならないと、バグマンにちゃんと言ったのに、**言わんこっちゃない**」

「クラウチさんなんか、もう何週間も前からそう言い続けていましたよ」

パーシーがすばやく言った。

「クラウチは運がいい。リータがウィンキーのことをかぎつけなかったからね」

おじさんがいらいらしながら言った。

「クラウチ家のしもべ妖精、『闇の印』を創り出した杖を持って逮捕さる、なんて、丸一週間大見出しになるところだったよ」

「あのしもべは、確かに無責任だったけれど、あの印を創り出しは**しなかった**って、みんな了解済みじゃなかったのですか？」パーシーも熱くなった。

「言わせてもらいますけど、屋敷妖精たちにどんなにひどい仕打ちをしているのかを、『日刊予言者新聞』に知られなくて、クラウチさんはとても運が強いわ！」

ハーマイオニーが憤慨した。

「わかってないね、ハーマイオニー！」

パーシーが言った。

「クラウチさんくらいの政府高官になると、自分の召使いに揺るぎない服従を要求して当然なんだ――」

「あの人の**奴隷に**って言うべきだわ！」

ハーマイオニーの声が熱くなって上ずった。

「だって、あの人はウィンキーに**お給料払ってない**もの。でしょ？」

「みんな、もう部屋に上がって、ちゃんと荷造りしたかどうか確かめなさい！」

おばさんが議論に割って入った。

「ほらほら、早く、みんな……」

ハリーは箒磨きセットを片づけ、ファイアボルトを担ぎ、ロンと一緒に階段を上った。家の最上階では、雨音がいっそう激しく、風がヒューヒューと鳴き唸る音や、その上、屋根裏にすむグールお化けのわめき声がときどき加わった。二人が部屋に入っていくと、ピッグウィジョンがまたピーピー鳴き、かごの中をビュンビュン飛び回りはじめた。荷造り途中のトランクを見て狂ったように興奮したらしい。

「『ふくろうフーズ』を投げてやって」

ロンがひと袋ハリーに投げてよこした。

「それでだまるかもしれない」

ハリーは、「ふくろうフーズ」を二、三個、ピッグウィジョンの鳥かごの格子の間から差し入れ、自分のトランクを見た。トランクの隣にヘドウィグのかごがあったが、まだからのままだった。

「一週間以上たった」

ヘドウィグのいない止まり木を見ながらハリーが言った。

「ロン、シリウスが捕まったなんてこと、ないよね？」

「ないさぁ。それだったら『日刊予言者新聞』にのるよ」ロンが言った。

「魔法省が、**とにかく誰かを**逮捕したって、見せびらかしたいはずだもの。そうだろ？」

「ウン、そうだと思うけど……」

「ほら、これ、ママがダイアゴン横丁で君のために買ってきたものだよ。それに、君の金庫から金貨を少し下ろしてきた……君の靴下も全部洗濯してある」

ロンが山のような買い物包みを、ハリーの折りたたみベッドにドサリと下ろし、その脇に金貨の入った巾着と、靴下をひと抱えドンと置いた。ハリーは包みをほどきはじめた。ミランダ・ゴズホーク著『基本呪文集（四学年用）』のほか、新しい羽根ペンをひとそろい、羊皮紙の巻紙を一ダース、魔法薬調合材料セットの補充品――ミノカサゴのとげや鎮痛剤のベラドンナエキスが足りなくなっていたので――などなどだった。大鍋に下着を詰め込んでいたとき、ロンが背後でいかにもいやそうな声を上げた。

「これって、**いったい**なんのつもりだい?」

ロンがつまみ上げているのは、ハリーには栗色のビロードの長いドレスのように見えた。襟の所にかびが生えたようなレースのフリルがついていて、そで口にもそれに合ったレースがついている。

ドアをノックする音がして、おばさんが洗い立てのホグワーツの制服を腕いっぱいに抱えて入ってきた。

「さあ」

おばさんが山を二つに分けながら言った。

「しわにならないよう、ていねいに詰めるんですよ」

「ママ、まちがえてジニーの新しい洋服を僕によこしたよ」ロンがドレスを差し出した。

「まちがえてなんかいませんよ」おばさんが言った。

「それ、あなたのですよ。パーティ用のドレスローブ」

「**エーッ!**」ロンが恐怖に打ちのめされた顔をした。

「ドレスローブです!」おばさんがくり返した。

「学校からのリストに、今年はドレスローブを準備することって書いてあったわ――正装用のローブをね」

「悪い冗談だよ」ロンは信じられないという口調だ。

「こんなもの、ぜーったい着ないから」

「ロン、みんな着るんですよ!」おばさんが不機嫌な声を出した。

「パーティ用のローブなんて、みんなそんなものです! お父さまもちょっと正式なパーティ用に何枚か持ってらっしゃいます！」

「こんなもの着るぐらいなら、僕、裸で行くよ」ロンが意地を張った。

「聞き分けのないことを言うんじゃありません」おばさんが言った。

「ドレスローブを持っていかなくちゃならないんです。リストにあるんですから！　ハリーにも買ってあげたわ……ハリー、ロンに見せてやって……」

ハリーは恐る恐る最後の包みを開けた。思ったほどひどくはなかった。ハリーのローブはレースがまったくついていない。制服とそんなに変わりなかった。ただ、黒でなく深緑色だった。

「あなたの目の色がよく映えると思ったのよ」おばさんがやさしく言った。

「そんなのだったらいいよ！」

ロンがハリーのローブを見て怒ったように言った。

「どうして僕にもおんなじようなのを買ってくれないの？」

「それは……その、あなたのは古着屋で買わなきゃならなかったの。あんまりいろいろ選べなかったんです！」

おばさんの顔がサッと赤くなった。

ハリーは目をそらした。グリンゴッツ銀行にある自分のお金を、ウィーズリー家の人たちと喜んで半分わけにするのに。でもウィーズリーおばさんたちはきっと受け取ってくれないだろう。

「僕、絶対着ないからね」ロンが頑固に言い張った。

「ぜーったい」

「勝手におし」おばさんがピシャリと言った。

「裸で行きなさい。ハリー、忘れずにロンの写真を撮って送ってちょうだいね。母さんだって、たまには笑うようなことがなきゃ、やりきれないわ」

おばさんはバタンとドアを閉めて出ていった。二人の背後で咳(せ)き込むような変な音がした。ピッグウィジョンが大きすぎる「ふくろうフーズ」にむせ込んでいた。

「僕の持ってるものって、どうしてどれもこれもボロいんだろう？」

ロンは怒ったようにそう言いながら、足取りも荒くピッグウィジョンの所へ行って、くちばしに詰まったふくろうフーズをはずした。

第11章　ホグワーツ特急に乗って

翌朝目が覚めると、休暇が終わったという憂鬱な気分があたり一面に漂っていた。降り続く激しい雨が窓ガラスを打つ中、ハリーはジーンズと長そでのTシャツに着替えた。みんな、ホグワーツ特急の中で制服のローブに着替えることにしていた。

ハリーがロン、フレッド、ジョージと一緒に朝食をとりに階下に下りる途中、二階の踊り場まで来ると、ウィーズリーおばさんがただ事ならぬ様子で階段の下に現れた。

「アーサー！」

階段の上に向かっておばさんが呼びかけた。

「アーサー！　魔法省から緊急の伝言ですよ！」

ウィーズリーおじさんがローブを後ろ前に着て、階段をガタガタいわせながら駆け下りてきた。ハリーは壁に張りつくようにして道をあけた。おじさんの姿はあっという間に見えなくなった。

ハリーがみんなとキッチンに入っていくと、おばさんがおろおろと引き出しをかき回していた――「どこかに羽根ペンがあるはずなんだけど！」――おじさんは暖炉の火の前にかがみ込み、話をしていた。

ハリーはぎゅっと目を閉じ、また開けてみた。自分の目がちゃんと機能しているかどうか確かめたかったのだ。

炎の真ん中に、エイモス・ディゴリーの首が、まるでひげの生えた卵のようにどっかり座っていた。

飛び散る火の粉にも、耳をなめる炎にもまったく無頓着に、その顔は早口でしゃべっていた。

「……近所のマグルたちが、ドタバタいう音や叫び声に気づいて知らせたのだ。ほら、なんとか言ったな――うん、慶察(プリーズマン)とかに。アーサー、現場に飛んでくれ――」

「はい！」おばさんが息を切らしながら、おじさんの手に羊皮紙、インクつぼ、くしゃくしゃの羽根ペンを押しつけるように渡した。

「――私が聞きつけたのは、まったくの偶然だった」ディゴリー氏の首が言った。「ふくろう便を二、三通送るのに、早朝出勤の必要があってね。そうしたら『魔法不適正使用取締局』が全員出動していた――リータ・スキーターがこんなネタを押さえでもしたら、アーサー――」

「マッド－アイは、何が起こったと言ってるのかね？」

おじさんはインクつぼのふたをひねって開け、羽根ペンを浸し、メモを取る用意をしながら聞いた。

ディゴリー氏の首があきれたように目玉をぐるぐるさせた。

「庭に何者かが侵入する音を聞いたそうだ。家のほうに忍び寄ってきたが、待ち伏せしていた家のごみバケツたちがそいつを迎え撃ったそうだ」

「ごみバケツは何をしたのかね？」

おじさんは急いでメモを取りながら聞いた。

「轟音(ごうおん)を立ててごみをそこら中に発射したらしい」ディゴリー氏が答えた。「慶察が駆けつけたときに、ごみバケツが一個、まだ吹っ飛び回っていたらしい――」

ウィーズリーおじさんがうめいた。

「それで、侵入者はどうなった？」

「アーサー、あのマッド－アイの言いそうなことじゃないか」

ディゴリー氏の首がまた目をぐるぐるさせながら言った。

「真夜中に、誰かがマッド-アイの庭に忍び込んだって？　攻撃されてショックを受けた猫か何かが、ジャガイモの皮だらけになってうろついているのが見つかるくらいが関の山だろうよ。しかし、『魔法不適正使用取締局』がマッド-アイを捕まえたらおしまいだ――何しろああいう前歴だし――なんとか軽い罪で放免しなきゃならん。君の管轄の部あたりで――爆発するごみバケツの罪はどのくらいかね？」

「警告程度だろう」

ウィーズリーおじさんは、眉根にしわを寄せて、忙しくメモを取り続けていた。

「マッド-アイは杖を使わなかったのだね？　誰かを襲ったりはしなかったね？」

「あいつは、きっとベッドから飛び起きて、窓から届く範囲のものに、手当たりしだい呪いをかけたにちがいない」

ディゴリー氏が言った。

「しかし、『不適正使用取締局』がそれを証明するのはひと苦労のはずだし、負傷者はいない」

「わかった。行こう」

ウィーズリーおじさんはそう言うと、メモ書きした羊皮紙をポケットに突っ込み、再びキッチンから飛び出していった。

ディゴリー氏の顔がウィーズリーおばさんのほうを向いた。

「モリー、すまんね」

声が少し静かになった。

「こんな朝早くから騒がせてしまって……しかし、マッド-アイを放免できるのはアーサーしかいない。

それに、マッド‐アイは今日から新しい仕事に就くことになっている。なんでよりによってその前の晩に……」

「エイモス、気にしないでちょうだい」おばさんが言った。

「帰る前に、トーストか何か、少し召し上がらない？」

「ああ、それじゃ、いただこうか」ディゴリー氏が言った。

おばさんはテーブルに重ねて置いてあったバターつきトーストを一枚取り、火箸ではさみ、ディゴリー氏の口に入れた。

「ふぁりがとう」

フガフガとお礼を言い、それから**ポン**と軽い音を立てて、ディゴリー氏の首は消えた。

おじさんがあわただしくビル、チャーリー、パーシーと二人の女の子にさよならを言う声がハリーの耳に聞こえてきた。五分もたたないうちに、今度はローブの前後をまちがえずに着て、髪をとかしつけながら、おじさんがキッチンに戻ってきた。

「急いで行かないと──みんな、元気で新学期を過ごすんだよ」

おじさんはマントを肩にかけ、「姿くらまし」の準備をしながら、ハリー、ロン、双子の兄弟に呼びかけた。

「母さん、子供たちをキングズ・クロスに連れていけるね？」

「もちろんですよ。あなたはマッド‐アイのことだけ面倒見てあげて。私たちは大丈夫だから」

おじさんが消えたのと入れ替わりに、ビルとチャーリーがキッチンに入ってきた。

「誰かマッド‐アイって言った？」ビルが聞いた。

「今度はあの人、何をしでかしたんだい？」

「きのうの夜、誰かが家に押し入ろうとしたって、マッド‐アイがそう言ったんですって」

おばさんが答えた。

「マッド‐アイ・ムーディ？」

トーストにマーマレードを塗りながら、ジョージがちょっと考え込んだ。

「あの変人の――」

「お父さまはマッド‐アイ・ムーディを高く評価してらっしゃるわ」

おばさんが厳しくたしなめた。

「ああ、うん。親父は電気のプラグなんか集めてるし。なっ？」

おばさんが部屋を出たすきにフレッドが声をひそめて言った。

「似た者同士さ……」

「往年のムーディは偉大な魔法使いだった」ビルが言った。

「確か、ダンブルドアとは旧知の仲だったんじゃないか？」チャーリーが言った。

「でも、ダンブルドアもいわゆる『**まとも**』な口じゃないだろ？」フレッドが言った。

「そりゃ、あの人は確かに天才さ。だけど……」

「マッド‐アイって**いったい**誰？」ハリーが聞いた。

「引退してる。昔は魔法省にいたけど」チャーリーが答えた。

「親父（おやじ）の仕事場に連れていってもらったとき、一度だけ会った。腕っこきの『オーラー』つまり『闇祓（やみばら）い』だった……『闇の魔法使い捕獲人』のことだけど」

ハリーがポカンとしているのを見て、チャーリーが一言つけ加えた。

「ムーディのおかげでアズカバンの独房の半分は埋まったな。だけど敵もわんさといる……逮捕されたやつの家族とかが主だけど……それに、年を取ってひどい被害妄想に取り憑かれるようになったらしい。もう誰も信じないようになって。あらゆる所に闇の魔法使いの姿が見えるらしいんだ」

ビルもチャーリーも、みんなをキングズ・クロス駅まで見送ることに決めた。しかし、パーシーは、どうしても仕事に行かなければならないからと、くどくど謝った。

「いまの時期に、これ以上休みを取るなんて、僕にはどうしてもできない」

パーシーが説明した。

「クラウチさんは、ほんとうに僕を頼りはじめたんだ」

「そうだろうな。そういえば、パーシー」

ジョージが真剣な顔をした。

「ぼかぁ、あの人がまもなく君の名前を覚えると思うね」


おばさんは勇敢にも村の郵便局から電話をかけ、ロンドンに行くのに普通のマグルのタクシーを三台呼んだ。

「アーサーが魔法省から車を借りるよう努力したんだけど」

おばさんがハリーに耳打ちした。すっかり雨に洗い流された庭で、タクシーの運転手たちがホグワーツ校用の重いトランクを六個、フーフー言いながらのせるのを、みんなで眺めているときだった。

「でも一台も余裕がなかったの……あらまあ、あの人たちなんだかうれしそうじゃないわねぇ」

ハリーはおばさんに理由を言う気になれなかったが、マグルのタクシー運転手は、興奮状態のふくろうを運ぶことなんてめったにないし、それに、ピッグウィジョンが耳をつんざくような声で騒いでいたのだ。さらに悪いことに、「ドクター・フィリバスターの長々花火——火なしで火がつくヒヤヒヤ花火」

が、フレッドのトランクがパックリ口を開けたとたんに炸裂し、クルックシャンクスが爪を立てて運転手の脚を引っかきながらよじ登ったものだから、運んでいた運転手は驚くやら、痛いやらで悲鳴を上げた。

快適な旅とは言えなかった。みんなタクシーの座席にトランクと一緒にぎゅうぎゅう詰めだった。クルックシャンクスは花火のショックからなかなか立ち直れず、ロンドンに入るまでに、ハリーも、ロンも、ハーマイオニーも、いやというほど引っかかれていた。キングズ・クロス駅でタクシーを降りたときは、雨足がいっそう強くなっていたし、交通の激しい道を横切ってトランクを駅の構内に運び込む間に、みんなびしょぬれになったにもかかわらず、全員がホッとしていた。

ハリーはもう九と四分の三番線への行き方に慣れてきていた。九番線と十番線の間にある、一見硬そうに見える壁を、まっすぐ突き抜けて歩くだけの簡単なことだった。唯一やっかいなのは、マグルに気づかれないように、なにげなくやりとげなければならないことだった。今日は何組かに分かれて行くことにした。ハリー、ロン、ハーマイオニー組（何しろピッグウィジョンとクルックシャンクスがお供なので一番目立つグループ）が最初だ。三人はなにげなくおしゃべりをしているふりをして壁に寄りかかり、スルリと横向きで入り込んだ……とたんに九と四分の三番線ホームが目の前に現れた。

紅に輝く蒸気機関車ホグワーツ特急は、もう入線していた。吐き出す白い煙のむこう側に、ホグワーツの学生や親たちが大勢、黒いゴーストのような影になって見えた。ピッグウィジョンは、靄のかなたから聞こえるホーホーというたくさんのふくろうの鳴き声につられて、ますますうるさく鳴いた。ハリー、ロン、ハーマイオニーは席探しを始め、まもなく列車の中ほどに空いたコンパートメントを見つけて荷物を入れた。それからホームにもう一度飛び降り、ウィーズリーおばさん、ビル、チャーリーにお別れを言った。

「僕、みんなが考えてるより早く、また会えるかもしれないよ」

チャーリーがジニーを抱きしめて、さよならを言いながらニッコリした。

「どうして？」フレッドが突っ込んだ。

「いまにわかるよ」チャーリーが言った。

「僕がそう言ったってこと、パーシーには内緒だぜ……何しろ、『魔法省が解禁するまでは機密情報』なんだから」

「ああ、僕もなんだか、今年はホグワーツに戻りたい気分だ」

ビルはポケットに両手を突っ込み、うらやましそうな目で汽車を見た。

「**どうしてさ？**」ジョージは知りたくてたまらなさそうだ。

「今年はおもしろくなるぞ」ビルが目をキラキラさせた。

「いっそ休暇でも取って、僕もちょっと見物に行くか……」

「だから**何をなんだよ？**」ロンが聞いた。

しかし、その時汽笛が鳴り、ウィーズリーおばさんがみんなを汽車のデッキへと追い立てた。

「ウィーズリーおばさん、泊めてくださってありがとうございました」

みんなで汽車に乗り込み、ドアを閉め、窓から身を乗り出しながら、ハーマイオニーが言った。

「ほんとに、おばさん、いろいろありがとうございました」ハリーも言った。

「あら、こちらこそ、楽しかったわ」ウィーズリーおばさんが言った。

「クリスマスにもお招きしたいけど、でも……ま、きっとみんなホグワーツに残りたいと思うでしょう。何しろ……いろいろあるから」

「ママ！」ロンがいらいらした。

「三人とも知ってて、僕たちが知らないことって、なんなの？」

「今晩わかるわ。たぶん」おばさんがほほえんだ。

「とってもおもしろくなるわ――それに、規則が変わって、ほんとうによかったわ――」

「なんの規則？」

ハリー、ロン、フレッド、ジョージがいっせいに聞いた。

「ダンブルドア先生がきっと話してくださいます……さあ、お行儀よくするのよ。ね？　**わかったの？**

フレッド？　ジョージ、あなたもよ」

ピストンが大きくシュューッという音を立て、汽車が動きはじめた。

「ホグワーツで何が起こるのか、教えてよ！」フレッドが窓から身を乗り出して叫んだ。

おばさん、ビル、チャーリーが速度を上げはじめた汽車からどんどん遠ざかっていく。

「なんの規則が変わるのぉ？」

ウィーズリーおばさんはただほほえんで手を振った。列車がカーブを曲がる前に、おばさんも、ビルもチャーリーも「姿くらまし」してしまった。

ハリー、ロン、ハーマイオニーはコンパートメントに戻った。窓を打つ豪雨で、外はほとんど見えない。ロンはトランクを開け、栗色のドレスローブを引っ張り出し、ピッグウィジョンのかごにバサリとかけて、ホーホー声を消した。

「バグマンがホグワーツで何が起こるのか話したがってた」

ロンはハリーの隣に腰かけ、不満そうに話しかけた。

「ワールドカップのときにさ。覚えてる？　でも、母親でさえ言わないことって、いったいなんだと――」

「シッ！」

ハーマイオニーが突然唇に指をあて、隣のコンパートメントを指差した。ハリーとロンが耳を澄ますと、聞き覚えのある気取った声が開け放したドアを通して流れてきた。

「……父上はほんとうは、僕をホグワーツでなく、ほら、ダームストラングに入学させようとお考えだったんだ。父上はあそこの校長をご存じだからね。ほら、父上がダンブルドアをどう評価しているか、知ってるね——あいつは『穢れた血』びいきだ——ダームストラングじゃ、そんなくだらない連中は入学させない。でも、母上は僕をそんなに遠くの学校にやるのがおいやだったんだ。父上がおっしゃるには、ダームストラングじゃ『闇の魔術』に関して、ホグワーツよりずっと気のきいたやり方をしている。生徒が実際それを**習得する**んだ。僕たちがやってるようなケチな防衛術じゃない……」

ハーマイオニーは立ち上がってコンパートメントのドアのほうに忍び足で行き、ドアを閉めてマルフォイの声が聞こえないようにした。

「それじゃ、あいつ、ダームストラングが自分に合ってただろうって思ってるわけね？」

ハーマイオニーが怒ったように言った。

「ほんとに**そっちに行ってくれてたら**よかったのに。そしたらもうあいつのことがまんしなくてすむのに」

「ダームストラングって、やっぱり魔法学校なの？」ハリーが聞いた。

「そう」ハーマイオニーがフンという言い方をした。

「しかも、ひどく評判が悪いの。『ヨーロッパにおける魔法教育の一考察』によると、あそこは『闇の魔術』に相当力を入れてるんだって」

「僕もそれ、聞いたことがあるような気がする」ロンがあいまいに言った。「どこにあるんだい？　どの国に？」

「さあ、誰も知らないんじゃない？」

ハーマイオニーが眉をちょっと吊り上げて言った。

「ん――どうして？」ハリーが聞いた。

「魔法学校には昔から強烈な対抗意識があるの。ダームストラングとボーバトンは、誰にも秘密を盗まれないように、どこにあるか隠したいわけ」

ハーマイオニーは至極あたりまえの話をするような調子だ。

「そんなバカな」ロンが笑いだした。

「ダームストラングだって、ホグワーツと同じぐらいの規模だろ。バカでっかい城をどうやって隠すんだい？」

「だって、ホグワーツも**ちゃんと**隠されてるじゃない」

ハーマイオニーがびっくりしたように言った。

「そんなこと、みんな知ってるわよ……っていうか、『ホグワーツの歴史』を読んだ人ならみんな、だけど」

「じゃ、君だけだ」ロンが言った。

「それじゃ、教えてよ――どうやってホグワーツみたいなとこ、隠すんだい？」

「魔法がかかってるの。マグルが見ると、朽ちかけた廃墟に見えるだけ。入口の看板に、『危険、入るべからず。危ない』って書いてあるわ」

「じゃ、ダームストラングもよそ者には廃墟みたいに見えるのかい？」

「たぶんね」ハーマイオニーが肩をすくめた。

「さもなきゃ、ワールドカップの競技場みたいに、『マグルよけ呪文』がかけてあるかもね。その上、外国の魔法使いに見つからないように、『位置発見不可能』にしてるわ——」

「もう一回言ってくれない？」

「あのね、建物に魔法をかけて、地図上でその位置を発見できないようにできるでしょ？」

「うーん……君がそう言うならそうだろう」ハリーが言った。

「でも、私、ダームストラングってどこかずーっと遠い北のほうにあるにちがいないって思う」

ハーマイオニーが分別顔で言った。

「どこか、とっても寒いとこ。だって、制服一式の中に毛皮のケープがあるんだもの」

「あー、ずいぶんいろんな可能性があったろうなぁ」

ロンが夢見るように言った。

「マルフォイを氷河から突き落として事故に見せかけたり、簡単にできただろうになぁ。あいつの母親があいつをかわいがっているのは残念だ……」


列車が北に進むにつれて、雨はますます激しくなった。空は暗く、窓という窓は曇ってしまい、昼日中に車内灯がついた。昼食のワゴンが通路をガタゴトとやってきた。ハリーはみんなで分けるように、大鍋ケーキをたっぷりひと山買った。

午後になると、同級生が何人か顔を見せた。シェーマス・フィネガン、ディーン・トーマス、それに、猛烈ばあちゃん魔女に育てられている、丸顔で忘れん坊のネビル・ロングボトムも来た。シェーマスはまだアイルランドの緑のロゼットをつけていた。魔法が消えかけているらしく、「**トロイ！　マレット！　モラン！**」とまだキーキー叫んではいるが、弱々しくつかれたかけ声になっていた。

三十分もすると、延々と続くクィディッチの話に飽きて、ハーマイオニーは再び『基本呪文集（四学年用)』に没頭し、「呼び寄せ呪文」を覚えようとしはじめた。

ネビルは友達が試合の様子を思い出して話しているのをうらやましそうに聞いていた。

「ばあちゃんが行きたくなかったんだ」ネビルがしょげた。

「切符を買おうとしなかったし。でも、すごかったみたいだね」

「そうさ」ロンが言った。「ネビル、これ見ろよ……」

荷物棚のトランクをゴソゴソやって、ロンはビクトール・クラムのミニチュア人形を引っ張り出した。

ロンが、ネビルのぽっちゃりした手にクラム人形をコトンと落としてやると、ネビルはうらやましそうな声を上げた。

「う、**わーっ**」

「それに、僕たち、クラムをすぐそばで見たんだぞ」ロンが言った。

「貴賓席だったんだ――」

「君の人生最初で最後のな、ウィーズリー」

ドラコ・マルフォイがドアの所に現れた。その後ろには、腰巾着のデカブツ暴漢、クラッブとゴイルが立っていた。二人とも、この夏の間に三十センチは背が伸びたように見えた。ディーンとシェーマスがコンパートメントのドアをきちんと閉めていかなかったので、こちらの会話が筒抜けだったらしい。

「マルフォイ、君を招いた覚えはない」ハリーが冷ややかに言った。

「ウィーズリー……なんだい、**そいつは?**」

マルフォイはピッグウィジョンのかごを指差した。ロンのドレスローブのそでがかごからぶら下がり、列車が揺れるたびにゆらゆらして、かびの生えたようなレースがいかにも目立った。

ロンはローブが見えないように隠そうとしたが、マルフォイのほうが早かった。そでをつかんで引っ張った。

「これを見ろよ！」

マルフォイがロンのローブを吊るし上げ、狂喜してクラッブとゴイルに見せた。

「ウィーズリー、こんなのを**ほんとうに着る**つもりじゃないだろうな？　言っとくけど——一八九〇年代に流行した代物だ……」

「くそくらえ！」

ロンはローブと同じ顔色になって、マルフォイの手からローブをひったくった。マルフォイが高々とあざ笑い、クラッブとゴイルはバカ笑いした。

「それで……エントリーするのか、ウィーズリー？　がんばって少しは家名を上げてみるか？　賞金もかかっているしねぇ……勝てば少しはましなローブが買えるだろうよ……」

「何を言ってるんだ？」ロンがかみついた。

「**エントリーするのかい？**」マルフォイがくり返した。

「君はするだろうねぇ、ポッター。見せびらかすチャンスは逃さない君のことだし？」

「何が言いたいのか、はっきりしなさい。じゃなきゃ出ていってよ、マルフォイ」

ハーマイオニーが『基本呪文集（四学年用）』の上に顔を出し、つっけんどんに言った。

マルフォイの青白い顔に、得意げな笑みが広がった。

「まさか、君たちは**知らない**とでも？」マルフォイはうれしそうに言った。

「父親も兄貴も魔法省にいるのに、**まるで知らない**のか？　驚いたね。**父上なんか**、もうとっくに僕に教えてくれたのに……コーネリウス・ファッジから聞いたんだ。しかし、まあ、父上はいつも魔法省の高官とつき合ってるし……たぶん、君の父親は、ウィーズリー、下っ端だから知らないのかもしれないな……そうだ……おそらく、君の父親の前では重要事項は話さないのだろう……」

もう一度高笑いすると、マルフォイはクラッブとゴイルに合図して、三人ともコンパートメントを出ていった。

ロンが立ち上がってドアを力まかせに閉め、その勢いでガラスが割れた。

「**ロンったら！**」

ハーマイオニーがとがめるような声を上げ、杖を取り出して「**レパロ！　直れ！**」と唱えた。粉々のガラスの破片が飛び上がって一枚のガラスになり、ドアの枠にはまった。

「フン……やつはなんでも知ってて、僕たちはなんにも知らないって、そう思わせてくれるじゃないか……」

ロンが歯がみした。

「『**父上はいつも魔法省の高官とつき合ってるし**』……パパなんか、いつでも昇進できるのに……いまの仕事が気に入ってるだけなんだ……」

「そのとおりだわ」ハーマイオニーが静かに言った。

「マルフォイなんかの挑発に乗っちゃだめよ、ロン――」

「あいつが！　僕を挑発？　へヘンだ！」

ロンは残っている大鍋ケーキを一つつまみ上げ、握りつぶしてバラバラにした。

旅が終わるまでずっと、ロンの機嫌は直らなかった。制服のローブに着替えるときもほとんどしゃべらず、ホグワーツ特急が速度を落としはじめても、ホグズミードの真っ暗な駅に停車しても、まだしかめっ面だった。

デッキの戸が開いたとき、頭上で雷が鳴った。ハーマイオニーはクルックシャンクスをマントに包み、ロンはドレスローブをピッグウィジョンのかごの上に置きっぱなしにして汽車を降りた。外は土砂降りで、みんな背を丸め、目を細めて降りた。まるで頭から冷水をバケツで何杯も浴びせかけるように、雨は激しくたたきつけるように降っていた。

「やあ、ハグリッド！」

ホームのむこう端に立つ巨大なシルエットを見つけて、ハリーが叫んだ。

「ハリー、元気かぁー？」

ハグリッドも手を振って叫び返した。

「歓迎会で会おう。俺たちがおぼれっちまわなかったらの話だがなぁー！」

一年生は伝統に従い、ハグリッドに引率され、ボートで湖を渡ってホグワーツ城に入る。

「うぅぅぅ、こんなお天気のときに湖を渡るのはごめんだわ」

人波にまじって暗いホームをのろのろ進みながら、ハーマイオニーは身震いし、言葉には熱がこもった。

駅の外にはおよそ百台の馬なしの馬車が待っていた。ハリー、ロン、ハーマイオニー、ネビルは、馬車に乗れることに感謝しながら、そのうちの一台に一緒に乗り込んだ。ドアがピシャッと閉まり、まもなくゴトンと大きく揺れて動きだし、馬なし馬車の長い行列が、雨水をはね飛ばしながら、ガラガラと進んだ。ホグワーツ城を目指して。

第12章 三大魔法学校対抗試合(トライウィザード・トーナメント)

羽の生えたイノシシの像が両脇に並ぶ校門を通り、大きくカーブした城への道を、馬車はゴトゴトと進んだ。風雨は見る見る嵐になり、馬車は危なっかしく左右に揺れた。

ハリーは窓に寄りかかり、だんだん近づいてくるホグワーツ城を見ていた。明かりのともった無数の窓が、厚い雨のカーテンのむこうでぼんやりかすみ、瞬いていた。

正面玄関のがっしりした樫(かし)の扉へと上る石段の前で、馬車が止まったちょうどその時、稲妻が空を走った。前の馬車に乗っていた生徒たちは、もう急ぎ足で石段を上り、城の中へと向かっていた。ハリー、ロン、ハーマイオニー、ネビルも馬車を飛び降り、石段を一目散に駆け上がった。

四人がやっと顔を上げたのは、無事に玄関の中に入ってからだった。松明(たいまつ)に照らされた玄関ホールは、広々とした大洞窟のようで、大理石の壮大な階段へと続いている。

「ひでぇ」

ロンは頭をブルブルッと振るい、そこら中に水をまき散らした。

「この調子で降ると、湖があふれるぜ。僕、びしょぬれ——**うわーっ!**」

大きな赤い水風船が天井からロンの頭に落ちて割れた。ぐしょぬれで水をピシャピシャはね飛ばしながら、ロンは横にいたハリーのほうによろけた。その時、二発目の水風船が落ちてきた——それは、ハーマイオニーをかすめて、ハリーの足元で破裂した。ハリーのスニーカーも靴下も、どっと冷たい水しぶきを浴びた。周りの生徒たちは、悲鳴を上げて水爆弾戦線から離れようと押し合いへし合いした

――ハリーが見上げると、四、五メートル上のほうに、ポルターガイストのピーブズがプカプカ浮かんでいた。鈴のついた帽子に、オレンジ色の蝶ネクタイ姿の小男が、性悪そうな大きな顔をしかめて、次の標的にねらいを定めている。

「**ピーブズ！**」

誰かがどなった。

「ピーブズ、ここに降りてきなさい。**いますぐに！**」

副校長で、グリフィンドールの寮監、マクゴナガル先生だった。大広間から飛び出してきて、ぬれた床にずるっと足を取られ、転ぶまいとしてハーマイオニーの首にがっちりしがみついた。

「おっと――失礼、ミス・グレンジャー――」

「大丈夫です、先生！」

ハーマイオニーはゲホゲホ言いながらのどのあたりをさすった。

「ピーブズ、降りてきなさい。**さあ！**」

マクゴナガル先生は曲がった三角帽子を直しながら、四角いめがねの奥から上のほうににらみをきかせてどなった。

「なーんにもしてないよ！」

ピーブズはケタケタ笑いながら、五年生の女子学生数人めがけて水爆弾を放り投げた。投げつけられた女の子たちはキャーキャー言いながら大広間に飛び込んだ。

「どうせびしょぬれなんだろう？　ぬれネズミのチビネズミ！　ウィィィィィィィ！」

そして、今度は到着したばかりの二年生のグループに水爆弾のねらいを定めた。

「校長先生を呼びますよ！」

マクゴナガル先生ががなり立てた。

「聞こえたでしょうね、ピーブズ――」

ピーブズはベーッと舌を出し、最後の水爆弾を宙に放り投げ、けたたましい高笑いを残して、大理石の階段の上へと消えていった。

「さあ、どんどんお進みなさい！」

マクゴナガル先生は、びしょぬれ集団に向かって厳しい口調で言った。

「さあ、大広間へ、急いで！」

ハリー、ロン、ハーマイオニーはずるずる、つるつると玄関ホールを進み、右側の二重扉を通って大広間に入った。ロンはぐしょぬれの髪をかきあげながら、怒ってブツブツ文句を言っていた。

大広間は、例年のように、学年始めの祝宴に備えて、見事な飾りつけが施されていた。テーブルに置かれた金の皿やゴブレットが、宙に浮かぶ何百というろうそくに照らされて輝いている。各寮の長テーブルには、四卓とも寮生がぎっしり座り、ペチャクチャはしゃいでいた。上座の五つ目のテーブルに、生徒たちに向かい合うようにして、先生と職員が座っている。大広間のほうがずっと暖かかった。

ハリー、ロン、ハーマイオニーは、スリザリン、レイブンクロー、ハッフルパフのテーブルを通り過ぎ、大広間の一番奥にあるテーブルで、ほかのグリフィンドール生と一緒に座った。隣はグリフィンドールのゴースト、「ほとんど首無しニック」だった。ニックは真珠色の半透明なゴーストで、今夜もいつもの特大ひだ襟つきのダブレットを着ている。この襟は、単に晴れ着の華やかさを見せるだけでなく、皮一枚でつながっている首があまりぐらぐらしないように押さえる役目もはたしている。

「すてきな夕べだね」

ニックが三人に笑いかけた。

「すてきかなぁ？」

ハリーはスニーカーを脱ぎ、中の水を捨てながら言った。

「早く組分け式にしてくれるといいな。僕、腹ペコだ」

毎年、学年の始めには、新入生を各寮に分ける儀式がある。運の悪いめぐり合わせが重なって、ハリーは自分の組分け式のとき以来一度も儀式に立ち会っていなかった。今回の組分けがとても楽しみだった。

ちょうどその時、テーブルのむこうから、興奮で息をはずませた声がハリーを呼んだ。

「わーい、ハリー！」

コリン・クリービーだった。ハリーをヒーローと崇める三年生だ。

「やあ、コリン」ハリーは用心深く返事した。

「ハリー、何があると思う？　当ててみて、ハリー、ね？　僕の弟も新入生だ！　弟のデニスも！」

「あー……よかったね」ハリーが言った。

「弟ったら、もう興奮しちゃって！」

コリンは腰かけたままピョコピョコしていて落ち着かない。

「グリフィンドールになるといいな！　ねえ、そう祈っててくれる？　ハリー？」

「あー……うん。いいよ」

ハリーはハーマイオニー、ロン、ほとんど首無しニックのほうを見た。

「兄弟って、だいたい同じ寮に入るよね？」

ハリーが聞いた。ウィーズリー兄弟が七人ともグリフィンドールに入れられたことから、そう判断したのだ。

「あら、ちがうわ。必ずしもそうじゃない」ハーマイオニーが言った。「パーバティ・パチルは双子だけど、一人はレイブンクローよ。一卵性双生児なんだから、一緒の所だと思うでしょ？」

ハリーは教職員テーブルを見上げた。いつもより空席が目立つような気がした。もちろん、ハグリッドは、一年生を引率して湖を渡るのに奮闘中だろう。マクゴナガル先生はたぶん、玄関ホールの床をふくのを指揮しているのだろう。しかし、もう一つ空席がある。誰がいないのか、ハリーは思い浮かばなかった。

「『闇の魔術に対する防衛術』の新しい先生はどこかしら？」

ハーマイオニーも教職員テーブルを見ていた。

「闇の魔術に対する防衛術」の先生は、三学期、つまり一年以上長く続いたためしがない。ハリーがほかの誰よりも好きだったルーピン先生は、去年辞職してしまった。ハリーは教職員テーブルを端から端まで眺めたが、新顔はまったくいない。

「たぶん、誰も見つからなかったのよ！」ハーマイオニーが心配そうに言った。

ハリーはもう一度しっかりテーブルを見なおした。呪文学の、ちっちゃいフリットウィック先生は、クッションを何枚も重ねた上に座っていた。その横が薬草学のスプラウト先生で、バサバサの白髪頭から帽子がずり落ちかけている。彼女が話しかけているのが天文学のシニストラ先生で、シニストラ先生のむこう隣は、土気色の顔、鉤鼻、べっとりした髪、魔法薬学のスネイプ——ハリーがホグワーツで一番嫌いな人物だ。ハリーがスネイプを嫌っているのに負けず劣らず、スネイプもハリーを憎んでいた。去年、スネイプの鼻先（しかも大きな鼻）からシリウスを逃がすのにハリーが手を貸したことで、これ以上強くなりようがないはずのスネイプの憎しみが、ますますひどくなった——スネイプとシリウスは学生時代からの宿敵だったのだ。

スネイプのむこう側に空席があったが、ハリーはマクゴナガル先生の席だろうと思った。その隣がテーブルの真ん中で、ダンブルドア校長が座っていた。流れるような銀髪と白ひげがろうそくの明かりに輝き、堂々とした深緑色のローブには星や月の刺繍がほどこされている。

ダンブルドア校長は、すらりと長い指の先を組み、その上にあごをのせ、半月めがねの奥から天井を見上げて、何か物思いにふけっているかのようだ。ハリーも天井を見上げた。天井は、魔法で本物の空と同じに見えるようになっているが、こんなにひどい荒れ模様の天井は初めてだ。黒と紫の暗雲が渦巻き、外でまた雷鳴が響いたとたん、天井に樹の枝のような形の稲妻が走った。

「ああ、早くしてくれ」

ロンがハリーの横でわめいた。

「僕、腹ペコで、ヒッポグリフだって食っちゃう気分」

その言葉が終わるか終わらないうちに、大広間の扉が開き、一同しんとなった。マクゴナガル先生を先頭に、一列に並んだ一年生の長い列が大広間の奥へと進んでいく。ハリーもロンもハーマイオニーもびしょぬれだったが、一年生の様子に比べればなんでもなかった。湖をボートで渡ってきたというより、泳いできたようだった。教職員テーブルの前に整列して、在校生のほうを向いたときには、寒さと緊張とで、全員震えていた――ただ一人を除いて。

一番小さい、薄茶色の髪の子が、モールスキンのオーバーにくるまっている。ハリーにはオーバーがハグリッドのものだとわかった。オーバーがだぶだぶで、男の子は黒いふわふわの大テントをまとっているかのようだった。襟元からちょこんと飛び出した小さな顔は、興奮しきって、なんだか痛々しいほどだ。引きつった顔で整列する一年生にまじって並びながら、その子はコリン・クリービーを見つけ、両手の親指を立ててガッツポーズをしながら、「僕、湖に落ちたんだ！」と声を出さずに口の形だけで言った。それがうれしくてたまらないように。

マクゴナガル先生が三本脚の丸椅子を一年生の前に置いて、その上に、汚らしい、継ぎはぎだらけの、ひどく古い三角帽子を置いた。一年生がじっとそれを見つめた。ほかのみんなも見つめた。一瞬、大広間が静まり返った。すると、帽子のつばに沿った長い破れ目が、口のように開き、帽子が歌いだした。

いまを去ること一千年、そのまた昔その昔
私は縫われたばっかりで、糸も新し、真新し
そのころ生きた四天王
いまなおその名をとどろかす
荒野から来たグリフィンドール
勇猛果敢なグリフィンドール
谷川から来たレイブンクロー
賢明公正レイブンクロー
谷間から来たハッフルパフ
温厚柔和なハッフルパフ

湿原から来たスリザリン
俊敏狡猾スリザリン

ともに語らう夢、希望
ともに計らう大事業
魔法使いの卵をば、教え育てん学び舎で
かくしてできたホグワーツ

四天王のそれぞれが
四つの寮を創立し
各自異なる徳目を
各自の寮で教え込む

グリフィンドールは勇気をば
何よりもよき徳とせり
レイブンクローは賢きを
誰よりも高く評価せり
ハッフルパフは勤勉を

資格あるものとして選びとる

力に飢えしスリザリン
野望を何より好みけり

四天王の生きしとき
自ら選びし寮生を
四天王亡きその後は
いかに選ばんその資質？

グリフィンドールその人が
すばやく脱いだその帽子
四天王たちそれぞれが
帽子に知能を吹き込んだ
かわりに帽子が選ぶよう！

かぶってごらん。すっぽりと
私がまちがえたことはない
私が見よう。みなの頭
そして教えん。寮の名を！

組分け帽子が歌い終わると、大広間は割れるような拍手だった。

「僕たちのときと歌がちがう」

みんなと一緒に手をたたきながら、ハリーが言った。

「毎年ちがう歌なんだ」ロンが言った。

「きっと、すごくたいくつなんじゃない？　『帽子』の人生って。たぶん、一年かけて次の歌を作るんだよ」

マクゴナガル先生が羊皮紙の太い巻紙を広げはじめた。

「名前を呼ばれたら、帽子をかぶって、この椅子にお座りなさい」

先生が一年生に言い聞かせた。

「帽子が寮の名を発表したら、それぞれの寮のテーブルにお着きなさい」

「アッカリー、スチュワート！」

進み出た男の子は、頭のてっぺんからつま先まで、傍目（はため）にもわかるほど震えていた。組分け帽子を取り上げ、かぶり、椅子に座った。

「**レイブンクロー！**」帽子が叫んだ。

スチュワート・アッカリーは帽子を脱ぎ、急いでレイブンクローのテーブルに行き、みんなの拍手に迎えられて席に着いた。スチュワート・アッカリーを拍手で歓迎しているレイブンクローのシーカー、チョウ・チャンの姿が、ちらりとハリーの目に入った。ほんの一瞬、ハリーは自分もレイブンクローのテーブルに座りたいという奇妙な気持ちになった。

「バドック、マルコム！」

「**スリザリン！**」

大広間のむこう側のテーブルから歓声が上がった。バドックがスリザリンのテーブルに着き、マルフォイが拍手している姿をハリーは見た。スリザリン寮は多くの「闇の魔法使い」を輩出してきたということを、バドックは知っているのだろうか。マルコム・バドックが着席すると、フレッドとジョージがあざけるように舌を鳴らした。

「ブランストーン、エレノア！」

「**ハッフルパフ！**」

「コールドウェル、オーエン！」

「**ハッフルパフ！**」

「クリービー、デニス！」

チビのデニス・クリービーは、ハグリッドのオーバーにつまずいてつんのめった。ちょうどその時、ハグリッドが教職員テーブルの後ろにある扉から、体を斜めにしてそっと入ってきた。背丈は普通の二倍、横幅は少なくとも普通の三倍はあろうというハグリッドは、もじゃもじゃもつれた長い髪もひげも真っ黒で、見るからにドキリとさせられる——まちがった印象を与えてしまうのだ。ハリー、ロン、ハーマイオニーは、ハグリッドがどんなにやさしいか知っていた。教職員テーブルの一番端に座りながら、ハグリッドは三人にウィンクし、デニス・クリービーが組分け帽子をかぶるのをじっと見た。帽子のつば元の裂け目が大きく開いた——。

「**グリフィンドール！**」帽子が叫んだ。

ハグリッドがグリフィンドール生と一緒に手をたたく中、デニス・クリービーはニッコリ笑って帽子を脱ぎ、それを椅子に戻し、急いで兄の所にやってきた。

「コリン、僕、落っこちたんだ！」

デニスは空いた席に飛び込みながら、かん高い声で言った。

「すごかったよ！ そしたら、水の中の何かが僕を捕まえてボートに押し戻したんだ！」

「すっごい！」

コリンも同じぐらい興奮していた。

「たぶんそれ、デニス、大イカだよ！」

「**ウワーッ！**」

デニスが叫んだ。嵐に波立つ底知れない湖に投げ込まれ、巨大な湖の怪物によってまた押し戻されるなんて、こんなすてきなことは、願ったってめったに叶うものじゃない、と言わんばかりのデニスの声だ。

「デニス！ デニス！ あそこにいる人、ね？ 黒い髪でめがねかけてる人、ね？ 見える？ **デニス、あの人、誰だか知ってる？**」

ハリーはそっぽを向いて、いまエマ・ドブズに取りかかった組分け帽子をじっと見つめた。

組分けが延々続く。男の子も女の子も、怖がり方もさまざまに、一人、また一人と三本脚の椅子に腰かけ、残りの子の列がゆっくりと短くなってきた。マクゴナガル先生はLで始まる名前を終えたところだ。

「ああ、早くしてくれよ」ロンは胃のあたりをさすりながらうめいた。

「まあまあ、ロン。組分けのほうが食事より大切ですよ」

ほとんど首無しニックがそう声をかけたときに、「マッドリー、ローラ！」がハッフルパフに決まった。

「そうだとも。死んでればね」ロンが言い返した。

「今年のグリフィンドール生が優秀だといいですね」

「マクドナルド、ナタリー」がグリフィンドールのテーブルに着くのを拍手で迎えながら、ほとんど首無しニックが言った。

「連続優勝を崩したくないですから。ね？」

グリフィンドールは、寮対抗杯でこの三年間連続優勝していた。

「プリチャード、グラハム！」

「**スリザリン！**」

「クァーク、オーラ！」

「**レイブンクロー！**」

そして、やっと、「ホイットビー、ケビン！」（「**ハッフルパフ！**」）で、組分けは終わった。マクゴナガル先生は「帽子」と「丸椅子」を取り上げ、片づけた。

「いよいよだ」

ロンはナイフとフォークを握り、自分の金の皿をいまや遅しと見守った。

ダンブルドア先生が立ち上がった。両手を大きく広げて歓迎し、生徒全員にぐるりとほほえみかけた。

「みなに言う言葉は二つだけじゃ」

先生の深い声が大広間に響き渡った。

「**思いっきり、かっ込め**」

「いいぞ、いいぞ！」

ハリーとロンが大声ではやした。目の前のからっぽの皿が魔法でいっぱいになった。

ハリー、ロン、ハーマイオニーがそれぞれ自分たちの皿に食べ物を山盛りにするのを、ほとんど首無しニックは恨めしそうに眺めていた。

「あふ、ひゃっと、落ち着いラ」

口いっぱいにマッシュポテトをほおばったまま、ロンが言った。

「今晩はごちそうが出ただけでも運がよかったのですよ」ほとんど首無しニックが言った。

「さっき、厨房(ちゅうぼう)で問題が起きましてね」

「どうして？　何があっラの？」

ハリーが、ステーキの大きな塊を口に入れたまま聞いた。

「ピーブズですよ。また」

ほとんど首無しニックが首を振り振り言ったので、首が危なっかしくぐらぐら揺れた。ニックはひだ襟を少し引っ張り上げた。

「いつもの議論です。ピーブズが祝宴に参加したいと駄々をこねまして――ええ、まったく無理な話です。あんなやつですからね。行儀作法も知らず、食べ物の皿を見れば投げつけずにはいられないようなやつです。『ゴースト評議会』を開きましてね――『太った修道士』は、ピーブズにチャンスを与えてはどうかと言いました――でも、『血みどろ男爵』がダメを出して、てこでも動かない。そのほうが賢明だと私は思いましたよ」

血みどろ男爵はスリザリン寮つきのゴーストで、銀色の血糊(ちのり)にまみれ、げっそりと肉の落ちた無口なゴーストだ。男爵だけが、ホグワーツでただ一人、ピーブズを押さえつけることができる。

「そうかぁ。ピーブズめ、何か根に持っているな、と思ったよ」

ロンは恨めしそうに言った。

「厨房で、何やったの？」

「ああ、いつものとおりです」

ほとんど首無しニックは肩をすくめた。

「何もかもひっくり返しての大暴れ。鍋は投げるし、釜は投げるし。厨房はスープの海。屋敷しもべ妖精が物も言えないほど怖がって――」

ガチャン。ハーマイオニーが金のゴブレットをひっくり返した。かぼちゃジュースがテーブルクロスにじわっと広がり、白いクロスにオレンジ色の筋が長々と延びていったが、ハーマイオニーは気にも止めない。

「屋敷しもべ妖精が、**ここにも**いるって言うの？」

恐怖に打ちのめされたように、ハーマイオニーはほとんど首無しニックを見つめた。

「この**ホグワーツに？**」

「さよう」

ハーマイオニーの反応に驚いたように、ニックが答えた。

「イギリス中のどの屋敷よりも大勢いるでしょうな。百人以上」

「私、一人も見たことがないわ！」

「そう、日中はめったに厨房を離れることはないのですよ」ニックが言った。

「夜になると、出てきて掃除をしたり……火の始末をしたり……つまり、姿を見られないようにするのですよ……いい屋敷しもべの証拠でしょうが？　存在を気づかれないのは」

ハーマイオニーはニックをじっと見た。

「でも、**お給料**はもらってるわよね？　**お休み**ももらってるわね？　それに――病欠とか、年金とかいろいろも？」

ほとんど首無しニックが笑いだした。あんまり高笑いしたので、ひだ襟がずれ、真珠色の薄い皮一枚でかろうじてつながっている首が、ポロリと落ちてぶら下がった。

「病欠に、年金？」

ニックは首を肩の上に押し戻し、ひだ襟でもう一度固定しながら言った。

「屋敷しもべは病欠や年金を望んでいません！」

ハーマイオニーはほとんど手をつけていない自分の皿を見下ろし、すぐにナイフとフォークを置き、皿を遠くに押しやった。

「ねえ、アーミーニー」

ロンは口がいっぱいのまま話しかけたとたん、うっかりヨークシャー・プディングをハリーにひっかけてしまった。

「ウォッと――ごめん、アリー――」

ロンは口の中のものを飲み込んだ。

「君が絶食したって、しもべ妖精が病欠を取れるわけじゃないよ！」

「奴隷労働よ」

ハーマイオニーは鼻からフーッと息を強く吐いた。

「このごちそうを作ったのが、それなんだわ。**奴隷労働！**」

ハーマイオニーはそれ以上ひと口も食べようとしなかった。

雨は相変わらず降り続き、暗い高窓を激しく打った。雷鳴がまたバリバリッと窓を震わせ、嵐を映した天井に走った電光が金の皿を光らせたその時、ひと通り終わった食事の残り物が皿から消え、サッとデザートに変わった。

「ハーマイオニー、糖蜜パイだ！」

ロンがわざとパイのにおいをハーマイオニーのほうに漂わせた。

「ごらんよ！　蒸しプディングだ！　チョコレートケーキだ！」

ハーマイオニーがマクゴナガル先生そっくりの目つきでロンを見たので、ロンもついにあきらめた。

デザートもきれいさっぱり平らげられ、最後のパイくずが消えてなくなり、皿がピカピカにきれいになると、アルバス・ダンブルドア校長が再び立ち上がった。大広間を満たしていたガヤガヤというおしゃべりが、ほとんどいっせいにぴたりとやみ、聞こえるのは風の唸り（うな）とたたきつける雨の音だけになった。

「さて！」

ダンブルドアは笑顔で全員を見渡した。

「みんなよく食べ、よく飲んだことじゃろう」（ハーマイオニーが「フン！」と言った）

「いくつか知らせることがある。もう一度耳を傾けてもらおうかの」

「管理人のフィルチさんからみなに伝えるようにとのことじゃが、城内持ち込み禁止の品に、今年は次のものが加わった。『叫びヨーヨー』、『かみつきフリスビー』、『なぐり続けのブーメラン』。禁止品は全部で四百三十七項目あるはずじゃ。リストはフィルチさんの事務所で閲覧可能じゃ。確認したい生徒がいればじゃが」

ダンブルドアの口元がヒクヒクッと震えた。

引き続いてダンブルドアが言った。

「いつものとおり、校庭内にある森は、生徒立ち入り禁止。ホグズミード村も、三年生になるまでは禁止じゃ」

「寮対抗クィディッチ試合は今年は取りやめじゃ。これを知らせるのはわしのつらい役目での」

「**エーッ！**」

ハリーは絶句した。チームメートのフレッドとジョージを振り向くと、二人ともあまりのことに言葉もなく、ダンブルドアに向かってただ口をパクパクさせていた。

ダンブルドアの言葉が続く。

「これは、十月に始まり、今学年の終わりまで続くイベントのためじゃ。先生方もほとんどの時間とエネルギーをこの行事のために費やすことになる――しかしじゃ、わしは、みながこの行事を大いに楽しむであろうと確信しておる。ここに大いなる喜びを持って発表しよう。今年、ホグワーツで――」

しかし、ちょうどこの時、耳をつんざく雷鳴とともに、大広間の扉がバタンと開いた。

戸口に一人の男が立っていた。長いステッキに寄りかかり、黒い旅行マントをまとっている。大広間の頭という頭が、いっせいに見知らぬ男に向けられた。いましも天井を走った稲妻が、突然その男の姿をくっきりと照らし出した。男はフードを脱ぎ、馬のたてがみのような、長い暗灰色まだらの髪をブルッと振るうと、教職員テーブルに向かって歩きだした。

一歩踏み出すごとに、**コツッ**、**コツッ**という鈍い音が大広間に響いた。テーブルの端にたどり着くと、男は右に曲がり、一歩ごとに激しく体を浮き沈みさせながら、ダンブルドアのほうに向かった。再び稲妻が天井を横切った。ハーマイオニーが息をのんだ。

稲妻が男の顔をくっきりと浮かび上がらせた。それは、ハリーがいままでに見たどんな顔ともちがっていた。人の顔がどんなものなのかをほとんど知らない誰かが、しかも鑿（のみ）の使い方に不慣れな誰かが、風雨にさらされた木材をけずって作ったような顔だ。その皮膚は、一ミリのすきもないほど傷痕に覆われているようだった。口はまるで斜めに切り裂かれた傷口に見え、鼻は大きくそがれていた。しかし、男の形相が恐ろしいのは、何よりもその目のせいだった。

片方の黒い目は小さく、油断なく光っていた。もう一方は、大きく、丸いコインのようで、鮮やかな明るいブルーだった。ブルーの目は瞬きもせず、もう一方の普通の目とはまったく無関係に、ぐるぐると上下、左右に絶え間なく動いている——ちょうどその目玉がくるりと裏返しになり、瞳が男の真後ろを見る位置に移動したので、正面からは白目しか見えなくなった。

見知らぬ男はダンブルドアに近づき、手を差し出した。顔と同じぐらい傷痕だらけのその手を握りながら、ダンブルドアが何かをつぶやいたが、ハリーには聞き取れなかった。見知らぬ男に何か尋ねたようだったが、男はニコリともせずに頭を振り、低い声で答えていた。ダンブルドアはうなずくと、自分の右手の空いた席へ男をいざなった。

男は席に着くと暗灰色のたてがみをバサッと顔から払いのけ、ソーセージの皿を引き寄せ、残骸のように残った鼻の所まで持ち上げてフンフンとにおいをかいだ。次に旅行用マントのポケットから小刀を取り出し、ソーセージをその先に突き刺して食べはじめた。片方の正常な目はソーセージに注がれていたが、ブルーの目はせわしなくぐるぐる動き回り、大広間や生徒たちを観察していた。

「『闇の魔術に対する防衛術』の新しい先生をご紹介しよう」

静まり返った中でダンブルドアの明るい声が言った。

「ムーディ先生です」

新任の先生は拍手で迎えられるのが普通だったが、ダンブルドアとハグリッド以外は職員も生徒も誰一人として拍手しなかった。二人の拍手が、静寂の中でパラパラとさびしく鳴り響き、その拍手もほとんどすぐにやんだ。ほかの全員は、ムーディのあまりに不気味なありさまに呪縛されたかのように、ただじっと見つめるばかりだった。

「ムーディ？」

ハリーが小声でロンに話しかけた。

「**マッド-アイ・ムーディ？**　君のパパが今朝助けにいった人？」

「そうだろうな」

ロンも圧倒されたように、低い声で答えた。

「あの人、いったいどうしたのかしら？」ハーマイオニーもささやいた。「**あの顔**、何があったの？」

「知らない」ロンは、ムーディに魅入られたように見つめながら、ささやき返した。

ムーディはお世辞にも温かいとはいえない歓迎ぶりにも、まったく無頓着のようだった。目の前のかぼちゃジュースのジャーには目もくれず、旅行用マントから今度は携帯用酒瓶を引っ張り出してグビッグビッと飲んだ。飲むときに腕が上がり、マントのすそが床から数センチ持ち上がった。ハリーは、先端に鉤爪（かぎづめ）のついた木製の義足をテーブルの下から垣間（かいま）見た。

ダンブルドアが咳払（せき）いした。

「先ほど言いかけていたのじゃが」

身じろぎもせずにマッド-アイ・ムーディを見つめ続けている生徒たちに向かって、ダンブルドアはにこやかに語りかけた。

「これから数か月にわたり、わが校は、まことに心躍るイベントを主催するという光栄に浴する。この催しはここ百年以上行われていない。この開催を発表するのは、わしとしても大いにうれしい。今年、ホグワーツで、三大魔法学校対抗試合（トライウィザード・トーナメント）を行う」

「**ご冗談**でしょう！」フレッド・ウィーズリーが大声を上げた。

ムーディが到着してからずっと大広間に張りつめていた緊張が、急に解けた。ほとんど全員が笑いだし、ダンブルドアも絶妙のかけ声を楽しむように、フォッフォッと笑った。

「ミスター・ウィーズリー、わしは**けっして**冗談など言っておらんよ」

ダンブルドアが言った。

「とはいえ、せっかく冗談の話が出たからには、実は、夏休みにすばらしい冗談を一つ聞いてのう。トロールと鬼婆(おにばば)とレプラコーンが一緒に飲み屋に入ってな──」

マクゴナガル先生が大きな咳払いをした。

「フム──しかしいまその話をする時では……ないようじゃの……」

ダンブルドアが言った。

「どこまで話したかの？　おお、そうじゃ。三大魔法学校対抗試合じゃった……さて、この試合がいかなるものか、知らない諸君もおろう。そこで、**とっくに**知っている諸君にはお許しを願って、簡単に説明するでの。その間、知っている諸君は自由勝手にほかのことを考えていてよろしい」

「三大魔法学校対抗試合は、およそ七百年前、ヨーロッパの三大魔法学校の親善試合として始まったものじゃ──ホグワーツ、ボーバトン、ダームストラングの三校での。各校から代表選手が一人ずつ選ばれ、三人が三つの魔法競技を争った。五年ごとに三校が持ち回りで競技を主催しての。若い魔法使い、魔女たちが国を越えての絆(きずな)を築くには、これが最も優れた方法だと、衆目の一致するところじゃった──おびただしい数の死者が出るにいたって、競技そのものが中止されるまではの」

「**おびただしい死者？**」

ハーマイオニーが目を見開いてつぶやいた。しかし、大広間の大半の学生は、ハーマイオニーの心配などどこ吹く風で、興奮してささやき合っていた。ハリーも、何百年前に誰かが死んだことを心配するより、試合のことをもっと聞きたかった。

「何世紀にもわたって、この試合を再開しようと、いく度も試みられたのじゃが」

　ダンブルドアの話は続いた。

「そのどれも成功しなかったのじゃ。しかしながら、わが国の『国際魔法協力部』と『魔法ゲーム・スポーツ部』とが、いまこそ再開の時は熟せりと判断した。今回は、選手の一人たりとも死の危険にさらされぬようにするために、我々はこのひと夏かけて一意専心取り組んだのじゃ」

「ボーバトンとダームストラングの校長が、代表選手の最終候補生を連れて十月に来校し、ハロウィーンの日に学校代表選手三人の選考が行われる。優勝杯、学校の栄誉、そして選手個人に与えられる賞金一千ガリオンを賭けて戦うのに、誰が最も相応しいかを、公明正大なる審査員が決めるのじゃ」

「立候補するぞ！」

　フレッド・ウィーズリーがテーブルのむこうで唇をキッと結び、栄光と富とを手にする期待に熱く燃え、顔を輝かせていた。ホグワーツの代表選手になる姿を思い描いたのはフレッドだけではなかった。どの寮のテーブルでも、うっとりとダンブルドアを見つめる者や、隣の学生と熱っぽく語り合う光景がハリーの目に入った。しかしその時、ダンブルドアが再び口を開き、大広間はまた静まり返った。

「すべての諸君が、優勝杯をホグワーツ校にもたらそうという熱意に満ちておると承知しておる。しかし、参加三校の校長、ならびに魔法省としては、今年の選手に年齢制限を設けることで合意した。ある一定年齢に達した生徒だけが――つまり、十七歳以上じゃが――代表候補として名乗りを上げることを許される。このことは」――ダンブルドアは少し声を大きくした。ダンブルドアの言葉で怒りだした何人かの生徒が、ガヤガヤ騒ぎだしたからだ。ウィーズリーの双子は急に険しい表情になった――「このことは、我々がいかに予防措置を取ろうとも、やはり試合の種目が難しく危険であることから、必要な措置であると判断したがためなのじゃ。六年生、七年生より年少の者が課題をこなせるとは考えにくい。年少の者がホグワーツの代表選手になろうとして、公明正大なる選考の審査員の目をごまかしたりせぬよう、わし自ら目を光らせることとする」

ダンブルドアの明るいブルーの目が、フレッドとジョージの反抗的な顔をちらりと見て、いたずらっぽく光った。

「それじゃから、十七歳に満たない者は、名前を審査員に提出したりして時間のむだをせんように、よくよく願っておこう」

「ボーバトンとダームストラングの代表団は十月に到着し、今年度はほとんどずっとわが校にとどまる。外国からの客人が滞在する間、みなが礼儀と厚情を尽くすことと信ずる。さらに、ホグワーツの代表選手が選ばれしあかつきには、その者を、みな、心から応援するであろうと、わしはそう信じておる。さてと、夜も更けた。明日からの授業に備えて、ゆっくり休み、はっきりした頭で臨むことが大切じゃと、みなそう思っておるじゃろうの。就寝！ ほれほれ！」

ダンブルドアは再び腰かけ、マッド‐アイ・ムーディと話しはじめた。ガタガタ、バタバタと騒々しい音を立てて、全校生徒が立ち上がり、群れをなして玄関ホールに出る二重扉へと向かった。

「そりゃあ、ないぜ！」

ジョージ・ウィーズリーは扉に向かう群れには加わらず、棒立ちになってダンブルドアをにらみつけていた。

「俺たち、四月には十七歳だぜ。なんで参加できないんだ？」

「俺はエントリーするぞ。止められるもんなら止めてみろ」

フレッドも、教職員テーブルにしかめっ面を向け、頑固に言い張った。

「代表選手になると、普通なら絶対許されないことがいろいろできるんだぜ。しかも、賞金一千ガリオンだ！」

「うん」ロンは魂が抜けたような目だ。「うん。一千ガリオン……」

「さあ、さあ」ハーマイオニーが声をかけた。

「行かないと、ここに残ってるのは私たちだけになっちゃうわ」

ハリー、ロン、ハーマイオニー、それにフレッド、ジョージが玄関ホールへと向かった。フレッドとジョージは、ダンブルドアがどんな方法で十七歳未満のエントリーを阻止するのだろうと、大論議を始めた。

「代表選手を決める公明正大な審査員って、誰なんだろう？」ハリーが言った。

「知るもんか」フレッドが言った。「だけど、そいつをだまさなきゃ。『老け薬』を数滴使えばうまくいくかもな、ジョージ……」

「だけど、ダンブルドアは二人が十七歳未満だって知ってるよ」ロンが言った。

「ああ、でも、ダンブルドアが代表選手を決めるわけじゃないだろ？」

フレッドは抜け目がない。

「俺の見るとこじゃ、審査員なんて、誰が立候補したかさえわかったら、あとは各校からベストな選手を選ぶだけで、年なんて気にしないと思うな。ダンブルドアは俺たちが名乗りを上げるのを阻止しようとしてるだけだ」

「でも、いままで死人が出てるのよ！」

みんなでタペストリーの裏の隠し戸を通り、また一つ狭い階段を上がりながら、ハーマイオニーが心配そうな声を出した。

「ああ」フレッドは気楽に言った。「だけどずっと昔の話だろ？　それに、ちょっとくらいスリルがなきゃ、おもしろくもないじゃないか？　おい、ロン、俺たちがダンブルドアを出し抜く方法を見つけたらどうする？　エントリーしたいか？」

「どう思う？」ロンはハリーに聞いた。

「立候補したら気分いいだろな。だけど、もっと年上の選手が欲しいんだろな……僕たちじゃまだ勉強不足かも……」

「僕なんか、ぜったい不足だ」

フレッドとジョージの後ろから、ネビルの落ち込んだ声がした。

「だけど、ばあちゃんは僕に立候補してほしいだろうな。ばあちゃんは、僕が家の名誉を上げなきゃいけないっていっつも言ってるもの。僕、やるだけはやらな――ウワッ……」

ネビルの足が、階段の中ほどでズブリとはまり込んでいた。こんないたずら階段がホグワーツのあちこちにあって、ほとんどの上級生は、考えなくとも階段の消えた部分を飛び越す習慣ができている。しかし、ネビルはとびっきり記憶力が悪かった。ハリーとロンがネビルのわきの下を抱えて引っ張り出した。階段の上では甲冑（かっちゅう）がギーギー、ガシャガシャと音を立てて笑っていた。

「こいつめ、だまれ」

鎧（よろい）のそばを通り過ぎるとき、ロンが兜（かぶと）の面頰をガシャンと引き下げた。

グリフィンドール塔にたどり着いた。入口は、ピンクの絹のドレスを着た「太った婦人（レディ）」の大きな肖像画の後ろに隠れている。みんなが近づくと、肖像画が問いかけた。

「合言葉は？」

「**たわごと（ボールダーダッシュ）**」ジョージが言った。

「下にいた監督生が教えてくれたんだ」

肖像画がパッと開き、背後の壁の穴が現れた。全員よじ登って穴をくぐった。円形の談話室には、ふかふかしたひじかけ椅子やテーブルが置かれ、パチパチと燃える暖炉の火で暖かかった。ハーマイオニーは楽しげにはじける火に暗い視線を投げかけた。「おやすみなさい」と挨拶して、女子寮に続く廊下へと姿を消す前に、ハーマイオニーがつぶやいた言葉を、ハリーははっきりと聞いた。

「**奴隷労働**」

ハリー、ロン、ネビルは最後の螺旋(らせん)階段を上り、塔のてっぺんにある寝室にたどり着いた。深紅のカーテンがかかった四本柱のベッドが五つ、壁際に並び、足元にはそれぞれのベッドの主のトランクが置かれていた。ディーンとシェーマスはもうベッドに入るところだった。シェーマスのベッドの枕元にはアイルランドのロゼットがピンでとめられ、ディーンのベッドの脇机の上には、ビクトール・クラムのポスターが壁に貼りつけられていた。ディーンお気に入りのウエストハム・ユナイテッドの古ポスターは、その脇にピンでとめてある。

ちっとも動かないサッカー選手たちを眺めながら、ロンが頭を振り振りため息をついた。

「いかれてる」

ハリー、ロン、ネビルもパジャマに着替え、ベッドに入った。誰かが――しもべ妖精にちがいない――湯たんぽをベッドに入れてくれていた。ベッドに横たわり、外で荒れ狂う嵐の音を聞いているのは、ほっこりと気持ちがよかった。

「僕、立候補するかも」

暗がりの中でロンが眠そうに言った。

「フレッドとジョージがやり方を見つけたら……試合に……やってみなきゃわかんないものな?」

「だと思うよ……」

ハリーは寝返りを打った。頭の中に次々と輝かしい姿が浮かんだ……公明正大な審査員を出し抜いて、十七歳だと信じ込ませたハリー……ホグワーツの代表選手になったハリー……拍手喝采、大歓声の全校生徒の前で、勝利の印に両手を挙げて校庭に立つ僕……。僕はいま、対抗試合に優勝した……ぼんやりとかすむ群集の中で、チョウ・チャンの顔がくっきりと浮かび上がる。称讃に顔を輝かせている……。

ハリーは枕に隠れてニッコリした。自分にだけ見えて、ロンには見えないのが、特にうれしかった。

第13章　マッドーアイ・ムーディ

嵐は、翌朝までには治まっていた。しかし、大広間の天井はまだどんよりしていた。ハリー、ロン、ハーマイオニーが朝食の席で時間割を確かめているときも、天井には鉛色の重苦しい雲が渦巻いていた。三人から少し離れた席で、フレッド、ジョージとリー・ジョーダンが、どんな魔法を使えば年を取り、首尾よく三校対抗試合にもぐり込めるかを討議していた。

「今日はまあまあだな……午前中はずっと戸外授業だ」

ロンは時間割の月曜日の欄を上から下へと指でなぞりながら言った。

「薬草学はハッフルパフと合同授業。魔法生物飼育学は……クソ、またスリザリンと一緒だ……」

「午後に、占い学が二時限続きだ」

時間割の下のほうを見てハリーがうめいた。占い学はハリーの一番嫌いな科目だ――魔法薬学はまた別格だが。占い学のトレローニー先生が、しつこくハリーの死を予言するのが、ハリーにはいやでたまらなかった。

「あなたも、占い学をやめればよかったのよ。私みたいに」

トーストにバターを塗りながら、ハーマイオニーが威勢よく言った。

「そしたら、『数占い』のように、もっときちんとした科目が取れるのに」

「おーや、また食べるようになったじゃないか」

ハーマイオニーがトーストにたっぷりジャムをつけるのを見て、ロンが言った。

「しもべ妖精の権利を主張するのには、もっといい方法があるってわかったのよ」

ハーマイオニーは誇り高く言い放った。

「そうかい……それに、腹も減ってたしな」ロンがニヤッとした。

突然、頭上で音がした。開け放した窓から、百羽のふくろうが、朝の郵便を運んできたのだ。ハリーは反射的に見上げたが、茶色や灰色の群れの中に、白いふくろうは影も形も見えなかった。ふくろうはテーブルの上をぐるぐる飛び回り、手紙や小包の受取人を探した。大きなメンフクロウがネビル・ロングボトムの所にサーッと降下し、ひざに小包を落とした――ネビルは必ず何か忘れ物をしてくるのだ。大広間のむこう側では、ドラコ・マルフォイのワシミミズクが、家から送ってくるいつものケーキやキャンディの包みらしいものを持って、肩に止まった。

がっかりして胃が落ちこむような気分を押さえつけ、ハリーは食べかけのオートミールをまた食べはじめた。ヘドウィグの身に何か起こったんじゃないだろうか？　シリウスは手紙を受け取らなかったのでは？

ぐしょぐしょした野菜畑を通り、第三温室にたどり着くまで、ハリーはずっとそのことばかり考えていたが、温室でスプラウト先生にいままで見たこともないような醜い植物を見せられて、心配事もおあずけになった。

植物というより真っ黒な太い大ナメクジが土を突き破って直立しているようだった。かすかにのたくるように動き、一本一本にテラテラ光る大きな腫れ物がブツブツと噴き出し、その中に、液体のようなものが詰まっている。

「ブボチューバー、腫れ草です」

スプラウト先生がきびきびと説明した。

「しぼってやらないといけません。みんな、膿（うみ）を集めて――」

「えっ、**何を？**」

シェーマス・フィネガンが気色悪そうに聞き返した。

「膿です。フィネガン、う・み」

スプラウト先生がくり返した。

「しかもとても貴重なものですから、むだにしないよう。膿を、いいですか、この瓶に集めなさい。ドラゴン革の手袋をして。原液のままだと、このブボチューバーの膿は、皮膚に変な害を与えることがあります」

膿しぼりはむかむかしたが、なんだか奇妙な満足感があった。腫れた所をつつくと、黄緑色のドロッとした膿がたっぷりあふれ出し、強烈な石油臭がした。先生に言われたとおり、それを瓶に集め、授業が終わるころには数リットルもたまった。

「マダム・ポンフリーがお喜びになるでしょう」

最後の一本の瓶にコルクで栓をしながら、スプラウト先生が言った。

「頑固なにきびにすばらしい効き目があるのです。このブボチューバーの膿は。これで、にきびをなくそうと躍起になって、生徒がとんでもない手段を取ることもなくなるでしょう」

「かわいそうなエロイーズ・ミジェンみたいにね」

ハッフルパフ生のハンナ・アボットが声を殺して言った。

「自分のにきびに呪いをかけて取ろうとしたっけ」

「ばかなことを」

スプラウト先生が首を振り振り言った。

「ポンフリー先生が鼻を元どおりにくっつけてくれたからよかったようなものの」

ぬれた校庭のむこうから鐘の音が響いてきた。授業の終わりを告げる城の鐘だ。薬草学が終わり、ハッフルパフ生は石段を上って変身術の授業へ、グリフィンドール生は反対に芝生を下って、「禁じられた森」のはずれに建つハグリッドの小屋へと向かった。

ハグリッドは、片手を巨大なボアハウンド犬のファングの首輪にかけ、小屋の前に立っていた。足元に木箱が数個、ふたを開けて置いてあり、ファングは中身をもっとよく見たくてうずうずしているらしく、首輪を引っ張るようにしてクィンクィン鳴いていた。近づくにつれて、奇妙なガラガラという音が聞こえてきた。ときどき小さな爆発音のような音がする。

「おっはよー！」

ハグリッドはハリー、ロン、ハーマイオニーにニッコリした。

「スリザリンを待ったほうがええ。あの子たちも、こいつを見逃したくはねえだろう──『尻尾爆発スクリュート』だ！」

「もう一回言って？」ロンが言った。

ハグリッドは木箱の中を指差した。

「ギャーッ！」

ラベンダー・ブラウンが悲鳴を上げて飛びのいた。

「ギャーッ」の一言が、尻尾爆発スクリュートのすべてを表している、とハリーは思った。殻をむかれた奇形のロブスターのような姿で、ひどく青白いぬめぬめした胴体からは、勝手気ままな場所に肢が突き出し、頭らしい頭が見えない。一箱におよそ百匹いる。体長十五、六センチで、重なり合って這い回り、闇雲に箱の内側にぶつかっていた。くさった魚のような強烈なにおいを発する。ときどきしっぽらしい所から火花が飛び、**パン**と小さな音を上げて、そのたびに十センチほど前進している。

「いま孵ったばっかしだ」

ハグリッドは得意げだ。

「だから、おまえたちが自分で育てられるっちゅうわけだ　そいつをちいっとプロジェクトにしようと思っちょる！」

「それで、なぜ我々がそんなのを**育てなきゃならない**のでしょうねぇ？」

冷たい声がした。

スリザリン生が到着していた。声の主はドラコ・マルフォイだった。クラッブとゴイルが、「もっともなお言葉」とばかりクスクス笑っている。

ハグリッドは答えに詰まっているようだ。

「つまり、こいつらはなんの**役に立つ**のだろう？」

マルフォイが問い詰めた。

「**なんの意味がある**っていうんですかねぇ？」

ハグリッドは口をパクッと開いている。必死で考えている様子だ。数秒間だまったあとで、ハグリッドがぶっきらぼうに答えた。

「マルフォイ、そいつは次の授業だ。今日はみんな餌をやるだけだ。さあ、いろんな餌をやってみろよ――俺はこいつらを飼ったことがねえんで、何を食うのかよくわからん――アリの卵、カエルの肝、それと、毒のねえヤマカガシをちいと用意してある――全部ちいーっとずつ試してみろや」

「最初は膿、次はこれだもんな」シェーマスがブツブツ言った。

ハリー、ロン、ハーマイオニーは、グニャグニャのカエルの肝をひとつかみ木箱の中に差し入れ、スクリュートを誘ってみた。ハグリッドが大好きでなかったらこんなことはしない。やっていることが全部、まったくむだなんじゃないかと、ハリーはその気持ちを抑えきれなかった。何しろスクリュートに口があるようには見えない。

「アイタッ！」

十分ほどたったとき、ディーン・トーマスが叫んだ。

「こいつ、襲った！」

ハグリッドが心配そうに駆け寄った。

「しっぽが爆発した！」

手の火傷(やけど)をハグリッドに見せながら、ディーンがいまいましそうに言った。

「ああ、そうだ。こいつらが飛ぶときにそんなことが起こるな」

ハグリッドがうなずきながら言った。

「ギャーッ！」

ラベンダー・ブラウンがまた叫んだ。

「ギャッ、ハグリッド、あのとがったもの何？」

「ああ。針を持ったやつもいる」

ハグリッドの言葉に熱がこもった（ラベンダーはサッと箱から手を引っ込めた）。

「たぶん雄だな……雌は腹ンとこに吸盤のようなものがある……血を吸うためじゃねえかと思う」

「おやおや。なぜ僕たちがこいつらを生かしておこうとしているのか、これで僕にはよくわかったよ」

マルフォイが皮肉たっぷりに言った。

「火傷させて、刺して、かみつく。これが一度にできるペットだもの、誰だって欲しがるだろ？」

「かわいくないからって役に立たないとはかぎらないわ」

ハーマイオニーが反撃した。

「ドラゴンの血なんか、すばらしい魔力があるけど、ドラゴンをペットにしたいなんて誰も思わないでしょ？」

ハリーとロンがハグリッドを見てニヤッと笑った。ハグリッドももじゃもじゃひげの陰で苦笑いした。ハグリッドはペットならドラゴンが一番欲しいはずだと、ハリーもロンもハーマイオニーもよく知っていた——三人が一年生のとき、ごく短い間だったが、ハグリッドはドラゴンのペットを飼っていた。凶暴なノルウェー・リッジバック種で、ノーバートという名だった。ハグリッドは怪物のような生物が大好きだ——危険であればあるほど好きなのだ。

「まあ、少なくとも、スクリュートは小さいからね」

一時間後、昼食をとりに城に戻る道すがら、ロンが言った。

「そりゃ、**いまは**、そうよ」

ハーマイオニーは声をたかぶらせた。

「でも、ハグリッドが、どんな餌をやったらいいか見つけたら、たぶん二メートルぐらいには育つわよ」

「だけど、あいつらが船酔いとかなんとかに効くということになりゃ、問題ないだろ？」

ロンがハーマイオニーに向かっていたずらっぽく笑った。

「よーくご存じでしょうけど、私はマルフォイをだまらせるためにあんなことを言ったのよ。ほんとのこと言えば、マルフォイが正しいと思う。スクリュートが私たちを襲うようになる前に、全部踏みつぶしちゃうのが一番いいのよ」

三人はグリフィンドールのテーブルに着き、ラムチョップとポテトを食べた。ハーマイオニーが猛スピードで食べるので、ハリーとロンが目を丸くした。

「あー……それって、しもべ妖精の権利擁護の新しいやり方？」ロンが聞いた。

「絶食じゃなくて、吐くまで食うことにしたの？」

「どういたしまして」

芽キャベツを口いっぱいにほお張った顔で、精いっぱいに威厳を保とうとしながら、ハーマイオニーが言った。

「図書館に行きたいだけよ」

「**エーッ？**」

ロンは信じられないという顔だ。

「ハーマイオニー——今日は一日目だぜ。まだ宿題の『し』の字も出てないのに！」

ハーマイオニーは肩をすくめ、まるで何日も食べていなかったかのように食事をかき込んだ。それから、サッと立ち上がり、「じゃ、夕食のときね！」と言うなり、猛スピードで出ていった。

午後の始業のベルが鳴り、ハリーとロンは北塔に向かった。北塔の急な螺旋(らせん)階段を上りつめたところに銀色のはしごがあり、天井の円形の跳ね戸へと続いていた。そのむこうがトレローニー先生の棲(す)みついている部屋だった。

はしごを上り、部屋に入ると、暖炉から立ち昇るあの甘ったるいにおいが、むっと鼻を突いた。いつものように、カーテンは閉め切られている。円形の部屋は、スカーフやショールで覆った無数のランプから出る赤い光で、ぼんやりと照らされていた。そこかしこに置かれた布張り椅子や丸クッションにはもうほかの生徒が座っていた。ハリーとロンは、その間を縫って歩き、一緒に小さな丸テーブルに着いた。

「こんにちは」

ハリーのすぐ後ろで、トレローニー先生の霧のかかったような声がして、ハリーは飛び上がった。細い体に巨大なめがねが、顔に不釣り合いなほど目を大きく見せている。トレローニー先生だ。ハリーを見るときに必ず見せる悲劇的な目つきで、ハリーを見下ろしていた。いつものように、ごってりと身につけたビーズやチェーン、腕輪が、暖炉の火を受けてキラキラしている。

「坊や、何か心配してるわね」

先生が哀しげに言った。

「あたくしの心眼は、あなたの平気を装った顔の奥にある、悩める魂を見透(みとお)していますのよ。お気の毒に、あなたの悩み事は根拠のないものではないのです。あたくしには、あなたの行く手に困難が見えますわ。ああ……ほんとうに大変な……あなたの恐れていることは、かわいそうに、必ず起こるでしょう……しかも、おそらく、あなたの思っているより早く……」

先生の声がぐっと低くなり、最後はほとんどささやくように言った。ロンはやれやれという目つきでハリーを見た。ハリーは硬い表情のままロンを見た。トレローニー先生は二人のそばをスイーッと通り、暖炉前に置かれたヘッドレストのついた大きなひじかけ椅子に座り、生徒たちと向かい合った。トレローニー先生を崇拝するラベンダー・ブラウンとパーバティ・パチルは、先生のすぐそばのクッションに座っていた。

「みなさま、星を学ぶ時が来ました」先生が言った。

「惑星の動き、そして天体の舞のステップを読み取る者だけに明かされる神秘的予兆。人の運命は、惑星の光によってその謎が解き明かされ、その光はまじり合い……」

ハリーはほかのことを考えていた。香をたき込めた暖炉の火で、いつも眠くなり、ぼうっとなるのだ。しかも、トレローニー先生の占いに関する取り止めのない話は、ハリーを夢中にさせたためしがない——それでも、先生がたったいま言ったことが、ハリーの頭に引っかかっていた。

「**あなたの恐れていることは、かわいそうに、必ず起こるでしょう……**」

しかし、ハーマイオニーの言うとおりだ、とハリーはいらいらしながら考えた。トレローニー先生はインチキだ。ハリーはいま、何も恐れてはいなかった……まあ、強いて言えば、シリウスが捕まってしまったのではないか、と恐れてはいたが……とはいえ、トレローニー先生に何がわかるというのか？トレローニー先生の占いなんて、当たればおなぐさみの当て推量で、なんとなく不気味な雰囲気だけのものだと、ハリーはとっくにそういう結論を出していた。

ただし、例外は、去年の学年末のことだった。ヴォルデモートが再び立ち上がると予言した……ダンブルドアでさえ、ハリーの話を聞いたとき、あの恍惚(こうこつ)状態は本物だと考えた。

「**ハリー！**」ロンがささやいた。

「**えっ？**」

ハリーはきょろきょろあたりを見回した。クラス中がハリーを見つめていた。ハリーはきちんと座りなおした。暑かったし、自分だけの考えに没頭してうとうとしていたのだ。

「坊や、あたくしが申し上げましたのはね、あなたが、まちがいなく、土星(サターン)の不吉な支配の下で生まれた、ということですのよ」

ハリーがトレローニー先生の言葉に聞きほれていなかったのが明白なので、先生の声がかすかにいらいらしていた。

「なんの下に——ですか？」ハリーが聞いた。

「土星ですわ――不吉な惑星、土星！」

この宣告でもハリーにとどめを刺せないので、トレローニー先生の声が明らかにいらいらしていた。

「あなたの生まれたとき、まちがいなく土星が天空の支配宮に入っていたと、あたくし、そう申し上げていましたの……あなたの黒い髪……貧弱な体つき……幼くして悲劇的な喪失……あたくし、まちがっていないと思いますが、ねえ、あなた、真冬に生まれたでしょう？」

「いいえ」ハリーが言った。「僕、七月生まれです」

ロンは、笑いをごまかすのにあわててゲホゲホ咳(せき)をした。

三十分後、みんなはそれぞれ複雑な円形チャートを渡され、自分の生まれたときの惑星の位置を書き込む作業をしていた。年代表を参照したり、角度の計算をするばかりの、おもしろくない作業だった。

「僕、海王星が二つもあるよ」

しばらくして、ハリーが、自分の羊皮紙を見て顔をしかめながら言った。

「そんなはずないよね？」

「あぁぁぁぁー」

ロンがトレローニー先生の謎めいたささやきを口まねした。

「海王星が二つ空に現れるとき、ハリー、それはめがねをかけた小人が生まれる確かな印ですわ……」

すぐそばで作業していたシェーマスとディーンが、声を上げて笑ったが、ラベンダー・ブラウンの興奮した叫び声にかき消されてしまった――「うわあ、先生、見てください！　星位のない惑星が出てきました！　おぉぉー、先生、いったいこの星は？」

「冥王星、最後尾の惑星ですわ」

トレローニー先生が星座表をのぞき込んで言った。

「ドンケツの星か……。ラベンダー、僕に君のドンケツ、ちょっと見せてくれる？」

ロンが言った。

ロンの下品な言葉遊びが、運悪くトレローニー先生の耳に入ってしまった。たぶんそのせいで、授業が終わるときに、ドサッと宿題が出た。

「これから一か月間の惑星の動きが、みなさんにどういう影響を与えるか、ご自分の星座表に照らして、くわしく分析なさい」

いつもの霞（かすみ）か雲かのような調子とは打って変わって、まるでマクゴナガル先生かと思うようなきっぱりとした言い方だった。

「来週の月曜日にご提出なさい。言い訳は聞きません！」

「あのばばぁめ」

みんなで階段を下り、夕食をとりに大広間に向かいながら、ロンが毒づいた。

「週末いっぱいいかかるぜ。マジで……」

「宿題がいっぱい出たの？」

ハーマイオニーが追いついて、明るい声で言った。

「**私たちには**、ベクトル先生ったら、なんにも宿題出さなかったのよ！」

「じゃ、ベクトル先生、バンザーイだ」ロンが不機嫌に言った。

玄関ホールに着くと、夕食を待つ生徒であふれ、行列ができていた。三人が列の後ろに並んだとたん、背後で大声がした。

「ウィーズリー！　おーい、ウィーズリー！」

ハリー、ロン、ハーマイオニーが振り返ると、マルフォイ、クラッブ、ゴイルが立っていた。何かられしくてたまらないという顔をしている。

「なんだ？」

ロンがぶっきらぼうに聞いた。

「君の父親が新聞にのってるぞ、ウィーズリー！」

マルフォイは「日刊予言者新聞」をひらひら振り、玄関ホールにいる全員に聞こえるように大声で言った。

「聞けよ！」

魔法省、またまた失態
特派員のリータ・スキーターによれば、魔法省のトラブルは、まだ終わっていない模様である。クィディッチ・ワールドカップでの警備の不手際や、職員の魔女の失踪事件がいまだにあやふやになっていることで非難されてきた魔法省が、昨日、マグル製品不正使用取締局のアーノルド・ウィーズリーの失態で、またもやひんしゅくを買った。

マルフォイが顔を上げた。

「名前さえまともに書いてもらえないなんて、ウィーズリー、君の父親は完全に小者扱いみたいだねぇ？」

マルフォイは得意満面だ。

玄関ホールの全員が、いまや耳を傾けている。マルフォイはこれみよがしに新聞を広げなおした。

アーノルド・ウィーズリーは、二年前にも空飛ぶ車を所有していたことで責任を問われたが、昨日、非常に攻撃的なごみバケツ数個をめぐって、マグルの法執行官（警察）ともめ事を起こした。ウィーズリー氏は、「マッド-アイ」ムーディの救助に駆けつけた模様だ。年老いた「マッド-アイ」は、友好的握手と殺人未遂との区別もつかなくなった時点で魔法省を引退した、往年の闇祓い（やみばらい）である。警戒の厳重なムーディ氏の自宅に到着したウィーズリー氏は、案の定、ムーディ氏がまたしてもまちがい警報を発したことに気づいた。ウィーズリー氏はやむなく何人かの記憶修正を行い、やっと警官の手を逃れたが、こんなひんしゅくを買いかねない不名誉な場面に、なぜ魔法省が関与したのかという日刊予言者新聞の質問に対して、回答を拒んだ。

「写真までのってるぞ、ウィーズリー！」

マルフォイが新聞を裏返して掲げてみせた。

「君の両親が家の前で写ってる——もっとも、これが家と言えるかどうか！　君の母親は少し減量したほうがよくないか？」

ロンは怒りで震えていた。みんながロンを見つめている。

「失せろ、マルフォイ」ハリーが言った。「ロン、行こう……」

「そうだ、ポッター、君は夏休みにこの連中の所に泊まったそうだね？」

マルフォイがせせら笑った。

「それじゃ、教えてくれ。ロンの母親は、ほんとにこんなデブチンなのかい？　それとも単に写真写りかねぇ？」

「マルフォイ、**君の**母親はどうなんだ？」

ハリーが言い返した――ハリーもハーマイオニーも、ロンがマルフォイに飛びかからないよう、ロンのローブの後ろをがっちり押さえていた――。

「あの顔つきはなんだい？　鼻の下にクソでもぶら下げているみたいだ。いつもあんな顔してるのかい？　それとも単に君がぶら下がっていたからなのかい？」

マルフォイの青白い顔に赤味が差した。

「僕の母上を侮辱するな、ポッター」

「それなら、その減らず口を閉じとけ」ハリーはそう言って背を向けた。

バーン！

数人が悲鳴を上げた――ハリーは何か白熱した熱いものがほおをかすめるのを感じた――ハリーはローブのポケットに手を突っ込んで杖を取ろうとした。しかし、杖に触れるより早く、二つ目の**バーン**だ。そして吠え声が玄関ホールに響き渡った。

「若造、卑怯なまねをするな！」

ハリーが急いで振り返ると、ムーディ先生が大理石の階段をコツッ、コツッと下りてくるところだった。杖を上げ、まっすぐに純白のケナガイタチに突きつけている。石畳を敷き詰めた床で、ちょうどマルフォイが立っていたあたりに、白イタチが震えていた。

玄関ホールに恐怖の沈黙が流れた。ムーディ以外は身動き一つしない。ムーディがハリーのほうを見た――少なくとも普通の目のほうはハリーを見た。もう一つの目はひっくり返って、頭の後ろのほうを見ているところだった。

「やられたかね？」

ムーディが唸るように言った。低い、押し殺したような声だ。

「いいえ、はずれました」ハリーが答えた。

「**さわるな！**」ムーディが叫んだ。

「さわるなって――何に？」ハリーは面食らった。

「おまえではない――あいつだ！」

ムーディは親指で背後にいたクラッブをぐいと指し、唸った。白ケナガイタチを拾い上げようとしていたクラッブは、その場に凍りついた。ムーディの動く目は、どうやら魔力を持ち、自分の背後が見えるらしい。

ムーディはクラッブ、ゴイル、ケナガイタチのほうに向かって、足を引きずりながらまたコツッ、コツッと歩きだした。イタチはキーキーとおびえた声を出して、地下牢のほうにサッと逃げ出した。

「そうはさせんぞ！」

ムーディが吠え、杖を再びケナガイタチに向けた――イタチは空中に二、三メートル飛び上がり、バシッと床に落ち、反動でまた跳ね上がった。

「敵が後ろを見せたときに襲うやつは気にくわん」

ムーディは低く唸り、ケナガイタチは何度も床にぶつかっては跳ね上がり、苦痛にキーキー鳴きながら、だんだん高く跳ねた。

「鼻持ちならない、臆病で、下劣な行為だ……」

ケナガイタチは脚やしっぽをばたつかせながら、なす術もなく跳ね上がり続けた。

「二度と――こんな――ことは――するな――」

ムーディはイタチが石畳にぶつかって跳ね上がるたびに、一語一語をたたきつけた。

「ムーディ先生！」ショックを受けたような声がした。

マクゴナガル先生が、腕いっぱいに本を抱えて、大理石の階段を下りてくるところだった。

「やあ、マクゴナガル先生」

ムーディはイタチをますます高く跳ね飛ばしながら、落ち着いた声で挨拶した。

「な――何をなさっているのですか？」

マクゴナガル先生は空中に跳ね上がるイタチの動きを目で追いながら聞いた。

「教育だ」ムーディが言った。

「教――ムーディ、**それは生徒なのですか？**」

叫ぶような声とともに、マクゴナガル先生の腕から本がボロボロこぼれ落ちた。

「さよう」とムーディ。

「そんな！」

マクゴナガル先生はそう叫ぶと、階段を駆け下りながら杖を取り出した。次の瞬間、バシッと大きな音を立てて、ドラコ・マルフォイが再び姿を現した。いまや顔は燃えるように紅潮し、なめらかなブロンドの髪がバラバラとその顔にかかり、床に這いつくばっている。マルフォイは引きつった顔で立ち上がった。

「ムーディ、本校では、懲罰に変身術を使うことは**絶対**ありません！」

マクゴナガル先生が困りはてたように言った。

「ダンブルドア校長がそうあなたにお話ししたはずですが？」

「そんな話を聞いたかもしれん、フム」

ムーディはそんなことはどうでもよいというふうにあごをかいた。

「しかし、わしの考えでは、一発厳しいショックで――」

「ムーディ！　本校では居残り罰を与えるだけです！　さもなければ、規則破りの生徒が属する寮の寮監に話をします」

「それでは、そうするとしよう」

ムーディはマルフォイを嫌悪のまなざしではったとにらんだ。

マルフォイは痛みと屈辱で薄灰色の目をまだうるませてはいたが、ムーディを憎らしげに見上げ、何かつぶやいた。「父上」という言葉だけが聞き取れた。

「フン、そうかね？」

ムーディは、**コツッ**、**コツッ**と木製の義足の鈍い音をホール中に響かせて二、三歩前に出ると、静かに言った。

「いいか、わしはおまえの親父殿を昔から知っているぞ……親父に言っておけ。ムーディが息子から目を離さんぞ、とな……わしがそう言ったと伝えろ……さて、おまえの寮監は、確か、スネイプだったな？」

「そうです」マルフォイが悔しそうに言った。

「やつも古い知り合いだ」ムーディが唸るように言った。

「なつかしのスネイプ殿と口をきくチャンスをずっと待っていた……来い。さあ……」

そしてムーディはマルフォイの上腕をむんずとつかみ、地下牢へと引っ立てていった。

マクゴナガル先生は、しばらくの間、心配そうに二人の後ろ姿を見送っていたが、やがて落ちた本に向かって杖をひと振りした。本は宙に浮かび上がり、先生の腕の中に戻った。

数分後にハリー、ロン、ハーマイオニーの三人がグリフィンドールのテーブルに着き、いましがた起こった出来事を話す興奮した声が四方八方から聞こえてきたとき、ロンが二人にそっと言った。

「僕に話しかけないでくれ」

「どうして？」

ハーマイオニーが驚いて聞いた。

「あれを永久に僕の記憶に焼きつけておきたいからさ」

ロンは目を閉じ、瞑想にふけるかのように言った。

「ドラコ・マルフォイ。驚異のはずむケナガイタチ……」

ハリーもハーマイオニーも笑った。それからハーマイオニーはビーフシチューを三人の銘々皿に取り分けた。

「だけど、あれじゃ、ほんとうにマルフォイをけがさせてたかもしれないわ」

ハーマイオニーが言った。

「マクゴナガル先生が止めてくださったからよかったのよ――」

「ハーマイオニー！」

ロンがパッチリ目を開け、憤慨して言った。

「君ったら、僕の生涯最良の時をだいなしにしてるぜ！」

ハーマイオニーは、つき合いきれないわというような音を立てて、またしても猛スピードで食べはじめた。

「まさか、今夜も図書館に行くんじゃないだろうね？」

ハーマイオニーを眺めながらハリーが聞いた。

「行かなきゃ」

ハーマイオニーがもごもご言った。

「やること、たくさんあるもの」

「だって、言ってたじゃないか。ベクトル先生は――」

「学校の勉強じゃないの」

ハーマイオニーがいなくなったすぐあとに、フレッド・ウィーズリーが座った。

そう言うと、ハーマイオニーは五分もたたないうちに、皿をからっぽにしていなくなった。

「ムーディ!」フレッドが言った。「なんとクールじゃないか?」

「クールを超えてるぜ」フレッドのむかい側に座ったジョージが言った。

「超クールだ」

双子の親友、リー・ジョーダンが、ジョージの隣の席にすべり込むように腰かけながら言った。

「午後にムーディの授業があったんだ」リーがハリーとロンに話しかけた。

「どうだった?」ハリーは聞きたくてたまらなかった。

フレッド、ジョージ、リーが、たっぷりと意味ありげな目つきで顔を見合わせた。

「あんな授業は受けたことがないね」フレッドが言った。

「参った。**わかってるぜ**、あいつは」リーが言った。

「わかってるって、何が?」ロンが身を乗り出した。

「**現実にやるってことが**なんなのか、わかってるのさ」ジョージがもったいぶって言った。

「やるって、何を?」ハリーが聞いた。

「『闇の魔術』と戦うってことさ」フレッドが言った。

「あいつは、すべてを見てきたな」ジョージが言った。

「スッゲェぞ」リーが言った。

ロンはガバッと鞄(かばん)をのぞき、授業の時間割を探した。
「あの人の授業、木曜までないじゃないか!」ロンががっかりしたような声を上げた。

第14章　許されざる呪文

それからの二日間は、特に事件もなく過ぎた。もっとも、ネビルが魔法薬学の授業で溶かしてしまった大鍋の数が六個目になったことを除けばだが。夏休みの間に、報復意欲に一段と磨きがかかったらしいスネイプ先生が、ネビルに居残りを言い渡した。樽いっぱいの角ヒキガエルの腸を抜き出す、という処罰を終えて戻ってきたネビルは、ほとんど神経衰弱状態だった。

「スネイプがなんであんなに険悪ムードなのか、わかるよな？」

ハーマイオニーがネビルに、爪の間に入り込んだヒキガエルの腸を取り除く「ゴシゴシ呪文」を教えてやっているのを眺めながら、ロンがハリーに言った。

「ああ」ハリーが答えた。「ムーディだ」

スネイプが「闇の魔術」の教職に就きたがっていることは、みんなが知っていた。そして今年で四年連続、スネイプはその職に就きそこねた。これまでの「闇の魔術」の先生を、スネイプはさんざん嫌っていたし、はっきり態度にも表した——ところが、マッド-アイ・ムーディに対しては、奇妙なことに、正面きって敵意を見せないように用心しているように見えた。事実、二人が一緒にいるところをハリーが目撃したときは——食事のときや、廊下ですれちがうときなど——必ず、スネイプがムーディの目（「魔法の目」も普通の目も）をさけていると、ハリーははっきりそう感じた。

「スネイプは、ムーディのこと、少し怖がってるような気がする」

ハリーは考え込むように言った。

「ムーディがスネイプを角ヒキガエルに変えちゃったらどうなるかな」

ロンは夢見るような目になった。

「そして、やつを地下牢中ボンボン跳ねさせたら……」

グリフィンドールの四年生は、ムーディの最初の授業が待ち遠しく、木曜の昼食がすむと、早々と教室の前に集まり、始業のベルが鳴る前に列を作っていた。

ただ一人、ハーマイオニーだけは、始業時間ぎりぎりに現れた。

「私、いままで――」

「――図書館にいた」

ハリーが、ハーマイオニーの言葉を途中から引き取った。

「早くおいでよ。いい席がなくなるよ」

三人はすばやく、最前列の先生の机の真正面に陣取り、教科書の『闇の力―護身術入門』を取り出し、いつになく神妙に先生を待った。

まもなく、コツッ、コツッという音が、廊下を近づいてくるのが聞こえた。紛れもなくムーディの足音だ。そして、いつもの不気味な、恐ろしげな姿が、ヌッと入ってきた。鉤爪つきの木製の義足が、ローブの下から突き出しているのが、ちらりと見えた。

「そんなもの、しまってしまえ」

コツッ、コツッと机に向かい、腰を下ろすや否や、ムーディが唸るように言った。

「教科書だ。そんなものは必要ない」

みんな教科書を鞄に戻した。ロンが顔を輝かせた。

ムーディは出席簿を取り出し、傷痕だらけのゆがんだ顔にかかる、たてがみのような長い灰色まだらの髪をブルブルッと振り払い、生徒の名前を読み上げはじめた。普通の目は名簿の順を追って動いたが、「魔法の目」はぐるぐる回り、生徒が返事をするたびに、その生徒をじっと見すえた。

「よし、それでは」

出席簿の最後の生徒が返事をし終えると、ムーディが言った。

「このクラスについては、ルーピン先生から手紙をもらっている。おまえたちは、闇の怪物と対決するための基本をかなりまんべんなく学んだようだ――まね妖怪(ボガート)、赤帽鬼(レッドキャップ)、おいでおいで妖怪(ヒンキーパンク)、水魔(グリンデロー)、河童(かっぱ)、人狼(じんろう)など。そうだな？」

ガヤガヤと、みんなが同意した。

「しかし、おまえたちは、遅れている――非常に遅れている――呪いの扱い方についてだ。そこで、わしの役目は、魔法使い同士が互いにどこまで呪い合えるものなのか、おまえたちを最低線まで引き上げることにある。わしの持ち時間は一年だ。その間におまえたちに、どうすれば闇の――」

「え？　ずっといるんじゃないの？」ロンが思わず口走った。

ムーディの「魔法の目」がぐるりと回ってロンを見すえた。ロンはどうなることかとどぎまぎしていたが、やがて、ムーディがフッと笑った――笑うのを、ハリーははじめて見た。傷痕だらけの顔が笑ったところで、ますますひん曲がり、ねじれるばかりだったが、それでも、笑うという親しさを見せたことは、何かしら救われる思いだった。ロンも心からホッとした様子だった。

「おまえはアーサー・ウィーズリーの息子だな、え？」ムーディが言った。

「おまえの父親のおかげで、数日前、窮地を脱した……ああ、一年だけだ。ダンブルドアのために特別にな……一年。その後は静かな隠遁(いんとん)生活に戻る」

ムーディはしわがれた声で笑い、節くれだった両手をパンとたたいた。

「では――すぐ取りかかる。呪いだ。呪う力も形もさまざまだ。さて、魔法省によれば、わしが教えるべきは反対呪文であり、そこまでで終わりだ。違法とされる闇の呪文がどんなものか、六年生になるまでは生徒に見せてはいかんことになっている。おまえたちは幼すぎ、呪文を見ることとさえたえられぬ、というわけだ。しかし、ダンブルドア校長は、おまえたちの根性をもっと高く評価しておられる。校長はおまえたちがたえられるとお考えだし、わしに言わせれば、戦うべき相手は早く知れば知るほどよい。見たこともないものから、どうやって身を護るというのだ？　いましも違法な呪いをかけようという魔法使いが、これからこういう呪文をかけますなどと、教えてはくれまい。面と向かって、やさしく礼儀正しく闇の呪文をかけてくれたりはせん。おまえたちのほうに備えがなければならん。緊張し、警戒していなければならんのだ。いいか、ミス・ブラウン、わしが話しているときは、そんなものはしまっておかねばならんのだ」

ラベンダー・ブラウンは飛び上がって、真っ赤になった。完成した自分の天宮図を、パーバティに机の下で見せていたところだったのだ。ムーディの「魔法の目」は、自分の背後が見えるだけでなく、どうやら堅い木も透かして見ることができるらしい。

「さて……魔法法律により、最も厳しく罰せられる呪文が何か、知っている者はいるか？」

何人かが中途半端に手を挙げた。ロンもハーマイオニーも手を挙げていた。ムーディはロンを指しながらも、「魔法の目」はまだラベンダーを見すえていた。

「えーと」ロンは自信なげに答えた。「パパが一つ話してくれたんですけど……確か『服従の呪文』とかなんとか？」

「ああ、そのとおりだ」

ムーディが誉めるように言った。

「おまえの父親なら、**確かに**そいつを知っているはずだ。一時期、魔法省をてこずらせたことがある。『服従の呪文』はな」

ムーディは左右不ぞろいの足で、ぐいと立ち上がり、机の引き出しを開け、ガラス瓶を取り出した。黒い大グモが三匹、中でガサゴソ這い回っていた。ハリーは隣でロンがぎくりと身を引くのを感じた――ロンはクモが大の苦手だ。

ムーディは瓶に手を入れ、クモを一匹つかみ出し、手のひらにのせてみんなに見えるようにした。それから杖をクモに向け、一言つぶやいた。

「***インペリオ!　服従せよ!***」

クモは細い絹糸のような糸を垂らしながら、ムーディの手から飛び下り、空中ブランコのように前に後ろに揺れはじめた。肢をピンと伸ばし、後ろ宙返りをし、糸を切って机の上に着地したと思うと、クモは円を描きながらくるりくるりと車輪のように側転を始めた。ムーディが杖をぐいと上げると、クモは後ろ肢の二本で立ち上がり、どう見てもタップダンスとしか思えない動きを始めた。

みんなが笑った――ムーディを除いて、みんなが。

「おもしろいと思うのか?」

ムーディは低く唸った。

「わしがおまえたちに同じことをしたら、喜ぶか?」

笑い声が一瞬にして消えた。

「完全な支配だ」

ムーディが低い声で言った。クモは丸くなってころりころりと転がりはじめた。

「わしはこいつを、思いのままにできる。窓から飛び下りさせることも、水におぼれさすことも、誰かののどに飛び込ませることも……」

ロンが思わず身震いした。

「何年も前になるが、多くの魔法使いたちが、この『服従の呪文』に支配された」

ムーディの言っているのはヴォルデモートの全盛時代のことだと、ハリーにはわかった。

「誰が無理に動かされているのか、誰が自らの意思で動いているのか、それを見分けるのが、魔法省にとってひと仕事だった」

「『服従の呪文』と戦うことはできる。これからそのやり方を教えていこう。しかし、これには個人の持つ真の力が必要で、誰にでもできるわけではない。できれば呪文をかけられぬようにするほうがよい。**油断大敵！**」

ムーディの大声に、みんな飛び上がった。

ムーディはとんぼ返りをしているクモをつまみ上げ、ガラス瓶に戻した。

「ほかの呪文を知っている者はいるか？　何か禁じられた呪文を？」

ハーマイオニーの手が再び高く挙がった。なんと、ネビルの手も挙がったので、ハリーはちょっと驚いた。ネビルがいつも自分から進んで答えるのは、ネビルにとってほかの科目より断トツに得意な薬草学の授業だけだった。ネビル自身が、手を挙げた勇気に驚いているような顔だった。

「何かね？」

ムーディは「魔法の目」をぐるりと回してネビルを見すえた。

「一つだけ――『磔(はりつけ)の呪文』」

ネビルは小さな、しかしはっきり聞こえる声で答えた。

ムーディはネビルをじっと見つめた。今度は両方の目で見ている。

「おまえはロングボトムという名だな?」ムーディが聞いた。

「魔法の目」をすっと出席簿に走らせて、ムーディが聞いた。

ネビルはおずおずとうなずいた。しかし、ムーディはそれ以上追及しなかった。ムーディはクラス全員のほうに向きなおり、ガラス瓶から二匹目のクモを取り出し、机の上に置いた。クモは恐ろしさに身がすくんだらしく、じっと動かなかった。

「『磔の呪文』」ムーディが口を開いた。

「それがどんなものかわかるように、少し大きくする必要がある」

ムーディは杖をクモに向けた。

「**エンゴージオ! 肥大せよ!**」

クモがふくれ上がった。いまやタランチュラより大きい。ロンは、恥も外聞もかなぐり捨て、椅子をぐっと引き、ムーディの机からできるだけ遠ざかった。

ムーディは再び杖を上げ、クモを指し、呪文を唱えた。

「**クルーシオ! 苦しめ!**」

たちまち、クモは肢を胴体に引き寄せるように内側に折り曲げてひっくり返り、七転八倒し、わなわなとけいれんしはじめた。なんの音も聞こえなかったが、クモに声があれば、きっと悲鳴を上げているにちがいない、とハリーは思った。ムーディは杖をクモから離さず、クモはますます激しく身をよじりはじめた——。

「やめて!」ハーマイオニーが金切り声を上げた。

ハリーはハーマイオニーを見た。ハーマイオニーの目はクモではなく、ネビルを見ていた。その視線を追って、ハリーが見たのは、机の上で指の関節が白く見えるほどギュッと拳を握りしめ、恐怖に満ちた目を大きく見開いたネビルだった。

ムーディは杖を離した。クモの肢がはらりとゆるんだが、まだヒクヒクしていた。

「**レデュシオ！　縮め！**」

ムーディが唱えると、クモは縮んで、元の大きさになった。ムーディはクモを瓶に戻した。

「苦痛」ムーディが静かに言った。

「『磔の呪文』が使えれば、拷問に『親指締め』もナイフも必要ない……これも、かつて盛んに使われた」

「よろしい……ほかの呪文を何か知っている者はいるか？」

ハリーは周りを見回した。みんなの顔から、「三番目のクモはどうなるのだろう」と考えているのが読み取れた。三度目の挙手をしたハーマイオニーの手が、少し震えていた。

「何かね？」ムーディがハーマイオニーを見ながら聞いた。

「『**アバダ　ケダブラ**』」ハーマイオニーがささやくように言った。

何人かが不安げにハーマイオニーのほうを見た。ロンもその一人だった。

「ああ」ひん曲がった口をさらに曲げて、ムーディがほほえんだ。

「そうだ。最後にして最悪の呪文。『**アバダ　ケダブラ**』……死の呪いだ」

ムーディはガラス瓶に手を突っ込んだ。すると、まるで何が起こるのかを知っているように、三番目のクモは、ムーディの指から逃れようと、瓶の底を狂ったように走りだした。しかし、ムーディはそれを捕らえ、机の上に置いた。クモはそこでも、木の机の端のほうへと必死で走った。

ムーディが杖を振り上げた。ハリーは突然、不吉な予感で胸が震えた。

「**アバダ　ケダブラ！**」

ムーディの声がとどろいた。

目もくらむような緑の閃光が走り、まるで目に見えない大きなものが宙に舞い上がるような、グォーッという音がした――その瞬間、クモは仰向けにひっくり返った。なんの傷もない。しかし、紛れもなく死んでいた。女の子が何人か、あちこちで声にならない悲鳴を上げた。クモがロンのほうにすっとすべったので、ロンはのけぞり、危うく椅子から転げ落ちそうになった。

ムーディは死んだクモを机から床に払い落とした。

「よくない」

ムーディの声は静かだ。

「気持ちのよいものではない。しかも、反対呪文は存在しない。防ぎようがない。これを受けて生き残った者は、ただ一人。その者は、わしの目の前に座っている」

ムーディの目が（しかも両眼が）、ハリーの目をのぞき込んだ。ハリーは顔が赤くなるのを感じた。みんなの目がいっせいにハリーに向けられたのも感じ取った。ハリーは何も書いてない黒板を、魅せられたかのように見つめたが、実は何も見てはいなかった……。

そうなのか。父さん、母さんは、こうして死んだのか……あのクモとおんなじように。あんなふうに、なんの傷も、印もなく。肉体から命がぬぐい去られるとき、ただ緑の閃光を見、駆け抜ける死の音を聞いただけだったのだろうか？

この三年間というもの、ハリーは両親の死の光景を、くり返しくり返し思い浮かべてきた。両親が殺されたということを知ったときから、あの夜に何が起こったかを知ったときから、ずっと。

ワームテールが両親を裏切って、ヴォルデモートにその居所をもらし、二人を追って、その隠れ家にヴォルデモートがやってきた。ヴォルデモートはまず父親を殺した。ジェームズ・ポッターは、妻に向かって「ハリーを連れて逃げろ」と叫びながら、ヴォルデモートを食い止めようとした……ヴォルデモートはリリー・ポッターに迫り、「どけ、ハリーを殺す邪魔をするな」と言った……母親は、かわりに自分を殺してくれとヴォルデモートにすがり、あくまでも息子をかばい続けて離れなかった……そして、ヴォルデモートは母親をも殺し、杖をハリーに向けた……。

前学期、吸魂鬼と戦ったときにハリーは両親の最期の声を聞いた。こうした細かい光景を、そのときに知ったのだ――吸魂鬼の恐ろしい魔力が、餌食となる者に、人生最悪の記憶をありありと思い出させ、絶望と無力感におぼれるようにしむけるのだ……。

ムーディがまた話しだした――はるかかなたで――とハリーには聞こえた。力を奮い起こし、ハリーは自分を現実に引き戻し、ムーディの言うことに耳を傾けた。

「『アバダ　ケダブラ』の呪いの裏には、強力な魔力が必要だ――おまえたちがこぞって杖を取り出し、わしに向けてこの呪文を唱えたところで、わしに鼻血さえ出させることができるものか。しかし、そんなことはどうでもよい。わしは、おまえたちにそのやり方を教えにきているわけではない」

「さて、反対呪文がないなら、なぜおまえたちに見せたりするのか？　**それは、おまえたちが知っておかなければならないからだ。**最悪の事態がどういうものか、おまえたちは味わっておかなければならない。せいぜいそんなものと向き合うような目にあわぬようにするんだな。**油断大敵！**」

声がとどろき、またみんな飛び上がった。

「さて……この三つの呪文だが――『アバダ　ケダブラ』、『服従の呪文』、『磔の呪文』――これらは『許されざる呪文』と呼ばれる。同類であるヒトに対して、このうちどれか一つの呪いをかけるだけで、アズカバンで終身刑を受けるに値する。おまえたちが立ち向かうのは、そういうものなのだ。そういうものに対しての戦い方を、わしはおまえたちに教えなければならない。備えが必要だ。武装が必要だ。しかし、何よりもまず、常に、絶えず、警戒することの訓練が必要だ。羽根ペンを出せ……これを書き取れ……」

それからの授業は、「許されざる呪文」のそれぞれについて、ノートを取ることに終始した。ベルが鳴るまで、誰も何もしゃべらなかった――しかし、ムーディが授業の終わりを告げ、みんなが教室を出るとすぐに、ワッとばかりにおしゃべりが噴出した。ほとんどの生徒が、恐ろしそうに呪文の話をしていた――「あのクモのピクピク、見たか？」「――それに、ムーディが殺したとき――あっという間だ！」

みんなが、まるですばらしいショーか何かのように――とハリーは思った――授業の話をしていた。しかし、ハリーにはそんなに楽しいものとは思えなかった――どうやら、ハーマイオニーも同じ思いだったらしい。

「早く」

ハーマイオニーが緊張した様子でハリーとロンを急かした。

「また、図書館ってやつじゃないだろうな？」ロンが言った。

「ちがう」

ハーマイオニーはぶっきらぼうにそう言うと、脇道の廊下を指差した。

「ネビルよ」

ネビルが、廊下の中ほどにポツンと立っていた。ムーディが「磔の呪文」をやって見せたあの時のように、恐怖に満ちた目を見開いて、目の前の石壁を見つめている。

「ネビル？」ハーマイオニーがやさしく話しかけた。

ネビルが振り向いた。

「やあ」

ネビルの声はいつもよりかなり上ずっていた。

「おもしろい授業だったよね？　夕食の出し物は何かな。僕――僕、お腹がペコペコだ。君たちは？」

「ネビル、あなた、大丈夫？」ハーマイオニーが聞いた。

「ああ、うん。大丈夫だよ」

ネビルは、やはり不自然にかん高い声で、ベラベラしゃべった。

「とってもおもしろい夕食――じゃないや、授業だった――夕食の食い物はなんだろう？」

ロンはぎょっとしたような顔でハリーを見た。

「ネビル、いったい――？」

その時、背後で奇妙なコツッ、コツッという音がして、振り返るとムーディ先生が足を引きずりながらやってくるところだった。四人ともだまり込んで、不安げにムーディを見た。しかし、ムーディの声は、いつもの唸り声よりずっと低く、やさしい唸り声だった。

「大丈夫だぞ、坊主」

ネビルに向かってそう声をかけた。

「わしの部屋に来るか？　おいで……茶でも飲もう……」

ネビルはムーディと二人でお茶を飲むと考えただけで、もっと怖がっているように見えた。身動きもせず、しゃべりもしない。

ムーディは「魔法の目」をハリーに向けた。

「おまえは大丈夫だな？　ポッター？」

「はい」

ハリーは、ほとんど挑戦的に返事をした。

ムーディの青い目が、ハリーを眺め回しながら、かすかにフフフと揺れた。

そして、こう言った。

「知らねばならん。むごいかもしれん、たぶんな。**しかし、おまえたちは知らねばならん**。知らぬふりをしてどうなるものでもない……さあ……おいで、ロングボトム。おまえが興味を持ちそうな本が何冊かある」

ネビルは拝むような目でハリー、ロン、ハーマイオニーを見たが、誰も何も言わなかった。ムーディの節くれだった手を片方の肩にのせられ、ネビルはしかたなく、うながされるままについていった。

「ありゃ、いったいどうしたんだ?」

ネビルとムーディが角を曲がるのを見つめながら、ロンが言った。

「わからないわ」

ハーマイオニーは考えにふけっているようだった。

「だけど、たいした授業だったよな、な?」

大広間に向かいながら、ロンがハリーに話しかけた。

「フレッドとジョージの言うことは当たってた。ね? あのムーディって、ほんとに、決めてくれるよな? 『アバダ　ケダブラ』をやったときなんか、あのクモ、**コロッと死んだ**。あっという間におさらばだ——」

しかし、ハリーの顔を見て、ロンは急にだまり込んだ。それからは一言もしゃべらず、大広間に着いてからやっと、トレローニー先生の予言の宿題は何時間もかかるから、今夜にも始めたほうがいいと思う、と口をきいた。

ハーマイオニーは夕食の間ずっと、ハリーとロンの会話には加わらず、激烈な勢いでかき込み、また図書館へと去っていった。ハリーとロンはグリフィンドール塔へと歩きだした。ハリーは、夕食の間ずっと思いつめていたことを、今度は自分から話題にした。「許されざる呪文」のことだ。

「僕らがあの呪文を見てしまったことが魔法省に知れたら、ムーディもダンブルドアもまずいことにならないかな？」

「太った婦人（レディ）」の肖像画の近くまで来たとき、ハリーが言った。

「うん、たぶんな」ロンが言った。

「だけど、ダンブルドアって、いつも自分流のやり方でやってきただろ？　それに、ムーディだって、もうとっくの昔から、まずいことになってたんだろうと思うよ。問答無用で、まず攻撃しちゃうんだから。ごみバケツがいい例だ。――**たわごと**」

「太った婦人」がパッと開いて、入口の穴が現れた。二人はそこをよじ登って、グリフィンドールの談話室に入った。中は混み合っていて、うるさかった。

「じゃ、『占い学』のやつ、持ってこようか？」ハリーが言った。

「それっきゃねえか」ロンがうめくように言った。

教科書と星座表を取りに二人で寝室に行くと、ネビルがぽつねんとベッドに座って、何か読んでいた。ネビルは、ムーディの授業が終わった直後よりは、ずっと落ち着いているようだったが、まだ本調子とは言えない。目を赤くしている。

「ネビル、大丈夫かい？」ハリーが聞いた。

「うん、もちろん」ネビルが答えた。

「大丈夫だよ。ありがとう。ムーディ先生が貸してくれた本を読んでるとこだ……」

ネビルは本を持ち上げて見せた。『地中海の水生魔法植物とその特性』とある。

「スプラウト先生がムーディ先生に、僕は薬草学がとってもよくできるって言ったらしいんだ」

ネビルはちょっぴり自慢そうな声で言った。ハリーはネビルがそんな調子で話すのを、めったに聞いたことがなかった。

「ムーディ先生は、僕がこの本を気に入るだろうって思ったんだ」

スプラウト先生の言葉をネビルに伝えたのは、ネビルを元気づけるのにとても気のきいたやり方だったとハリーは思った。ネビルは、何かにすぐれているなどと言われたことが、めったにないからだ。ルーピン先生だったらそうしただろうと思われるようなやり方だ。

ハリーとロンは『未来の霧を晴らす』の教科書を持って談話室に戻り、テーブルを見つけて座り、むこう一か月間の自らの運勢を予言する宿題に取りかかった。

一時間後、作業はほとんど進んでいなかった。テーブルの上は計算の結果や記号を書きつけた羊皮紙の切れ端で散らかっていたが、ハリーの脳みそは、まるでトレローニー先生の暖炉から出る煙が詰まっているかのように、ぼうっと曇っていた。

「こんなもの、いったいどういう意味なのか、僕、まったく見当もつかない」

計算を羅列した長いリストをじっと見下ろしながら、ハリーが言った。

「あのさあ」

いらいらして、指で髪をかきむしってばかりいたので、ロンの髪は逆立っていた。

「こいつは、『まさかのときの占い学』に戻るしかないな」

「なんだい――でっち上げか？」

「そう」

そう言うなり、ロンは走り書きのメモの山をテーブルから払いのけ、羽根ペンにたっぷりインクを浸し、書きはじめた。

「来週の月曜」書きなぐりながらロンが読み上げた。

「火星と木星の『合』という凶事により、僕は咳が出はじめるであろう」

ここでロンはハリーを見た。

「あの先生のことだ――とにかくみじめなことをたくさん書け。舌なめずりして喜ぶぞ」

「よーし」

ハリーは、最初の苦労の跡をくしゃくしゃに丸め、ペチャクチャしゃべっている一年生の群れの頭越しに放って、暖炉の火に投げ入れた。

「オッケー……月曜日、**僕は**危うく――えーと――火傷するかもしれない」

「うん、そうなるかもな」ロンが深刻そうに言った。

「月曜にはまたスクリュートのお出ましだからな。オッケー。火曜日、**僕は**……ウーム……」

「大切なものをなくす」

何かアイデアはないかと『未来の霧を晴らす』をパラパラめくっていたハリーが言った。

「いただきだ」ロンはそのまま書いた。

「なぜなら……ウーム……水星だ。ハリー、君は、誰か友達だと思っていたやつに、裏切られることにしたらどうだ？」

「ウン……さえてる……」ハリーも急いで書きとめた。

「なぜなら……金星が第十二宮に入るからだ」

「そして水曜日だ。僕はけんかしてコテンパンにやられる」

「あぁぁー、僕もけんかにしようと思ってたのに。オッケー、僕は賭けに負ける」

「いいぞ、ハリー、君は、僕がけんかに勝つほうに賭けてた……」

それから一時間、二人はでっち上げ運勢を（しかもますます悲劇的に）書き続けた。周りの生徒たちが一人、二人と寝室に上がり、談話室はだんだん人気がなくなった。どこからかクルックシャンクスが現れ、二人のそばに来て、空いている椅子にひらりと飛び上がり、謎めいた表情でハリーの顔をじっと見た。なんだか、二人がまじめに宿題をやっていないと知ったら、ハーマイオニーがこんな顔をするだろうというような目つきだ。

ほかにまだ使っていない種類の不幸が何かないだろうかと考えながら、部屋を見回すと、フレッドとジョージがハリーの目に入った。壁際に座り込み、額を寄せ合い、羽根ペンを持って、一枚の羊皮紙を前に、何かに夢中になっている。フレッドとジョージが隅に引っ込んで、静かに勉強しているなど、ありえないことだ。たいがい、なんでもいいから、真っただ中でみんなの注目を集めて騒ぐのが好きなのだ。羊皮紙一枚と取っ組んでいる姿は、何やら秘密めいたにおいがした。

ハリーは、「隠れ穴」で、やはり二人が座り込んで何か書いていた姿を思い出した。その時は、**ウィーズリー・ウィザード・ウィーズ**の新しい注文書を作っているのだろうと思ったが、今度はそうではなさそうだ。もしそうなら、リー・ジョーダンもいたずらに一枚加わっていたにちがいない。もしや三校対抗試合に名乗りを上げることと関係があるのでは、とハリーは思った。

ハリーが見ていると、ジョージがフレッドに向かって首を横に振り、羽根ペンで何かをかき消し、何やら話している。ヒソヒソ声だが、それでも、ほとんど人気のない部屋ではよく聞こえてきた。

「だめだ……それじゃ俺たちがやっこさんを非難してるみたいだ。もっと慎重にやらなきゃ……」

ジョージがふとこっちを見て、ハリーと目が合った。ハリーはあいまいに笑い、急いで運勢作業に戻った——ジョージに、盗み聞きしていたようにとられたくなかった。それからまもなく、双子は羊皮紙を巻き、「おやすみ」と言って寝室に去った。

フレッドとジョージがいなくなってから十分もたったころ、肖像画の穴が開き、ハーマイオニーが談話室に這い登ってきた。片手に羊皮紙をひと束抱え、もう一方の手に箱を抱えている。箱の中身が歩くたびにカタカタ鳴った。クルックシャンクスが、背中を丸めてゴロゴロのどを鳴らした。

「こんばんは」ハーマイオニーが挨拶した。

「ついにできたわ！」

「僕もだ！」ロンが勝ち誇ったように羽根ペンを放り出した。

ハーマイオニーは腰かけ、持っていたものを空いているひじかけ椅子に置き、それからロンの運勢予言を引き寄せた。

「すばらしい一か月とはいかないみたいですこと」

ハーマイオニーが皮肉たっぷりに言った。クルックシャンクスがそのひざに乗って丸まった。

「まあね。少なくとも、前もってわかっているだけましさ」ロンはあくびをした。

「二回もおぼれることになってるようよ」ハーマイオニーが指摘した。

「え？　そうか？」

ロンは自分の予言をじっと見た。

「どっちか変えたほうがいいな。ヒッポグリフが暴れて踏みつぶされるってことに」

「でっち上げだってことが見え見えだと思わない？」ハーマイオニーが言った。

「何をおっしゃる！」ロンが憤慨するふりをした。

「僕たちは、屋敷しもべ妖精のごとく働いていたのですぞ！」

ハーマイオニーの眉がピクリと動いた。

「ほんの言葉のあやだよ」ロンがあわてて言った。

ハリーも羽根ペンを置いた。まさに首を切られて自分が死ぬ予言を書き終えたのだ。

「中身は何？」

ハリーが箱を指した。

「いまお聞きになるなんて、なんて間がいいですこと」

ロンをにらみつけながら、そう言うと、ハーマイオニーはふたを開け、中身を見せた。

箱の中には、色とりどりのバッジが五十個ほど入っていた。みんな同じ文字が書いてある。S・P・E・W。

「『スピュー』？」ハリーはバッジを一個取り上げ、しげしげと見た。

「何に使うの？」

「**スピュー**（反吐(へど)）じゃないわ」

ハーマイオニーがもどかしそうに言った。

「エス――ピー――イー――ダブリュー。つまり、エスは協会、ピーは振興、イーはしもべ妖精、ダブリューは福祉の頭文字。しもべ妖精福祉振興協会よ」

「聞いたことないなぁ」ロンが言った。

「当然よ」ハーマイオニーは威勢よく言った。

「私が始めたばかりです」

「へえ？」ロンがちょっと驚いたように言った。

「メンバーは何人いるんだい？」

「そうね――お二人が入会すれば――三人」ハーマイオニーが言った。

「それじゃ、僕たちが『スピュー、反吐』なんて書いたバッジを着けて歩き回ると思ってるわけ？」ロンが言った。

「エス――ピー――イー――ダブリュー！」ハーマイオニーが熱くなった。

「ほんとは『魔法生物仲間の目に余る虐待を阻止し、その法的立場を変えるためのキャンペーン』とするつもりだったの。でも入りきらないでしょ。だから、そっちのほうは、我らが宣言文の見出しに持ってきたわ」

ハーマイオニーは羊皮紙の束を二人の目の前でひらひら振った。

「私、図書館で徹底的に調べたわ。小人妖精の奴隷制度は、何世紀も前から続いてるの。これまで誰もなんにもしなかったなんて、信じられないわ」

「ハーマイオニー――耳を覚ませ」ロンが大きな声を出した。

「いいか、あいつらは、奴隷が、好き。奴隷でいるのが**好き**なんだ！」

「我々の短期的目標は」

ロンより大きな声を出し、何も耳に入らなかったかのように、ハーマイオニーは読み上げた。

「屋敷しもべ妖精の正当な報酬と労働条件を確保することである。我々の長期的目標は、以下の事項をふくむ。杖の使用禁止に関する法律改正。しもべ妖精代表を一人、『魔法生物規制管理部』に参加させること。なぜなら、彼らの代表権は愕然とするほど無視されているからである」

「それで、そんなにいろいろ、どうやってやるの？」ハリーが聞いた。

「まず、メンバー集めから始めるの」

ハーマイオニーは悦に入っていた。

「入会費、二シックルと考えたの――それでバッジを買う――その売上を資金に、ビラまきキャンペーンを展開するのよ。ロン、あなた、財務担当――私、上の階に募金用の空き缶を一個、置いてありますからね――ハリー、あなたは書記よ。だから、私がいましゃべっていることを、全部記録しておくといいわ。第一回会合の記録として」

一瞬、間があいた。その間、ハーマイオニーは二人に向かって、ニッコリほほえんでいた。ハリーは、ハーマイオニーにはあきれるやら、ロンの表情がおかしいやらで、ただじっと座ったままだった。沈黙を破ったのは、ロン、ではなく――ロンはどっちみち、あっけにとられて、一時的に口がきけない状態だった――**トントン**と軽く窓をたたく音だった。いまやがらんとした談話室のむこうに、ハリーは、月明かりに照らされて窓枠に止まっている、雪のように白いふくろうを見た。

「ヘドウィグ！」

ハリーは叫ぶように名を呼び、椅子から飛び出して、窓に駆け寄り、パッと開けた。

ヘドウィグは、中に入ると、部屋をスイーッと横切って飛び、テーブルに置かれたハリーの予言の上に舞い降りた。

「待ってたよ！」

ハリーは急いでヘドウィグのあとを追った。

「返事を持ってる！」

ロンも興奮して、ヘドウィグの脚に結びつけられた汚い羊皮紙を指差した。

ハリーは急いで手紙をほどき、座って読みはじめた。ヘドウィグははたはたとそのひざに乗り、やさしくホーと鳴いた。

「なんて書いてあるの？」

ハーマイオニーが息をはずませて聞いた。

とても短い手紙だった。しかも、大急ぎで走り書きしたように見えた。ハリーはそれを読み上げた。

ハリー
すぐに北に向けて飛び発つつもりだ。数々の奇妙なうわさが、ここにいる私の耳にも届いているが、君の傷痕のことは、その一連の出来事に連なる最新のニュースだ。また痛むことがあれば、すぐにダンブルドアの所へ行きなさい——風の便りでは、ダンブルドアがマッド‐アイ・ムーディを隠遁生活から引っ張り出したとか。ということは、ほかの者は誰も気づいていなくとも、なんらかの気配を、ダンブルドアが読み取っているということなのだ。
またすぐ連絡する。ロンとハーマイオニーによろしく。ハリー、くれぐれも用心するよう。
シリウス

ハリーは目を上げてロンとハーマイオニーを見た。二人もハリーを見つめ返した。

「北に向けて飛び発つって？」ハーマイオニーがつぶやいた。

「**帰ってくる**ってこと？」

「ダンブルドアは、なんの気配を読んでるんだ？」ロンは当惑していた。

「ハリー——どうしたんだい？」

ハリーが拳で自分の額をたたいているところだった。ひざが揺れ、ヘドウィグが振り落とされた。

「シリウスに言うべきじゃなかった！」ハリーは激しい口調で言った。

「何を言いだすんだ？」ロンはびっくりして言った。

「手紙のせいで、シリウスは帰らなくちゃならないって思ったんだ！」

ハリーが、今度はテーブルを拳でたたいたので、ヘドウィグはロンの椅子の背に止まり、怒ったようにホーと鳴いた。

「戻ってくるんだ。僕が危ないと思って！　僕はなんでもないのに！　それに、おまえにあげるものなんて、なんにもないよ」

ねだるようにくちばしを鳴らしているヘドウィグに、ハリーはつっけんどんに言った。

「食べ物が欲しかったら、ふくろう小屋に行けよ」

ヘドウィグは大いに傷ついた目つきでハリーを見て、開け放した窓のほうへと飛び去ったが、行きがけに、広げた翼でハリーの頭のあたりをピシャリとたたいた。

「ハリー」ハーマイオニーがなだめるような声で話しかけた。

「僕、寝る。またあした」

ハリーは言葉少なに、それだけ言った。

二階の寝室でパジャマに着替え、四本柱のベッドに入ってはみたものの、ハリーはつかれて眠るという状態とはほど遠かった。

シリウスが戻ってきて、捕まったら僕のせいだ。僕は、どうしてだまっていられなかったのだろう。ほんの二、三秒の痛みだったのに、くだらないことをべらべらと……自分一人の胸にしまっておく分別があったなら……。

しばらくして、ロンが寝室に入ってくる気配がしたが、ハリーはロンに話しかけはしなかった。横たわったまま、ハリーはベッドの暗い天蓋を見つめていた。寝室は静寂そのものだった。

自分のことでそこまで頭がいっぱいでなかったら、ハリーは気づいたはずだ。いつものネビルのいびきが聞こえないことに。眠れないのはハリーだけではなかったのだ。

第15章　ボーバトンとダームストラング

翌朝、早々と目が覚めたハリーの頭の中には、まるで眠っている脳みそが、夜通しずっと考えていたかのように、完全な計画が出来上がっていた。起きだして薄明かりの中で着替え、ロンを起こさないように寝室を出て、ハリーは誰もいない談話室に戻った。まだ占い学の宿題が置きっ放しになっているテーブルから、羊皮紙を一枚取り、ハリーは手紙を書いた。

シリウスおじさん

傷痕が痛んだというのは、僕の思い過ごしで、この間手紙を書いたときは半分寝ぼけていたようです。こちらに戻ってくるのはむだです。こちらは何も問題はありません。僕のことは心配しないでください。僕の頭はまったく普通の状態ですから。

ハリーより

それから、肖像画の穴をくぐり、静まり返った城の中を抜け（五階の廊下の中ほどで、ピーブズが大きな花瓶をひっくり返してハリーにぶつけようとしたことで、ちょっと足止めを食ったが）、ハリーは西塔のてっぺんにあるふくろう小屋にたどり着いた。

小屋は円筒形の石造りで、かなり寒く、すきま風が吹き込んでいた。どの窓にもガラスがはまっていないせいだ。床は、藁（わら）やふくろうのフン、ふくろうが吐き出したハツカネズミやハタネズミの骨などで埋まっていた。塔のてっぺんまでびっしりと取りつけられた止まり木に、ありとあらゆる種類のふくろうが、何百羽も止まっている。ほとんどが眠っていたが、ちらりほらりと琥珀色の丸い目が、片目だけを開けてハリーをにらんでいた。ヘドウィグがメンフクロウとモリフクロウの間にいるのを見つけ、ハリーは、フンだらけの床で少し足をすべらせながら、急いでヘドウィグに近寄った。

ヘドウィグを起こして、ハリーのほうを向かせるのに、ずいぶんてこずった。何しろヘドウィグは、止まり木の上でゴソゴソ動き、ハリーにしっぽを向け続けるばかりだった。昨夜、ハリーが感謝の礼を尽くさなかったことに、まだ腹を立てているのだ。ついにハリーが、ヘドウィグはつかれているだろうから、ロンに頼んでピッグウィジョンを貸してもらおうかな、とほのめかすと、ヘドウィグはやっと脚を突き出し、ハリーに手紙をくくりつけることを許した。

「きっとシリウスを見つけておくれ、いいね？」

ハリーは、ヘドウィグを腕に乗せ、壁の穴まで運びながら、背中をなでて頼んだ。

「吸魂鬼より先に」

ヘドウィグはハリーの指を甘がみした。どうやら、いつもよりかなり強めのかみ方だったが、それでも、お任せくださいとばかりに、静かにホーと鳴いた。それから両の翼を広げ、ヘドウィグは朝日に向かって飛んだ。その姿が見えなくなるまで見送りながら、ハリーは、いつもの不安感がまた胃袋を襲うのを感じた。シリウスから返事が来れば、きっと不安はやわらぐだろうと信じていたのに。かえってひどくなるとは。

「ハリー、それって、**うそでしょう**」

朝食のとき、ハーマイオニーとロンに打ち明けると、ハーマイオニーは厳しく言った。

「傷痕が痛んだのは、**勘ちがいじゃないわ**。知ってるくせに」

「だからどうだっていうんだい？」

ハリーが切り返した。

「僕のせいでシリウスをアズカバンに逆戻りさせてなるもんか」

ハーマイオニーは、反論しようと口を開きかけた。

「やめろよ」

ロンがピシャリと言った。ハーマイオニーは、この時ばかりはロンの言うことを聞き、押しだまった。

それから数週間、ハリーは、シリウスのことを心配しないように努めた。もちろん、毎朝ふくろう便が着くたびに、心配で、どうしてもふくろうたちを見回してしまうし、夜遅く眠りに落ちる前に、シリウスがロンドンの暗い通りで吸魂鬼に追いつめられている、恐ろしい光景が目に浮かんでしまうのも、どうしようもなかった。しかし、それ以外は、名付け親のシリウスのことを考えないように努めた。ハリーは、クィディッチができれば気晴らしになるのにと思った。心配事がある身には、激しい特訓ほどよく効く薬はない。一方、授業はますます難しく、苛酷になってきた。特に、「闇の魔術に対する防衛術」がそうだった。

驚いたことに、ムーディ先生は「服従の呪文」を生徒一人一人にかけて呪文の力を示し、はたして生徒がその力に抵抗できるかどうかを試すと発表した。

ムーディは杖をひと振りして机を片づけ、教室の中央に広いスペースを作った。その時、ハーマイオニーが、どうしようかと迷いながら言った。

「でも――でも、先生、それは違法だとおっしゃいました。確か――同類であるヒトにこれを使用することは――」

「ダンブルドアが、これがどういうものかを、体験的におまえたちに教えてほしいというのだ」

ムーディの「魔法の目」が、ぐるりと回ってハーマイオニーを見すえ、瞬きもせず、無気味なまなざしで凝視した。

「もっと厳しいやり方で学びたいというのであれば――誰かがいつかおまえにこの呪文をかけ、完全に支配したその時に学びたいというのであれば――わしは一向にかまわん。授業を免除する。出ていくがよい」

ムーディは、節くれだった指で出口を差した。ハーマイオニーは赤くなり、出ていきたいと思っているわけではありません、らしきことをボソボソと言った。ハリーとロンは、顔を見合わせてニヤッと笑った。二人にはよくわかっていた。ハーマイオニーは、こんな大事な授業を受けられないくらいなら、むしろ腫れ草の膿を飲むほうがましだと思うだろう。

ムーディは生徒を一人一人呼び出して、「服従の呪文」をかけはじめた。呪いのせいで、クラスメートが次々と世にもおかしなことをするのを、ハリーはじっと見ていた。ディーン・トーマスは、国歌を歌いながら片足ケンケン跳びで教室を三周した。ラベンダー・ブラウンは、リスのまねをした。ネビルは、普通だったらとうていできないような見事な体操を、立て続けにやってのけた。誰一人として呪いに抵抗できた者はいない。ムーディが呪いを解いたとき、初めて我に返るのだった。

「ポッター」ムーディが唸るように呼んだ。

「次だ」

ハリーは教室の中央、ムーディが机を片づけて作ったスペースに進み出た。ムーディが杖を上げ、ハリーに向け、唱えた。

「**インペリオ、服従せよ**」

最高にすばらしい気分だった。すべての思いも悩みもやさしくぬぐい去られ、つかみどころのない、漠然とした幸福感だけが頭に残り、ハリーはふわふわと浮かんでいるような心地がした。ハリーはすっかり気分がゆるみ、周りのみんなが自分を見つめていることを、ただぼんやりと意識しながらその場に立っていた。

すると、マッド-アイ・ムーディの声が、うつろな脳みそのどこか遠くの洞に響き渡るように聞こえてきた。

机に飛び乗れ……机に飛び乗れ……。

ハリーはひざを曲げ、跳躍の準備をした。

机に飛び乗れ……。

待てよ。なぜ？

頭のどこかで、別の声が目覚めた。そんなこと、ばかげている。その声が言った。

いやだ。そんなこと、僕、気が進まない。もう一つの声が、前よりもややきっぱりと言った……いやだ。僕、そんなこと、したくない……。

飛べ！　いますぐだ！

次の瞬間、ハリーはひどい痛みを感じた。飛び上がると同時に、飛び上がるのを自分で止めようとしたのだ——その結果、机にまともにぶつかり、机をひっくり返していた。そして、両脚の感覚からすると、ひざこぞうの皿が割れたようだ。

「よーし、**それだ！**　それでいい！」

ムーディの唸り声がして、突然ハリーは、頭の中の、うつろな、こだまするような感覚が消えるのを感じた。自分に何が起こっていたかを、ハリーははっきり覚えていた。そして、ひざの痛みが倍になったように思えた。

「おまえたち、見たか……ポッターが戦った！　戦って、そして、もう少しで打ち負かすところだった！　もう一度やるぞ、ポッター。あとの者はよく見ておけ――ポッターの目をよく見ろ。その目に鍵がある――いいぞ、ポッター。まっこと、いいぞ！　やつらは、**おまえを**支配するのにはてこずるだろう！」

「ムーディの言い方ときたら――」

一時間後、「闇の魔術に対する防衛術」の教室からふらふらになって出てきたハリーが言った（ムーディは、ハリーの力量を発揮させると言い張り、四回も続けて練習させ、ついにはハリーが完全に呪文を破るところまで続けさせた）。

「――まるで、僕たち全員が、いまにも襲われるんじゃないかと思っちゃうよね」

「ウン、そのとおりだ」

ロンは一歩おきにスキップしていた。ムーディは昼食時までには呪文の効果は消えるとロンに請け合ったのだが、ロンはハリーに比べてずっと呪いに弱かったのだ。

「被害妄想だよな……」

ロンは不安げにちらりと後ろを振り返り、ムーディが声の届く範囲にいないことを確かめてから話を続けた。

「魔法省が、ムーディがいなくなって喜んだのも無理ないよ。ムーディがシェーマスに聞かせてた話を聞いたか？　エイプリルフールにあいつの後ろから『バーッ』って脅かした魔女に、ムーディがどういう仕打ちをしたか聞いたろう？　それに、こんなにいろいろやらなきゃいけないことがあるのに、その上『服従の呪文』への抵抗について何か読めだなんて、いつ読みゃいいんだ？」

四年生は、今学年にやらなければならない宿題の量が、明らかに増えていることに気づいていた。マクゴナガル先生の授業で、先生が出した変身術の宿題の量に、ひときわ大きいうめき声が上がったとき、先生は、なぜそうなのか説明した。

「みなさんはいま、魔法教育の中で最も大切な段階の一つに来ています！」

先生の目が、四角いめがねの奥でキラリと危険な輝きを放った。

「『普通魔法レベル試験』、一般に『O・W・L』と呼ばれる試験が近づいています――」

「『O・W・L』を受けるのは五年生になってからです！」

ディーン・トーマスが憤慨した。

「そうかもしれません、トーマス。しかし、いいですか。みなさんは十二分に準備をしないといけません！　このクラスでハリネズミをまともな針山に変えることができたのは、ミス・グレンジャーただ一人です。お忘れではないでしょうね、トーマス、**あなたの**針山は、何度やっても、誰かが針を持って近づくと、怖がって丸まってばかりいたでしょう！」

ハーマイオニーはまたほおを染め、あまり得意げに見えないよう努力しているようだった。

次の占い学の授業のときに、トレローニー先生が、ハリーとロンの宿題が最高点を取ったと言ったので、二人ともとてもゆかいだった。先生は二人の予言を長々と読み上げ、待ち受ける恐怖の数々を、二人がひるまずに受け入れたことをほめ上げた――ところが、その次の一か月についても同じ宿題を出され、二人のゆかいな気持ちもしぼんでしまった。二人とも、もう悲劇はネタ切れだった。

一方、魔法史を教えるゴーストのビンズ先生は、十八世紀の「小鬼の反乱」についてのレポートを毎週提出させた。スネイプ先生は、解毒剤を研究課題に出した。クリスマスが来るまでに、誰か生徒の一人に毒を飲ませて、みんなが研究した解毒剤が効くかどうかを試すと、スネイプがほのめかしたので、みんな真剣に取り組んだ。フリットウィック先生は、「呼び寄せ呪文」の授業に備えて、三冊も余計に参考書を読むように命じた。

ハグリッドまでが、生徒の仕事を増やしてくれた。尻尾爆発スクリュートは、何が好物かをまだ誰も発見していないのに、すばらしいスピードで成長していた。ハグリッドは大喜びで、「プロジェクト」の一環として、生徒がひと晩おきにハグリッドの小屋に来て、スクリュートを観察し、その特殊な生態についての観察日記をつけることにしようと提案したのだ。ハグリッドは、まるでサンタクロースが袋から特大のおもちゃを取り出すような顔をした。

「僕はやらない」

ドラコ・マルフォイがピシャリと言った。

「こんな汚らしいもの、授業だけでたくさんだ。お断りだ」

ハグリッドの顔から笑いが消し飛んだ。

「言われたとおりにしろ」ハグリッドが唸った。

「じゃねえと、ムーディ先生のしなさったことを、俺もやるぞ……おまえさん、なかなかいいケナガイタチになるっていうでねえか、マルフォイ」

グリフィンドール生が大爆笑した。マルフォイは怒りで真っ赤になったが、ムーディにしおきされたときの痛みをまだ充分覚えているらしく、口応えしなかった。ハリー、ロン、ハーマイオニーは、授業のあと、意気揚々と城に帰った。昨年、マルフォイがハグリッドをクビにしようとして、あの手この手を使ったことを思うと、ハグリッドがマルフォイをやり込めたことで、ことさらいい気分になった。

玄関ホールに着くと、それ以上先に進めなくなった。大理石の階段の下に立てられた掲示板の周りに、大勢の生徒が群れをなして右往左往していた。三人の中で一番のっぽのロンがつま先立ちして、前の生徒の頭越しに、二人に掲示を読んで聞かせた。

三大魔法学校対抗試合

ボーバトンとダームストラングの代表団が、十月三十日、金曜日、午後六時に到着する。授業は三十分早く終了し——

全校生徒は鞄(かばん)と教科書を寮に置き、「歓迎会」の前に城の前に集合し、お客様を出迎えること。

「いいぞ!」ハリーが声を上げた。

「金曜の最後の授業は『魔法薬学』だ! スネイプは、僕たち全員に毒を飲ませたりする時間がない!」

「たった一週間後だ!」

ハッフルパフのアーニー・マクミランが、目を輝かせて群れから出てきた。

「セドリックのやつ、知ってるかな? 僕、知らせてやろう……」

「セドリック?」

アーニーが急いで立ち去るのを見送りながら、ロンが放心したように言った。

「ディゴリーだ」ハリーが言った。「きっと、対抗試合に名乗りを上げるんだ」

「あのウスノロが、ホグワーツの代表選手？」

ペチャクチャとしゃべる群れをかき分けて階段のほうに進みながら、ロンが言った。

「あの人はウスノロじゃないわ。クィディッチでグリフィンドールを破ったものだから、あなたがあの人を嫌いなだけよ」ハーマイオニーが言った。

「あの人、とっても優秀な学生だそうよ――**その上**、監督生です！」

ハーマイオニーは、これで決まりだ、という口調だった。

「君は、あいつが**ハンサム**だから好きなだけだろ」ロンが痛烈に皮肉った。

「お言葉ですが、私、誰かがハンサムだというだけで好きになったりいたしませんわ」

ハーマイオニーは憤然とした。

ロンはコホンと大きな空咳(からせき)をしたが、それがなぜか「ロックハート！」と聞こえた。

玄関ホールの掲示板の出現は、城の住人たちにはっきりと影響を与えた。それから一週間、どこへ行っても、たった一つの話題、「三校対抗試合」の話で持ち切りだった。生徒から生徒へと、まるで感染力の強い細菌のようにうわさが飛び交った。誰がホグワーツの代表選手に立候補するか、試合はどんな内容か、ボーバトンとダームストラングの生徒は自分たちとどうちがうのか、などなど。

城がことさら念入りに大掃除されているのにも、ハリーは気づいた。すすけた肖像画の何枚かが「汚れ落とし」された。描かれた本人たちはこれが気に入らず、額縁の中で背中を丸めて座り込み、ブツブツ文句を言っては、赤むけになった顔をさわってぎくりとしていた。甲冑(かっちゅう)たちも突然ピカピカになり、動くときもギシギシきしまなくなった。管理人のアーガス・フィルチは、生徒が靴の汚れを落とし忘れると、凶暴極まりない態度で脅したので、一年生の女子が二人、ヒステリー状態になってしまった。

ほかの先生方も、妙に緊張していた。

「ロングボトム、お願いですから、ダームストラングの生徒たちの前で、あなたが簡単な『取り替え呪文』**さえ使えない**などと、暴露しないように！」

授業の終わりにマクゴナガル先生がどなった。一段と難しい授業で、ネビルがうっかり自分の耳をサボテンに移植してしまったのだ。

十月三十日の朝、朝食に下りていくと、大広間はすでに前の晩に飾りつけがすんでいた。壁には各寮を示す巨大な絹の垂れ幕がかけられている――グリフィンドールは赤地に金のライオン、レイブンクローは青にブロンズの鷲、ハッフルパフは黄色に黒い穴熊、スリザリンは緑にシルバーの蛇だ。教職員テーブルの背後には、一番大きな垂れ幕があり、ホグワーツ校の紋章が描かれていた。大きなHの文字の周りに、ライオン、鷲、穴熊、蛇が団結している。

ハリー、ロン、ハーマイオニーは、フレッドとジョージがグリフィンドールのテーブルに着いているのを見つけた。めずらしいことに、今度もまたほかから離れて座り、小声で何か話している。ロンが三人の先頭に立って、双子のそばに行った。

「そいつは、確かに当て外れさ」

ジョージが憂鬱そうにフレッドに言った。

「だけど、あいつが自分で直接俺たちに話す気がないなら、結局、俺たちが手紙を出さなくちゃならないだろう。じゃなきゃ、やつの手に押しつける。いつまでも俺たちをさけることはできないよ」

「誰がさけてるんだい？」

ロンが二人の隣に腰かけながら聞いた。

「おまえがさけてくれりゃいいのになぁ」

邪魔が入っていらいらしたようにフレッドが言った。

「当て外れって、何が？」ロンがジョージに聞いた。

「おまえみたいなおせっかいを弟に持つことがだよ」ジョージが言った。

「三校対抗試合って、どんなものか、何かわかったの？」ハリーが聞いた。

「エントリーするのに、何かもっと方法を考えた？」

「マクゴナガルに、代表選手をどうやって選ぶのか聞いたけど、教えてくれねえんだ」

ジョージが苦々しげに言った。

「マクゴナガル女史ったら、だまってアライグマを変身させる練習をなさい、ときたもんだ」

「いったいどんな課題が出るのかなぁ？」ロンが考え込んだ。

「だってさ、ハリー、僕たちきっと課題をこなせるよ。これまでも危険なことをやってきたもの……」

「審査員の前では、やってないぞ」フレッドが言った。

「マクゴナガルが言うには、代表選手が課題をいかにうまくこなすかによって、点数がつけられるそうだ」

「誰が審査員になるの？」ハリーが聞いた。

「そうね、参加校の校長は必ず審査員になるわね」

ハーマイオニーだ。みんな、かなり驚いていっせいに振り向いた。

「一七九二年の試合で、選手が捕まえるはずだった怪物の『コカトリス』が大暴れして、校長が三人とも負傷してるもの」

みんなの視線に気づいたハーマイオニーは、私の読んだ本を、ほかの誰も読んでいないなんて……という、いつもの歯がゆそうな口調で言った。

『ホグワーツの歴史』に全部書いてあるわよ。もっともこの本は完全には信用できないけど。『改訂ホグワーツの歴史』のほうがより正確ね。または、『偏見に満ちた、選択的ホグワーツの歴史――イヤな部分を塗りつぶした歴史』もいいわ」

「何が言いたいんだい？」

ロンが聞いたが、ハリーにはもう答えがわかっていた。

「**屋敷しもべ妖精！**」

ハーマイオニーが声を張り上げ、答えはハリーの予想どおりだった。

「『ホグワーツの歴史』は千ページ以上あるのに、百人もの奴隷の圧制に、私たち全員が共謀してるなんて、一言も書いてない！」

ハリーはやれやれと首を振り、炒り卵を食べはじめた。

ハリーもロンも冷淡だったのに、屋敷しもべ妖精の権利を追求するハーマイオニーの決意は、露ほどもくじけはしなかった。確かに、二人ともS・P・E・Wバッジに二シックルずつ出したが、それはハーマイオニーをだまらせるためだけだった。

二人のシックルはどうやらむだだったらしい。かえってハーマイオニーの鼻息を荒くしてしまった。それからというもの、ハーマイオニーは二人にしつこく迫った。まずは二人にバッジをつけるように言い、それからほかの生徒にもそうするように説得しなさいと言った。ハーマイオニー自身も、毎晩グリフィンドールの談話室を精力的に駆け回り、みんなを追いつめては、その鼻先で寄付集めの空き缶を振った。

「ベッドのシーツを替え、暖炉の火をおこし、教室を掃除し、料理をしてくれる魔法生物たちが、無給で奴隷働きしているのを、みなさんご存じですか？」

　ハーマイオニーは激しい口調でそう言い続けた。

　ネビルなど何人かは、ハーマイオニーににらみつけられるのがいやで二シックルを出した。何人かは、ハーマイオニーの言うことに少し関心を持ったようだが、それ以上積極的に運動にかかわることには乗り気でなかった。生徒の多くは、冗談扱いしていた。

　ロンのほうは、やれやれと天井に目を向けた。秋の陽光が天井から降り注ぎ、みんなを包んでいた。フレッドは急にベーコンを食べるのに夢中になった（双子は二人ともS・P・E・Wバッジを買うことを拒否していた）。一方、ジョージは、ハーマイオニーのほうに身を乗り出してこう言った。

「まあ、聞け、ハーマイオニー。君は厨房に下りていったことがあるか？」

「もちろん、ないわ」

　ハーマイオニーがそっけなく答えた。

「学生が行くべき場所とはとても考えられないし――」

「俺たちはあるぜ」

　ジョージはフレッドのほうを指差しながら言った。

「何度もある。食べ物を失敬しに。そして、俺たちは連中に会ってるが、連中は**幸せ**なんだ。世界一いい仕事を持ってると思ってる――」

「それは、あの人たちが教育も受けてないし、洗脳されてるからだわ！」

　ハーマイオニーは熱くなって話しはじめた。その時突然、頭上でサーッと音がして、ふくろう便が到着したことを告げ、ハーマイオニーの言葉はその音に飲み込まれてしまった。急いで見上げたハリーは、ヘドウィグがこちらに向かって飛んでくるのを見つけた。ハーマイオニーはパッと話をやめた。ヘドウィグがハリーの肩に舞い降り、羽をたたみ、つかれた様子で脚を突き出すのを、ハーマイオニーもロンも心配そうに見つめた。

ハリーはシリウスの返事を引っ張るようにはずし、ヘドウィグにベーコンの外皮をやった。ヘドウィグはうれしそうにそれをついばんだ。フレッドとジョージが三校対抗試合の話に没頭していて安全なのを確かめ、ハリーはシリウスの手紙を、ロンとハーマイオニーにヒソヒソ声で読んで聞かせた。

無理するな、ハリー。

私はもう帰国して、ちゃんと隠れている。ホグワーツで起こっていることはすべて知らせてほしい。ヘドウィグは使わないように。次々ちがうふくろうを使いなさい。私のことは心配せずに、自分のことだけを注意していなさい。君の傷痕について私が言ったことを忘れないように。

シリウス

「どうしてふくろうを次々取り替えなきゃいけないのかなぁ?」ロンが低い声で聞いた。

「ヘドウィグじゃ注意を引きすぎるからよ」

ハーマイオニーがすぐに答えた。

「目立つもの。白ふくろうがシリウスの隠れ家に――どこだかは知らないけど――何度も何度も行ったりしてごらんなさい……だって、もともと白ふくろうはこの国の鳥じゃないでしょ?」

ハリーは手紙を丸め、ローブの中にすべり込ませた。心配事が増えたのか減ったのか、わからなかった。とりあえず、シリウスがなんとか捕まりもせず戻ってきただけでも、上出来だとすべきなのだろう。

それに、シリウスがずっと身近にいると思うと、心強いのも確かだった。少なくとも、手紙を書くたびに、あんなに長く返事を待つ必要はないだろう。

「ヘドウィグ、ありがとう」

ハリーはヘドウィグをなでてやった。ヘドウィグはホーと眠そうな声で鳴き、ハリーのオレンジジュースのコップにちょっとくちばしを突っ込み、すぐまた飛び立った。ふくろう小屋でぐっすり眠りたくて仕方がないにちがいない。

その日は心地よい期待感があたりを満たしていた。夕方にボーバトンとダームストラングからお客が到着することに気をとられ、誰も授業に身が入らない。「魔法薬学」でさえ、いつもより三十分短いので、たえやすかった。早めの終業ベルが鳴り、ハリー、ロン、ハーマイオニーは急いでグリフィンドール塔に戻って、指示されていたとおり鞄と教科書を置き、マントを着て、また急いで階段を下り、玄関ホールに向かった。

各寮の寮監が、生徒たちを整列させていた。

「ウィーズリー、帽子が曲がっています」

マクゴナガル先生からロンに注意が飛んだ。

「ミス・パチル、髪についているばかげたものをお取りなさい」

パーバティは顔をしかめて、三つ編みの先につけた大きな蝶飾りを取った。

「ついておいでなさい」マクゴナガル先生が命じた。

「一年生が先頭です……押さないで……」

みんな並んだまま正面の石段を下り、城の前に整列した。晴れた、寒い夕方だった。夕闇が迫り、禁じられた森の上に、青白く透きとおるような月がもう輝きはじめていた。ハリーは前から四列目に並び、ロンとハーマイオニーを両脇にして立っていたが、デニス・クリービーが、ほかの一年生たちにまじって、期待で体中震わせているのが見えた。

「まもなく六時だ」

ロンは時計を眺めてから、正門に続く馬車道を、遠くのほうまでじっと見た。

「どうやって来ると思う？　汽車かな？」

「ちがうと思う」ハーマイオニーが言った。

「じゃ、何で来る？　箒かな？」

ハリーが星の瞬きはじめた空を見上げながら言った。

「ちがうわね……ずっと遠くからだし……」

「『移動キー』かな？」

ロンが意見を述べた。

「さもなきゃ、『姿あらわし』術かも――どこだか知らないけど、あっちじゃ、十七歳未満でも使えるんじゃないか？」

「ホグワーツの校内では『姿あらわし』はできません。何度言ったらわかるの？」

ハーマイオニーはいらいらした。

誰もが興奮して、暗闇の迫る校庭を矯めつ眇めつ眺めたが、なんの気配もない。すべてがいつもどおり、静かに、ひっそりと、動かなかった。ハリーはだんだん寒くなってきた。早く来てくれ……外国人学生はあっと言わせる登場を考えてるのかも……。ハリーは、ウィーズリーおじさんがクィディッチ・ワールドカップの始まる前、あのキャンプ場で言ったことを思い出していた――「毎度のことだ。大勢集まると、どうしても見栄を張りたくなるらしい」

その時、ダンブルドアが、先生方の並んだ最後列から声を上げた。

「ほっほー！　わしの目に狂いがなければ、ボーバトンの代表団が近づいてくるぞ！」

「どこ？　どこ？」

生徒たちがてんでんばらばらな方向を見ながら熱い声を上げた。

「**あそこだ！**」

六年生の一人が、森の上空を指差して叫んだ。

何か大きなもの、箒よりずっと大きなものだ――いや、箒百本分より大きい何かが――濃紺の空を、ぐんぐん大きくなりながら、城に向かって疾走してくる。

「ドラゴンだ！」

すっかり気が動転した一年生の一人が、金切り声を上げた。

「バカ言うなよ……あれは空飛ぶ家だ！」デニス・クリービーが言った。

デニスの推測のほうが近かった……巨大な黒い影が禁じられた森の梢（こずえ）をかすめたとき、城の窓明かりがその影をとらえた。巨大な、パステル・ブルーの馬車が姿を現した。大きな館ほどの馬車が、十二頭の天馬（ペガサス）に引かれて、こちらに飛んでくる。天馬は金銀に輝くパロミノで、それぞれが象ほども大きい。

馬車がぐんぐん高度を下げ、猛烈なスピードで着陸体勢に入ったので、前三列の生徒が後ろに下がった――すると、ドーンという衝撃音とともに（ネビルが後ろに吹っ飛んで、スリザリンの五年生の足を踏んづけた）――ディナー用の大皿より大きな天馬のひづめが地を蹴った。その直後、馬車も着陸した。巨大な車輪がバウンドし、金色の天馬は、太い首をぐいっともたげ、火のように赤く燃える大きな目をグリグリさせた。

馬車の戸が開くまでのほんの短い時間に、ハリーはその戸に描かれた紋章を見た。金色の杖が交差し、それぞれの杖から三個の星が飛んでいる。

　淡い水色のローブを着た少年が馬車から飛び降り、前かがみになって馬車の底をゴソゴソいじっていたが、すぐに金色の踏み台を引っ張り出した。少年がうやうやしく飛びのいた。すると、馬車の中から、ピカピカの黒いハイヒールが片方現れた――子供のソリほどもある靴だ――。続いて、ほとんど同時に現れた女性は、ハリーが見たこともないような大きさだった。馬車の大きさ、天馬の大きさも、たちまち納得がいった。何人かがあっと息をのんだ。

　この女性ほど大きい人を、ハリーはこれまでにたった一人しか見たことがない。ハグリッドだ。背丈も、三センチとちがわないのではないかと思った。しかし、なぜか――たぶん、ハリーがハグリッドに慣れてしまったせいだろう――この女性は（いま、踏み台の下に立ち、目を見張って待ち受ける生徒たちを見回していたが）ハグリッドよりも、とてつもなく大きく見えた。玄関ホールからあふれる光の中に、その女性が足を踏み入れたとき、顔が見えた。小麦色のなめらかな肌にキリッとした顔つき、大きな黒いうるんだ瞳、鼻はツンととがっている。髪は引っ詰め、低い位置につやつやした髷を結っている。頭からつま先まで、黒繻子をまとい、何個もの見事なオパールが襟元と太い指で光を放っていた。

　ダンブルドアが拍手した。それにつられて、生徒もいっせいに拍手した。この女性をもっとよく見たくて、背伸びしている生徒がたくさんいた。

　女性は表情をやわらげ、優雅にほほえんだ。そしてダンブルドアに近づき、きらめく片手を差し出した。ダンブルドアも背は高かったが、手にキスするのに、ほとんど体を曲げる必要がなかった。

「これはこれは、マダム・マクシーム」

　ダンブルドアが挨拶した。

「ようこそホグワーツへ」

「ダンブリー-ドール」

マダム・マクシームが、深いアルトで答えた。

「おかわりーありませーんか？」

「おかげさまで、上々じゃ」ダンブルドアが答えた。

「わたーしのせいとです」

マダム・マクシームは巨大な手の片方を無造作に後ろに回して、ひらひら振った。

マダム・マクシームのほうにばかり気を取られていたハリーは、十数人もの学生が――顔つきからすると、みんな十七、八歳以上に見えたが――馬車から現れて、マダム・マクシームの背後に立っているのにはじめて気づいた。みんな震えている。無理もない。着ているローブは薄物の絹のようで、マントを着ている者は一人もいない。何人かはスカーフをかぶったりショールを巻いたりしていた。顔はほんのわずかしか見えなかったが（みんな、マダム・マクシームの巨大な影の中に立っていたので）、ハリーは、みんなが不安そうな表情でホグワーツを見つめているのを見て取った。

「カルカロフはまだきーませんか？」マダム・マクシームが聞いた。

「もうすぐ来るじゃろう」ダンブルドアが答えた。

「外でお待ちになってお出迎えなさるかな？　それとも城中に入られて、ちと、暖を取られますかな？」

「あたたまりたーいです。でも、ウーマは――」

「こちらの魔法生物飼育学の先生が喜んでお世話するじゃろう」

ダンブルドアが言った。

「ただ、いまは、あー――別の仕事ではずしておるが。少し面倒があってのう。片づきしだいすぐに」

「スクリュートだ」ロンがニヤッとしてハリーにささやいた。

「わたーしのウーマたちのせわは――あー――ちからいりまーす」

マダム・マクシームは、ホグワーツの魔法生物飼育学の先生にそんな仕事ができるかどうか、疑っているような顔だった。

「ウーマたちは、とてもつよーいです……」

「ハグリッドなら大丈夫。やりとげましょう。わしが請け合いますぞ」

ダンブルドアがほほえんだ。

「それはどーも」マダム・マクシームは軽く頭を下げた。

「どうぞ、そのアグリッドに、ウーマはシングルモルト・ウィスキーしかのまなーいと、おつたえくーださいますか？」

「かしこまりました」ダンブルドアもおじぎした。

「おいで」

マダム・マクシームは威厳たっぷりに生徒を呼んだ。ホグワーツ生の列が割れ、マダムと生徒が石段を上れるよう、道をあけた。

「ダームストラングの馬はどのくらい大きいと思う？」

シェーマス・フィネガンが、ラベンダーとパーバティのむこうから、ハリーとロンのほうに身を乗り出して話しかけた。

「うーん、こっちの馬より大きいんなら、ハグリッドでも扱えないだろうな」

ハリーが言った。

「それも、ハグリッドがスクリュートに襲われていなかったらの話だけど。いったい何が起こったんだろう？」

「もしかして、スクリュートが逃げたかも」ロンはそうだといいのに、という言い方だ。

「あぁ、そんなこと言わないで」

ハーマイオニーが身震いした。

「あんな連中が校庭にうじゃうじゃしてたら……」

ダームストラング一行を待ちながら、みんな少し震えて立っていた。生徒の多くは、期待を込めて空を見つめていた。数分間、静寂を破るのはマダム・マクシームの巨大な馬の鼻息と、地を蹴るひづめの音だけだった。だが――。

「何か聞こえないか？」突然ロンが言った。

ハリーは耳を澄ました。闇の中からこちらに向かって、大きな、言いようのない不気味な音が伝わってきた。まるで巨大な掃除機が川底をさらうような、くぐもったゴロゴロという音、吸い込む音……。

「湖だ！」

リー・ジョーダンが指差して叫んだ。

「湖を見ろよ！」

そこは、芝生の一番上で、校庭を見下ろす位置だったので、湖の黒くなめらかな水面がはっきり見えた――その水面が、突然乱れた。中心の深い所で何かがざわめいている。ボコボコと大きな泡が表面に湧き出し、波が岸の泥を洗った――そして、湖の真ん真ん中が渦巻いた。まるで湖底の巨大な栓が抜かれたかのように……。

渦の中心から、長い、黒い竿（さお）のようなものが、ゆっくりとせり上がってきた……そして、ハリーの目に、帆桁が……。

「あれは帆柱だ！」

ハリーがロンとハーマイオニーに向かって言った。

ゆっくりと、堂々と、月明かりを受けて船は水面に浮上した。まるで引き上げられた難破船のような、どこか骸骨のような感じがする船だ。丸い船窓からチラチラ見えるほの暗いかすんだ灯りが、幽霊の目のように見えた。

ザバーッと大きな音を立てて、ついに船全体が姿を現し、水面を波立たせて船体を揺すり、岸に向かってすべりだした。数分後、浅瀬に錨を投げ入れる水音が聞こえ、タラップを岸に下ろすドスッという音がした。

乗員が下船してきた。船窓の灯りをよぎるシルエットが見えた。ハリーは、全員が、クラッブ、ゴイル並みの体つきをしているらしいことに気づいた……。しかし、だんだん近づいてきて、芝生を登りきり、玄関ホールから流れ出る明かりの中に入るのを見たとき、大きな体に見えたのは、実はもこもことした分厚い毛皮のマントを着ているせいだとわかった。城まで全員を率いてきた男だけは、ちがうものを着ている。男の髪と同じく、なめらかで銀色の毛皮だ。

「ダンブルドア！」

坂道を上りながら、男がほがらかに声をかけた。

「やあやあ。しばらく。元気かね」

「元気いっぱいじゃよ。カルカロフ校長」

ダンブルドアが挨拶を返した。

カルカロフの声は、耳に心地よく、上すべりに愛想がよかった。城の正面扉からあふれ出る明かりの中に歩み入ったとき、ダンブルドアと同じくやせた、背の高い姿が見えた。しかし、銀髪は短く、先の握手した。

縮れた山羊ひげは、貧相なあごを隠しきれていなかった。カルカロフはダンブルドアに近づき、両手で

「なつかしのホグワーツ城」

カルカロフは城を見上げてほほえんだ。歯が黄ばんでいた。それに、ハリーは、目が笑っていないことに気づいた。冷たい、抜け目のない目のままだ。

「ここに来られたのはうれしい。実にうれしい……ビクトール、こっちへ。暖かい所へ来るがいい……ダンブルドア、かまわないかね？　ビクトールは風邪気味なので……」

カルカロフは生徒の一人を差し招いた。その青年が通り過ぎたとき、ハリーはちらりと顔を見た。曲がった目立つ鼻、濃い、黒い眉。ロンから腕にパンチを食らわされるまでもない。耳元でささやかれる必要もない。紛れもない横顔だ。

「ハリー――**クラムだ！**」

第16章　炎のゴブレット

「まさか！」ロンがぼうぜんとして言った。

ダームストラング一行のあとについて、ホグワーツの学生が、整列して石段を上る途中だった。

「クラムだぜ、ハリー！　**ビクトール・クラム！**」

「ロン、落ち着きなさいよ。たかがクィディッチの選手じゃない」ハーマイオニーが言った。

「**たかがクィディッチの選手？**」

ロンは耳を疑うという顔でハーマイオニーを見た。

「ハーマイオニー——クラムは世界最高のシーカーの一人だぜ！　まだ学生だなんて、考えてもみなかった！」

ホグワーツの生徒にまじり、再び玄関ホールを横切り、大広間に向かう途中、ハリーはリー・ジョーダンがクラムの頭の後ろだけでもよく見ようと、つま先立ちでピョンピョン飛び上がっているのを見た。六年生の女子学生が数人、歩きながら夢中でポケットを探っている——「あぁ、どうしたのかしら。私、羽根ペンを一本も持ってないわ——」「ねえ、あの人、私の帽子に口紅でサインしてくれると思う？」

「**まったく、もう**」今度は口紅のことでごたごた言い合っている女の子たちを追い越しながら、ハーマイオニーがツンと言い放った。

「サインもらえるなら、**僕が**、もらうぞ」ロンが言った。

「ハリー、羽根ペン持ってないか？　ン？」

「ない。寮の鞄の中だ」ハリーが答えた。

三人はグリフィンドールのテーブルまで歩き、腰かけた。ロンはわざわざ入口の見えるほうに座った。クラムやダームストラングのほかの生徒たちが、どこに座ってよいかわからないらしく、まだ入口付近に固まっていたからだ。ボーバトンの生徒たちは、レイブンクローのテーブルを選んで座っていた。みんなむっつりした表情で、大広間を見回している。その中の三人が、まだ頭にスカーフやショールを巻きつけ、しっかり押さえていた。

「**そこまで**寒いわけないでしょ」観察していたハーマイオニーが、いらいらした。

「あの人たち、どうしてマントを持ってこなかったのかしら？」

「こっち！　こっちに来て座って！」

ロンが歯を食いしばるように言った。

「こっちだ！　ハーマイオニー、そこどいて。席を空けてよ――」

「どうしたの？」

「遅かった」ロンが悔しそうに言った。

ビクトール・クラムとダームストラングの生徒たちが、スリザリンのテーブルに着いていた。マルフォイ、クラッブ、ゴイルのいやに得意げな顔を、ハリーは見た。見ているうちに、マルフォイがクラムのほうに乗り出すようにして話しかけた。

「おう、おう、やってくれ、マルフォイ。おべんちゃらべたべた」ロンが毒づいた。

「だけど、クラムは、あいつなんかすぐお見透しだぞ……。きっといつも、みんながじゃれついてくるんだから……。あの人たち、どこに泊まると思う？　僕たちの寝室に空きを作ったらどうかな、ハリー……僕のベッドをクラムにあげたっていい。僕は折りたたみベッドで寝るから」

ハーマイオニーがフンと鼻を鳴らした。

「あの人たち、ボーバトンの生徒よりずっと楽しそうだ」ハリーが言った。

ダームストラング生は分厚い毛皮を脱ぎ、興味津々で星の瞬く黒い天井を眺めていた。何人かは金の皿やゴブレットを持ち上げては、感心したように眺め回していた。

教職員テーブルに、管理人のフィルチが椅子を追加している。晴れの席にふさわしく、古ぼけたかび臭い燕尾服（えんびふく）を着込んでいた。ダンブルドアの両脇に二席ずつ、四脚も椅子を置いたので、ハリーは驚いた。

「だけど、二人増えるだけなのに」ハリーが言った。「どうしてフィルチは椅子を四つも出したのかな？　あとは誰が来るんだろう？」

「はぁ？」ロンはあいまいに答えた。まだクラムに熱い視線を向けている。

全校生が大広間に入り、それぞれの寮のテーブルに着くと、教職員が入場し、一列になって上座のテーブルに進み、着席した。列の最後はダンブルドア、カルカロフ校長、マダム・マクシームだ。ボーバトン生は、マダムが入場するとパッと起立した。ホグワーツ生の何人かが笑った。しかし、ボーバトン生は平然として、マダム・マクシームがダンブルドアの左手に着席するまでは席に座らなかった。ダンブルドアのほうは立ったままだった。大広間が水を打ったようになった。

「こんばんは。紳士、淑女、そしてゴーストのみなさん。そしてまた――今夜は特に――客人のみなさん」

ダンブルドアは外国からの学生全員に向かって、ニッコリした。

「ホグワーツへのおいでを、心から歓迎いたしますぞ。本校での滞在が、快適で楽しいものになることを、わしは希望し、また確信しておる」

ボーバトンの女子学生で、まだしっかりとマフラーを頭に巻きつけたままの子が、まちがいなく嘲笑と取れる笑い声を上げた。

「あなたなんか、誰も引き止めやしないわよ！」

ハーマイオニーが、その学生をねめつけながらつぶやいた。

「三校対抗試合は、この宴が終わると正式に開始される」ダンブルドアが続けた。

「さあ、それでは、大いに飲み、食い、かつくつろいでくだされ！」

ダンブルドアが着席した。ハリーが見ていると、カルカロフ校長が、すぐに身を乗り出して、ダンブルドアと話しはじめた。

目の前の皿が、いつものように満たされた。厨房(ちゅうぼう)の屋敷しもべ妖精が、今夜は無制限の大盤振る舞いにしたらしい。目の前に、ハリーがこれまで見たことがないほどのいろいろな料理が並び、はっきり外国料理とわかるものもいくつかあった。

「**あれ**、なんだい？」ロンが指差したのは、大きなキドニーステーキ・パイの横にある、貝類のシチューのようなものだった。

「ブイヤベース」ハーマイオニーが答えた。

「いま、くしゃみした？」ロンが聞いた。

「**フランス語よ**」ハーマイオニーが言った。

「去年の夏休み、フランスでこの料理を食べたの。とってもおいしいわ」

「ああ、信じましょう」ロンが、ブラッド・ソーセージをよそいながら言った。

たかだか二十人、生徒が増えただけなのに、大広間はなぜかいつもよりずっと混み合っているように見えた。たぶん、ホグワーツの黒いローブの中で、ちがう色の制服がパッと目に入るせいだろう。毛皮のコートを脱いだダームストラング生は、その下に血のような深紅のローブを着ていた。

歓迎会が始まってから二十分ほどたったころ、ハグリッドが、教職員テーブルの後ろのドアから横すべりで入ってきた。テーブルの端の席にそっと座ると、ハグリッドはハリー、ロン、ハーマイオニーに手を振った。包帯でぐるぐる巻きの手だ。

「ハグリッド、スクリュートは大丈夫なの？」ハリーが呼びかけた。

「ぐんぐん育っちょる」ハグリッドがうれしそうに声を返した。

「ああ、そうだろうと思った」ロンが小声で言った。

「あいつら、ついに好みの食べ物を見つけたらしいな。ほら、ハグリッドの指さ」

その時、誰かの声がした。

「あのでーすね、ブイヤベース食べなーいのでーすか？」

ダンブルドアの挨拶のときに笑った、あのボーバトンの女子学生だった。やっとマフラーを取っていた。長いシルバーブロンドの髪が、さらりと腰まで流れていた。大きな深いブルーの瞳、真っ白できれいな歯並びだ。

ロンは真っ赤になった。美少女の顔をじっと見つめ、口を開いたものの、わずかにゼイゼイとあえぐ音が出てくるだけだった。

「ああ、どうぞ」ハリーが美少女のほうに皿を押しやった。

「もう食べ終わりまーしたでーすか？」

「ええ」ロンが息も絶え絶えに答えた。「ええ、おいしかったです」

美少女は皿を持ち上げ、こぼさないようにレイブンクローのテーブルに運んでいった。ロンは、これまで女の子を見たことがないかのように、穴の開くほど美少女を見つめ続けていた。ハリーが笑いだした。その声でロンはハッと我に返ったようだった。

「あの女(ひと)、**ヴィーラ**だ！」ロンはかすれた声でハリーに言った。

「いいえ、ちがいます！」ハーマイオニーがバシッと言った。

「マヌケ顔で、ポカンと口を開けて見とれてる人は、ほかに誰もいません！」

しかし、ハーマイオニーの見方は必ずしも当たっていなかった。美少女が大広間を横切る間、たくさんの男の子が振り向いたし、何人かは、ロンと同じように、一時的に口がきけなくなったようだった。

「まちがいない！　あれは普通の女の子じゃない！」

ロンは体を横に倒して、美少女をよく見ようとした。

「ホグワーツじゃ、ああいう女の子は作れない！」

「ホグワーツだって、女の子はちゃんと作れるよ」

ハリーは反射的にそう言った。シルバーブロンド美少女から数席離れた所に、たまたまチョウ・チャンが座っていた。

「お二人さん、お目々がお戻りになりましたら」ハーマイオニーがきびきびと言った。「たったいま誰が到着したか、見えますわよ」

ハーマイオニーは教職員テーブルを指差していた。空いていた二席がふさがっている。ルード・バグマンがカルカロフ校長の隣に、パーシーの上司のクラウチ氏がマダム・マクシームの隣に座っていた。

「いったい何しにきたのかな？」ハリーは驚いた。

「三校対抗試合を組織したのは、あの二人じゃない？」ハーマイオニーが言った。

「始まるのを見たかったんだと思うわ」

次のコースが皿に現れた。なじみのないデザートがたくさんある。ロンはなんだか得体の知れない淡い色のブラマンジェをしげしげ眺め、それをそろそろと数センチくらい自分の右側に移動させ、レイブンクローのテーブルからよく見えるようにした。しかし、ヴィーラらしき美少女は、もう充分食べたという感じで、ブラマンジェを取りにこようとはしなかった。

金の皿が再びピカピカになると、ダンブルドアが再び立ち上がった。心地よい緊張感が、いましも大広間を満たしていた。何が起こるかと、ハリーは興奮でゾクゾクした。ハリーの席から数席むこうでフレッドとジョージが身を乗り出し、全神経を集中してダンブルドアを見つめている。

「時は来た」

ダンブルドアが、いっせいに自分を見上げている顔、顔、顔に笑いかけた。

「三大魔法学校対抗試合はまさに始まろうとしておる。『箱』を持ってこさせる前に、二言、三言説明しておこうかの――」

「箱って?」ハリーがつぶやいた。

ロンが「知らない」とばかり肩をすくめた。

「――今年はどんな手順で進めるのかを明らかにしておくためじゃが。その前に、まだこちらのお二人を知らない者のためにご紹介しよう。国際魔法協力部部長、バーテミウス・クラウチ氏」――儀礼的な拍手がパラパラと起こった――「そして、魔法ゲーム・スポーツ部部長、ルード・バグマン氏じゃ」

クラウチのときよりもずっと大きな拍手があった。ビーターとして有名だったからかもしれないし、ずっと人好きのする容貌のせいかもしれなかった。バグマンは、陽気に手を振って拍手に応えた。バーテミウス・クラウチは、紹介されたとき、ニコリともせず、手を振りもしなかった。クィディッチ・ワールドカップでのスマートな背広姿を覚えているハリーにとって、魔法使いのローブがクラウチ氏とちぐはぐな感じがした。ちょびひげもぴっちり分けた髪も、ダンブルドアの長い白髪とあごひげの隣では、際立って滑稽に見えた。

「バグマン氏とクラウチ氏は、この数か月というもの、三校対抗試合の準備に骨身を惜しまず尽力されてきた」

ダンブルドアの話は続いた。

「そして、お二方は、カルカロフ校長、マダム・マクシーム、それにこのわしとともに、代表選手の健闘ぶりを評価する審査委員会に加わってくださる」

「代表選手」の言葉が出たとたん、熱心に聞いていた生徒たちの耳が一段と研ぎ澄まされた。

ダンブルドアは、生徒が急にしんとなったのに気づいたのか、ニッコリしながらこう言った。

「それでは、フィルチさん、箱をこれへ」

大広間の隅に、誰にも気づかれず身をひそめていたフィルチが、いまこそと、宝石をちりばめた大きな木箱を捧げ、ダンブルドアのほうに進み出た。かなり古いものらしい。見つめる生徒たちから、いったいなんだろうと、興奮のざわめきが起こった。デニス・クリービーは、よく見ようと椅子の上に立ち上がったが、それでも、あまりにチビで、みんなの頭よりちょっぴり上に出ただけだった。

「代表選手たちが今年取り組むべき課題の内容は、すでにクラウチ氏とバグマン氏が検討し終えておる」ダンブルドアが言った。

フィルチが、木箱をうやうやしくダンブルドアの前のテーブルに置いた。

「さらに、お二方は、それぞれの課題に必要な手配もしてくださった。課題は三つあり、今学年一年間にわたって、間を置いて行われ、代表選手はあらゆる角度から試される――魔力の卓越性――果敢な勇気――論理・推理力――そして、言うまでもなく、危険に対処する能力などじゃ」

この最後の言葉で、大広間が完璧に沈黙した。息する者さえいないかのようだった。

「みなも知ってのとおり、試合を競うのは三人の代表選手じゃ」

ダンブルドアは静かに言葉を続けた。

「参加三校から一人ずつ。選手は課題の一つ一つをどのように巧みにこなすかで採点され、三つの課題の総合点が最も高い者が、優勝杯を獲得する。代表選手を選ぶのは、公正なる選者……『炎のゴブレット』じゃ」

ここでダンブルドアは杖を取り出し、木箱のふたを三度軽くたたいた。ふたはきしみながらゆっくりと開いた。ダンブルドアは手を差し入れ、中から大きな荒けずりの木のゴブレットを取り出した。一見まるで見栄えのしない杯だったが、ただ、その縁からはあふれんばかりに青白い炎が踊っていた。

ダンブルドアは木箱のふたを閉め、その上にそっとゴブレットを置き、大広間の全員によく見えるようにした。

「代表選手に名乗りを上げたい者は、羊皮紙に名前と所属校名をはっきりと書き、このゴブレットの中に入れなければならぬ。立候補の志ある者は、これから二十四時間のうちに、その名を提出するよう。明日、ハロウィーンの夜に、ゴブレットは、各校を代表するに最もふさわしいと判断した三人の名前を、返してよこすであろう。このゴブレットは、今夜玄関ホールに置かれる。我と思わん者は、自由に近づくがよい」

「年齢に満たない生徒が誘惑にかられることのないよう」ダンブルドアが続けた。

「『炎のゴブレット』が玄関ホールに置かれたなら、その周囲にわしが『年齢線』を引くことにする。十七歳に満たない者は、何人もその線を越えることはできぬ」

「最後に、この試合で競おうとする者にはっきり言うておこう。軽々しく名乗りを上げぬことじゃ。『炎のゴブレット』がいったん代表選手と選んだ者は、最後まで試合を戦い抜く義務がある。ゴブレットに名前を入れるということは、魔法契約によって拘束されることじゃ。代表選手になったからには、途中で気が変わるということは許されぬ。じゃから、心底、競技する用意があるのかどうか確信を持った上で、ゴブレットに名前を入れるのじゃぞ。さて、もう寝る時間じゃ。みな、おやすみ」

「『年齢線』か！」

みんなと一緒に大広間を横切り、玄関ホールに出るドアのほうへと進みながら、フレッド・ウィーズリーが目をキラキラさせた。

「うーん。それなら『老け薬』でごまかせるな？　いったん名前をゴブレットに入れてしまえば、もうこっちのもんさ——十七歳かどうかなんて、ゴブレットにはわかりゃしないさ！」

「でも、十七歳未満じゃ、誰も戦いおおせる可能性はないと思う」

ハーマイオニーが言った。

「まだ勉強が足りないもの……」

「君はそうでも、俺はちがうぞ」

ジョージがぶっきらぼうに言った。

「ハリー、君はやるな？　立候補するんだろ？」

十七歳に満たない者は立候補するべからず、というダンブルドアの強い言葉を、ハリーは一瞬思い出した。しかし、自分が三校対抗試合に優勝する晴れがましい姿が、またしても胸いっぱいに広がった……十七歳未満の誰かが、「年齢線」を破るやり方を**ほんとうに**見つけてしまったら、ダンブルドアはどれほど怒るだろう……。

「どこへ行っちゃったのかな？」

このやりとりをまったく聞いていなかったロンが言った。クラムはどうしたかと、人混みの中をうかがっていたのだ。

「ダンブルドアは、ダームストラング生がどこに泊まるか、言ってなかったよな？」

しかし、その答えはすぐにわかった。ちょうどその時、ハリーたちはスリザリンのテーブルまで進んで来ていたのだが、カルカロフが生徒を急き立てている最中だった。

「それでは、船に戻れ」カルカロフがそう言ったところだった。

「ビクトール、気分はどうだ？　充分に食べたか？　厨房から薬用ホットワインでも持ってこさせようか？」

クラムがまた毛皮を着ながら、首を横に振ったのを、ハリーは見た。

「校長先生、**僕**、ヴァ、、、インが欲しい」

ダームストラングの男子生徒が一人、物欲しそうに言った。

「**おまえに**言ったわけではない、ポリアコフ」

カルカロフがかみつくように言った。やさしい父親のような雰囲気は一瞬にして消えていた。

「おまえは、また食べ物をべたべたこぼして、ローブを汚したな。しょうのないやつだ――」

カルカロフはドアのほうに向きを変え、生徒を先導した。ドアの所でちょうどハリー、ロン、ハーマイオニーとかち合い、三人が先をゆずった。

「ありがとう」

カルカロフはなにげなくそう言って、ハリーをちらと見た。

とたんにカルカロフが凍りついた。ハリーのほうを振り向き、我が目を疑うという表情で、カルカロフはハリーをまじまじと見た。校長の後ろについていたダームストラング生も急に立ち止まった。カルカロフの視線が、ゆっくりとハリーの顔を移動し、傷痕の上に釘づけになった。ダームストラング生も不思議そうにハリーを見つめた。そのうち何人かがハッと気づいた表情になったのを、ハリーは目の片隅で感じた。ローブの胸が食べこぼしでいっぱいの男の子が、隣の子をつっつき、おおっぴらにハリーの額を指差した。

「そうだ。ハリー・ポッターだ」後ろから、声がとどろいた。

カルカロフ校長がくるりと振り向いた。マッド-アイ・ムーディが立っている。ステッキに体を預け、「魔法の目」が瞬きもせず、ダームストラングの校長をギラギラと見すえていた。ハリーの目の前で、カルカロフの顔からサッと血の気が引き、怒りと恐れの入りまじったすさまじい表情に変わった。

「おまえは！」カルカロフは、亡霊でも見るような目つきでムーディを見つめた。

「わしだ」すごみのある声だった。

「ポッターに何か言うことがないなら、カルカロフ、どくがよかろう。出口をふさいでいるぞ」

確かにそうだった。大広間の生徒の半分がその後ろで待たされ、何が邪魔しているのだろうと、あちこちから首を突き出して前をのぞいていた。

一言も言わず、カルカロフ校長は、自分の生徒をかき集めるようにして連れ去った。ムーディはその姿が見えなくなるまで、「魔法の目」でその背中をじっと見ていた。傷だらけのゆがんだ顔に激しい嫌悪感が浮かんでいた。

翌日は土曜日で、普段なら、遅い朝食をとる生徒が多いはずだった。しかし、ハリー、ロン、ハーマイオニーは、この週末はいつもよりずっと早く起きた。早起きはハリーたちだけではなかった。三人が玄関ホールに下りていくと、二十人ほどの生徒がうろうろしているのが見えた。トーストをかじりながらの生徒もいて、みんなが「炎のゴブレット」を眺め回していた。ゴブレットはホールの真ん中に、いつもは組分け帽子をのせる丸椅子の上に置かれていた。床には細い金色の線で、ゴブレットの周りに半径三メートルほどの円が描かれていた。

「もう誰か名前を入れた？」

ロンがうずうずしながら三年生の女の子に聞いた。

「ダームストラングが全員。だけど、ホグワーツからは、私は誰も見てないわ」

「きのうの夜のうちに、みんなが寝てしまってから入れた人もいると思うよ」ハリーが言った。

「僕だったら、そうしたと思う……。みんなに見られたりしたくないもの。ゴブレットが、名前を入れたとたんに吐き出してきたりしたらいやだろ？」

ハリーの背後で誰かが笑った。振り返ると、フレッド、ジョージ、リー・ジョーダンが急いで階段を下りてくるところだった。三人ともひどく興奮しているようだ。

「やったぜ」

フレッドが勝ち誇ったようにハリー、ロン、ハーマイオニーに耳打ちした。

「いま飲んできた」

「何を？」ロンが聞いた。

「『老け薬』だよ。鈍いぞ」フレッドが言った。

「一人一滴だ」有頂天で、両手をこすり合わせながら、ジョージが言った。

「俺たちはほんの数か月分、年をとればいいだけだからな」

「三人のうち誰かが優勝したら、一千ガリオンは山分けにするんだ」

リーもニヤーッと歯を見せた。

「でも、そんなにうまくいくとは思えないけど」

ハーマイオニーが警告するように言った。

「ダンブルドアはきっとそんなこと考えてあるはずよ」

フレッド、ジョージ、リーは、聞き流した。

「いいか？」武者震いしながら、フレッドがあとの二人に呼びかけた。

「それじゃ、いくぞ――俺が一番乗りだ――」

フレッドが「フレッド・ウィーズリー――ホグワーツ」と書いた羊皮紙メモをポケットから取り出すのを、ハリーはドキドキしながら見守った。フレッドはまっすぐに線の際まで行って、そこで立ち止まり、十五メートルの高みから飛び込みをするダイバーのように、つま先立って前後に体を揺すった。そして、玄関ホールのすべての目が見守る中、フレッドは大きく息を吸い、線の中に足を踏み入れた。

一瞬、ハリーは、うまくいったと思った――ジョージもきっとそう思ったのだろう。やった、という叫び声とともに、フレッドのあとを追って飛び込んだのだ――が、次の瞬間、ジュッという大きな音とともに、双子は二人とも金色の円の外に放り出された。見えない砲丸投げ選手が二人を押し出したかのようだった。二人は、三メートルほども吹っ飛び、冷たい石の床にたたきつけられた。泣きっ面に蜂ならぬ恥、ポンと大きな音がして、二人ともまったく同じ白い長いあごひげが生えてきた。

玄関ホールが大爆笑に沸いた。フレッドとジョージでさえ、立ち上がってお互いのひげを眺めたとたん、笑いだした。

「忠告したはずじゃ」

深みのある声がした。おもしろがっているような調子だ。みんなが振り向くと、大広間からダンブルドア校長が出てくるところだった。目をいたずらっぽくキラキラさせてフレッドとジョージを観賞しながら、ダンブルドアが言った。

「二人とも、マダム・ポンフリーの所へ行くがよい。すでに、レイブンクローのミス・フォーセット、ハッフルパフのミスター・サマーズもお世話になっておる。二人とも少しばかり年を取る決心をしたのでな。もっとも、あの二人のひげは、君たちのほど見事ではないがの」

ゲラゲラ笑っているリーに付き添われ、フレッドとジョージが医務室に向かい、ハリー、ロン、ハーマイオニーも、クスクス笑いながら朝食に向かった。

大広間の飾りつけが、今朝はすっかり変わっていた。ハロウィーンなので、生きたコウモリが群がって、魔法のかかった天井の周りを飛び回っていたし、何百というくり抜きかぼちゃが、あちこちの隅でニターッと笑っていた。ハリーが先に立って、ディーンとシェーマスのそばに行くと、二人は、十七歳以上の生徒で誰がホグワーツから立候補しただろうか、と話しているところだった。

「うわさだけどさ、ワリントンが早起きして名前を入れたって」ディーンがハリーに話した。

「あの、スリザリンの、でっかいナマケモノみたいなやつがさ」

クィディッチでワリントンと対戦したことがあるハリーは、むかついて首を振った。

「スリザリンから代表選手を出すわけにはいかないよ!」

「それに、ハッフルパフじゃ、みんなディゴリーのことを話してる」

シェーマスが軽蔑したように言った。

「だけど、あいつ、ハンサムなお顔を危険にさらしたくないんじゃないでしょうかね」

「ちょっと、ほら、見て!」ハーマイオニーが急に口をはさんだ。

玄関ホールのほうで、歓声が上がった。椅子に座ったまま振り向くと、アンジェリーナ・ジョンソンが、少しはにかんだように笑いながら、大広間に入ってくるところだった。グリフィンドールのチェイサーの一人、背の高い黒人のアンジェリーナは、ハリーたちの所へやってきて、腰かけるなり言った。

「そう、私、やったわ！　いま、名前を入れてきた！」

「ほんとかよ！」ロンは感心したように言った。

「それじゃ、君、十七歳なの？」ハリーが聞いた。

「そりゃ、もち、そうさ。ひげがないだろ？」ロンが言った。

「先週が誕生日だったの」アンジェリーナが言った。

「うわぁ、私、グリフィンドールから誰か立候補してくれて、うれしいわ」

　ハーマイオニーが言った。

「あなたが選ばれるといいな、アンジェリーナ！」

「ありがとう、ハーマイオニー」アンジェリーナがハーマイオニーにほほえみかけた。

「ああ、かわいこちゃんのディゴリーより、君のほうがいい」

　シェーマスの言葉を、テーブルのそばを通りがかった数人のハッフルパフ生が聞きつけて、怖い顔でシェーマスをにらんだ。

「じゃ、今日は何して遊ぼうか？」

　朝食が終わって、大広間を出るとき、ロンがハリーとハーマイオニーに聞いた。

「まだハグリッドの所に行ってないね」ハリーが言った。

「オーケー。スクリュートに僕たちの指を二、三本寄付しろって言わないんなら、行こう」

　ロンが言った。

　ハーマイオニーの顔が、興奮でパッと輝いた。

「いま気づいたけど――私、まだハグリッドにS・P・E・Wに入会するように頼んでなかったわ！」

　ハーマイオニーの声がはずんだ。

「待っててくれる？　ちょっと上まで行って、バッジを取ってくるから」

「あいつ、いったい、どうなってるんだ？」

ハーマイオニーが大理石の階段を駆け上がっていくのを、ロンはあきれ顔で見送った。

「おい、ロン」ハリーが突然声をかけた。「君のオトモダチ……」

ボーバトン生が、校庭から正面の扉を通ってホールに入ってくるところだった。その中に、あのヴィーラ美少女がいた。「炎のゴブレット」を取り巻いていた生徒たちが、一行を食い入るように見つめながら、道をあけた。

マダム・マクシームが生徒のあとからホールに入り、みんなを一列に並ばせた。ボーバトン生は一人ずつ「年齢線」をまたぎ、青白い炎の中に羊皮紙のメモを投じた。名前が入るごとに、炎は一瞬赤くなり、火花を散らした。

「選ばれなかった生徒はどうなると思う？」

ヴィーラ美少女が羊皮紙を「炎のゴブレット」に投じたとき、ロンがハリーにささやいた。

「学校に帰っちゃうと思う？　それとも残って試合を見るのかな？」

「わかんない。残るんじゃないかな……マダム・マクシームは残って審査するだろ？」

ボーバトン生が全員名前を入れ終えると、マダム・マクシームは再び生徒をホールから連れ出し、校庭へと戻っていった。

「**あの人たちは**、どこに泊まってるのかな？」

あとを追って扉のほうへ行き、一行をじっと見送りながら、ロンが言った。

背後でガタガタと大きな音がして、ハーマイオニーがS・P・E・Wバッジの箱を持って戻ってきたことがわかった。

「おっ、いいぞ。急ごう」

ロンが石段を飛び下りた。その目は、マダム・マクシームと一緒に芝生の中ほどを歩いているヴィーラ美少女の背中に、ぴったりと張りついていた。

禁じられた森の端にあるハグリッドの小屋に近づいたとき、ボーバトン生がどこに泊まっているかの謎が解けた。乗ってきた巨大なパステル・ブルーの馬車が、ハグリッドの小屋の入口から二百メートルほどむこうに置かれ、生徒たちはその中へと上っていくところだった。馬車を引いてきた象ほどもある天馬は、いまは、その脇にしつらえられた急ごしらえのパドックで、草を食(は)んでいる。

ハリーがハグリッドの戸をノックすると、すぐに、ファングの低く響く吠(ほ)え声がした。

「よう、久しぶりだな！」

ハグリッドが勢いよくドアを開け、ハリーたちを見つけて言った。

「俺の住んどる所を忘れっちまったかと思ったぞ！」

「私たち、とっても忙しかったのよ、ハグ――」

ハーマイオニーは、そう言いかけて、ハグリッドを見上げたとたん、ぴたっと口を閉じた。言葉を失ったようだった。

ハグリッドは、一張羅の（しかも、悪趣味の）毛がモコモコの茶色い背広を着込み、これでもかとばかり、黄色とだいだい色の格子縞(こうしじま)ネクタイをしめていた。極めつきは、髪をなんとかなでつけようとしたらしく、車軸用のグリースかと思われる油をこってりと塗りたくっていたことだ。髪はいまや、二束にくくられて垂れ下がっている――たぶん、ビルと同じようなポニーテールにしようとしたのだろうが、髪が多すぎて一つにまとまらなかったのだろう。どう見てもハグリッドには似合わなかった。一瞬、ハーマイオニーは目を白黒させてハグリッドを見ていたが、結局何も意見を言わないことに決めたらしく、こう言った。

「えーと――スクリュートはどこ？」

「外のかぼちゃ畑の脇だ」ハグリッドがうれしそうに答えた。

「でっかくなったぞ。もう一メートル近いな。ただな、困ったことに、お互いに殺し合いを始めてなぁ」

「まあ、困ったわね」ハーマイオニーはそう言うと、ハグリッドのキテレツな髪形をまじまじ見て何か言いそうに口を開いたロンに、すばやく「ダメよ」と目配せした。

「そうなんだ」ハグリッドは悲しそうに言った。

「ンでも、大丈夫だ。もう別々の箱に分けたからな。まーだ、二十匹は残っちょる」

「うわ、そりゃ、おめでたい」

ロンの皮肉が、ハグリッドには通じなかった。

ハグリッドの小屋はひと部屋しかなく、その一角に、パッチワークのカバーをかけた巨大なベッドが置いてある。暖炉の前には、これも同じく巨大な木のテーブルと椅子があり、その上の天井から、燻製（くんせい）ハムや鳥の死骸がたくさんぶら下がっていた。

ハグリッドがお茶の準備を始めたので、三人はテーブルに着き、すぐにまた三校対抗試合の話題に夢中になった。ハグリッドも同じように興奮しているようだった。

「見ちょれ」ハグリッドがニコニコした。

「待っちょれよ。見たこともねえもンが見られるぞ。イッチ（一）番目の課題は……おっと、言っちゃいけねえんだ」

「言ってよ！　ハグリッド！」

ハリー、ロン、ハーマイオニーがうながしたが、ハグリッドは笑って首を横に振るばかりだった。

「おまえさんたちの楽しみをだいなしにはしたくねえ」ハグリッドが言った。

「だがな、すごいぞ。それだけは言っとく。代表選手はな、課題をやりとげるのは大変だぞ。生きてるうちに三校対抗試合の復活を見られるとは、思わんかったぞ！」

結局三人は、ハグリッドと昼食を食べたが、あまりたくさんは食べなかった――ハグリッドはビーフシチューだと言って出したが、ハーマイオニーが中から大きな鉤爪（かぎづめ）を発見してしまったあとは、三人ともがっくりと食欲を失ったのだ。それでも、試合の種目がなんなのか、あの手この手でハグリッドに言わせようとしたり、立候補者の中で代表選手に選ばれるのは誰だろうと推測したり、フレッドとジョージのひげはもう取れただろうかなどと話したりして、三人は楽しく過ごした。

昼過ぎから小雨になった。暖炉のそばに座り、パラパラと窓を打つ雨の音を聞きながら、ハグリッドが靴下をつくろうかたわら、ハーマイオニーとしもべ妖精論議をするのを傍（はた）で見物するのは、のんびりした気分だった――ハーマイオニーがＳ・Ｐ・Ｅ・Ｗバッジを見せたとき、ハグリッドはきっぱり入会を断ったのだ。

「そいつは、ハーマイオニー、かえってあいつらのためにならねえ」

ハグリッドは、骨製の巨大な縫い針に、太い黄色の糸を通しながら、重々しく言った。

「ヒトの世話をするのは、連中の本能だ。それが好きなんだ。ええか？　仕事を取り上げっちまったら、連中を不幸にするばっかしだし、給料を払うなんちゅうのは、侮辱もええとこだ」

「だけど、ハリーはドビーを自由にしたし、ドビーは有頂天だったじゃない！」

ハーマイオニーが言い返した。

「**それに**、ドビーは、いまではお給料を要求してるって聞いたわ！」

「そりゃな、オチョウシモンはどこにでもいる。俺はなンも、自由を受け入れる変わりモンのしもべ妖精がいねえとは言っちょらん。だが、連中の大多数は、けっしてそんな説得は聞かねえぞ――ウンニャ、骨折り損だ。ハーマイオニー」

ハーマイオニーはひどく機嫌をそこねた様子で、バッジの箱をマントのポケットに戻した。

五時半になると、暗くなりはじめた。ロン、ハリー、ハーマイオニーは、ハロウィーンの晩餐会に出るのに城に戻る時間だと思った――それに、もっと大切な、各校の代表選手の発表があるはずだ。

「俺も一緒に行こう」

ハグリッドがつくろい物を片づけながら言った。

「ちょっくら待ってくれ」

ハグリッドは立ち上がり、ベッド脇の整理だんすの所まで行き、何か探しはじめた。三人は気にもとめなかったが、とびっきりひどいにおいが鼻をついて、初めてハグリッドに注目した。

ロンが咳き込みながら聞いた。

「ハグリッド、それ、何？」

「はぁ？」ハグリッドが巨大な瓶を片手に、こちらを振り返った。

「気に入らんか？」

「ひげそりローションなの？」ハーマイオニーののどが詰まったような声だ。

「あー――オー・デ・コロンだ」ハグリッドがもごもご言った。赤くなっている。

「ちとやりすぎたかな」

ぶっきらぼうにそう言うと「落としてくる。待っちょれ……」と、ハグリッドはドスドスと小屋を出ていった。窓の外にある桶で、ハグリッドが乱暴にゴシゴシ顔を洗っているのが見えた。

「オー・デ・コロン？」ハーマイオニーが目を丸くした。「**ハグリッドが？**」

「それに、あの髪と背広はなんだい？」ハリーも声を低めて言った。

「見て！」ロンが突然窓の外を指差した。

ちょうど、ハグリッドが体を起こして振り返ったところだった。さっき赤くなったのも確かだが、いまの赤さに比べればなんでもない。三人が、ハグリッドに気づかれないよう、そっと立ち上がり、窓からのぞくと、マダム・マクシームとボーバトン生が馬車から出てくるところだった。晩餐会に行くにちがいない。ハグリッドがなんと言っているかは聞こえなかったが、マダム・マクシームに話しかけているハグリッドの表情は、うっとりと、目がうるんでいる。ハリーは、ハグリッドがそんな顔をするのをたった一度しか見たことがなかった――赤ちゃんドラゴンのノーバートを見るときの、あの顔だった。

「ハグリッドったら、あの人と一緒にお城に行くわ！」ハーマイオニーが憤慨した。

「私たちを待たせてるはずじゃなかったの？」

小屋を振り返りもせず、ハグリッドはマダム・マクシームと一緒に校庭をてくてく歩きはじめた。二人が大股で過ぎ去ったあとを、ボーバトン生がほとんど駆け足で追っていった。

「ハグリッド、あの人に気があるんだ！」ロンは信じられないという声だ。

「まあ、二人に子供ができたら、世界記録だぜ――あの二人の赤ん坊なら、きっと重さ一トンはあるな」

三人は小屋を出て戸を閉めた。外は驚くほど暗かった。マントをしっかり巻きつけて、三人は芝生の斜面を登りはじめた。

「ちょっと見て！　あの人たちよ！」ハーマイオニーがささやいた。

ダームストラングの一行が湖から城に向かって歩いていくところだった。ビクトール・クラムはカルカロフと並び、あとのダームストラング生は、その後ろからバラバラと歩いていた。ロンはわくわくしながらクラムを見つめたが、クラムのほうは、ハーマイオニー、ロン、ハリーより少し先に正面扉に到着し、周囲には目もくれずに中に入った。

三人が中に入ったときには、ろうそくの灯りに照らされた大広間は、ほぼ満員だった。「炎のゴブレット」は、いまは教職員テーブルの、まだ空席のままのダンブルドアの席の正面に移されていた。フレッドとジョージが——ひげもすっかりなくなり——失望を乗り越えて調子を取り戻したようだった。

「アンジェリーナだといいな」

ハリー、ロン、ハーマイオニーが座ると、フレッドが声をかけた。

「私もそう思う！」ハーマイオニーも声をはずませた。

「さあ、もうすぐはっきりするわ！」

ハロウィーン・パーティはいつもより長く感じられた。二日続けての宴会だったせいかもしれないが、ハリーも、準備された豪華な食事に、いつもほど心を奪われなかった。大広間の誰もかれもが、首を伸ばし、待ちきれないという顔をし、「ダンブルドアはまだ食べ終わらないのか」とそわそわしたり、立ち上がったりしている。ハリーもみんなと同じ気持ちで、早く皿の中身が片づけられて、誰が代表選手に選ばれたのか聞けるといいのにと思っていた。

ついに、金の皿がきれいさっぱりと、もとの真っさらな状態になり、大広間のガヤガヤが急に大きくなったが、ダンブルドアが立ち上がると、一瞬にして静まり返った。ダンブルドアの両脇に座っているカルカロフ校長とマダム・マクシームも、みんなと同じように緊張と期待感に満ちた顔だった。ルード・バグマンは、生徒の誰にということもなく、笑いかけ、ウィンクしている。しかし、クラウチ氏はまったく無関心で、ほとんどうんざりした表情だった。

「さて、ゴブレットは、ほぼ決定したようじゃ」

ダンブルドアが言った。

「わしの見込みでは、あと一分ほどじゃの。さて、代表選手の名前が呼ばれたら、その者たちは、大広間の一番前に来るがよい。そして、教職員テーブルに沿って進み、隣の部屋に入るよう――」

ダンブルドアは教職員テーブルの後ろの扉を示した。

「――そこで、最初の指示が与えられるであろう」

ダンブルドアは杖を取り、大きくひと振りした。とたんに、くり抜きかぼちゃを残してあとのろうそくがすべて消え、部屋はほとんど真っ暗になった。「炎のゴブレット」は、いまや大広間の中でひときわ明々と輝き、キラキラした青白い炎が、目に痛いほどだった。すべての目が、見つめ、待った……何人かがちらちら腕時計を見ている……。

「来るぞ」

ハリーから二つ離れた席のリー・ジョーダンがつぶやいた。

ゴブレットの炎が、突然また赤くなった。火花が飛び散りはじめた。次の瞬間、炎がメラメラと宙をなめるように燃え上がり、炎の舌先から、焦げた羊皮紙が一枚、はらりと落ちてきた――全員が固唾（かたず）をのんだ。

ダンブルドアがその羊皮紙を捕らえ、再び青白くなった炎の明かりで読もうと、腕の高さに差し上げた。

「ダームストラングの代表選手は」

力強い、はっきりした声で、ダンブルドアが読み上げた。

「ビクトール・クラム」

「そうこなくっちゃ！」

ロンが声を張り上げた。大広間中が拍手の嵐、歓声の渦だ。ビクトール・クラムがスリザリンのテーブルから立ち上がり、前かがみにダンブルドアのほうに歩いていくのを、ハリーは見ていた。右に曲がり、教職員テーブルに沿って歩き、その後ろの扉から、クラムは隣の部屋へと消えた。

「ブラボー、ビクトール！」

カルカロフの声がとどろいた。拍手の音にもかかわらず、全員が聞きとれるほどの大声だった。

「わかっていたぞ。君がこうなるのは！」

拍手とおしゃべりが収まった。いまや全員の関心は、数秒後に再び赤く燃え上がったゴブレットに集まっていた。炎に巻き上げられるように、二枚目の羊皮紙が中から飛び出した。

「ボーバトンの代表選手は」

ダンブルドアが読み上げた。

「フラー・デラクール！」

「ロン、あの女だ！」

ハリーが叫んだ。ヴィーラに似た美少女が優雅に立ち上がり、シルバーブロンドの豊かな髪をサッと振って後ろに流し、レイブンクローとハッフルパフのテーブルの間をすべるように進んだ。

「まあ、見てよ。みんながっかりしてるわ」

残されたボーバトン生のほうをあごで指し、騒音を縫ってハーマイオニーが言った。

「がっかり」では言い足りない、とハリーは思った。選ばれなかった女の子が二人、ワッと泣きだし、腕に顔をうずめてしゃくり上げていた。

フラー・デラクールも隣の部屋に消えると、また沈黙が訪れた。今度は興奮で張り詰めた沈黙が、びしびしと肌に食い込むようだった。次はホグワーツの代表選手だ……。

そして三度、「炎のゴブレット」が赤く燃えた。あふれるように火花が飛び散った。炎が空をなめて高く燃え上がり、その舌先から、ダンブルドアが三枚目の羊皮紙を取り出した。

「ホグワーツの代表選手は」

ダンブルドアが読み上げた。

「セドリック・ディゴリー！」

「ダメ！」

ロンが大声を出したが、ハリーのほかには誰にも聞こえなかった。隣のテーブルからの大歓声がものすごかったのだ。ハッフルパフ生が総立ちになり、叫び、足を踏み鳴らした。セドリックがニッコリ笑いながら、その中を通り抜け、教職員テーブルの後ろの部屋へと向かった。セドリックへの拍手があまりに長々と続いたので、ダンブルドアが再び話しだすまでにしばらく間を置かなければならないほどだった。

「けっこう、けっこう！」

大歓声がやっと収まり、ダンブルドアがうれしそうに呼びかけた。

「さて、これで三人の代表選手が決まった。選ばれなかったボーバトン生も、ダームストラング生もふくめ、みんな打ちそろって、あらんかぎりの力を振りしぼり、代表選手たちを応援してくれることと信じておる。選手に声援を送ることで、みんながほんとうの意味で貢献でき――」

ダンブルドアが突然言葉を切った。何が気を散らせたのか、誰の目にも明らかだった。

「炎のゴブレット」が再び赤く燃えはじめたのだ。火花がほとばしった。突然、空中に炎が伸び上がり、その舌先にまたしても羊皮紙をのせている。

ダンブルドアが反射的に――と見えたが――長い手を伸ばし、羊皮紙を捕らえた。ダンブルドアはそれを掲げ、そこに書かれた名前をじっと見た。両手で持った羊皮紙を、ダンブルドアはそれからしばらく眺めていた。長い沈黙——大広間中の目がダンブルドアに集まっていた。

やがてダンブルドアが咳払い（せき）いし、そして読み上げた——。

「**ハリー・ポッター**」

第17章　四人の代表選手

大広間のすべての目がいっせいに自分に向けられるのを感じながら、ハリーはただ座っていた。驚いたなんてものじゃない。しびれて感覚がない。夢を見ているにちがいない。きっと聞きちがいだったのだ。

誰も拍手しない。怒った蜂の群れのように、ワンワンという音が大広間に広がりはじめた。凍りついたように座ったままのハリーを、立ち上がってよく見ようとする生徒もいる。

上座のテーブルでは、マクゴナガル先生が立ち上がり、ルード・バグマンとカルカロフ校長の後ろをサッと通り、せっぱ詰まったように何事かダンブルドアにささやいた。ダンブルドアはかすかに眉を寄せ、マクゴナガル先生のほうに体を傾け、耳を寄せていた。

ハリーはロンとハーマイオニーのほうを振り向いた。そのむこうに、長いテーブルの端から端まで、グリフィンドール生全員が口をあんぐり開けてハリーを見つめていた。

「僕、名前を入れてない」

ハリーが放心したように言った。

「僕が入れてないこと、知ってるだろう」

二人とも、放心したようにハリーを見つめ返した。

上座のテーブルでダンブルドア校長がマクゴナガル先生に向かってうなずき、体を起こした。

「ハリー・ポッター！」

ダンブルドアがまた名前を呼んだ。

「ハリー！　ここへ、来なさい！」

「行くのよ」

ハーマイオニーが、ハリーを少し押すようにしてささやいた。

ハリーは立ち上がりざま、ローブのすそを踏んでよろめいた。グリフィンドールとハッフルパフのテーブルの間を、ハリーは進んだ。とてつもなく長い道のりに思えた。上座のテーブルが、全然近くならないように感じた。そして、何百という目が、まるでサーチライトのように、いっせいにハリーに注がれているのを感じていた。

ワンワンという音がだんだん大きくなる。まるで一時間もたったのではないかと思われたとき、ハリーはダンブルドアの真ん前にいた。先生方の目がいっせいに自分に向けられているのを感じた。

「さあ……あの扉から。ハリー」

ダンブルドアはほほえんでいなかった。

ハリーは教職員テーブルに沿って歩いた。ハグリッドが一番端に座っていた。ハリーにウィンクもせず、手も振らず、いつもの挨拶の合図を何も送ってはこない。ハリーがそばを通っても、ほかのみんなと同じように、驚ききった顔でハリーを見つめるだけだった。

ハリーは大広間から出る扉を開け、魔女や魔法使いの肖像画がずらりと並ぶ小さな部屋に入った。ハリーのむかい側で、暖炉の火がごうごうと燃え盛っていた。

部屋に入っていくと、肖像画の目がいっせいにハリーを見た。しわしわの魔女が自分の額を飛び出し、セイウチのような口ひげの魔法使いが描かれた隣の額に入るのを、ハリーは見た。しわしわ魔女は、隣の魔法使いに耳打ちを始めた。

ビクトール・クラム、セドリック・ディゴリー、フラー・デラクールは、暖炉の周りに集まっていた。炎を背にした三人のシルエットは、不思議に感動的だった。クラムは、ほかの二人から少し離れ、背中を丸め、暖炉に寄りかかって何か考えていた。セドリックは背中で手を組み、じっと炎を見つめている。フラー・デラクールは、ハリーが入っていくと、振り向いて、長いシルバーブロンドの髪を、サッと後ろに振った。

「どうしまーしたか？」フラーが聞いた。「わたーしたちに、広間に戻りなさーいということでーすか？」

ハリーが伝言を伝えにきたと思ったらしい。何事が起こったのか、どう説明してよいのか、ハリーにはわからなかった。ハリーは三人の代表選手を見つめて、突っ立ったままだった。三人ともずいぶん背が高いことに、ハリーは初めて気づいた。

ハリーの背後でせかせかした足音がし、ルード・バグマンが部屋に入ってきた。バグマンはハリーの腕をつかむと、みんなの前に引き出した。

「すごい！」

バグマンがハリーの腕をギュッと押さえてつぶやいた。

「いや、まったくすごい！　紳士諸君……淑女もお一人」

バグマンは暖炉に近づき、三人に呼びかけた。

「ご紹介しよう──信じがたいことかもしれんが──三校対抗代表選手だ。**四人目の？**」

ビクトール・クラムがピンと身を起こした。むっつりした顔が、ハリーを眺め回しながら暗い表情になった。セドリックはとほうに暮れた顔だ。バグマンを見て、ハリーに目を移し、またバグマンを見た。バグマンの言ったことを、自分が聞きちがえたにちがいないと思っているかのようだった。しかし、フラー・デラクールは、髪をパッと後ろになびかせ、ニッコリと言った。

「おお、とてーも、おもしろーいジョークです。ミースター・バーグマン」

「ジョーク？」バグマンが驚いてくり返した。

「いやいや、とんでもない！　ハリーの名前が、たったいま『炎のゴブレット』から出てきたのだ！」

クラムの太い眉が、かすかにゆがんだ。セドリックは礼儀正しく、しかしまだ当惑している。

フラーが顔をしかめた。

「でも、なにかーのまちがいにちがいありませーん」

軽蔑したようにバグマンに言った。

「このいとは、競技できませーん。このいと、若すぎまーす」

「さよう……驚くべきことだ」

バグマンはひげのないあごをなでながら、ハリーを見下ろしてニッコリした。

「しかし、知ってのとおり、年齢制限は、今年にかぎり、特別安全措置として設けられたものだ。そして、ゴブレットからハリーの名前が出た……。つまり、この段階で逃げ隠れはできないだろう……これは規則であり、従う義務がある……。ハリーは、とにかくベストを尽くすほかあるまいと――」

背後の扉が再び開き、大勢の人が入ってきた。ダンブルドア校長を先頭に、すぐ後ろからクラウチ氏、カルカロフ校長、マダム・マクシーム、マクゴナガル先生、スネイプ先生だ。マクゴナガル先生が扉を閉める前に、壁のむこう側で、何百人という生徒がワーワー騒ぐ音が聞こえた。

「マダム・マクシーム！」

フラーがマクシーム校長を見つけ、つかつかと歩み寄った。

「この小さーい男の子も競技に出ると、みんな言っていまーす！」

信じられない思いで、しびれた感覚のどこかで、怒りがビリビリッと走るのを、ハリーは感じた。**小さい男の子？**

マダム・マクシームは、背筋を伸ばし、全身の大きさを十二分に見せつけた。きりっとした頭のてっぺんが、ろうそくの立ち並んだシャンデリアをこすり、黒繻子のドレスの下で、巨大な胸がふくれ上がった。

「ダンブリーードール、これは、どういうこーとですか？」威圧的な声だった。

「私もぜひ、知りたいものですな、ダンブルドア」

カルカロフ校長も言った。冷徹な笑いを浮かべ、ブルーの目が氷のかけらのようだった。

「ホグワーツの代表選手が**二人**とは？ 開催校は二人の代表選手を出してもよいとは、誰からもうかがってはいないようですが――それとも、私の規則の読み方が浅かったのですかな？」

カルカロフ校長は、短く、意地悪な笑い声を上げた。

「**セ・タァンポシーブル**」

マダム・マクシームは豪華なオパールに飾られた巨大な手を、フラーの肩にのせて言った。

「オグワーツが二人も代表選手を出すことはできませーん。そんなことは、とーても正しくなーいです」

「我々としては、あなたの『年齢線』が、年少の立候補者をしめ出すだろうと思っていたわけですがね、ダンブルドア」

カルカロフの冷たい笑いはそのままだったが、目はますます冷ややかさを増していた。

「そうでなければ、当然ながら、わが校からも、もっと多くの候補者を連れてきてもよかった」

「誰の咎でもない。ポッターのせいだ、カルカロフ」

スネイプが低い声で言った。暗い目が底意地悪く光っている。

「ポッターが、規則は破るものと決めてかかっているのを、ダンブルドアの責任にすることはない。ポッターは本校に来て以来、決められた線を越えてばかりいるのだ――」

「もうよい、セブルス」

ダンブルドアがきっぱりと言った。スネイプはだまって引き下がったが、その目は、油っこい黒い髪のカーテンの奥で、毒々しく光っていた。

ダンブルドア校長は、今度はハリーを見下ろした。ハリーはまっすぐにその目を見返し、半月めがねの奥にある目の表情を読み取ろうとした。

「ハリー、君は『炎のゴブレット』に名前を入れたのかね？」

ダンブルドアが静かに聞いた。

「いいえ」

ハリーが言った。全員がハリーをしっかり見つめているのを充分意識していた。スネイプは、薄暗がりの中で、「信じるものか」とばかり、いらいら低い音を立てた。

「上級生に頼んで、『炎のゴブレット』に君の名前を入れたのかね？」

スネイプを無視して、ダンブルドア校長が尋ねた。

「**いいえ**」

ハリーが激しい口調で答えた。

「ああ、でもこのいとはうそついてまーす！」

マダム・マクシームが叫んだ。スネイプは口元に薄ら笑いを浮かべ、今度は首を横に振って、不信感をあからさまに示していた。

「この子が『年齢線』を越えることはできなかったはずです」マクゴナガル先生がビシッと言った。

「そのことについては、みなさん、異論はないと――」

「ダンブリー－ドールが『線』をまちがーえたのでしょう」マダム・マクシームが肩をすくめた。

「もちろん、それはありうることじゃ」ダンブルドアは、礼儀正しく答えた。

「ダンブルドア、まちがいなどないことは、あなたが一番よくご存じでしょう」

マクゴナガル先生が怒ったように言った。

「まったく、バカバカしい！　ハリー自身が『年齢線』を越えるはずはありません。また、上級生を説得してかわりに名を入れさせるようなことも、ハリーにしていないと、ダンブルドア校長は信じていらっしゃいます。それだけで、みなさんには充分だと存じますが！」

マクゴナガル先生は怒ったような目で、スネイプ先生をキッと見た。

「クラウチさん……バグマンさん」

カルカロフの声が、へつらい声に戻った。

「お二方は、我々の――えー――中立の審査員でいらっしゃる。こんなことは異例だと思われますでしょうな？」

バグマンは少年のような丸顔をハンカチでふき、クラウチ氏を見た。暖炉の灯り（あか）の輪の外で、クラウチ氏は影の中に顔を半分隠して立っていた。何か不気味で、半分暗がりの中にある顔は年より老けて見え、ほとんど骸骨のようだった。しかし、話しだすと、いつものきびきびした声だ。

「規則に従うべきです。そして、ルールは明白です。『炎のゴブレット』から名前が出てきた者は、試合で競う義務がある」

「いやぁ、バーティは規則集を隅から隅まで知り尽くしている」

バグマンはニッコリ笑い、これで蹴りがついたという顔で、カルカロフとマダム・マクシームのほうを見た。

「私のほかの生徒に、もう一度名前を入れさせるように主張する」

カルカロフが言った。ねっとりしたへつらい声も、笑みも、いまやかなぐり捨てていた。まさに醜悪な形相だった。

「『炎のゴブレット』をもう一度設置していただこう。そして各校二名の代表選手になるまで、名前を入れ続けるのだ。ダンブルドア、それが公平というものだ」

「しかし、カルカロフ、そういう具合にはいかない」バグマンが言った。

「『炎のゴブレット』は、たったいま、火が消えた――次の試合まではもう、火がつくことはない――」

「――次の試合に、ダームストラングが参加することはけっしてない！」

カルカロフが怒りを爆発させた。

「あれだけ会議や交渉を重ね、妥協したのに、このようなことが起こるとは、思いもよらなかった！いますぐにでも帰りたい気分だ！」

「はったりだな。カルカロフ」

扉の近くで唸(うな)るような声がした。

「代表選手を置いて帰ることはできまい。選手は競わなければならん。選ばれた者は全員、競わなければならんのだ。ダンブルドアも言ったように、魔法契約の拘束力だ。都合のいいことにな。え？」

ムーディが部屋に入ってきたところだった。足を引きずって暖炉に近づき、右足を踏み出すごとに、**コツッ**と大きな音を立てた。

「都合がいい？」

カルカロフが聞き返した。

「なんのことかわかりませんな。ムーディ」

カルカロフが、ムーディの言うことは聞くに値しないとでも言うように、わざと軽蔑した言い方をしていることが、ハリーにはわかった。カルカロフは、言葉とは裏腹に、固く拳を握りしめていた。

「わからん？」

ムーディが低い声で言った。

「カルカロフ、簡単なことだ。ゴブレットから名前が出てくればポッターが戦わなければならぬと知っていて、誰かがポッターの名前をゴブレットに入れた」

「もちろーん、誰か、ホグワーツにリンゴをふた口もかじらせよーうとしたのでーす！」

「おっしゃるとおりです。マダム・マクシーム」カルカロフがマダムに頭を下げた。

「私は抗議しますぞ。魔法省と、**それから**国際連盟——」

「文句を言う理由があるのは、まずポッターだろう」ムーディが唸った。

「しかし……おかしなことよ……**ポッターは**、一言も何も言わん……」

「なんで文句言いまーすか？」

フラー・デラクールが地団駄を踏みながら言った。

「このいと、戦うチャンスありまーす。私たち、みんな、何週間も、何週間も、選ばれたーいと願っていました！　学校の名誉かけて！　賞金の一千ガリオンかけて——みんな死ぬおどおしいチャンスでーす！」

「ポッターが**死ぬことを**欲した者がいるとしたら」

ムーディの低い声は、いつもの唸り声とは様子がちがっていた。

息苦しい沈黙が流れた。

ルード・バグマンは、ひどく困った顔で、いらいらと体を上下に揺すりながら、「おい、おい、ムーディ……何を言いだすんだ！」と言った。

「みなさんご存じのように、ムーディ先生は、朝から昼食までの間に、ご自分を殺そうとするくわだてを少なくとも六件は暴かないと気がすまない方だ」

カルカロフが声を張り上げた。

「先生はいま、生徒たちにも、暗殺を恐れよとお教えになっているようだ。『闇の魔術に対する防衛術』の先生になる方としては奇妙な資質だが、あなたには、ダンブルドア、あなたなりの理由がおありになったのでしょう」

「わしの妄想だとでも？」ムーディが唸った。

「ありもしないものを見るとでも？　え？　あのゴブレットにこの子の名前を入れるような魔法使いは、腕のいいやつだ……」

「おお、どんな証拠があると言うのでーすか？」

マダム・マクシームが、バカなことを言わないで、とばかり、巨大な両手をパッと開いた。

「なぜなら、強力な魔力を持つゴブレットの目をくらませたからだ！」

ムーディが言った。

「あのゴブレットをあざむき、試合には三校しか参加しないということを忘れさせるには、並はずれて強力な『錯乱の呪文』をかける必要があったはずだ……わしの想像では、ポッターの名前を、四校目の候補者として入れ、四校目はポッター一人しかいないようにしたのだろう……」

「この件にはずいぶんとお考えをめぐらされたようですな、ムーディ」

カルカロフが冷たく言った。

「それに、実に独創的な説ですな——しかし、聞きおよぶところでは、最近あなたは、誕生祝いのプレゼントの中に、バジリスクの卵が巧妙に仕込まれていると思い込み、粉々に砕いたとか。ところがそれは馬車用の置時計だと判明したとか。これでは、我々があなたの言うことを真に受けないのも、ご理解いただけるかと……」

「なにげない機会をとらえて悪用する輩(やから)はいるものだ」

ムーディが威嚇するような声で切り返した。

「闇の魔法使いの考えそうなことを考えるのがわしの役目だ——カルカロフ、君なら身に覚えがあるだろうが……」

「アラスター！」

ダンブルドアが警告するように呼びかけた。ハリーは一瞬、誰に呼びかけたのかわからなかった。しかし、すぐに「マッド‐アイ」がムーディの実名であるはずがないと気がついた。ムーディは口をつぐんだが、それでも、カルカロフの様子を楽しむように眺めていた——カルカロフの顔は燃えるように赤かった。

「どのような経緯でこんな事態になったのか、我々は知らぬ」

ダンブルドアは部屋に集まった全員に話しかけた。

「しかしじゃ、結果を受け入れるほかあるまい。セドリックもハリーも試合で競うように選ばれた。したがって、試合にはこの二名の者が……」

「おお、でもダンブリー‐ドール——」

「まあまあ、マダム・マクシーム、何かほかにお考えがおありなら、喜んでうかがいますがの」

ダンブルドアは答えを待ったが、マダム・マクシームは何も言わなかった。ただにらむばかりだった。

マダム・マクシームだけではない。スネイプは憤怒（ふんぬ）の形相だし、カルカロフは青筋を立てていた。しかし、バグマンは、むしろうきうきしているようだった。

「さあ、それでは、開始といきますかな？」

バグマンはニコニコ顔でもみ手しながら、部屋を見回した。

「代表選手に指示を与えないといけませんな？　バーティ、主催者としてのこの役目を務めてくれるか？」

何かを考え込んでいたクラウチ氏は、急に我に返ったような顔をした。

「フム」クラウチ氏が言った「指示ですな。よろしい……最初の課題は……」

クラウチ氏は暖炉の灯りの中に進み出た。近くでクラウチ氏を見たハリーは、病気ではないか、と思った。目の下に黒いくま、薄っぺらな紙のような、しわしわの皮膚、こんな様子は、クィディッチ・ワールドカップのときには見られなかった。

「最初の課題は、君たちの勇気を試すものだ」

クラウチ氏は、ハリー、セドリック、フラー、クラムに向かって話した。

「ここでは、どういう内容なのかは教えないことにする。未知のものに遭遇したときの勇気は、魔法使いにとって非常に重要な資質である……非常に重要だ……」

「最初の競技は、十一月二十四日、全生徒、ならびに審査員の前で行われる」

「選手は、競技の課題を完遂するにあたり、どのような形であれ、先生方からの援助を頼むことも、受けることも許されない。選手は、杖だけを武器として、最初の課題に立ち向かう。第一の課題終了の後、第二の課題についての情報が与えられる。試合は過酷で、また時間のかかるものであるため、選手たちは期末テストを免除される」

クラウチ氏はダンブルドアを見て言った。

「アルバス、これで全部だと思うが？」

「わしもそう思う」

ダンブルドアはクラウチ氏をやや気づかわしげに見ながら言った。

「バーティ、さっきも言うたが、今夜はホグワーツに泊まっていったほうがよいのではないかの？」

「いや、ダンブルドア、私は役所に戻らなければならない」クラウチ氏が答えた。

「いまは、非常に忙しいし、極めて難しいときで……。若手のウェーザビーに任せて出てきたのだが……非常に熱心で……実を言えば、熱心すぎるところがどうも……」

「せめて軽く一杯飲んでから出かけることにしたらどうじゃ？」ダンブルドアが言った。

「さ、そうしろよ、バーティ。私は泊まるんだ！」

バグマンが陽気に言った。

「いまや、すべてのことがホグワーツで起こっているんだぞ。役所よりこっちのほうがどんなにおもしろいか！」

「いや、ルード」

クラウチ氏は本来のいらいら振りをちらりと見せた。

「カルカロフ校長、マダム・マクシーム――寝る前の一杯はいかがかな？」

ダンブルドアが誘った。

しかし、マダム・マクシームは、もうフラーの肩を抱き、すばやく部屋から連れ出すところだった。ハリーは、二人が大広間に向かいながら、早口のフランス語で話しているのを聞いた。カルカロフはクラムに合図し、こちらはだまりこくって、やはり部屋を出ていった。

「ハリー、セドリック。二人とも寮に戻って寝るがよい」

ダンブルドアがほほえみながら言った。

「グリフィンドールもハッフルパフも、君たちと一緒に祝いたくて待っておるじゃろう。せっかくドンチャン騒ぎをする格好の口実があるのに、ダメにしてはもったいないじゃろう」

ハリーはセドリックをちらりと見た。セドリックがうなずき、二人は一緒に部屋を出た。

大広間にはもう誰もいなかった。ろうそくが燃えて短くなり、くり抜きかぼちゃのニッと笑ったギザギザの歯を、不気味にチロチロと光らせていた。

「それじゃ」

セドリックがちょっとほほえみながら言った。

「僕たち、またお互いに戦うわけだ！」

「そうだね」

ハリーはほかになんと言っていいのか、思いつかなかった。誰かに頭の中を引っかき回されたかのように、ごちゃごちゃしていた。

「じゃ……教えてくれよ……」

玄関ホールに出たとき、セドリックが言った。「炎のゴブレット」が取り去られたあとのホールを、松明（たいまつ）の灯りだけが照らしていた。

「**いったい**、どうやって、名前を入れたんだい？」

「入れてない」

ハリーはセドリックを見上げた。

「僕、入れてないんだ。僕、ほんとうのことを言ってたんだよ」

「フーン……そうか」

ハリーにはセドリックが信じていないことがわかった。

「それじゃ……またね」とセドリックが言った。

大理石の階段を上らず、セドリックは右側のドアに向かった。ハリーはその場に立ち尽くし、セドリックがドアのむこうの石段を下りる音を聞いてから、のろのろと大理石の階段を上りはじめた。

ロンとハーマイオニーは別として、ほかに誰か、ハリーの言うことを信じてくれるだろうか？　それとも、みんな、ハリーが自分で試合に立候補したと思うだろうか？　しかし、どうしてみんな、そんなふうに考えられるんだろう？　ほかの選手はみんなハリーより三年も多く魔法教育を受けているというのに――取り組む課題は、非常に危険そうだし、しかも何百人という目が見ている中でやりとげなければならないというのに？　そう、ハリーは競技することを頭では考えた……いろいろ想像して夢を見た……しかし、そんな夢は、冗談だし、叶わぬむだな夢だった……。ほんとうに、**真剣に**立候補しようなど、ハリーは一度も考えなかった……。

それなのに、誰かがそれを考えた……誰かほかの者が、ハリーを試合に出したかった。そしてハリーがまちがいなく競技に参加するように計らった。なぜなんだ？　ほうびでもくれるつもりだったのか？　そうじゃない。ハリーにはなぜかそれがわかる……。

ハリーのぶざまな姿を見るために？　そう、それなら、望みは叶う可能性がある。

しかし、ハリーを**殺す**ためだって？　ムーディのいつもの被害妄想にすぎないのだろうか？　ほんの冗談で、誰かがゴブレットにハリーの名前を入れたということはないのだろうか？　ハリーが死ぬことを、誰かが本気で願ったのだろうか？

答えはすぐに出た。そう、誰かがハリーの死を願った。ハリーが一歳のときからずっとそれを願っている誰かが……ヴォルデモート卿だ。しかし、どうやってまんまとハリーの名前を「炎のゴブレット」に忍び込ませるように仕組んだのだろう？　ヴォルデモートはどこか遠い所に、遠い国に、一人でひそんでいるはずなのに……弱りはて、力尽きて……。

しかし、あの夢、傷痕がうずいて目が覚める直前の、あの夢の中では、ヴォルデモートは一人ではなかった……。ワームテールに話していた……ハリーを殺す計画を……。

急に目の前に「太った婦人」が現れて、ハリーはびっくりした。自分の足が体をどこに運んでいるのか、ほとんど気づかなかった。額の中の婦人が一人ではなかったのにも驚かされた。ほかの代表選手と一緒だったあの部屋で、サッと隣の額に入り込んだあのしわしわの魔女が、いまは「太った婦人」のそばにちゃっかり腰を落ち着けていた。七つもの階段に沿ってかけられている、絵という絵の中を疾走して、ハリーより先にここに着いたにちがいない。「しわしわ魔女」も「太った婦人」も、興味津々でハリーを見下ろしていた。

「まあ、まあ、まあ」婦人が言った。

「バイオレットがいましがた全部話してくれたわ。学校代表に選ばれたのは、さあ、どなたさんですか？」

「**たわごと**」ハリーは気のない声で言った。

「絶対たわごとじゃないわさ」顔色の悪いしわしわ魔女が怒ったように言った。

「ううん、バイ、これ、合言葉なのよ」

「太った婦人」はなだめるようにそう言うと、額の蝶番をパッと開いて、ハリーを談話室の入口へと通した。

肖像画が開いたとたんに大音響がハリーの耳を直撃し、ハリーは仰向けにひっくり返りそうになった。

次の瞬間、十人あまりの手が伸び、ハリーをがっちり捕まえて談話室に引っ張り込んだ。気がつくとハリーは、拍手喝采、大歓声、ピーピー口笛を吹き鳴らしているグリフィンドール生全員の前に立たされていた。

「名前を入れたなら、教えてくれりゃいいのに！」

半ば当惑し、半ば感心した顔で、フレッドが声を張り上げた。

「ひげも生やさずに、どうやってやった？　すっげえなあ！」ジョージが大声で叫んだ。

「僕、やってない」

ハリーが言った。

「わからないんだ。どうしてこんなことに――」

しかし、今度はアンジェリーナがハリーに覆いかぶさるように抱きついた。

「あぁ、私が出られなくても、少なくともグリフィンドールが出るんだわ――」

「ハリー、ディゴリーに、この前のクィディッチ戦のお返しができるわ！」

グリフィンドールのもう一人のチェイサー、ケイティ・ベルがかん高い声を上げた。

「ごちそうがあるわ。ハリー、来て。何か食べて――」

「お腹空いてないよ。宴会で充分食べたし――」

しかし、ハリーが空腹ではないなどと、誰も聞こうとはしなかった。ゴブレットに名前を入れなかったなどと、誰も聞こうとはしなかった。ハリーが祝う気分になれないことなど、誰一人気づく者はいないようだ。……リー・ジョーダンはグリフィンドール寮旗をどこからか持ち出してきて、ハリーにそれをマントのように巻きつけると言ってきかなかった。

ハリーは逃げられなかった。寝室に上る階段のほうにそっとにじり寄ろうとするたびに、人垣が周りを固め、やれバタービールを飲めと無理やり勧め、やれポテトチップを食え、ピーナッツを食えとハリーの手に押しつけた……。誰もが、ハリーがどうやったのかを知りたがった。どうやってダンブルドアの「年齢線」を出し抜き、名前をゴブレットに入れたのかを……。

「僕、やってない」

ハリーは何度も何度もくり返した。

「どうしてこんなことになったのか、わからないんだ」

しかし、どうせ誰も聞く耳を持たない以上、ハリーが何も答えていないも同様だった。

「僕、つかれた！」

三十分もたったころ、ハリーはついにどなった。

「ダメだ。ほんとに。ジョージ――僕、もう寝るよ――」

ハリーは何よりもロンとハーマイオニーに会いたかった。少しでも正気に戻りたかった。しかし、二人とも談話室にはいないようだった。ハリーはどうしても寝ると言い張り、階段の下で小柄なクリービー兄弟がハリーを待ち受けているのを、ほとんど踏みつぶしそうになりながら、やっとのことでみんなを振り切り、寝室への階段をできるだけ急いで上った。

誰もいない寝室に、ロンがまだ服を着たまま一人でベッドに横になっているのを見つけ、ハリーはホッとした。ハリーがドアをバタンと閉めると、ロンがこっちを見た。

「どこにいたんだい？」ハリーが聞いた。

「ああ、やあ」ロンが答えた。

ロンはニッコリしていたが、何か不自然で、無理やり笑っている。ハリーは、リーに巻きつけられた真紅のグリフィンドール寮旗が、まだそのままだったことに気づいた。急いで取ろうとしたが、旗は固く結びつけてあった。ロンはハリーが旗を取ろうともがいているのを、ベッドに横になったまま、身動きもせずに見つめていた。

「それじゃ」

ハリーがやっと旗を取り、隅のほうに放り投げると、ロンが言った。

「おめでとう」

「おめでとうって、どういう意味だい？」

ハリーはロンを見つめた。ロンの笑い方は、絶対に変だ。しかめっ面と言ったほうがいい。

「ああ……ほかに誰も『年齢線』を越えた者はいないんだ」

ロンが言った。

「フレッドやジョージだって。君、何を使ったんだ？──透明マントか？」

「透明マントじゃ、僕は線を越えられないはずだ」ハリーがゆっくり言った。

「ああ、そうだな」

ロンが言った。

「透明マントだったら、君は僕にも話してくれただろうと思うよ……だって、あれなら二人でも入れるだろ？　だけど、君は別の方法を見つけたんだ。そうだろう？」

「ロン」

ハリーが言った。

「いいか。僕はゴブレットに名前を入れてない。ほかの誰かがやったにちがいない」

ロンは眉を吊り上げた。

「なんのためにやるんだ？」

「知らない」ハリーが言った。

「僕を殺すために」などと言えば、俗なメロドラマめいて聞こえるだろうと思ったのだ。

ロンは眉をさらにギュッと吊り上げた。あまりに吊り上げたので、髪に隠れて見えなくなるほどだった。

「大丈夫だから、な、**僕にだけは**ほんとうのことを話しても」

ロンが言った。

「ほかの誰かに知られたくないっていうなら、それでいい。だけど、どうしてうそつく必要があるんだい？　名前を入れたからって、別に面倒なことになったわけじゃないんだろう？　あの『太った婦人』の友達のバイオレットが、もう僕たち全員にしゃべっちゃったんだぞ。ダンブルドアが君を出場させるようにしたってことも。賞金一千ガリオン、だろ？　それに、期末テストを受ける必要もないんだ……」

「僕はゴブレットに名前を入れてない！」ハリーは怒りが込み上げてきた。

「フーン……そうかい」

ロンの言い方は、セドリックのとまったく同じで、信じていない口調だった。

「今朝、自分で言ってたじゃないか。自分ならきのうの夜のうちに、誰も見ていないときに入れたろうって……。僕だってバカじゃないぞ」

「バカのものまねがうまいよ」ハリーはバシッと言った。

「そうかい？」

作り笑いだろうがなんだろうが、ロンの顔にはもう笑いのひとかけらもない。

「君は早く寝たほうがいいよ、ハリー。明日は写真撮影とかなんか、きっと早く起きる必要があるんだろうよ」

ロンは四本柱のベッドのカーテンをぐいっと閉めた。取り残されたハリーは、ドアのそばで突っ立ったまま、深紅のビロードのカーテンを見つめていた。いま、そのカーテンは、まちがいなく自分を信じてくれるだろうと思っていた数少ない一人の友を、覆い隠していた。

第18章　杖調べ

日曜の朝、目が覚めたハリーは、なぜこんなにみじめで不安な気持ちなのか、思い出すまでにしばらく時間がかかった。やがて、昨夜の記憶が一気によみがえってきた。ハリーは起き上がり、四本柱のベッドのカーテンを破るように開けた。ロンに話をし、どうしても信じさせたかった――しかし、ロンのベッドはもぬけの殻だった。もう朝食に下りていったにちがいない。

ハリーは着替えて、螺旋(らせん)階段を談話室へと下りていった。ハリーの姿を見つけるなり、もう朝食を終えてそこにいた寮生たちが、またもやいっせいに拍手した。大広間に下りていけば、ほかのグリフィンドール生と顔を合わせることになる。みんながハリーを英雄扱いするだろうと思うと、気が進まなかった。しかし、それをとるか、それともここで、必死にハリーを招き寄せようとしているクリービー兄弟に捕まるか、どっちかだ。ハリーは意を決して肖像画の穴のほうに向かい、出口を押し開け、外に出た。そのとたん、ばったりハーマイオニーに出会った。

「おはよう」

ハーマイオニーは、ナプキンに包んだトースト数枚を持ち上げて見せた。

「これ、持ってきてあげたわ。……ちょっと散歩しない？」

「いいね」ハリーはとてもありがたかった。

階段を下り、大広間には目もくれずに、すばやく玄関ホールを通り、まもなく二人は湖に向かって急ぎ足で芝生を横切っていた。湖にはダームストラングの船がつながれ、水面に黒い影を落としていた。

肌寒い朝だった。二人はトーストをほお張りながら歩き続け、ハリーは、昨夜グリフィンドールのテーブルを離れてから何が起こったか、ありのままハーマイオニーに話した。ハーマイオニーがなんの疑問も差しはさまずに話を受け入れてくれたのには、ハリーは心からホッとした。

「ええ、あなたが自分で入れたんじゃないって、もちろん、わかっていたわ」

大広間の裏の部屋での様子を話し終えたとき、ハーマイオニーが言った。

「ダンブルドアが名前を読み上げたときのあなたの顔ったら！　でも、問題は、**いったい**誰が名前を入れたかだわ！　だって、ムーディが正しいのよ、ハリー……生徒なんかにできやしない……ゴブレットをだますことも、ダンブルドアを出し抜くことも――」

「ロンを見かけた？」ハリーが話の腰を折った。

ハーマイオニーは口ごもった。

「え……ええ……朝食に来てたわ」

「僕が自分の名前を入れたと、まだそう思ってる？」

「そうね……ううん。そうじゃないと思う……**そういうことじゃなくって**」

ハーマイオニーは歯切れが悪い。

「『**そういうことじゃない**』って、それ、どういう意味？」

「ねえ、ハリー、わからない？」

ハーマイオニーは、捨て鉢な言い方をした。

「嫉妬してるのよ！」

「**嫉妬してる？**」ハリーはまさか、と思った。

「何に嫉妬するんだ？　全校生の前で笑い者になることをかい？」

「あのね」ハーマイオニーが辛抱強く言った。「注目を浴びるのは、いつだって、あなただわ。わかってるわよね。そりゃ、あなたの責任じゃないわ」

ハリーが怒って口を開きかけたのを見て、ハーマイオニーは急いで言葉をつけ加えた。

「何もあなたが頼んだわけじゃない……でも――ウーン――あのね、ロンは家でもお兄さんたちと比較されてばっかりだし、あなたはロンの一番の親友なのに、とっても有名だし――みんながあなたを見るとき、ロンはいつでも添え物扱いだわ。でも、それにたえてきた。一度もそんなことを口にしないで。でも、たぶん、今度という今度は、限界だったんでしょうね……」

「そりゃ、傑作だ」ハリーは苦々しげに言った。

「ほんとに大傑作だ。ロンに僕からの伝言だって、伝えてくれ。いつでもお好きなときに入れ替わってやるって。僕がいつでもどうぞって言ってたって、伝えてくれ……どこに行っても、みんなが僕の額をじろじろ見るんだ……」

「私はなんにも言わないわ」ハーマイオニーがきっぱり言った。

「自分でロンに言いなさい。それしか解決の道はないわ」

「僕、ロンのあとを追いかけ回して、あいつが大人になるのを手助けするなんてまっぴらだ」

ハリーがあまりに大きな声を出したので、近くの木に止まっていたふくろうが数羽、驚いて飛び立った。

「僕が首根っこでもへし折られれば、楽しんでたわけじゃないってことを、ロンも信じるだろう――」

「ばかなこと言わないで」ハーマイオニーが静かに言った。

「そんなこと、冗談にも言うもんじゃないわ」とても心配そうな顔だった。

「ハリー、私、ずっと考えてたんだけど――私たちが何をしなきゃならないか、わかってるわね？　すぐによ。城に戻ったらすぐに、ね？」

「ああ、ロンを思いっきり蹴っ飛ばして――」

「**シリウスに手紙を書くの**。何が起こったのか、シリウスに話さなくちゃ。ホグワーツで起こっていることは全部知らせるようにって、シリウスが言ってたわね……まるで、こんなことが起こるのを予想していたみたい。私、羊皮紙と羽根ペン、ここに持ってきてるの――」

「やめてくれ」

ハリーは誰かに聞かれていないかと周りに目を走らせたが、校庭にはまったく人影がなかった。

「シリウスは、僕の傷痕が少しチクチクしたというだけで、こっちに戻ってきたんだ。誰かが『三校対抗試合』に僕の名前を入れたなんてシリウスに言ったら、それこそ城に乗り込んできちゃう――」

「**あなたが知らせることを、シリウスは望んでいます**」

ハーマイオニーが厳しい口調で言った。

「どうせシリウスにはわかることよ――」

「どうやって？」

「ハリー、これは秘密にしておけるようなことじゃないわ」

ハーマイオニーは真剣そのものだった。

「この試合は有名だし、あなたも有名。『日刊予言者新聞』に、あなたが試合に出場することがまったくのらなかったら、かえっておかしいじゃない……あなたのことは、『例のあの人』について書かれた本の半分に、すでにのってるのよ……どうせ耳に入るものなら、シリウスはあなたの口から聞きたいはずだわ。絶対そうに決まってる」

「わかった、わかった。書くよ」

ハリーはトーストの最後の一枚を湖に放り投げた。二人がそこに立って見ていると、トーストは一瞬プカプカ浮いていたが、すぐに吸盤つきの太い足が一本水中から伸びてきて、トーストをサッとすくって水中に消えた。それから二人は城に引き返した。

「誰のふくろうを使おうか？」

階段を上りながらハリーが聞いた。

「シリウスがヘドウィグを二度と使うなって言うし」

「ロンに頼んでごらんなさい。貸してって――」

「僕、ロンにはなんにも頼まない」ハリーはきっぱりと言った。

「そう。それじゃ、学校のふくろうをどれか借りることね。誰でも使えるから」

二人はふくろう小屋に出かけた。ハーマイオニーはハリーに羊皮紙、羽根ペン、インクを渡すと、止まり木にずらりと並んだありとあらゆるふくろうを見て回った。ハリーは壁にもたれて座り込み、手紙を書いた。

シリウスおじさん

ホグワーツで起こっていることはなんでも知らせるようにとおっしゃいましたね。それで、お知らせします――もうお耳に入ったかもしれませんが、今年は「三大魔法学校対抗試合」があって、土曜日の夜、僕が四人目の代表選手に選ばれました。誰が僕の名前を「炎のゴブレット」に入れたのか、わかりません。だって、僕じゃないんです。もう一人のホグワーツ代表はハッフルパフのセドリック・ディゴリーです。

ハリーはここでちょっと考え込んだ。昨晩からずっしりと胸にのしかかって離れない不安な気持ちを、伝えたい思いが突き上げてきた。しかし、どう言葉にしていいのかわからない。そこで、羽根ペンをインク瓶に浸し、ただこう書いた。

おじさんもバックビークも、どうぞお元気で――ハリーより

「書いた」

ハリーは立ち上がり、ローブから藁を払い落としながら、ハーマイオニーに言った。それを合図に、ヘドウィグがバタバタとハリーの肩に舞い降り、脚を突き出した。

「おまえを使うわけにはいかないんだよ」

ハリーは学校のふくろうを見回しながらヘドウィグに話しかけた。

「学校のどれかを使わないといけないんだ……」

ヘドウィグはひと声ホーッと大きく鳴き、パッと飛び立った。あまりの勢いに、爪がハリーの肩に食い込んだ。ハリーが大きなメンフクロウの脚に手紙をくくりつけている間中、ヘドウィグはハリーに背を向けたままだった。メンフクロウが飛び去ったあと、ハリーは手を伸ばしてヘドウィグをなでようとしたが、ヘドウィグは激しくくちばしをカチカチ鳴らし、ハリーの手の届かない天井の垂木へと舞い上がった。

「最初はロン、今度はおまえもか」

ハリーは腹立たしかった。

「**僕が悪いんじゃないのに**」

みんなが、ハリーが代表選手になったことに慣れてくれれば、状況はましになるだろうとハリーは考えていた。次の日にはもう、ハリーは自分の読みの甘さに気づかされた。授業が始まると、学校中の生徒の目をさけるわけにはいかなくなった——学校中の生徒が、グリフィンドール生と同じように、ハリーが自分で試合に名乗りを上げたと思っていた。しかし、グリフィンドール生とちがって、ほかの生徒たちは、それを快くは思っていなかった。

ハッフルパフは、いつもならグリフィンドールととてもうまくいっていたのに、グリフィンドール生全員に対してはっきり冷たい態度に出た。たった一度の薬草学のクラスで、それが充分にわかった。ハッフルパフ生が、自分たちの代表選手の栄光をハリーが横取りしたと思っているのは明らかだった。ハッフルパフはめったに脚光を浴びることがなかったので、ますます感情を悪化させたのだろう。セドリックは、一度クィディッチでグリフィンドールを打ち負かし、ハッフルパフに栄光をもたらした貴重な人物だった。

アーニー・マクミランとジャスティン・フィンチ‐フレッチリーは、普段はハリーとうまくいっているのに、同じ台で「ピョンピョン球根」の植え替え作業をしているときも、ハリーと口をきかなかった——「ピョンピョン球根」が一個ハリーの手から飛び出し、思いっきりハリーの顔にぶつかったときは、笑いはしたが、不ゆかいな笑い方だった。

ロンもハリーに口をきかない。ハーマイオニーが二人の間に座って、なんとか会話を成り立たせようとしたが、二人ともハーマイオニーにはいつもどおりの受け答えをしながらも、互いに目を合わさないようにしていた。ハリーは、スプラウト先生までよそよそしいように感じた——もっとも、スプラウト先生はハッフルパフの寮監だ。

普段ならハグリッドに会うのは楽しみだったが、魔法生物飼育学は、スリザリンと顔を合わせるということでもあった――代表選手になってからはじめてスリザリン生と顔をつき合わせることになるのだ。

思ったとおり、マルフォイはいつものせせら笑いをしっかり顔に刻んで、ハグリッドの小屋に現れた。

「おい、ほら、見ろよ。代表選手だ」

ハリーに声が聞こえる所まで来るとすぐに、マルフォイがクラッブとゴイルに話しかけた。

「サイン帳の用意はいいか？　いまのうちにもらっておけよ。もうあまり長くはないんだから……対抗戦の選手は半数が死んでいる……君はどのくらい持ちこたえるつもりだい？　ポッター？　僕は、最初の課題が始まって十分だと賭けるね」

クラッブとゴイルがおべっか使いのバカ笑いをした。しかし、マルフォイはそれ以上は続けられなかった。ハグリッドが山のように積み上げた木箱を抱え、ぐらぐらするのをバランスを取りながら、小屋の後ろから現れたからだ。木箱の一つ一つに、でっかい尻尾爆発スクリュートが入っている。

それからのハグリッドの説明は、クラス中をぞっとさせた。スクリュートが互いに殺し合うのは、エネルギーを発散しきれていないからで、解決するには生徒が一人一人スクリュートに引き綱をつけて、ちょっと散歩させてやるのがいいというのだ。ハグリッドの提案のおかげで、完全にマルフォイの気がそれてしまったのが、唯一のなぐさめだった。

「こいつに散歩？」

マルフォイは箱の一つをのぞき込み、うんざりしたようにハグリッドの言葉をくり返した。

「それに、いったいどこに引き綱を結べばいいんだ？　毒針にかい？　それとも爆発尻尾とか吸盤にかい？」

「真ん中あたりだ」ハグリッドが手本を見せた。

「あー——ドラゴン革の手袋をしたほうがええな。なに、まあ、用心のためだ。ハリー——こっち来て、このおっきいやつを手伝ってくれ……」

しかしハグリッドは、ほんとうは、みんなから離れた所でハリーと話をしたかったのだ。

ハグリッドはみんながスクリュートを連れて散歩に出るのを待って、ハリーのほうに向きなおり、真剣な顔つきで言った。

「そんじゃ——ハリー、試合に出るんだな。対校試合に。代表選手で」

「選手の一人だよ」ハリーが訂正した。

ボサボサ眉の下で、コガネムシのようなハグリッドの目が、ひどく心配そうだった。

「ハリー、誰がおまえの名前を入れたのか、わかんねえのか？」

「それじゃ、僕が入れたんじゃないって、信じてるんだね？」

ハグリッドへの感謝の気持ちが込み上げてくるのを、顔に出さないようにするのは難しかった。

「もちろんだ」ハグリッドが唸るように言った。

「おまえさんが自分じゃねえって言うんだ。俺はおまえを信じる——ダンブルドアもきっとおまえを信じちょる」

「**いったい**誰なのか、僕が知りたいよ」ハリーは苦々しげに言った。

二人は芝生を見渡した。生徒たちがあっちこっちに散らばり、みんなさんざん苦労していた。スクリュートは、いまや体長一メートルを超え、猛烈に強くなっていた。もはや殻なし、色なしのスクリュートではなく、分厚い、灰色に輝く鎧のようなものに覆われている。巨大なサソリと引き伸ばしたカニをかけ合わせたような代物だ——しかも、どこが頭なのやら、目なのやら、いまだにわからない。とてつもなく強くなり、とても制御できない。

「見ろや。みんな楽しそうだ。な?」

ハグリッドはうれしそうに言った。「みんな」とは、きっとスクリュートのことだろうとハリーは思った。クラスメートのことじゃないのは確かだ。スクリュートのどっちが頭かしっぽかわからない先端が、ときどき、**バン**と、びっくりするような音を立てて爆発した。そうするとスクリュートは数メートル前方に飛んだ。腹ばいになって引きずられていく生徒、なんとか立ち上がろうともがく生徒は一人や二人ではなかった。

「なあ、ハリー、いってぇどういうことなのかなぁ」

ハグリッドは急にため息をつき、心配そうな顔でハリーを見下ろした。

「代表選手か……おまえは、いろんな目にあうなぁ、え?」

ハリーは何も言わなかった。そう。僕にはいろんなことが起こるみたいだ……ハーマイオニーが僕と湖の周りを散歩しながら言ってたのも、だいたいそういうことだった。ハーマイオニーに言わせると、それが原因で、ロンが僕に口をきかないんだ。

それからの数日は、ハリーにとってホグワーツ入学以来最低の日々だった。二年生のとき、学校の生徒の大半が、ハリーがほかの生徒を襲っている、と疑っていた数か月間、ハリーはこれに近い気持ちを味わった。しかし、その時はロンが味方だった。ロンが戻ってくれさえしたら、学校中がどんな仕打ちをしようともたえられる、とハリーは思った。しかし、ロンが自分からそうしようと思わないかぎり、ハリーのほうからロンに口をきいてくれと説得するつもりはなかった。

そうはいっても、四方八方から冷たい視線を浴びせかけられるのは、やはり孤独なものだった。

ハッフルパフの態度は、ハリーにとっていやなものではあったが、それなりに理解できた。自分たちの寮代表を応援するのは当然だ。スリザリンからは、どうしたって、質の悪い侮辱を受けるだろうと、ハリーは予想していた――いまにかぎらず、これまでずっと、ハリーはスリザリンの嫌われ者だった。クィディッチでも寮対抗杯でも、ハリーの活躍で、何度も、グリフィンドールがスリザリンを打ち負かしたからだ。しかし、レイブンクロー生なら、セドリックもハリーも同じように応援するくらいの寛容さはあるだろうと期待していた。見込みちがいだった。レイブンクロー生のほとんどは、ハリーがさらに有名になろうと躍起になって、ゴブレットをだまして自分の名前を入れた、と思っているようだった。

その上、セドリックはハリーよりもずっと、代表選手にぴったりのはまり役だというのも事実だった。鼻筋がすっと通り、黒髪にグレーの瞳というずば抜けたハンサムで、このごろでは、セドリックとクラムのどちらが憧れの的か、いい勝負だった。実際、クラムのサインをもらおうと大騒ぎしていたあの六年生の女子学生たちが、ある日の昼食時、自分の鞄にサインをしてくれとセドリックにねだっているのを、ハリーは目撃している。

一方、シリウスからはなんの返事も来なかったし、ヘドウィグはハリーのそばに来ることを拒んでいた。その上、トレローニー先生はこれまでより自信たっぷりに、ハリーの死を予言し続けていた。しかも、フリットウィック先生の授業で、ハリーは「呼び寄せ呪文」の出来が悪く、特別に宿題を出されてしまった――宿題を出されたのはハリー一人だけだった。ネビルは別として。

「そんなに難しくないのよ、ハリー」

フリットウィック先生の教室を出るとき、ハーマイオニーが励ました――授業中ずっと、ハーマイオニーは、まるで変な万能磁石になったかのように、黒板消し、紙くずかご、月球儀などをブンブン自分のほうに引き寄せていた。

「あなたは、ちゃんと意識を集中してなかっただけなのよ――」

「なぜそうなんだろうね？」

ハリーは暗い声を出した。ちょうど、セドリック・ディゴリーが、大勢の追っかけ女子学生に取り囲まれてハリーのそばを通り過ぎるところで、取り巻き全員が、まるで特大の尻尾爆発スクリュートでも見るような目でハリーを見た。

「これでも——気にするなってことかな。午後から二時限続きの魔法薬学の授業がある。お楽しみだ……」

二時限続きの魔法薬学の授業ではいつもいやな経験をしていたが、このごろはまさに拷問だった。学校の代表選手になろうなどと大それたことをしたハリーを、ぎりぎり懲らしめてやろうと待ちかまえているスネイプやスリザリン生と一緒に、地下牢教室に一時間半も閉じ込められるなんて、どう考えても、ハリーにとっては最悪だった。もう先週の金曜日に、その苦痛を一回分、ハリーは味わっていた。ハーマイオニーが隣に座り、声を殺して「がまん、がまん、がまん」とお経のように唱えていた。今日も状況がましになっているとは思えない。

昼食のあと、ハリーとハーマイオニーが地下牢のスネイプの教室に着くと、スリザリン生が外で待っていた。一人残らず、ローブの胸に、大きなバッジをつけている。一瞬、面食らったハリーは、「S・P・E・W」バッジをつけているのかと思った——よく見ると、みな同じ文字が書いてある。薄暗い地下廊下で、赤い蛍光色の文字が燃えるように輝いていた。


セドリック・ディゴリーを応援しよう——

ホグワーツの真のチャンピオンを

「気に入ったかい？　ポッター？」ハリーが近づくと、マルフォイが大声で言った。

「それに、これだけじゃないんだ――ほら！」

マルフォイがバッジを胸に押しつけると、赤文字が消え、緑に光る別な文字が浮かび出た。

汚いぞ、ポッター

スリザリン生がどっと笑った。全員が胸のバッジを押し、「汚いぞ、ポッター」の文字がハリーをぐるりと取り囲んでギラギラ光った。ハリーは、首から顔がカッカとほてってくるのを感じた。

「あら、**とっても**おもしろいじゃない」

ハーマイオニーが、パンジー・パーキンソンとその仲間の女子学生に向かって皮肉たっぷりに言った。このグループがひときわ派手に笑っていたのだ。

「ほんとに**おしゃれ**だわ」

ロンはディーンやシェーマスと一緒に、壁にもたれて立っていた。笑ってはいなかったが、ハリーのためにつっぱろうともしなかった。

「一つあげようか？　グレンジャー？」

マルフォイがハーマイオニーにバッジを差し出した。

「たくさんあるんだ。だけど、僕の手にいまさわらないでくれ。手を洗ったばかりなんだ。『穢れた血』でべっとりにされたくないんだよ」

何日も何日もたまっていた怒りの一端が、ハリーの胸の中でせきを切ったように噴き出した。ハリーは無意識のうちに杖に手をやっていた。周りの生徒たちが、あわててその場を離れ、廊下で遠巻きにした。

「ハリー！」ハーマイオニーが引き止めようとした。

「やれよ、ポッター」マルフォイも杖を引っ張り出しながら、落ち着き払った声で言った。「今度は、かばってくれるムーディもいないぞ――やれるものならやってみろ――」

一瞬、二人の目に火花が散った。それからまったく同時に、二人が動いた。

「**ファーナンキュラス！**」ハリーが叫んだ。

「**デンソージオ！**　**歯呪い！**　**鼻呪い！**」マルフォイも叫んだ。

二人の杖から飛び出した光が、空中でぶつかり、折れ曲がって跳ね返った――ハリーの光線はゴイルの顔を直撃し、マルフォイのはハーマイオニーに命中した。ゴイルは両手で鼻を覆ってわめいた。醜い大きな腫れ物が、鼻にボツボツ盛り上がりつつあった――ハーマイオニーはぴったり口を押さえて、おろおろ声を上げていた。

「ハーマイオニー！」

いったいどうしたのかと、ロンが心配して飛び出してきた。

ハリーが振り返ると、ロンがハーマイオニーの手を引っ張って、顔から離したところだった。見たくない光景だった。ハーマイオニーの前歯が――もともと平均より大きかったが――いまや驚くほどの勢いで成長していた。歯が伸びるにつれて、ハーマイオニーはビーバーそっくりになってきた。下唇より長くなり、下あごに迫り――ハーマイオニーはあわてふためいて、歯をさわり、驚いて叫び声を上げた。

「この騒ぎは何事だ？」

低い、冷え冷えとした声がした。スネイプの到着だ。スリザリン生が口々に説明しだした。スネイプは長い黄色い指をマルフォイに向けて言った。

「説明したまえ」

「先生、ポッターが僕を襲ったんです――」

「僕たち同時にお互いを攻撃したんです！」ハリーが叫んだ。

「――ポッターがゴイルをやったんです――見てください――」

スネイプはゴイルの顔を調べた。いまや、毒キノコの本にのったらぴったりするだろうと思うような顔になっていた。

「医務室へ、ゴイル」スネイプが落ち着き払って言った。

「マルフォイがハーマイオニーをやったんです！」ロンが言った。「**見てください！**」

歯を見せるようにと、ロンが無理やりハーマイオニーをスネイプのほうに向かせた――ハーマイオニーは両手で歯を隠そうと懸命になっていたが、もうのど元を過ぎるほど伸びて、隠すのは難しかった。パンジー・パーキンソンも、仲間の女の子たちも、スネイプの陰に隠れてハーマイオニーを指差し、クスクス笑いの声がもれないよう、身をよじっていた。

スネイプはハーマイオニーに冷たい目を向けて言った。

「いつもと変わりない」

ハーマイオニーは泣き声をもらした。そして目に涙をいっぱい浮かべ、くるりと背を向けて走りだした。廊下のむこう端まで駆け抜け、ハーマイオニーは姿を消した。

ハリーとロンが同時にスネイプに向かって叫んだ。同時だったのが、たぶん幸運だった。二人の声が石の廊下に大きくこだましたのも幸運だった。ガンガンという騒音で、二人がスネイプを何呼ばわりしたのか、はっきり聞き取れなかったはずだ。それでも、スネイプにはだいたいの意味がわかったらしい。

「さよう」スネイプが最高の猫なで声で言った。

「グリフィンドール、五〇点減点。ポッターとウィーズリーはそれぞれ居残り罰だ。さあ、教室に入りたまえ。さもないと一週間居残り罰を与えるぞ」

ハリーは怒りでジンジン耳鳴りがした。あまりの理不尽さに、スネイプに呪いをかけて、べとべとの千切りにしてやりたかった。スネイプの脇を通り抜け、ハリーはロンと一緒に地下牢教室の一番後ろに行き、鞄をバンと机にたたきつけた。

ロンも怒りでわなわな震えていた――一瞬、二人の仲がすべて元どおりになったように感じられた。しかし、ロンはプイとそっぽを向き、ハリー一人をその机に残して、ディーンやシェーマスと一緒に座った。地下牢教室のむこう側で、マルフォイがスネイプに背中を向け、ニヤニヤしながら胸のバッジを押した。「**汚いぞ、ポッター**」の文字が、再び教室のむこうで点滅した。

授業が始まると、ハリーは、スネイプを恐ろしい目にあわせることを想像しながら、じっとスネイプをにらみつけていた。……「磔（はりつけ）の呪文」が使えさえしたらなぁ……あのクモのように、スネイプを仰向けにひっくり返し、七転八倒させてやるのに……。

「解毒剤！」スネイプがクラス全員を見渡した。黒く冷たい目が、不快げに光っている。

「材料の準備はもう全員できているはずだな。それを注意深く煎じるのだ。それから、誰か実験台になる者を選ぶ……」

スネイプの目がハリーの目をとらえた。ハリーには先が読めた。スネイプは**僕に**毒を飲ませるつもりだ。頭の中で、ハリーは想像した――自分の鍋を抱え上げ、猛スピードで教室の一番前まで走っていき、スネイプのぎとぎと頭をガツンと打つ――。

すると、その時、ハリーの想像の中に、地下牢教室のドアをノックする音が飛び込んできた。

コリン・クリービーだった。ハリーに笑いかけながらそろそろと教室に入ってきたコリンは、一番前にあるスネイプの机まで歩いていった。

「なんだ?」スネイプがぶっきらぼうに言った。

「先生、僕、ハリー・ポッターを上に連れてくるように言われました」

スネイプは鉤鼻の上からずいっとコリンを見下ろした。使命に燃えたコリンの顔から笑いが吹き飛んだ。

「ポッターにはあと一時間魔法薬の授業がある」スネイプが冷たく言い放った。「ポッターは授業が終わってから上に行く」

コリンの顔が上気した。

「先生──でも、バグマンさんが呼んでます」コリンはおずおずと言った。

「代表選手は全員行かないといけないんです。写真を撮るんだと思います……」

「写真を撮る」という言葉をコリンに言わせずにすむのだったら、ハリーはどんな宝でも差し出しただろう。ハリーはちらりとロンを見た。ロンはかたくなに天井を見つめていた。

「よかろう」スネイプがバシリと言った。

「ポッター、持ち物を置いていけ。戻ってから自分の作った解毒剤を試してもらおう」

「すみませんが、先生──持ち物を持っていかないといけません」

コリンがかん高い声で言った。

「代表選手はみんな──」

「**よかろう!** ポッター──鞄を持って、とっとと我輩の目の前から消えろ!」

ハリーは鞄を放り上げるようにして肩にかけ、席を立ってドアに向かった。スリザリン生の座っている所を通り過ぎるとき、「**汚いぞ、ポッター**」の光が四方八方からハリーに向かって飛んできた。

「すごいよね、ハリー？」

ハリーが地下牢教室のドアを閉めるや否や、コリンがしゃべりだした。

「ね、だって、そうじゃない？　君が代表選手だってこと、ね？」

「ああ、ほんとにすごいよ」

玄関ホールへの階段に向かいながら、ハリーは重苦しい声で言った。

「コリン、なんのために写真を撮るんだい？」

「『日刊予言者新聞』、だと思う！」

「そりゃいいや」ハリーはうんざりした。

「僕にとっちゃ、まさにおあつらえ向きだよ。大宣伝がね」

二人は指定された部屋に着き、コリンが「がんばって！」と言った。

ハリーはドアをノックして中に入った。

そこはかなり狭い教室だった。机は大部分が部屋の隅に押しやられて、真ん中に大きな空間ができていた。ただし、黒板の前に、机が三卓だけ、横につなげて置いてあり、たっぷりとした長さのビロードのカバーがかけられていた。その机のむこうに、椅子が五脚並び、その一つにルード・バグマンが座って、濃い赤紫色のローブを着た魔女と話をしていた。ハリーには見覚えのない魔女だ。

ビクトール・クラムはいつものようにむっつりして、誰とも話をせず、部屋の隅に立っていた。セドリックとフラーは何か話していた。フラーはいままでで一番幸せそうに見える、とハリーは思った。フラーは、しょっちゅう頭をのけぞらせ、長いシルバーブロンドの髪が光を受けるようにしていた。かすかに煙の残る、黒い大きなカメラを持った中年太りの男が、横目でフラーを見つめていた。

バグマンが突然ハリーに気づき、急いで立ち上がってはずむように近づいた。

「ああ、来たな！　代表選手の四番目！　さあ、お入り、ハリー。さあ……何も心配することはない。ほんの『杖調べ』の儀式なんだから。ほかの審査員も追っつけ来るはずだ――」

「杖調べ？」ハリーが心配そうに聞き返した。

「君たちの杖が、万全の機能を備えているかどうか、調べないといかんのでね。つまり、問題がないように、ということだ。これからの課題にはもっとも重要な道具なんでね」

バグマンが言った。

「専門家がいま、上でダンブルドアと話している。それから、ちょっと写真を撮ることになる。こちらはリータ・スキーターさんだ」

赤紫のローブを着た魔女を指しながら、バグマンが言った。

「この方が、試合について、『日刊予言者新聞』に短い記事を書く……」

「ルード、**そんなに**短くはないかもね」リータ・スキーターの目はハリーに注がれていた。

スキーター女史の髪は、念入りにセットされ、奇妙にかっちりしたカールが、角張ったあごの顔つきとは絶妙にちぐはぐだった。宝石で縁が飾られためがねをかけている。ワニ革ハンドバッグをがっちり握った太い指の先は、真っ赤に塗った五センチもの爪だ。

「儀式が始まる前に、ハリーとちょっとお話ししていいかしら？」

女史はハリーをじっと見つめたままでバグマンに聞いた。

「だって、最年少の代表選手ざんしょ……ちょっと味つけにね？」

「いいとも！」バグマンが叫んだ。「いや――ハリーさえよければだが？」

「あのー――」ハリーが言った。

「すてきざんすわ」

言うが早く、リータ・スキーターの真っ赤な長い爪が、ハリーの腕を驚くほどの力でがっちり握り、ハリーをまた部屋の外へとうながし、手近の部屋のドアを開けた。

「あんなガヤガヤした所にはいたくないざんしょ」女史が言った。

「さてと……あ、いいわね、ここなら落ち着けるわ」

そこは、箒(ほうき)置き場だった。ハリーは目を丸くして女史を見た。

「さ、おいで――そう、そう――すてきざんすわ」

リータ・スキーターは、「すてきざんすわ」を連発しながら、逆さに置いてあるバケツに危なっかしげに腰かけた。ハリーを段ボール箱に無理やり座らせ、ドアを閉めると、二人は真っ暗闇の中だった。

「さて、それじゃ……」

女史はワニ革ハンドバッグをパチンと開け、ろうそくをひと握り取り出し、杖をひと振りして火をともし、宙に浮かせ、手元が見えるようにした。

「ハリー、自動速記羽根ペンQQQを使っていいざんしょ？　そのほうが、君と自然におしゃべりできるし……」

「えっ？」ハリーが聞き返した。

リータ・スキーターの口元が、ますますニーッと笑った。ハリーは、金歯を三本まで数えた。女史はまたワニ革バッグに手を伸ばし、黄緑色の長い羽根ペンと羊皮紙ひと巻を取り出した。女史は、「ミセス・ゴシゴシの魔法万能汚れ落とし」の木箱をはさんでハリーと向かい合い、箱の上に羊皮紙を広げた。黄緑の羽根ペンの先を口にふくむと、女史は、見るからにうまそうにちょっと吸い、それから羊皮紙の上にそれを垂直に立てた。羽根ペンはかすかに震えながらも、ペン先でバランスを取って立った。

「テスト、テスト……あたくしはリータ・スキーター、『日刊予言者新聞』の記者です」

ハリーは急いで羽根ペンを見た。リータ・スキーターが話しはじめたとたん、黄緑の羽根ペンは、羊皮紙の上をすべるように、走り書きを始めた。

魅惑のブロンド、リータ・スキーター、四十三歳。その仮借なきペンは多くのでっち上げの名声をペシャンコにした——。

「すてきざんすわ」

またしてもそう言いながら、女史は羊皮紙の一番上を破り、丸めてハンドバッグに押し込んだ。次に、ハリーのほうにかがみ込み、女史が話しかけた。

「じゃ、ハリー……君、どうして三校対抗試合に参加しようと決心したのかな？」

「えーと——」

そう言いかけて、ハリーは羽根ペンに気を取られた。何も言っていないのに、ペンは羊皮紙の上を疾走し、その跡に新しい文章が読み取れた。

悲劇の過去の置き土産、醜い傷痕が、ハリー・ポッターのせっかくのかわいい顔をだいなしにしている。その目は——。

「ハリー、羽根ペンのことは気にしないことざんすよ」

リータ・スキーターがきつく言った。気が進まないままに、ハリーはペンから女史へと目を移した。

「さあ——どうして三校対抗試合に参加しようと決心したの？　ハリー？」

「僕、していません」ハリーが答えた。

「どうして僕の名前が『炎のゴブレット』に入ったのか、僕、わかりません。僕は入れていないんです」

リータ・スキーターは、眉ペンで濃く描いた片方の眉を吊り上げた。

「大丈夫、ハリー。叱られるんじゃないかなんて、心配する必要はないざんすよ。君がほんとうは参加するべきじゃなかったとわかってるざんす。だけど、心配ご無用。読者は反逆者が好きなんざんすから」

「だって、僕、入れてない」ハリーがくり返した。「僕知らない。いったい誰が──」

「これから出る課題をどう思う？」リータ・スキーターが聞いた。

「わくわく？　怖い？」

「僕、あんまり考えてない……うん。怖い、たぶん」

そう言いながら、ハリーはなんだか気まずい思いに、胸がのたうった。

「過去に、代表選手が死んだことがあるわよね？」リータ・スキーターがずけずけ言った。

「そのことをぜんぜん考えなかったのかな？」

「えーと……今年はずっと安全だって、みんながそう言ってます」ハリーが答えた。

羽根ペンは二人の間で、羊皮紙の上をスケートするかのように、ヒュンヒュン音を立てて往ったり来たりしていた。

「もちろん、君は、死に直面したことがあるわよね？」

リータ・スキーターが、ハリーをじっと見た。

「それが、君にどういう影響を与えたと思う？」

「えーと」ハリーはまた「えーと」をくり返した。

「過去のトラウマが、君を自分の力を示したいという気持ちにさせてると思う？　名前に恥じないように？　もしかしたらそういうことかな——三校対抗試合に名前を入れたいという誘惑にかられた理由は——」

「**僕、名前を入れてないんです**」ハリーはいらいらしてきた。

「君、ご両親のこと、少しは覚えてるのかな？」

ハリーの言葉をさえぎるようにリータ・スキーターが言った。

「いいえ」ハリーが答えた。

「君が三校対抗試合で競技すると聞いたら、ご両親はどう思うかな？　自慢？　心配する？　怒る？」

ハリーはいいかげんうんざりしてきた。両親が生きていたらどう思うかなんて、僕にわかるわけがないじゃないか？　リータ・スキーターがハリーを食い入るように見つめているのを、ハリーは意識していた。ハリーは顔をしかめて女史の視線をはずし、下を向いて羽根ペンが書いている文字を見た。


自分がほとんど覚えていない両親のことに話題が移ると、驚くほど深い緑の目に涙があふれた。


「僕、目に涙なんか**ない！**」ハリーは大声を出した。

リータ・スキーターが何か言う前に、箒置き場のドアが外側から開いた。まぶしい光に目をしばたたきながら、ハリーはドアのほうを振り返った。アルバス・ダンブルドアが、物置できゅうくつそうにしている二人を見下ろして、そこに立っていた。

「**ダンブルドア！**」

リータ・スキーターはいかにもうれしそうに叫んだ——しかし、羽根ペンも羊皮紙も、魔法万能汚れ落としの箱の上からこつぜんと消えたし、女史の鉤爪(かぎづめ)指が、ワニ革バッグの留め金をあわててパチンと閉めたのを、ハリーは見逃さなかった。

「お元気ざんすか？」

女史は立ち上がって、大きな男っぽい手をダンブルドアに差し出して、握手を求めた。

「この夏にあたくしが書いた、『国際魔法使い連盟会議』の記事をお読みいただけたざんしょか？」

「魅力的な毒舌じゃった」ダンブルドアは目をキラキラさせた。

「特に、わしのことを『時代遅れの遺物』と表現なさったあたりがのう」

リータ・スキーターは一向に恥じる様子もなく、しゃあしゃあと言った。

「あなたのお考えが、ダンブルドア、少し古くさいという点を指摘したかっただけざんす。それに巷の魔法使いの多くは――」

「慇懃無礼の理由については、リータ、またぜひお聞かせ願いましょうぞ」

ダンブルドアはほほえみながら、ていねいに一礼した。

「しかし、残念ながら、その話は後日にゆずらねばならん。杖調べの儀式がまもなく始まるのじゃ。代表選手の一人が、箒置き場に隠されていたのでは、儀式ができんのでの」

リータ・スキーターから離れられるのがうれしくて、ハリーは急いで元の部屋に戻った。ほかの代表選手はもうドア近くの椅子に腰かけていた。ハリーは急いでセドリックの隣に座り、ビロードカバーのかかった机のほうを見た。そこにはもう、五人中四人の審査員が座っていた――カルカロフ校長、マダム・マクシーム、クラウチ氏、ルード・バグマンだ。リータ・スキーターは、隅のほうに陣取った。ハリーが見ていると、女史はまたバッグから羊皮紙をスルリと取り出してひざの上に広げ、自動速記羽根ペンQQQの先を吸い、再び羊皮紙の上にそれを置いた。

「オリバンダーさんをご紹介しましょうかの？」

ダンブルドアも審査員席に着き、代表選手に話しかけた。

「試合に先立ち、みなの杖がよい状態かどうかを調べ、確認してくださるのじゃ」

ハリーは部屋を見回し、窓際にひっそりと立っている、大きな淡い色の目をした老魔法使いを見つけてドキッとした。オリバンダー老人には、以前に会ったことがある――杖職人で、三年前、ハリーもダイアゴン横丁にあるその人の店で杖を買い求めた。

「マドモアゼル・デラクール。まずあなたから、こちらに来てくださらんか？」

フラー・デラクールは軽やかにオリバンダー翁のそばに行き、杖を渡した。

「フゥーム……」

オリバンダー翁が長い指にはさんだ杖を、バトンのようにくるくる回すと、杖はピンクとゴールドの火花をいくつか散らした。それから翁は杖を目元に近づけ、仔細（しさい）に調べた。

「そうじゃな」翁は静かに言った。

「二十四センチ……しなりにくい……紫檀（したん）……芯には……おお、なんと……」

「ヴィーラの髪の毛でーす」フラーが言った。「わたーしのおばーさまのものでーす」

それじゃ、フラーには**やっぱり**ヴィーラが混じってるんだ、ロンに話してやろうと、ハリーは思った……そして、ロンがハリーに口をきかなくなっていることを思い出した。

「そうじゃな」オリバンダー翁が言った。

「そうじゃ。むろん、わし自身は、ヴィーラの髪を使用したことはないが――わしの見るところ、少々気まぐれな杖になるようじゃ……しかし、人それぞれじゃし、あなたに合っておるなら……」

オリバンダー翁は杖に指を走らせた。傷やデコボコを調べているようだった。それから「**オーキデウ**

ス！　花よ！」とつぶやくと、杖先にワッと花が咲いた。

「よーし、よし。上々の状態じゃ」

オリバンダー翁は花をつみとり、杖と一緒にフラーに手渡しながら言った。

「ディゴリーさん。次はあなたじゃ」

フラーはふわりと席に戻り、セドリックとすれちがうときにほほえみかけた。

「さてと。この杖は、わしの作ったものじゃな？」

セドリックが杖を渡すと、オリバンダー翁の言葉に熱がこもった。

「そうじゃ、よく覚えておる。際立って美しい牡の一角獣（ユニコーン）のしっぽの毛が一本入っておる……身の丈百七十センチはあった。しっぽの毛を引き抜いたとき、危うく角で突き刺されるところじゃった。三十センチ……トネリコ材……心地よくしなる。上々の状態じゃ……しょっちゅう手入れしているのかね？」

「昨夜磨きました」セドリックがニッコリした。

ハリーは自分の杖を見下ろした。あちこち手あかだらけだ。ローブのひざのあたりをつかんで、こっそり杖をこすってきれいにしようとした。杖先から金色の火花がパラパラと数個飛び散った。フラー・デラクールが、やっぱり子供ね、という顔でハリーを見たので、ふくのをやめた。

オリバンダー翁は、セドリックの杖先から銀色の煙の輪を次々と部屋に放ち、けっこうじゃと宣言した。それから「クラムさん、よろしいかな」と呼んだ。

ビクトール・クラムが立ち上がり、前かがみで背中を丸め、外またでオリバンダー翁のほうへ歩いていった。クラムは杖をぐいと突き出し、ローブのポケットに両手を突っ込み、しかめっ面で突っ立っていた。

「フーム」オリバンダー翁が調べはじめた。

「グレゴロビッチの作と見たが。わしの目に狂いがなければじゃが？　すぐれた杖職人じゃ。ただ製作様式は、わしとしては必ずしも……それはそれとして……」

オリバンダー翁は杖を掲げ、目の高さで何度もひっくり返し、念入りに調べた。

「そうじゃな……クマシデにドラゴンの心臓の琴線かな？」

翁がクラムに問いかけると、クラムはうなずいた。

「あまり例のない太さじゃ……かなり頑丈……二十六センチ……**エイビス！　鳥よ！**」

銃を撃つような音とともに、クマシデ杖の杖先から小鳥が数羽、さえずりながら飛び出し、開いていた窓から淡々しい陽光の中へと飛び去った。

「よろしい」オリバンダー翁は杖をクラムに返した。

「残るは……ポッターさん」

ハリーは立ち上がって、クラムと入れちがいにオリバンダー翁に近づき、杖を渡した。

「おぉぉぉー、そうじゃ」オリバンダー翁の淡い色の目が急に輝いた。

「そう、そう、そう。よーく覚えておる」

ハリーもよく覚えていた。まるできのうのことのようにありありと……。

三年前の夏、十一歳の誕生日に、ハグリッドと一緒に、杖を買いにオリバンダーの店に入った。オリバンダー老人は、ハリーの寸法を採り、それから、次々と杖を渡して試させた。店中のすべての杖を試し振りしたのではないかと思ったころ、ついにハリーに合う杖が見つかった——この杖だ。柊、二十八センチ、不死鳥の尾羽根が一枚入っている。オリバンダー老人は、ハリーがこの杖とあまりにも相性がよいことに驚いていた。「不思議じゃ」と、あの時老人はつぶやいた。「……不思議じゃ」と。ハリーが、なぜ不思議なのかと問うと、オリバンダー老人は、初めて教えてくれた。ハリーの杖に入っている不死鳥の尾羽根も、ヴォルデモート卿(きょう)の杖芯に使われている尾羽根も、まさに同じ不死鳥のものだと。

ハリーはこのことを誰にも話したことがなかった。この杖がとても気に入っていたし、杖がヴォルデモートとつながりがあるのは、杖自身にはどうしようもないことだ――ちょうど、ハリーがペチュニアおばさんとつながりがあるのをどうしようもないのと同じように。しかし、ハリーは、オリバンダー翁がそのことを、この部屋のみんなには言わないでほしいと、真剣にそう願った。そんなことをもらせば、リータ・スキーターの自動速記羽根ペンが、興奮で爆発するかもしれないと、ハリーは変な予感がした。

オリバンダー翁はほかの杖よりずっと長い時間をかけてハリーの杖を調べた。最後に、杖からワインをほとばしり出させ、杖はいまも完璧な状態を保っていると告げ、杖をハリーに返した。

「みんな、ごくろうじゃった」審査員のテーブルで、ダンブルドアが立ち上がった。

「授業に戻ってよろしい――いや、まっすぐ夕食の席に下りてゆくほうが手っ取り早いかもしれん。そろそろ授業が終わるしの――」

今日一日の中で、やっと一つだけ順調に終わった、と思いながら、ハリーが行きかけると、黒いカメラを持った男が飛び出してきて、咳払(せきばら)いをした。

「写真。ダンブルドア、写真ですよ！」バグマンが興奮して叫んだ。

「審査員と代表選手全員。リータ、どうかね？」

「えー――まあ、まずそれからいきますか」

そう言いながら、リータ・スキーターの目は、またハリーに注がれていた。

「それから、個人写真を何枚か」

写真撮影は長くかかった。マダム・マクシームがどこに立っても、みんなその影に入ってしまうし、カメラマンがマダムを枠の中に入れようとして後ろに下がったが、下がりきれなかった。

ついに、マダムが座り、みんながその周りに立つことになった。カルカロフは山羊ひげをもっとカールさせようと、しょっちゅう指に巻きつけていたし、クラムは――こんなことには慣れっこだろうとハリーは思っていたのに――コソコソとみんなの後ろに回り、半分隠れていた。カメラマンはフラーを正面に持ってきたくて仕方がない様子だったが、そのたびにリータ・スキーターがしゃしゃり出て、ハリーをより目立つ場所に引っ張っていった。スキーター女史は、それから代表選手全員の個別の写真を撮ると言い張った。そしてやっと、みんな解放された。

ハリーは夕食に下りていった。ハーマイオニーはいなかった――きっとまだ医務室で、歯を治してもらっているのだろう、とハリーは思った。テーブルの隅で、ひとりぼっちで夕食をすませ、「呼び寄せ呪文」の宿題をやらなければと思いながら、ハリーはグリフィンドール塔に戻った。寮の寝室で、ハリーはロンにでくわした。

「ふくろうが来てる」

ハリーが寝室に入っていくなり、ロンがぶっきらぼうに言った。ハリーの枕を指差している。そこに、学校のメンフクロウが待っていた。

「ああ――わかった」ハリーが言った。

「それから、あしたの夜、二人とも居残り罰だ。スネイプの地下牢教室」ロンがつけ加えた。

ロンは、ハリーのほうを見向きもせずに、さっさと寝室を出ていった。一瞬、ハリーはあとを追いかけようと思った――話しかけたいのか、ぶんなぐりたいのか、ハリーにはわからなかった。どっちも相当魅力的だった――しかし、シリウスの返事の魅力のほうが強すぎた。ハリーは急いでメンフクロウの所に行き、脚から手紙をはずし、くるくる広げた。

ハリー
　手紙では言いたいことを何もかも言うわけにはいかない。ふくろうが途中で誰かに捕まったときの危険が大きすぎる――直接会って話をしなければ。十一月二十二日、午前一時に、グリフィンドール寮の暖炉のそばで、君一人だけで待つようにできるかね？
　君が自分一人でもちゃんとやっていけることは、私が一番よく知っている。それに、ダンブルドアやムーディが君のそばにいるかぎり、誰も君に危害を加えることはできないだろう。しかし、誰かが、何か仕掛けようとしている。ゴブレットに君の名前を入れるなんて、非常に危険なことだったはずだ。特にダンブルドアの目が光っている所では。
　ハリー、用心しなさい。何か変わったことがあったら、今後も知らせてほしい。十一月二十二日の件は、できるだけ早く返事が欲しい。

シリウスより

第19章　ハンガリー・ホーンテール

それからの二週間、シリウスと会って話ができるという望みだけが、ハリーを支えていた。これまでになく真っ暗な地平線の上で、それだけが明るい光だった。自分がホグワーツの代表選手になってしまったことのショックは、少し薄らいできたが、何が待ち受けているのだろうという恐怖のほうがじりじりと胸に食い込みはじめた。

第一の課題が確実に迫っていた。それがまるで、ハリーの前にうずくまって、行く手をふさぐ、恐ろしい怪物のように感じられた。こんなに神経がピリピリしたことはいまだかつてない。クィディッチの試合の前よりもずっとひどい。最後の試合、優勝杯をかけたスリザリンとの試合でさえ、こんなにはならなかった。先のことがほとんど考えられない。人生のすべてが第一の課題に向かって進み、そこで終わるような気がした……。

もちろん、何百人という観衆の前で、難しくて危険な、未知の魔法を使わなければならないという状況で、シリウスに会ってもハリーの気持ちが楽になるとは思えなかった。それでも、親しい顔を見るだけで、いまは救いだった。

ハリーは、シリウスが指定した時間に、談話室の暖炉のそばで待つと返事を書き、その夜に誰かが談話室にいつまでもぐずぐず残っていたらどうやってしめ出すか、ハーマイオニーと二人で長時間かけて計画を練り上げた。最悪の場合、「クソ爆弾」ひと袋を投下するつもりだ。しかし、できればそんなことはしたくない――フィルチに生皮をはがれることになりかねない。

そうこうしているうちにも、城の中でのハリーの状況はますます悪くなっていた。リータ・スキーターの三校対抗試合の記事は、試合についてのルポというより、ハリーの人生をさんざん脚色した記事だった。一面の大部分がハリーの写真で埋まり、記事は（二面、六面、七面に続いていた）すべてハリーのことばかりで、ボーバトンとダームストラングの代表選手名は（綴りもまちがっていたし）最後の一行に詰め込まれ、セドリックは名前さえ出ていなかった。

記事が出たのは十日前だったが、そのことを考えるたびに、ハリーはいまだに恥ずかしくて、胃が焼け、吐き気がした。リータ・スキーターは、ハリーがこれまで一度も言った覚えがなく、ましてや、あの箒置き場で言ったはずもないことばかりを、山ほどでっち上げて引用していた。

「僕の力は、両親から受け継いだものだと思います。いま、僕を見たら、両親はきっと僕を誇りに思うでしょう……ええ、ときどき夜になると、僕はいまでも両親を思って泣きます。それを恥ずかしいとは思いません……。試合では、絶対けがをしたりしないって、僕にはわかっています。だって、両親が僕を見守ってくれていますから……」

リータ・スキーターは、ハリーが言った「えーと」を、長ったらしい、鼻持ちならない文章に変えてしまった。それればかりか、ハリーについてのインタビューまでやっていた。

ハリーはホグワーツでついに愛を見つけた。親友のコリン・クリービーによると、ハリーは、ハーマイオニー・グレンジャーなる人物と離れていることはめったにないという。この人物は、マグル生まれのとびきりかわいい女生徒で、ハリーと同じく、学校の優等生の一人である。

記事がのった瞬間から、ハリーは針のむしろだった。みんなが――特にスリザリン生が――すれちがうたびに記事を持ち出してからかうのに、たえなければならなかった。

「ポッター、ハンカチいるかい？　変身術のクラスで泣きだしたときのために？」

「いったい、ポッター、いつから学校の優等生になった？　それとも、その学校っていうのは、君とロングボトムで開校したのかい？」

「ハーイ――ハリー！」

「ああ、そうだとも」

もううんざりだと、廊下で振り向きざま、ハリーはどなった。

「死んだ母さんのことで、目を泣きはらしてたところだよ。これから、もう少し……」

「ちがうの――ただ――あなた、羽根ペンを落としたわよ」

チョウ・チャンだった。ハリーは顔が赤くなるのを感じた。

「あ――そう――ごめん」ハリーは羽根ペンを受け取りながら、もごもご言った。

「あの……火曜日はがんばってね」チョウが言った。

「ほんとうに、うまくいくように願ってるわ」

僕、なんてバカなことをしたんだろう、とハリーは思った。

ハーマイオニーも同じように不ゆかいな思いをしなければならなかったが、悪気のない人をどなりつけるようなことはしていない。ハリーは、ハーマイオニーの対処の仕方に感服していた。

「**とびきりかわいい？　あの子が？**」

リータの記事がのってから初めてハーマイオニーと顔を突き合わせたとき、パンジー・パーキンソンがかん高い声で言った。

「何と比べて判断したのかしら――シマリス？」

「ほっときなさい」

ハーマイオニーは、頭をしゃきっと上げ、スリザリンの女子学生がからかう中を、何も聞こえないかのように堂々と歩きながら、威厳のある声で言った。

「ハリー、ほっとくのよ」

しかし、放ってはおけなかった。スネイプの居残り罰のことをハリーに伝言して以来、ロンは一言もハリーと口をきいていない。スネイプの地下牢教室で、二時間も一緒にネズミの脳みそのホルマリン漬けを作らされる間に、仲なおりができるのではと、ハリーは少し期待していたのだが、ちょうどその日に、リータの記事が出た。ハリーはやっぱり目立つのを楽しんでいるのだと、ロンは確信を強めたようだった。

ハーマイオニーは、二人のことで腹を立てていた。二人の間を往ったり来たりして、何とか互いに話をさせようと努めたが、ハリーも頑固だった。ハリー自身が「炎のゴブレット」に名前を入れたわけではないとロンが認めたなら、そして、ハリーをうそつき呼ばわりしたことを謝るなら、またロンと話をしてもいい。

「僕から始めたわけじゃない」

ハリーはかたくなに言い張った。

「あいつの問題だ」

「ロンがいなくてさびしいくせに！」

ハーマイオニーがいらいらと言った。

「それに、私には**わかってる**。ロンもさびしいのよ――」

「ロンがいなくて**さびしい**くせに**だって？**」

ハリーがくり返した。

「ロンがいなくて**さびしいなんてことは、ない**……」

真っ赤なうそだった。ハーマイオニーのことは大好きだったが、ロンとはちがう。ハーマイオニーと親しくても、ロンと一緒のときほど笑うことはないし、図書館をうろうろする時間が多くなる。ハリーはまだ「呼び寄せ呪文」を習得していなかった。ハリーの中で、何かがストップをかけているようだった。ハーマイオニーは、理論を学べば役に立つと主張した。そこで、二人は昼休みを、本に没頭して過ごすことが多かった。

ビクトール・クラムも、しょっちゅう図書館に入り浸っていた。いったい何をしているのか、ハリーはいぶかった。勉強しているのだろうか？　それとも、第一の課題をこなすのに役立ちそうなものを探しているのだろうか？

ハーマイオニーはクラムが図書館にいることで、しばしば文句を言った――何もクラムが二人の邪魔をしたわけではない。しかし、女子学生のグループがしょっちゅうやってきて、忍び笑いをしながら、本棚の陰からクラムの様子をうかがっていた。ハーマイオニーはその物音で気が散るというのだ。

「あの人、ハンサムでもなんでもないじゃない！」

クラムの険しい横顔をにらみつけて、ハーマイオニーがプリプリしながらつぶやいた。

「みんなが夢中なのは、あの人が有名だからよ　ウォンキー・フェイントとかなんとかいうのができない人だったら、みんな見向きもしないのに――」

「ウロンスキー・フェイント」ハリーは唇をかんだ。クィディッチ用語を正したいのも確かだが、それとは別に、ハーマイオニーがウォンキー・フェイントと言うのを聞いたら、ロンがどんな顔をするかと思うと、また胸がキュンと痛んだのだ。

不思議なことに、何かを恐れて、なんとかして時の動きを遅らせたいと思うときにかぎって、時は容赦なく動きを速める。第一の課題までの日々が、誰かが時計に細工をして二倍の速さにしたかのように流れ去っていった。抑えようのない恐怖感が、「日刊予言者新聞」の記事に対する意地の悪いヤジと同じように、ハリーの行く所どこにでもついてきた。

第一の課題が行われる週の前の土曜日、三年生以上の生徒は全員、ホグズミード行きを許可された。ハーマイオニーは、ちょっと城から出たほうが気晴らしになると勧めた。ハリーも勧められるまでもなかった。

「ロンのことはどうする気？」

ハリーが聞いた。

「ロンと一緒に行きたくないの？」

「ああ……そのこと……」

ハーマイオニーはちょっと赤くなった。

「『三本の箒』で、あなたと私が、ロンに会うようにしたらどうかと思って……」

「いやだ」ハリーがにべもなく言った。

「まあ、ハリー、そんなバカみたいな――」

「僕、行くよ。でもロンと会うのはごめんだ。僕、透明マントを着ていく」

「そう、それならそれでいいけど……」

ハーマイオニーはくどくは言わなかった。

「だけど、マントを着てるときにあなたに話しかけるのは嫌いよ。あなたのほうを向いてしゃべってるのかどうか、さっぱりわからないんだもの」

そういうわけで、ハリーは寮で透明マントをかぶり、階下に戻って、ハーマイオニーと一緒にホグズミードに出かけた。

マントの中で、ハリーはすばらしい解放感を味わった。村に入るとき、ほかの生徒が二人を追い越したり、行きちがったりするのを、ハリーは観察できた。ほとんどが「**セドリック・ディゴリー**を応援しよう」のバッジを着けていたが、いつもとちがって、ハリーにひどい言葉を浴びせる者も、あのばかな記事に触れる生徒もいなかった。

「今度はみんな、**私を**ちらちら見てるわ」

クリームたっぷりの大きなチョコレートをほお張りながら「ハニーデュークス菓子店」から出てきたハーマイオニーが、不機嫌に言った。

「みんな、私がひとり言を言ってると思ってるのよ」

「それなら、そんなに唇を動かさないようにすればいいじゃないか」

「**あのねえ**、ちょっとマントを脱いでよ。ここなら誰もあなたにかまったりしないわ」

「そうかな?」ハリーが言った。「後ろを見てごらんよ」

リータ・スキーターと、その友人のカメラマンが、パブ「三本の箒」から現れたところだった。二人は、ヒソヒソ声で話しながら、ハーマイオニーのほうを見もせずにそばを通り過ぎた。ハリーは、リータ・スキーターのワニ革ハンドバッグでぶたれそうになり、あとずさりしてハニーデュークスの壁に張りついた。

二人の姿が見えなくなってから、ハリーが言った。

「あの人、この村に泊まってるんだ。第一の課題を見にきたのにちがいない」

そう言ったとたん、どろどろに溶けた恐怖感が、ハリーの胃にどっとあふれた。ハリーはそのことを口には出さなかった。ハリーもハーマイオニーも、第一の課題がなんなのか、これまであまり話題にしなかった。ハーマイオニーもそのことを考えたくないのだろうと、ハリーはそんな気がしていた。

「行っちゃったわ」

ハーマイオニーの視線はハリーの体を通り抜けて、ハイストリート通りのむこう端を見ていた。

「『三本の箒』に入って、バタービールを飲みましょうよ。ちょっと寒くない？……ロンには話しかけなくてもいいわよ！」

ハリーが返事をしないわけを、ハーマイオニーはちゃんと察して、いらいらした口調でつけ加えた。

「三本の箒」は混み合っていた。土曜の午後の自由行動を楽しんでいるホグワーツの生徒が多かったが、ハリーがほかではめったに見かけたことがないさまざまな魔法族もいた。ホグズミードは、イギリスで唯一の魔法ずくめの村なので、魔法使いのようにうまく変装できない鬼婆(おにばば)などにとっては、ここがちょっとした安息所なのだろう、とハリーは思った。

透明マントを着て混雑の中を動くのは、とても難しかった。うっかり誰かの足を踏みつけたりすれば、とてもややこしいことになりそうだ。ハーマイオニーが飲み物を買いにいっている間、ハリーは隅の空いているテーブルへそろそろと近づいた。パブの中を移動する途中、フレッド、ジョージ、リー・ジョーダンと一緒に座っているロンを見かけた。ロンの頭を、後ろから思いっきりこづいてやりたい、という気持ちを抑え、ハリーはやっとテーブルにたどり着いて腰かけた。

ハーマイオニーが、そのすぐあとからやってきて、透明マントの下からバタービールをすべり込ませた。

「ここにたった一人で座ってるなんて、私、すごくまぬけに見えるわ」

ハーマイオニーがつぶやいた。

「幸い、やることを持ってきたけど」

そして、ハーマイオニーはノートを取り出した。S・P・E・W会員を記録してあるノートだ。ハリーは、自分とロンの名前が、とても少ない会員名簿の一番上にのっているのを見た。ロンと二人で予言をでっち上げていたとき、ハーマイオニーがやってきて二人を会の書記と会計とに任命したのが、ずいぶん遠い昔のことのような気がした。

「ねえ、この村の人たちに、S・P・E・Wに入ってもらうように、私、やってみようかしら」

ハーマイオニーはパブを見回しながら考え深げに言った。

「そりゃ、いいや」

ハリーはあいまいにあいづちを打ち、マントに隠れてバタービールをぐいと飲んだ。

「ハーマイオニー。いつになったらS・P・E・Wなんてやつ、あきらめるんだい？」

「屋敷しもべ妖精が妥当な給料と労働条件を得たとき！」

ハーマイオニーが声を殺して言い返した。

「ねえ、そろそろ、もっと積極的な行動を取るときじゃないかって思いはじめてるの。どうやったら学校の厨房（ちゅうぼう）に入れるかしら？」

「わからない。フレッドとジョージに聞けよ」ハリーが言った。

ハーマイオニーは考えにふけって、だまり込んだ。ハリーは、パブの客を眺めながら、バタービールを飲んだ。みんな楽しそうで、くつろいでいた。すぐ近くのテーブルで、アーニー・マクミランとハンナ・アボットが、「蛙チョコレート」のカードを交換している。二人とも「**セドリック・ディゴリーを応援しよう**」バッジをマントにつけていた。そのむこう、ドアのそばに、チョウ・チャンがレイブンクローの大勢の友達と一緒にいるのが見えた。でも、チョウは「セドリック」バッジをつけていない……ハリーはちょっぴり元気になった……。

のんびり座り込んで、笑ったりしゃべったり、せいぜい宿題のことしか心配しなくてもよい人たち――自分もその一人になれるなら、ほかに何を望むだろう？　自分の名前が「炎のゴブレット」から**出てていなかったら**、いま、自分はどんな気持ちでここにいるだろう。まず、透明マントを着ていないはずだ。ロンは自分と一緒にいるだろう。三人で楽しくあれこれ想像していただろう。代表選手たちが、火曜日に、どんなに危険極まりない課題に立ち向かうのだろうと、三人で楽しくあれこれ想像していただろう。どんな課題だろうが、きっと待ち遠しかっただろう。代表選手がそれをこなすのを見物するのが……スタンドの後方にぬくぬくと座って、みんなと一緒にセドリックを応援するのが……。

ほかの代表選手はどんな気持ちなんだろう。最近セドリックを見かけると、いつもファンに取り囲まれ、神経をとがらせながらも興奮しているように見えた。フラー・デラクールも廊下でときどきちらりと姿を見たが、いつもと変わらず、フラーらしく高慢で平然としていた。そして、クラムは、ひたすら図書館に座って本に没頭していた。

ハリーはシリウスのことを思った。すると、胸をしめつけていた固い結び目が、少しゆるむような気がした。あと十二時間と少しで、シリウスと話せる。談話室の暖炉のそばで二人が話をするのは、今夜だった――なんにも手ちがいが起こらなければだが。最近は何もかも手ちがいだらけだったけど……。

「見て、ハグリッドよ！」ハーマイオニーが言った。

ハグリッドの巨大なもじゃもじゃ頭の後頭部が――ありがたいことに、束ね髪にするのをあきらめていた――人混みの上にぬっと現れた。こんなに大きなハグリッドを、自分はどうしてすぐに見つけられなかったのだろうと、ハリーは不思議に思った。しかし、立ち上がってよく見ると、ハグリッドが体をかがめて、ムーディ先生と話をしているのがわかった。

ハグリッドはいつものように、巨大なジョッキを前に置いていたが、ムーディは自分の携帯用酒瓶から飲んでいた。粋な女主人のマダム・ロスメルタは、これが気に入らないようだった。ハグリッドたちの周囲のテーブルから、空いたグラスを片づけながら、ムーディをうさんくさそうに見ていた。たぶん、自家製の蜂蜜酒が侮辱されたと思ったのだろう。しかし、ハリーはそうではないことを知っていた。「闇の魔術に対する防衛術」の最近の授業で、ムーディが生徒に話したのだ。闇の魔法使いは誰も見ていないときにやすやすとコップに毒を盛るので、ムーディはいつも、食べ物や飲み物を自分で用意するようにしていると。

ハリーが見ていると、ハグリッドとムーディは立ち上がって出ていきかけた。ハリーは手を振ったが、ハグリッドには見えないのだと気づいた。しかし、ムーディが立ち止まり、ハリーが立っている隅のほうに「魔法の目」を向けた。ムーディは、ハグリッドの背中をチョンチョンとたたき（ハグリッドの肩には手が届かない）、何事かささやいた。それから二人は引き返して、ハリーとハーマイオニーのテーブルにやってきた。

「元気か、ハーマイオニー？」

ハグリッドが大声を出した。

「こんにちは」

ハーマイオニーもニッコリ挨拶した。

ムーディは、片足を引きずりながらテーブルを回り込み、体をかがめた。ハリーが、ムーディはＳ・

P・E・Wのノートを読んでいるのだろうと思っていると、ムーディがささやいた。

「いいマントだな、ポッター」

ハリーは驚いてムーディを見つめた。こんな近くで見ると、鼻が大きくそぎ取られているのがますますはっきりわかった。ムーディはニヤリとした。

「先生の目――あの、見える――？」

「ああ、わしの目は透明マントを見透かす」

ムーディが静かに言った。

「そして、時には、これがなかなか役に立つぞ」

ハグリッドもニッコリとハリーのほうを見下ろしていた。ハグリッドにはハリーが見えないことは、わかっていた。しかし、当然、ムーディが、ハリーがここにいると教えたはずだ。

今度はハグリッドが、S・P・E・Wノートを読むふりをして、身をかがめ、ハリーにしか聞こえないような低い声でささやいた。

「ハリー、今晩、真夜中に、俺の小屋に来いや。そのマントを着てな」

身を起こすと、ハグリッドは大声で、「ハーマイオニー、おまえさんに会えてよかった」と言い、ウィンクして去っていった。ムーディもあとについていった。

「ハグリッドったら、どうして真夜中に僕に会いたいんだろう？」ハリーは驚いていた。

「会いたいって？」ハーマイオニーもびっくりした。

「いったい、何を考えてるのかしら？　ハリー、行かないほうがいいかもよ……」

ハーマイオニーは神経質に周りを見回し、声を殺して言った。

「シリウスとの約束に遅れちゃうかもしれない」

確かに、ハグリッドの所に真夜中に行けば、シリウスと会う時間ぎりぎりになってしまう。ハーマイオニーは、ヘドウィグを送ってハグリッドに行けないと伝えてはどうかと言った――もちろん、ヘドウィグがメモを届けることを承知してくれればの話だが――しかし、ハグリッドの用事がなんであれ、ハリーは急いで会ってくるほうがよいように思った。ハグリッドがハリーに、そんなに夜遅く来るように頼むなんて、初めてのことだった。いったいなんなのか、ハリーはとても知りたかった。

その晩、早めにベッドに入るふりをしたハリーは、十一時半になると、透明マントをかぶり、こっそりと談話室に戻った。寮生がまだたくさん残っていた。クリービー兄弟は「セドリックを応援しよう」バッジを首尾よくごっそり手に入れ、魔法をかけて「ハリー・ポッターを応援しよう」に変えようとしていた。しかし、これまでのところ、「汚いぞ、ポッター」で文字の動きを止めるのが精いっぱいだった。ハリーはそっと二人のそばを通り抜け、肖像画の穴の所で時計を見ながら、一分くらい待った。すると、計画どおり、ハーマイオニーが外から「太った婦人(レディ)」を開けてくれた。ハーマイオニーとすれちがいざま、ハリーは「ありがと！」とささやき、城の中を通り抜けていった。

校庭は真っ暗だった。ハリーはハグリッドの小屋に輝く灯(あか)りを目指して芝生を歩いた。ボーバトンの巨大な馬車も明かりがついていた。ハリーはハグリッドの小屋の戸をノックしたとき、ハリーはマダム・マクシームが馬車の中で話している声を聞いた。

「ハリー、おまえさんか？」

戸を開けてきょろきょろしながら、ハグリッドが声をひそめて言った。

「うん」

ハリーは小屋の中にすべり込み、マントを引っ張って頭から脱いだ。

「なんなの？」

「ちょっくら見せるものがあってな」ハグリッドが言った。

ハグリッドはなんだかひどく興奮していた。服のボタン穴に育ちすぎたアーティチョークのような花を挿している。車軸用のグリースを髪につけることはあきらめたらしいが、まちがいなく髪をとかしつけようとしたらしい――欠けた櫛の歯が髪にからまっているのを、ハリーは見てしまった。

「何を見せたいの？」

ハリーは、スクリュートが卵を産んだのか、それともハグリッドがパブで知らない人から、また三頭犬を買ったのかと、いろいろ想像してこわごわ聞いた。

「一緒に来いや。だまって、マントをかぶったまんまでな」

ハグリッドが言った。

「ファングは連れていかねえ。こいつが喜ぶようなもんじゃねえし……」

「ねえ、ハグリッド、僕、あまりゆっくりできないよ……午前一時までに城に帰っていないといけないんだ――」

しかし、ハグリッドは、聞いていなかった。小屋の戸を開けてずんずん暗闇の中に出ていった。ハリーは急いであとを追ったが、ハグリッドがハリーをボーバトンの馬車のほうに連れていくのに気づいて驚いた。

「ハグリッド、いったい――？」

「シーッ！」

ハグリッドはハリーをだまらせ、金色の杖が交差した紋章のついた扉を三度ノックした。

マダム・マクシームが扉を開けた。シルクのショールを堂々たる肩に巻きつけている。ハグリッドを見て、マダムはにっこりした。

「あぁ、アグリッド……時間でーす?」

「ボング・スーワー(ボンソワール)」

ハグリッドがマダムに向かって笑いかけ、マダムが金色の踏み段を下りるのに手を差し伸べた。

マダム・マクシームは後ろ手に扉を閉め、ハグリッドがマダムに腕を差し出し、二人はマダムの巨大な天馬が囲われているパドックを回り込んで歩いていった。ハリーは何がなんだかわからないまま、二人に追いつこうと走ってついていった。ハグリッドはハリーにマダム・マクシームを見せたかったのだろうか? マダムならハリーはいつだって好きなときに見ることができるのに……マダムを見落とすのはなかなか難しいもの……。

しかし、どうやら、マダム・マクシームもハリーと同じもてなしにあずかるらしい。しばらくしてマダムがつやっぽい声で言った。

「アグリッド、いったいわたしを、どーこにつれていくのでーすか?」

「きっと気に入る」

ハグリッドの声は愛想なしだ。

「見る価値ありだ、ほんとだ。たーだ——俺が見せたってことは誰にも言わねえでくれ、いいかね? あなたは知ってはいけねえことになってる」

「もちろーんです」

マダム・マクシームは長い黒いまつげをパチパチさせた。

そして二人は歩き続けた。そのあとを小走りについていきながら、ハリーはだんだん落ち着かなくなってきた。腕時計をひんぱんにのぞき込んだ。ハグリッドの気まぐれなくわだてのせいで、ハリーは、シリウスに会いそこねるかもしれない。もう少しで目的地に着くのでなければ、まっすぐに城に引き返そう。ハグリッドは、マダム・マクシームと二人で月明かりのお散歩としゃれ込めばいい……。

しかし、その時――禁じられた森の周囲をずいぶん歩いたので、城も湖も見えなくなっていたが――ハリーは何か物音を聞いた。前方で男たちがどなっている……続いて耳をつんざく大咆哮（ほうこう）……。

ハグリッドは木立を回り込むようにマダム・マクシームを導き、立ち止まった。ハリーも急いでついていった――一瞬、ハリーはたき火を見たのだと思った。男たちがその周りを跳び回っているのを見たのだと――次の瞬間、ハリーはあんぐり口を開けた。

ドラゴンだ。

見るからに獰猛（どうもう）な四頭の巨大な成獣が、分厚い板で柵をめぐらした囲い地の中に、後脚で立ち上がり、吼（ほ）え猛（たけ）り、鼻息を荒らげている――地上十五、六メートルもの高さに伸ばした首の先で、カッと開いた口は牙をむき、暗い夜空に向かって火柱を噴き上げていた。長い鋭い角を持つ、シルバーブルーの一頭は、地上の魔法使いたちに向かって唸（うな）り、牙を鳴らしてかみつこうとしている。すべすべしたうろこを持つ緑の一頭は、全身をくねらせ、力のかぎり脚を踏み鳴らしている。赤い一頭は、顔の周りに奇妙な金色の細いとげの縁取りがあり、キノコ形の火炎を吐いている。ハリーたちに一番近い所にいた巨大な黒い一頭は、ほかの三頭に比べるとトカゲに似ている。

一頭につき七、八人、全部で少なくとも三十人の魔法使いが、ドラゴンの首や足に回した太い革バンドに鎖をつけ、その鎖を引いてドラゴンを抑えようとしていた。怖いもの見たさに、ハリーはずっと上を見上げた。黒ドラゴンの目が見えた。猫のように縦に瞳孔の開いたその目が、怒りからか、恐れからか――ハリーにはどちらともわからなかったが――飛び出している……そして恐ろしい音を立てて暴れ、悲しげに吼え、ギャーッギャーッとかん高い怒りの声を上げていた……。

「離れて、ハグリッド！」

柵のそばにいた魔法使いが、握った鎖を引きしめながら叫んだ。

「ドラゴンの吐く炎は、六、七メートルにもなるんだから！　このホーンテールなんか、その倍も噴いたのを、僕は見たんだ！」

「きれいだよなあ？」ハグリッドがいとおしそうに言った。

「これじゃだめだ！」別の魔法使いが叫んだ。

「一、二の三で『失神の呪文』だ！」

ハリーは、ドラゴン使いが全員杖を取り出すのを見た。

「ステューピファイ！　まひせよ！」

全員がいっせいに唱えた。「失神の呪文」が火を吐くロケットのように、闇に飛び、ドラゴンのうろこに覆われた皮に当たって火花が滝のように散った——。

ハリーの目の前で、一番近くのドラゴンが、後脚で立ったまま危なっかしげによろけた。両あごはワッと開けたまま、吼え声が急に消え、鼻の穴からは突然炎が消えた——まだくすぶってはいたが——それから、ゆっくりとドラゴンは倒れた——筋骨隆々の、うろこに覆われた黒ドラゴンの数トンもある胴体がドサッと地面を打った。その衝撃で、ハリーの後ろの木立が激しく揺れ動いた。

ドラゴン使いたちは、杖を下ろし、それぞれ担当のドラゴンに近寄った。一頭一頭が小山ほどの大きさだ。ドラゴン使いは急いで鎖をきつくしめ、しっかりと鉄の杭に縛りつけ、その杭を、杖で地中に深々と打ち込んだ。

「近くで見たいかね？」

ハグリッドは興奮して、マダム・マクシームに尋ねた。二人は柵のすぐそばまで移動し、ハリーもついていった。ハグリッドに、それ以上近寄るなと警告した魔法使いがやってきた。そしてハリーは、初めて、それが誰なのか気づいた——チャーリー・ウィーズリーだった。

「大丈夫かい？　ハグリッド？」

チャーリーがハアハア息をはずませている。

「ドラゴンはもう安全だと思う——こっちに来る途中『眠り薬』でおとなしくさせたんだ。暗くて静かな所で目覚めたほうがいいだろうと思って——ところが、見てのとおり、連中は機嫌が悪いのなんのって——」

「チャーリー、どの種類を連れてきた？」

ハグリッドは、一番近いドラゴン——黒ドラゴン——をほとんど崇めるような目つきでじっと見ていた。黒ドラゴンはまだ薄目を開けていた。しわの刻まれた黒いまぶたの下でギラリと光る黄色い筋を、ハリーは見た。

「こいつはハンガリー・ホーンテールだ」チャーリーが言った。

「むこうのはウェールズ・グリーン普通種、少し小型だ——スウェーデン・ショート‐スナウト種、あの青みがかったグレーのやつ——それと、中国火の玉種、あの赤いやつ」

チャーリーはあたりを見回した。マダム・マクシームが、「失神」させられたドラゴンをじっと見ながら、囲い地の周りをゆっくり歩いていた。

「あの人を連れてくるなんて、知らなかったぜ、ハグリッド」

チャーリーが顔をしかめた。

「代表選手は課題を知らないことになってる——あの人はきっと自分の生徒にしゃべるだろう？」

「あの人が見たいだろうって思っただけだ」

ハグリッドはうっとりとドラゴンを見つめたままで、肩をすくめた。

「ハグリッド、まったくロマンチックなデートだよ」チャーリーがやれやれと頭を振った。

「四頭……」

ハグリッドが言った。

「そんじゃ、一人の代表選手に一頭っちゅうわけか？　何をするんだ――戦うのか？」

「うまく出し抜くだけだ。たぶん」

チャーリーが言った。

「ひどいことになりかけたら、僕たちが控えていて、いつでも『消火呪文』をかけられるようになっている。営巣中の母親ドラゴンが欲しいという注文だった。なぜかは知らない……でも、これだけは言えるな。ホーンテールに当たった選手はお気の毒さま。狂暴なんだ。しっぽのほうも正面と同じぐらい危険だよ。ほら」

チャーリーはホーンテールの尾を指差した。ハリーが見ると、長いブロンズ色のとげが、しっぽ全体に数センチおきに突き出していた。

その時、チャーリーの仲間のドラゴン使いが、灰色の花崗岩のような巨大な卵をいくつか毛布にくるみ、五人がかりで、よろけながらホーンテールに近づいてきた。五人はホーンテールのそばに、注意深く卵を置いた。ハグリッドは、欲しくてたまらなそうなうめき声をもらした。

「僕、ちゃんと数えたからね、ハグリッド」

チャーリーが厳しく言った。それから、「ハリーは元気？」と聞いた。

「元気だ」ハグリッドはまだ卵に見入っていた。

「こいつらに立ち向かったあとでも、まだ元気だといいんだが」

ドラゴンの囲い地を見やりながらチャーリーが暗い声を出した。

「ハリーが第一の課題で何をしなければならないか、僕、おふくろにはとっても言えない。ハリーのことが心配で、いまだって大変なんだ……」

チャーリーは母親の心配そうな声をまねした。

「『**どうしてあの子を試合に出したりするの！　まだ若すぎるのに！　子供たちは全員安全だと思っていたのに。年齢制限があると思っていたのに！**』ってさ。『日刊予言者新聞』にハリーのことがのってからは、もう涙、涙だ。『**あの子はいまでも両親を思って泣くんだわ！　ああ、かわいそうに。知らなかった！**』」

ハリーはこれでもう充分だと思った。ハグリッドは僕がいなくなっても気づかないだろう。マダム・マクシームと四頭のドラゴンの魅力で手いっぱいだ。ハリーはそっとみんなに背を向け、城に向かって歩きはじめた。

これから起こることを見てしまったのが、喜ぶべきことなのかどうか、ハリーにはわからなかった。たぶん、このほうがよかったのだ。最初のショックは過ぎた。火曜日にはじめてドラゴンを見たなら、全校生の前でばったり気絶してしまったかもしれない……どっちにしても気絶するかもしれないが……敵は十五、六メートルもある、うろこととげに覆われた、火を吐くドラゴンだ。ハリーの武器といえば、杖だ――そんな杖など、いまや細い棒切れほどにしか感じられない――しかも、ドラゴンを出し抜かなければならない。みんなの見ている前で。いったい**どうやって？**

ハリーは禁じられた森の端に沿って急いだ。あと十五分足らずで暖炉のそばに戻って、シリウスと話をするのだ。シリウスと話したい。こんなに強く誰かと話をしたいと思ったことは、一度もない――その時、出し抜けにハリーは何か固いものにぶつかった。仰向けにひっくり返り、めがねがはずれたが、ハリーはしっかりと透明マントにしがみついていた。近くで声がした。

「アイタッ！　誰だ？」

ハリーはマントが自分を覆っているかどうかを急いで確かめ、じっと動かずに横たわって、ぶつかった相手の魔法使いの黒いシルエットを見上げた。山羊ひげが見えた……カルカロフだ。

「誰だ？」

カルカロフが、いぶかしげに暗闇を見回しながらくり返した。ハリーは身動きせず、だまっていた。一分ほどして、カルカロフは、何か獣にでもぶつかったのだろうと納得したらしい。犬でも探すように、腰の高さを見回した。それから、カルカロフは再び木立に隠れるようにして、ドラゴンのいたあたりに向かってそろそろと進みはじめた。

ハリーは、ゆっくり、慎重に立ち上がり、できるだけ物音を立てないようにしながら、暗闇の中をホグワーツへと急げるだけ急いだ。

カルカロフが何をしようとしていたか、ハリーにはよくわかっていた。こっそり船を抜け出し、第一の課題がなんなのかを探ろうとしたのだ。もしかしたら、ハグリッドとマダム・マクシームが禁じられた森のほうへ向かうのを目撃したのかもしれない――あの二人は遠くからでもたやすく目につく……それに、カルカロフはいまやただ人声のするほうに行けばよいのだ。カルカロフもマダム・マクシームと同じに、何が代表選手を待ち受けているかを知ることになるだろう。すると、火曜日にまったく未知の課題にぶつかる選手は、セドリックただ一人ということになる。

城にたどり着き、正面の扉をすり抜け、大理石の階段を上りはじめたハリーは、息も絶え絶えだったが、速度をゆるめるわけにはいかない……あと五分足らずで暖炉の所まで行かなければ……。

「**たわごと！**」

ハリーは、穴の前の肖像画の額の中でまどろんでいる「太った婦人」に向かってゼイゼイと呼びかけた。

「ああ、そうですか」

婦人は目も開けずに、眠そうにつぶやき、前にパッと開いてハリーを通した。ハリーは穴を這い上った。談話室には誰もいない。においもいつもと変わりない。ハリーとシリウスを二人っきりにするために、ハーマイオニーがクソ爆弾を爆発させる必要はなかったということだ。

ハリーは透明マントを脱ぎ捨て、暖炉の前のひじかけ椅子に倒れ込んだ。部屋は薄暗く、暖炉の炎だけが明かりを放っていた。クリービー兄弟がなんとかしようとがんばっていた「セドリック・ディゴリーを応援しよう」バッジが、そばのテーブルで、暖炉の火を受けてチカチカしていた。いまや、「ほんとに汚いぞ、ポッター」に変わっていた。暖炉の炎を振り返ったハリーは、飛び上がった。

シリウスの生首が炎の中に座っていた。ウィーズリー家のキッチンで、ディゴリー氏がまったく同じことをするのを見ていなかったら、ハリーは縮み上がったにちがいない。怖がるどころか、ここしばらく笑わなかったハリーが、久しぶりにニッコリした。ハリーは、急いで椅子から飛び下り、暖炉の前にかがみ込んで話しかけた。

「シリウスおじさん——元気なの？」

シリウスの顔は、ハリーの覚えている顔とちがって見えた。さよならを言ったときは、シリウスの顔はやせこけ、目が落ちくぼみ、黒い長髪がもじゃもじゃとからみついて、顔の周りを覆っていた——でもいまは、髪をこざっぱりと短く切り、顔は丸みを帯び、あの時より若く見えた。ハリーがたった一枚だけ持っているシリウスのあの写真、両親の結婚式のときの写真に近かった。

「私のことは心配しなくていい。君はどうだね？」シリウスは真剣な口調だった。

「僕は――」

ほんの一瞬、「元気です」と言おうとした――しかし、言えなかった。せきを切ったように言葉がほとばしり出た。ここ何日か分の穴埋めをするように、ハリーは一気にしゃべった――自分の意思でゴブレットに名前を入れたのではないと言っても、誰も信じてくれなかったこと、リータ・スキーターが「日刊予言者新聞」でハリーについて嘘八百を書いたこと、廊下を歩いていると必ず誰かがからかうこと――そして、ロンのこと。ロンがハリーを信用せず、やきもちを焼いている……。

「……それに、ハグリッドがついさっき、第一の課題がなんなのか、僕に見せてくれたの。ドラゴンなんだよ、シリウス。僕、もうおしまいだ」

ハリーは絶望的になって話し終えた。

シリウスは憂いに満ちた目でハリーを見つめていた。アズカバンがシリウスに刻み込んだまなざしが、まだ消え去ってはいない――死んだような、憑かれたようなまなざしだ。シリウスはハリーがだまり込むまで、口をはさまずしゃべらせたあと、口を開いた。

「ドラゴンは、ハリー、なんとかなる。しかし、それはちょっとあとにしよう――あまり長くはいられない……この火を使うのに、とある魔法使いの家に忍び込んだのだが、家の者がいつ戻ってこないともかぎらない。君に警告しておかなければならないことがあるんだ」

「なんなの？」

ハリーは、ガクンガクンと数段気分が落ち込むような気がした……ドラゴンより悪いものがあるんだろうか？

「カルカロフだ」

シリウスが言った。

「ハリー、あいつは『死喰い人』だった。それが何か、わかってるね？」

「ええ――えっ？――あの人が？」

「あいつは逮捕された。アズカバンで一緒だった。しかし、あいつは釈放された。ダンブルドアが今年『闇祓い』をホグワーツに置きたかったのは、そのせいだ。絶対まちがいない――あいつを監視するためだ。カルカロフを逮捕したのはムーディだ。そもそもムーディがやつをアズカバンにぶち込んだ」

「カルカロフが釈放された？」

ハリーはよく飲み込めなかった。脳みそが、また一つショックな情報を吸収しようとしてもがいていた。

「どうして釈放したの？」

「魔法省と取引をしたんだ」

シリウスが苦々しげに言った。

「自分が過ちを犯したことを認めると言った。そしてほかの名前を吐いた……自分のかわりにずいぶん多くの者をアズカバンに送った……言うまでもなく、あいつはアズカバンでは嫌われ者だ。そして、出獄してからは、私の知るかぎり、自分の学校に入学する者には全員に『闇の魔術』を教えてきた。だから、ダームストラングの代表選手にも気をつけなさい」

「うん。でも……カルカロフが僕の名前をゴブレットに入れたっていうわけ？　だって、もしカルカロフの仕業なら、あの人、ずいぶん役者だよ。カンカンに怒っていたように見えた。僕が参加するのを阻止しようとした」

ハリーは考えながらゆっくり話した。

「やつは役者だ。それはわかっている」

シリウスが言った。

「何しろ、魔法省に自分を信用させて、釈放させたやつだ。さてと、『日刊予言者新聞』にはずっと注目してきたよ、ハリー――」

「シリウスおじさんもそうだし、世界中がそうだね」ハリーは苦い思いがした。

「――そして、スキーター女史の先月の記事の行間を読むと、ムーディがホグワーツに出発する前の晩に襲われた。いや、あの女が、またから騒ぎだったと書いていることは承知している」

ハリーが何か言いたそうにしたのを見て、シリウスが急いで説明した。

「しかし、私はちがうと思う。誰かが、ムーディがホグワーツに来るのを邪魔しようとしたのだ。ムーディが近くにいると、仕事がやりにくくなるということを知っているヤツがいる。ムーディの件は誰も本気になって追及しないだろう。マッド-アイは、侵入者の物音を聞いたと、あんまりしょっちゅう言いすぎた。しかし、そうだからといってムーディがもう本物を見つけられないというわけではない。ムーディは魔法省始まって以来の優秀な闇祓いだった」

「じゃ……シリウスおじさんの言いたいのは？」

ハリーはそう言いながら考えていた。

「カルカロフが僕を殺そうとしているってこと？　でも――なぜ？」

シリウスは戸惑いを見せた。

「近ごろどうもおかしなことを耳にする」

シリウスも考えながら答えた。

「死喰い人の動きが最近活発になっているらしい。クィディッチ・ワールドカップで正体を現しただろう？　誰かが『闇の印』を打ち上げた……それに――行方不明になっている魔法省の魔女職員のことは聞いているかね？」

「バーサ・ジョーキンズ？」

「そうだ……アルバニアで姿を消した。ヴォルデモートが最後にそこにいたといううわさのある場所ずばりだ……その魔女は、三校対抗試合が行われることを知っていたはずだね？」

「ええ、でも……その魔女がヴォルデモートにばったり出会うなんて、ちょっと考えられないでしょう？」ハリーが言った。

「いいかい。私はバーサ・ジョーキンズを知っていた」

シリウスが深刻な声で言った。

「私と同じ時期にホグワーツにいた。君の父さんや私より二、三年上だ。とにかく愚かな女だった。知りたがり屋で、頭がまったくからっぽ。これは、いい組み合わせじゃない。ハリー、バーサなら、簡単に罠にはまるだろう」

「じゃ……それじゃ、ヴォルデモートが試合のことを知ったかもしれないって？　そういう意味なの？カルカロフがヴォルデモートの命を受けてここに来たと、そう思うの？」

「わからない」

シリウスは考えながら答えた。

「とにかくわからないが……カルカロフは、ヴォルデモートの力が強大になって、自分を護ってくれると確信しなければ、ヴォルデモートの下に戻るような男ではないだろう。しかし、ゴブレットに君の名前を入れたのが誰であれ、理由があって入れたのだ。それに、試合は、君を襲うには好都合だし、事故に見せかけるにはいい方法だと考えざるをえない」

「僕のいまの状況から考えると、ほんとうにうまい計画みたい」

ハリーが力なく言った。

「自分はのんびり見物しながら、ドラゴンに仕事をやらせておけばいいんだもの」

「そうだ——そのドラゴンだが」シリウスは早口になった。

「ハリー、方法はある。『失神の呪文』を使いたくても、使うな——ドラゴンは強いし、強力な魔力を持っているから、たった一人の呪文でノックアウトできるものではない。半ダースもの魔法使いが束になってかからないと、ドラゴンは抑えられない——」

「うん。わかってる。さっき見たもの」ハリーが言った。

「しかし、それが一人でもできる方法があるのだ。簡単な呪文があればいい。つまり——」

しかし、ハリーは手を上げてシリウスの言葉をさえぎった。心臓が破裂しそうに、急にドキドキしだした。背後の螺旋(らせん)階段を誰かが下りてくる足音を聞いたのだ。

「行って！」

ハリーは声を殺してシリウスに言った。

「**行って！** 誰か来る！」

ハリーは急いで立ち上がり、暖炉の火を体で隠した——ホグワーツの城内で誰かがシリウスの顔を見ようものなら、何もかもひっくり返るような大騒ぎになるだろう——魔法省が乗り込んでくるだろう——ハリーは、シリウスの居場所を問い詰められるだろう——。

背後で**ポン**と小さな音がした。それで、シリウスがいなくなったのだとわかった——ハリーは螺旋階段の下を見つめていた——午前一時に散歩を決め込むなんて、いったい誰だ？　ドラゴンをうまく出し抜くやり方を、シリウスがハリーに教えるのを邪魔したのは誰なんだ？

ロンだった。栗色のペーズリー柄のパジャマを着たロンが、部屋の反対側で、ハリーと向き合ってぴたりと立ち止まり、あたりをきょろきょろ見回した。

「誰と話してたんだ?」

ロンが聞いた。

「君には関係ないだろう?」

ハリーが唸るように言った。

「こんな夜中に、何しにきたんだ?」

「君がどこに――」

ロンは途中で言葉を切り、肩をすくめた。

「別に。僕、ベッドに戻る」

「ちょっとかぎ回ってやろうと思ったんだろう?」

ハリーがどなった。ロンは、ちょうどどんな場面にでくわしたのか知るはずもないし、わざとやったのではないと、ハリーにはよくわかっていた。しかし、そんなことはどうでもよかった――ハリーは、いまこの瞬間、ロンのすべてが憎らしかった。パジャマの下から数センチはみ出している、むき出しのくるぶしまでが憎たらしかった。

「悪かったね」

ロンは怒りで顔を真っ赤にした。

「君が邪魔されたくないんだってこと、認識しておくべきだったよ。どうぞ、次のインタビューの練習を、お静かにお続けください」

ハリーは、テーブルにあった「ほんとに汚いぞ、ポッター」バッジを一つつかむと、力まかせに部屋のむこう側に向かって投げつけた。バッジはロンの額に当たり、跳ね返った。

「そーら」

ハリーが言った。

「火曜日にそれをつけていけよ。うまくいけば、たったいま、君も額に傷痕ができたかもしれない……。傷が欲しかったんだろう？」

ハリーは階段に向かってずんずん歩いた。ロンが引き止めてくれないかと、半ば期待していた。ロンにパンチを食らわされたいとさえ思った。しかし、ロンはつんつるてんのパジャマを着て、ただそこに突っ立っているだけだった。ハリーは、荒々しく寝室に上がり、長いこと目を開けたままベッドに横たわり、怒りに身を任せていた。

ロンがベッドに戻ってくる気配はついになかった。

第20章　第一の課題

日曜の朝、起きて服を着はじめたものの、ハリーは上の空で、足に靴下をはかせるかわりに帽子をかぶせようとしていたことに気づくまで、しばらくかかった。やっと、体のそれぞれの部分にあてはまる服を身に着け、ハリーは急いでハーマイオニーを探しに部屋を出た。

ハーマイオニーは大広間のグリフィンドール寮のテーブルで、ジニーと一緒に朝食をとっていた。ハリーは、むかむかしてとても食べる気になれず、ハーマイオニーがオートミールの最後のひとさじを飲み込むまで待って、それからハーマイオニーを引っ張って校庭に出た。湖のほうへ二人でまた長い散歩をしながら、ハリーはドラゴンのこと、シリウスの言ったことをすべてハーマイオニーに話して聞かせた。

シリウスがカルカロフを警戒せよと言ったことは、ハーマイオニーを驚かせはしたが、やはり、ドラゴンのほうがより緊急の問題だというのがハーマイオニーの意見だった。

「とにかく、あなたが火曜日の夜も生きているようにしましょう」

ハーマイオニーは必死の面持ちだった。

「それからカルカロフのことを心配すればいいわ」

ドラゴンを抑えつける簡単な呪文とはなんだろうと、いろいろ考えて、二人は湖の周りを三周もしていた。まったく何も思いつかなかった。そこで二人は図書館にこもった。ハリーは、ここで、ドラゴンに関するありとあらゆる本を引っ張り出し、二人で山と積まれた本に取り組みはじめた。

「**鉤爪（かぎづめ）を切る呪文……くさった鱗（うろこ）の治療……**だめだ。こんなのは、ドラゴンの健康管理をしたがるハグリッドみたいな変わり者用だ……」

『ドラゴンを殺すのは極めて難しい。古代の魔法が、ドラゴンの分厚い皮に浸透したことにより、最強の呪文以外は、どんな呪文もその皮を貫くことはできない』……だけど、シリウスは簡単な呪文が効くって言ったわよね……」

「それじゃ、簡単な呪文集を調べよう」

ハリーは『ドラゴンを愛しすぎる男たち』の本をポイッと放った。

ハリーは呪文集をひと山抱えて机に戻り、本を並べて次々にパラパラとページをめくりはじめた。

ハーマイオニーはハリーのすぐ脇で、ひっきりなしにブツブツ言っていた。

「ウーン、『取り替え呪文』があるけど……でも、取り替えてどうにかなるの？　牙のかわりにマシュマロか何かに取り替えたら、少しは危険でなくなるけど……問題は、さっきの本にも書いてあったように、ドラゴンの皮を貫くものがほとんどないってことなのよ……変身させてみたらどうかしら。でも、あんなに大きいと、あんまり望みないわね。マクゴナガル先生でさえだめかも……もっとも、**自分自身に呪文をかける**っていう手があるじゃない？　自分にもっと力を与えるのはどう？　だけど、**そういうのは**簡単な呪文じゃないわね。つまり、まだそういうのは授業で一つも習ってないもの。私はO・W・L（ふくろう）の模擬試験をやってみたから、そういうのがあるって知ってるだけ……」

「ハーマイオニー」ハリーは歯を食いしばって言った。

「ちょっとだまっててくれない？　僕、集中したいんだ」

しかし、いざハーマイオニーが静かになってみれば、ハリーの頭の中は真っ白になり、ブンブンという音で埋まってしまい、集中するどころではなかった。ハリーは救いようのない気持ちで、本の索引をたどっていた。

「『忙しいビジネス魔ンのための簡単な呪文――即席頭の皮はぎ』……でもドラゴンは髪の毛がないよ……**胡椒入りの息**……これじゃ、ドラゴンの吐く火が強くなっちゃう……**角のある舌**……ばっちりだ。これじゃ敵にもう一つ武器を与えてしまうじゃないか……」

「ああ、いやだ。**また**あの人だわ。どうして自分のボロ船で読書しないのかしら？」

ハーマイオニーがいらいらした。ビクトール・クラムが入ってくるところだった。いつもの前かがみで、むっつりと二人を見て、本の山と一緒に遠くの隅に座った。

「行きましょうよ、ハリー。談話室に戻るわ……。あの人のファンクラブがすぐ来るわ。ピーチクパーチクって……」

そして、そのとおり、二人が図書館を出るとき、女子学生の一団が、忍び足で入ってきた。中の一人は、ブルガリアのスカーフを腰に巻きつけていた。


ハリーはその夜、ほとんど眠れなかった。月曜の朝目覚めたとき、ハリーは初めて真剣にホグワーツから逃げ出すことを考えた。しかし、朝食のときに大広間を見回して、ホグワーツ城を去るということが何を意味するかを考えたとき、ハリーはやはりそれはできないと思った。ハリーがいままでに幸せだと感じたのは、ここしかない……そう、両親と一緒だったときも、きっと幸せだったろう。しかし、ハリーはそれを覚えていない。

ここにいてドラゴンに立ち向かうほうが、ダドリーと一緒のプリベット通りに戻るよりはましだ。それがはっきりしただけで、ハリーは少し落ち着いた。無理やりベーコンを飲み込み（ハリーののどは、あまりうまく機能していなかった）、ハリーとハーマイオニーが立ち上がると、ちょうどセドリック・

ディゴリーもハッフルパフのテーブルを立つところだった。

セドリックはまだドラゴンのことを知らない……マダム・マクシームとカルカロフが、ハリーの考えるとおり、フラーとクラムに話をしていたとすれば、代表選手の中でただ一人知らないのだ。

セドリックが大広間を出ていくところを見ていて、ハリーの気持ちは決まった。

「ハーマイオニー、温室で会おう。先に行って。すぐ追いつくから」ハリーが言った。

「ハリー、遅れるわよ。もうすぐベルが鳴るのに――」

「追いつくよ。オッケー?」

ハリーが大理石の階段の下に来たとき、セドリックは階段の上にいた。六年生の友達が大勢一緒だった。ハリーはその生徒たちの前でセドリックに話をしたくなかった。みんな、ハリーが近づくといつも、リータ・スキーターの記事を持ち出す連中だった。ハリーは間をあけてセドリックのあとをつけた。すると、セドリックが呪文学の教室への廊下に向かっていることがわかった。そこで、ハリーはひらめいた。一団から離れた所で、ハリーは杖を取り出し、しっかりねらいを定めた。

「**ディフィンド! 裂けよ!**」

セドリックの鞄が裂けた。羊皮紙やら、羽根ペン、教科書がバラバラと床に落ち、インク瓶がいくつか割れた。

「かまわないで」

友人がかがみ込んで手伝おうとしたが、セドリックは、まいったなという声で言った。

「フリットウィックに、すぐ行くって伝えてくれ。さあ行って……」

ハリーの思うつぼだった。杖をローブにしまい、ハリーはセドリックの友達が教室へと消えるのを待った。そして、二人しかいなくなった廊下を、急いでセドリックに近づいた。

「やあ」

インクまみれになった『上級変身術』の教科書を拾い上げながら、セドリックが挨拶した。

「僕の鞄、たったいま、破れちゃって……まだ新品なんだけど……」

「セドリック、第一の課題はドラゴンだ」

「えっ?」セドリックが目を上げた。

「ドラゴンだよ」

ハリーは早口でしゃべった。フリットウィック先生がセドリックはどうしたかと見に出てきたら困る。

「四頭だ。一人に一頭。僕たち、ドラゴンを出し抜かないといけない」

セドリックはまじまじとハリーを見た。ハリーが土曜日の夜以来感じてきた恐怖感が、いまセドリックのグレーの目にちらついているのを、ハリーは見た。

「確かかい?」セドリックが声をひそめて聞いた。

「絶対だ。僕、見たんだ」ハリーが答えた。

「しかし、君、どうしてわかったんだ? 僕たち知らないことになっているのに……」

「気にしないで」

ハリーは急いで言った——ほんとうのことを話したら、ハグリッドが困ったことになるとわかっていた。

「だけど、知ってるのは僕だけじゃない。フラーもクラムも、もう知っているはずだ——マダム・マクシームとカルカロフの二人も、ドラゴンを見た」

セドリックはインクまみれの羽根ペンや、羊皮紙、教科書を腕いっぱいに抱えて、すっと立った。破れた鞄が肩からぶら下がっている。セドリックはハリーをじっと見つめた。当惑したような、ほとんど疑っているような目つきだった。

「どうして、僕に教えてくれるんだい？」セドリックが聞いた。

ハリーは信じられない気持ちでセドリックを見た。セドリックだって自分の目であのドラゴンを見ていたなら、絶対にそんな質問はしないだろうに。最悪の敵にだって、ハリーはなんの準備もなくあんな怪物に立ち向かわせたりはしない――まあ、マルフォイやスネイプならどうかわからないが……。

「だって……それがフェアじゃないか？」

ハリーは答えた。

「もう僕たち全員が知ってる……これで足並みがそろったんじゃない？」

セドリックはまだ少し疑わしげにハリーを見つめていた。その時、聞き慣れたコツッ、コツッという音がハリーの背後から聞こえた。振り向くと、マッド-アイ・ムーディが近くの教室から出てくる姿が目に入った。

「ポッター、一緒に来い」

ムーディが唸るような声で言った。

「ディゴリー、もう行け」

ハリーは不安げにムーディを見た。二人の会話を聞いたのだろうか？

「あの――先生。僕、薬草学の授業が――」

「かまわん、ポッター。わしの部屋に来てくれ……」

ハリーは、今度は何が起こるのだろうと思いながら、ムーディについていった。ハリーがどうしてドラゴンのことを知ったか、ムーディが問いただしたいのだとしたら？　ムーディはハグリッドのことをダンブルドアに告げ口するのだろうか？　それとも、ハリーをケナガイタチに変えてしまうだけだろうか？　まあ、イタチになったほうが、ドラゴンを出し抜きやすいかもしれないな、とハリーはぼんやり考えた。小さくなったら、十五、六メートルの高さからはずっと見えにくくなるし……。

ハリーはムーディの部屋に入った。ムーディはドアを閉め、向きなおってハリーを見た。「魔法の目」も、普通の目も、ハリーに注がれた。

「いま、おまえのしたことは、ポッター、非常に道徳的な行為だ」ムーディは静かに言った。

ハリーはなんと言ってよいかわからなかった。こういう反応はまったく予期していなかった。

「座りなさい」

ムーディに言われてハリーは座り、あたりを見回した。

この部屋には、これまで二人のちがう先生のときに、何度か来たことがある。ロックハート先生のときは、壁にべたべた貼られた先生自身の写真がニッコリしたり、ウィンクしたりしていた。ルーピンがいたときは、先生がクラスで使うために手に入れた、新しい、なんだかおもしろそうな闇の生物の見本が置いてあったものだった。しかし、いま、この部屋は、とびっきり奇妙なものでいっぱいだった。ムーディが闇祓い（やみばら）時代に使ったものだろうとハリーは思った。

机の上には、ひびの入った大きなガラスの独楽のようなものがあった。それが「かくれん防止器（スニーコスコープ）」だとハリーはすぐにわかった。ムーディのよりはずっと小さいが、ハリーも一つ持っていたからだ。隅っこの小さいテーブルには、ことさらにくねくねした金色のテレビアンテナのようなものが立っている。かすかにブーンと唸りを上げていた。ハリーのむかい側の壁にかかった鏡のようなものは、部屋を映してはいない。影のようなぼんやりした姿が、中でうごめいていた。どの姿もぼやけている。

「わしの『闇検知器』が気に入ったか？」

ハリーを観察していたムーディが聞いた。

「あれはなんですか？」

ハリーは金色のくねくねアンテナを指差した。

「秘密発見器だ。何か隠しているものや、うそを探知すると振動する……ここでは、もちろん、干渉波が多すぎて役に立たない――生徒たちが四方八方でうそをついている。なぜ宿題をやってこなかったかとかだがな。ここに来てからというもの、ずっと唸りっぱなしだ。かくれん防止器も止めておかないといけなくなった。ずっと警報を鳴らし続けるのでな。こいつは特別に感度がよく、半径二キロの事象を拾う。もちろん、子供のガセネタばかりを拾っているわけではないはずだが」ムーディは唸るように最後の言葉をつけ足した。

「それじゃ、あの鏡はなんのために？」

「ああ、あれは、わしの『敵鏡（てきかがみ）』だ。こそこそ歩き回っているのが見えるか？　やつらの白目が見えるほどに接近してこないうちは、安泰だ。見えたときには、わしのトランクを開くときだ」

ムーディは短く乾いた笑いをもらし、窓の下に置いた大きなトランクを指差した。七つの鍵穴が一列に並んでいる。いったい何が入っているのかと考えていると、ムーディが問いかけてきたので、ハリーは突然現実に引き戻された。

「すると……ドラゴンのことを知ってしまったのだな？」

ハリーは言葉に詰まった。これを恐れていた――しかし、ハリーはセドリックにも言わなかったし、ムーディにもけっして言わないつもりだ。ハグリッドが規則を破ったなどと言うものか。

「大丈夫だ」

ムーディは腰を下ろして、木製の義足を伸ばし、うめいた。

「カンニングは三校対抗試合の伝統で、昔からあった」

「僕、カンニングしてません」

ハリーはきっぱり言った。

「ただ——偶然知ってしまったんです」

ムーディはニヤリとした。

「お若いの、わしは責めているわけではない。はじめからダンブルドアに言ってある。ダンブルドアはあくまでも高潔にしていればよいが、あのカルカロフやマクシームは、けっしてそういうわけにはいくまいとな。連中は、自分たちが知るかぎりのすべてを、代表選手にもらすだろう。連中は勝ちたい。ダンブルドアを負かしたい。ダンブルドアも普通のヒトだと証明してみせたいのだ」

ムーディはまた乾いた笑い声を上げ、「魔法の目」がぐるぐる回った。あまりに速く回るので、ハリーは見ていて気分が悪くなってきた。

「それで……どうやってドラゴンを出し抜くか、何か考えはあるのか？」ムーディが聞いた。

「いえ」ハリーが答えた。

「フム。わしは教えんぞ」

ムーディがぶっきらぼうに言った。

「わしは、ひいきはせん。わしはな。おまえにいくつか、一般的なよいアドバイスをするだけだ。その第一は——**自分の強みを生かす試合をしろ**」

「僕、なんにも強みなんてない」ハリーは思わず口走った。

「なんと」ムーディが唸った。

「おまえには強みがある。わしがあると言ったらある。考えろ。おまえが得意なのはなんだ？」

ハリーは気持ちを集中させようとした。僕の得意なものは**なんだっけ？**　ああ、簡単じゃないか、まったく――。

「クィディッチ」ハリーはのろのろと答えた。「それがどんな役に立つって――」

「そのとおり」

ムーディはハリーをじっと見すえた。「魔法の目」がほとんど動かなかった。

「おまえは相当の飛び手だと、そう聞いた」

「うーん、でも……」ハリーも見つめ返した。

「箒は許可されていません。杖しか持てないし――」

「二番目の一般的なアドバイスは」

ムーディはハリーの言葉をさえぎり、大声で言った。

「効果的で簡単な呪文を使い、**自分に必要なものを手に入れる**」

ハリーはキョトンとしてムーディを見た。自分に必要なものってなんだろう？

「さあさあ、いい子だ……」ムーディがささやいた。

「二つを結びつけろ……そんなに難しいことではない……」

ついに、ひらめいた。ハリーが得意なのは飛ぶことだ。ドラゴンを空中で出し抜く必要がある。それには、ファイアボルトが必要だ。そして、そのファイアボルトのために必要なのは――。

「ハーマイオニー」

十分後、第三温室に到着したハリーは、スプラウト先生のそばを通り過ぎるときに急いで謝り、ハーマイオニーに小声で呼びかけた。

「ハーマイオニー――助けてほしいんだ」

「ハリーったら、私、これまでだってそうしてきたでしょう？」

ハーマイオニーも小声で答えた。剪定中のブルブル震える「蝶々灌木」の上から顔をのぞかせたハーマイオニーは、心配そうに目を大きく見開いていた。

「ハーマイオニー、『呼び寄せ呪文』をあしたの午後までにちゃんと覚える必要があるんだ」

そして、二人は練習を始めた。昼食を抜いて、空いている教室に行き、ハリーは全力を振りしぼり、いろいろなものを教室のむこうから自分のほうへと飛ばせてみた。まだうまくいかなかった。本や羽根ペンが、部屋を飛ぶ途中で腰砕けになり、石が落ちるように床に落ちた。

「集中して、ハリー、**集中して……**」

「これでも集中してるんだ」

ハリーは腹が立った。

「なぜだか、頭の中に恐ろしい大ドラゴンがポンポン飛び出してくるんだ……よーし、もう一回……」

ハリーは占い学をサボって練習を続けたかったが、ハーマイオニーは数占いの授業を欠席することをきっぱり断った。ハーマイオニーなしで続けても意味がない。そこでハリーは、一時間以上、トレローニー先生の授業にたえなければならなかった。授業の半分は火星と土星のいま現在の位置関係が持つ意味の説明に費やされた。七月生まれの者が、突然痛々しい死を迎える危険性がある位置だという。

「ああ、そりゃいいや」

とうとうかんしゃくを抑えきれなくなって、ハリーが大声で言った。

「長引かないほうがいいや。僕、苦しみたくないから」

ロンが一瞬噴き出しそうな顔をした。ここ何日ぶりかで、ロンは確かにハリーの目を見た。しかし、ロンに対する怒りがまだ収まらないハリーは、それに反応する気にならなかった。それから授業が終わるまで、ハリーはテーブルの下で杖を使い、小さなものを呼び寄せる練習をした。ハエを一匹、自分の手の中に飛び込ませることに成功したが、自分の「呼び寄せ呪文」の威力なのかどうか自信がなかった——もしかしたら、ハエがバカだっただけなのかもしれない。

占い学のあと、ハリーは無理やり夕食を少しだけ飲み込み、先生たちに会わないように透明マントを使って、ハーマイオニーと一緒に空いた教室に戻った。

練習は真夜中すぎまで続いた。ピーブズが現れなかったら、もっと長くやれたかもしれない。ピーブズは、ハリーが物を投げつけてほしいのだと思ったというふりをして、部屋のむこうからハリーに椅子を投げつけはじめた。物音でフィルチがやってこないうちに、二人は急いで教室を出て、グリフィンドールの談話室に戻ってきた。ありがたいことに、そこにはもう誰もいなかった。

午前二時、ハリーは山のようにいろいろなものに囲まれ、暖炉のそばに立っていた——本、羽根ペン、逆さまになった椅子が数脚、古いゴブストーン・ゲーム一式、それにネビルのヒキガエル、トレバーもいた。最後の一時間で、ハリーはやっと「呼び寄せ呪文」のコツをつかんだ。

「よくなったわ、ハリー。ずいぶんよくなった」

ハーマイオニーはつかれきった顔で、しかしとてもうれしそうに言った。

「うん、これからは僕が呪文をうまく使えなかったときに、どうすればいいのかわかったよ」

ハリーはそう言いながらルーン文字の辞書をハーマイオニーに投げ返し、もう一度練習することにした。

「ドラゴンが来るって、僕を脅せばいいのさ。それじゃ、やるよ……」

ハリーはもう一度杖を上げた。

「**アクシオ！　辞書よ来い！**」

重たい辞書がハーマイオニーの手を離れて浮き上がり、部屋を横切ってハリーの手に収まった。

「ハリー、あなた、できたわよ。ほんと！」ハーマイオニーは大喜びだった。

「あしたうまくいけば、だけど」ハリーが言った。

「ファイアボルトはここにあるものよりずっと遠い所にあるんだ。城の中に。僕は外で、競技場にいる……」

「関係ないわ」ハーマイオニーがきっぱり言った。

「ほんとに、ほんとうに集中すれば、ファイアボルトは飛んでくるわ。ハリー、私たち、少しは寝たほうがいい……あなた、睡眠が必要よ」


ハリーはその夜、「呼び寄せ呪文」を習得するのに全神経を集中していたので、言い知れない恐怖感も少しは忘れていた。翌朝にはそれがそっくり戻ってきた。学校中の空気が緊張と興奮で張りつめていた。授業は半日で終わり、生徒がドラゴンの囲い地に出かける準備の時間が与えられた――もちろん、みんなは、そこに何があるのかを知らなかった。

ハリーは周りのみんなから切り離されているような奇妙な感じがした。がんばれと応援していようが、すれちがいざま「**ティッシュひと箱用意してあるぜ、ポッター**」と憎まれ口をたたこうが、同じことだった。神経が極度にたかぶっていた。ドラゴンの前に引き出されたら、理性など吹き飛んで、誰かれ見境なく呪いをかけはじめるのではないかと思った。

時間もこれまでになくおかしな動き方をした。ボタッボタッと大きな塊になって時が飛び去り、ある瞬間には一時間目の魔法史で机の前に腰かけたかと思えば、次の瞬間は昼食に向かっていた……そして（いったい午前中はどこに行ったんだ？　ドラゴンなしの最後の時間はどこに？）、マクゴナガル先生が大広間にいるハリーの所へ急いでやってきた。大勢の生徒がハリーを見つめている。

「ポッター、代表選手は、すぐ競技場に行かないとなりません……第一の課題の準備をするのです」

「わかりました」

立ち上がると、ハリーのフォークがカチャリと皿に落ちた。

「がんばって！　ハリー！」

ハーマイオニーがささやいた。

「きっと大丈夫！」

「うん」ハリーの声は、いつもの自分の声とまるでちがっていた。

ハリーはマクゴナガル先生と一緒に大広間を出た。先生もいつもの先生らしくない。事実、ハーマイオニーと同じくらい心配そうな顔をしていた。石段を下りて十一月の午後の寒さの中に出てきたとき、先生はハリーの肩に手を置いた。

「さあ、落ち着いて」先生が言った。

「冷静さを保ちなさい……手に負えなくなれば、事態を収める魔法使いたちが待機しています。……大切なのは、ベストを尽くすことです。そうすれば、誰もあなたのことを悪く思ったりはしません……大丈夫ですか？」

「はい」

ハリーは自分がそう言うのを聞いた。

「はい、大丈夫です」

マクゴナガル先生は、禁じられた森の縁を回り、ハリーをドラゴンのいる場所へと連れていった。しかし、囲い地の手前の木立に近づき、はっきり囲い地が見える所まで来たとき、ハリーはそこにテントが張られているのに気づいた。テントの入口がこちら側を向いていて、ドラゴンはテントで隠されていた。

「ここに入って、ほかの代表選手たちと一緒にいなさい」

マクゴナガル先生の声がやや震えていた。

「そして、ポッター、あなたの番を待つのです。バグマン氏が中にいます……バグマン氏が説明します──手続きを……。がんばりなさい」

「ありがとうございます」

ハリーはどこか遠くで声がするような、抑揚のない言い方をした。先生はハリーをテントの入口に残して去った。ハリーは中に入った。

フラー・デラクールが片隅の低い木の椅子に座っていた。いつもの落ち着きはなく、青ざめて冷や汗をかいていた。ビクトール・クラムはいつもよりさらにむっつりしていた。これがクラムなりの不安の表し方なのだろうと、ハリーは思った。セドリックは往ったり来たりをくり返していた。ハリーが入っていくと、セドリックはちょっとほほえんだ。ハリーもほほえみ返した。まるでほほえみ方を忘れてしまったかのように、顔の筋肉がこわばっているのを感じた。

「ハリー！　よーし、よし！」

バグマンがハリーのほうを振り向いて、うれしそうに言った。

「さあ、入った、入った。楽にしたまえ！」

青ざめた代表選手たちの中に立っているバグマンは、なぜか、大げさな漫画のキャラクターのような姿に見えた。今日もまた、昔のチーム、ワスプスのユニフォームを着ていた。

「さて、もう全員集合したな──話して聞かせる時が来た！」

バグマンが陽気に言った。

「観衆が集まったら、私から諸君一人一人にこの袋を渡し」――バグマンは紫の絹でできた小さな袋を、みんなの前で振って見せた――「その中から、諸君はこれから直面するものの小さな模型を選び取る！　さまざまな――エー――ちがいがある。それから、何かもっと諸君に言うことがあったな……ああ、そうだ……諸君の課題は、**金の卵を取ることだ！**」

ハリーはちらりとみんなを見た。セドリックは一回うなずいて、バグマンの言ったことがわかったことを示した。それから、再びテントの中を往ったり来たりしはじめた。少し青ざめて見えた。フラー・デラクールとクラムは、まったく反応しなかった。口を開けば吐いてしまうと思ったのだろうか。確かに、ハリーはそんな気分だった。しかし、少なくとも、ほかのみんなは、自分から名乗り出たんだ……。

それからすぐ、何百、何千もの足音がテントのそばを通り過ぎるのが聞こえた。足音の主たちは興奮して笑いさざめき、冗談を言い合っている……。ハリーはその群れが、自分とは人種がちがうかのような感じがした。そして――ハリーにはわずか一秒しかたっていないように感じられたが――バグマンが紫の絹の袋の口を開けた。

「レディ・ファーストだ」

バグマンは、フラー・デラクールに袋を差し出した。

フラーは震える手を袋に入れ、精巧なドラゴンのミニチュア模型を取り出した――ウェールズ・グリーン種だ。首の周りに「2」の数字をつけている。フラーがまったく驚いたそぶりもなく、かえって決然と受け入れた様子から、ハリーは、やっぱりマダム・マクシームが、これから起こることをすでにフラーに教えていたのだとわかった。

クラムについても同じだった。クラムは真っ赤な中国火の玉種を引き出した。首に「3」がついている。クラムは瞬き一つせず、ただ地面を見つめていた。

セドリックが袋に手を入れ、首に「1」の札をつけた、青みがかったグレーのスウェーデン・ショートースナウト種を取り出した。残りが何か知ってはいたが、ハリーは絹の袋に手を入れた。出てきたのは、ハンガリー・ホーンテール、「4」の番号だった。ハリーが見下ろすと、ミニチュアは両翼を広げ、ちっちゃな牙をむいた。

「さあ、これでよし！」バグマンが言った。

「諸君は、それぞれが出会うドラゴンを引き出した。番号はドラゴンと対決する順番だ。いいかな？さて、私はまもなく行かなければならん。解説者なんでね。ディゴリー君、君が一番だ。ホイッスルが聞こえたら、まっすぐ囲い地に行きたまえ。いいね？　さてと……ハリー……ちょっと話があるんだが、いいかね？　外で？」

「えーと……はい」

ハリーは何も考えられなかった。立ち上がり、バグマンと一緒にテントの外に出た。バグマンはちょっと離れた木立へと誘い、父親のような表情を浮かべてハリーを見た。

「気分はどうだね、ハリー？　何か私にできることはないか？」

「えっ？　僕――いいえ、何も」

「作戦はあるのか？」

バグマンが、共犯者同士でもあるかのように声をひそめた。

「なんなら、その、少しヒントをあげてもいいんだよ。いや、なに」

バグマンはさらに声をひそめた。

「ハリー、君は、不利な立場にある……何か私が役に立てば……」

「いいえ」

ハリーは即座に言ったが、それではあまりに失礼に聞こえると気づき、言いなおした。

「いいえ――僕、どうするか、もう決めています。ありがとうございます」

「ハリー、誰にも**バレやしないよ**」バグマンはウィンクした。

「いいえ、僕、大丈夫です」

言葉とはうらはらに、ハリーは、どうして僕はみんなに、「大丈夫だ」と言ってばかりいるんだろうといぶかった――こんなに「大丈夫じゃない」ことが、これまでにあっただろうか。

「作戦は練ってあります。僕――」

どこかでホイッスルが鳴った。

「こりゃ大変。急いで行かなきゃ」バグマンはあわてて駆けだした。

ハリーはテントに戻った。セドリックがこれまでよりも青ざめて中から出てきた。ハリーはすれちがいながら、がんばってと言いたかった。しかし、口をついて出てきたのは、言葉にならないかすれた音だった。

ハリーはフラーとクラムのいるテントに戻った。数秒後に大歓声が聞こえた。セドリックが囲い地に入り、あの模型の生きた本物版と向き合っているのだ……。

そこに座って、ただ聞いているだけなのは、ハリーが想像したよりずっとひどかった。セドリックがスウェーデン・ショート‐スナウトを出し抜こうと、いったい何をやっているのかはわからないが、観客は、まるで全員の頭が一つの体につながっているかのように、いっせいに悲鳴を上げ……叫び……息をのんでいた。クラムはまだ地面を見つめたままだ。今度はフラーがセドリックの足跡をたどるように、テントの中をぐるぐる歩き回っていた。バグマンの解説が、ますます不安感をあおった……聞いていると、ハリーの頭に恐ろしいイメージが浮かんでくる。「おぉぉぅ、危なかった、危機一髪」……「これは危険な賭けに出ました。これは！」……「**うまい**動きです——残念、だめか！」

そして、かれこれ十五分もたったころ、ハリーは耳をつんざく大歓声を聞いた。まちがいなく、セドリックがドラゴンを出し抜いて、金の卵を取ったのだ。

「ほんとうによくやりました！」バグマンが叫んでいる。

「さて、審査員の点数です！」

しかし、バグマンは点数を大声で読み上げはしなかった。審査員が点数を掲げて、観衆に見せているのだろうと、ハリーは想像した。

「一人が終わって、あと三人！」ホイッスルがまた鳴り、バグマンが叫んだ。

「ミス・デラクール。どうぞ！」

フラーは頭のてっぺんからつま先まで震えていた。ハリーはいままでよりフラーに対して親しみを感じながら、フラーが頭をしゃんと上げ、杖をしっかりつかんでテントから出ていくのを見送った。ハリーはクラムと二人取り残され、テントの両端で互いに目を合わせないように座っていた。

同じことが始まった……「おー、これはどうもよくない！」バグマンの興奮した陽気な叫び声が聞こえてきた。「おー……危うく！　さあ慎重に……ああ、なんと、今度こそやられてしまったかと思ったのですが！」

それから十分後、ハリーはまた観衆の拍手が爆発するのを聞いた。フラーも成功したにちがいない。フラーの点数が示されている間の、一瞬の静寂……また拍手……そして、三度目のホイッスル。

「そして、いよいよ登場。ミスター・クラム！」

バグマンが叫び、クラムが前かがみに出ていったあと、ハリーはほんとうにひとりぼっちになった。

ハリーはいつもより自分の体を意識していた。心臓の鼓動が速くなるのを、指が恐怖にピリピリするのを、ハリーははっきり意識した……しかし、同時に、ハリーは自分の体を抜け出したかのように、まるで遠く離れた所にいるかのように、テントの壁を目にし、観衆の声を耳にしていた……。

「なんと大胆な！」

バグマンが叫び、中国火の玉種がギャーッと恐ろしい唸りをあげるのを、ハリーは聞いた。観衆が、いっせいに息をのんだ。

「いい度胸を見せました――そして――やった。卵を取りました！」

拍手喝采が、張りつめた冬の空気を、ガラスを割るように粉々に砕いた。クラムが終わったのだ――いまにも、ハリーの番が来る。

ハリーは立ち上がった。ぼんやりと、自分の足がマシュマロでできているかのような感じがした。ハリーは待った。そして、ホイッスルが聞こえた。ハリーはテントから出た。恐怖感が体の中でずんずん高まってくる。そして、いま、木立を過ぎ、ハリーは囲い地の柵の切れ目から中に入った。

目の前のすべてが、まるで色鮮やかな夢のように見えた。何百何千という顔がスタンドからハリーを見下ろしている。前にハリーがここに立ったときにはなかったスタンドが、魔法で作り出されていた。そして、ホーンテールがいた。囲い地のむこう端に、ひと胎(はら)の卵をしっかり抱えて伏せている。両翼を半分開き、邪悪な黄色い目でハリーをにらみ、うろこに覆われた黒いトカゲのような怪物は、とげだらけの尾を地面に激しく打ちつけ、硬い地面に、幅一メートルもの溝をけずり込んでいた。観衆は大騒ぎしていた。それが友好的な騒ぎかどうかなど、ハリーは知りもしなければ気にもしなかった。いまこそ、やるべきことをやるのだ……気持ちを集中させろ、全神経を完全に、たった一つの望みの綱に。

ハリーは杖を上げた。

「アクシオ！　ファイアボルト！」

ハリーが叫んだ。

ハリーは待った。神経の一本一本が、望み、祈った……もしうまくいかなかったら……もしファイアボルトが来なかったら……周りのものすべてが、蜃気楼のように、ゆらめく透明な壁を通して見えるような気がした。囲い地も何百という顔も、ハリーの周りで奇妙にゆらゆらしている……。

その時、ハリーは聞いた。背後の空気を貫いて疾走してくる音を。振り返ると、ファイアボルトが森の端からハリーのほうへ、ビュンビュン飛んでくるのが見えた。そして、囲い地に飛び込み、ハリーの脇でぴたりと止まり、宙に浮いたままハリーが乗るのを待った。観衆の騒音が一段と高まった……バグマンが何か叫んでいる……しかしハリーの耳はもはや正常に働いてはいなかった……聞くなんてことは重要じゃない……。

ハリーは片足をサッと上げて箒にまたがり、地面を蹴った。そして次の瞬間、奇跡とも思える何かが起こった……。

飛翔したとき、風が髪をなびかせたとき、ずっと下で観衆の顔が肌色の点になり、ホーンテールが犬ほどの大きさに縮んだとき、ハリーは気づいた。地面を離れただけでなく、恐怖からも離れたのだと……ハリーは自分の世界に戻ったのだ……。

クィディッチの試合と同じだ。それだけなんだ……またクィディッチの試合をしているだけなんだ。ホーンテールは醜悪な敵のチームじゃないか……。

ハリーは抱え込まれた卵を見下ろし、金の卵を見つけた。ほかのセメント色の卵にまじって光を放ち、ドラゴンの前脚の間に安全に収まっている。

「オーケー」ハリーは自分に声をかけた。「陽動作戦だ……行くぞ……」

ハリーは急降下した。ホーンテールの首がハリーを追った。ドラゴンの次の動きを読んでいたハリーは、それより一瞬早く上昇に転じた。そのまま突き進んでいたなら直撃されていたにちがいない場所めがけて火炎が噴射された……しかし、ハリーは気にもしなかった……ブラッジャーをさけるのとおんなじだ……。

「いやあ、たまげた。なんたる飛びっぷりだ！」

バグマンが叫んだ。観衆は声をしぼり、息をのんだ。

「クラム君、見てるかね？」

ハリーは高く舞い上がり、弧を描いた。ホーンテールはまだハリーの動きを追っている。長い首を伸ばし、その上で頭がぐるぐる回っている――このまま続ければ、うまい具合に目を回すかもしれない――しかし、あまり長くは続けないほうがいい。さもないと、ホーンテールがまた火を吐くかもしれない――。

ハリーは、ホーンテールが口を開けたとたんに急降下した。しかし、今度はいまひとつツキがなかった――炎はかわしたが、かわりに尾が鞭（むち）のように飛んできて、ハリーをねらった。ハリーが左にそれて尾をかわしたとき、長いとげが一本、ハリーの肩をかすめ、ローブを引き裂いた――。

ハリーは傷がずきずきするのを感じ、観衆が叫んだりうめいたりするのを聞いた。しかし傷はそれほど深くなさそうだ。……今度はホーンテールの背後に回り込んだ。その時、これなら可能性がある、と、あることを思いついた……。

ホーンテールは飛び立とうとはしなかった。卵を守る気持ちのほうが強かったのだ。身をよじり、翼を閉じたり広げたりしながら、恐ろしげな黄色い目でハリーを見張り続けていたが、卵からあまり遠くに離れるのが心配なのだ……しかし、なんとかしてホーンテールが離れるようにしなければ、ハリーは絶対に卵に近づけない……慎重に、徐々にやるのがコツだ……。

ハリーはあちらへひらり、こちらへひらり、ホーンテールがハリーを追い払おうとして炎を吐いたりすることがないように、一定の距離をとり、しかも、ハリーから目をそらさないように、充分に脅しをかけられる近さを保って飛んだ。ホーンテールは首をあちらへゆらり、こちらへゆらりと振り、縦長に切れ込んだ瞳でハリーをにらみ、牙をむいた……。

ハリーはより高く飛んだ。ホーンテールの首がハリーを追って伸びた。いまや伸ばせるだけ伸ばし、首をゆらゆらさせている。蛇使いの前の蛇のように……。

ハリーはさらに一メートルほど高度を上げた。ホーンテールはいらいらと唸り声を上げた。ホーンテールにとって、ハリーはハエのようなものだ。バシッとたたき落としたいハエだ。しっぽがまたバシリと鞭のように動いた。が、ハリーはいまや届かない高みにいる。……ホーンテールは炎を噴き上げた。ハリーがかわした……ホーンテールのあごがガッと開いた……。

「さあ来い」

ハリーは歯を食いしばった。じらすようにホーンテールの頭上をくねって飛んだ。

「ほーら、ほら、捕まえてみろ……立ち上がれ。そら……」

その時、ホーンテールが後脚で立った。ついに広げきった巨大な黒なめし革のような両翼は、小型飛行機ほどもある――ハリーは急降下した。ドラゴンが、ハリーがいったい何をしたのか、どこに消えたのかに気づく前に、ハリーは全速力で突っ込んだ。鉤爪のある前脚が離れ、無防備になった卵めがけて一直線に――ファイアボルトから両手を離した――ハリーは金の卵をつかんだ――。

猛烈なスパートをかけ、ハリーはその場を離れた。スタンドのはるか上空へ、ずしりと重たい卵を、けがしなかったほうの腕にしっかり抱え、ハリーは空高く舞い上がった。まるで誰かがボリュームを元に戻したかのように——初めて、ハリーは大観衆の騒音を確かにとらえた。観衆が声をかぎりに叫び、拍手喝采している。ワールドカップのアイルランドのサポーターのように——。

「やった！」バグマンが叫んでいる。

「やりました！　最年少の代表選手が、最短時間で卵を取りました。これでポッター君の優勝の確率が高くなるでしょう！」

ドラゴン使いが、ホーンテールを静めるのに急いで駆け寄るのが見えた。そして囲い地の入口に、急ぎ足でハリーを迎えにくるマクゴナガル先生、ムーディ先生、ハグリッドの姿が見えた。みんながハリーに向かって、こっちへ来いと手招きしている。遠くからでもはっきりとみんなの笑顔が見えた。鼓膜が痛いほどの大歓声の中、ハリーはスタンドへと飛び戻り、鮮やかに着地した。何週間ぶりかの爽快さ……最初の課題をクリアした。僕は生き残った……。

「すばらしかったです。ポッター！」

ファイアボルトを降りたハリーに、マクゴナガル先生が叫んだ——マクゴナガル先生としては、最高級のほめ言葉だ。ハリーの肩を指差したマクゴナガル先生の手が震えているのに、ハリーは気がついた。

「審査員が点数を発表する前に、マダム・ポンフリーに見てもらう必要があります……さあ、あちらへ。もうディゴリーも手当てを受けています……」

「やっつけたな、ハリー！」

ハグリッドの声がかすれていた。

「おまえはやっつけたんだ！　しかも、あのホーンテールを相手にだぞ。チャーリーが言ったろうが。あいつが一番ひどい——」

「ありがとう。ハグリッド」

ハリーは声を張り上げた。ハグリッドがハリーに前もってドラゴンを見せたなど、うっかりバラさないようにだ。

ムーディ先生もとてもうれしそうだった。「魔法の目」が、眼窩(がんか)の中で踊っていた。

「簡単でうまい作戦だ、ポッター」唸るようにムーディが言った。

「よろしい。それではポッター、救急テントに、早く……」マクゴナガル先生が言った。

まだハァハァ息をはずませながら、囲い地から出たハリーは、二番目のテントの入口で心配そうに立っているマダム・ポンフリーの姿を見た。

「ドラゴンなんて！」

ハリーをテントに引き入れながら、マダム・ポンフリーが苦りきったように言った。テントは小部屋に分かれていて、キャンバス地を通して、セドリックだとわかる影が見えた。セドリックのけがはたいしたことはなさそうだった。少なくとも、上半身を起こしていた。マダム・ポンフリーはハリーの肩を診察しながら、怒ったようにしゃべり続けた。

「去年は吸魂鬼、今年はドラゴン、次は何を学校に持ち込むことやら？　あなたは運がよかったわ……傷は浅いほうです。……でも、治す前に消毒が必要だわ……」

マダム・ポンフリーは、傷口を何やら紫色の液体で消毒した。煙が出て、ピリピリしみた。マダム・ポンフリーが杖でハリーの肩を軽くたたくと、ハリーは、傷がたちまち癒えるのを感じた。

「さあ、しばらくじっと座っていなさい——**お座りなさい！**　そのあとで点数を見にいってよろしい」

マダム・ポンフリーはあわただしくテントを出ていったが、隣の部屋に行って話をするのが聞こえてきた。

「気分はどう？　ディゴリー？」

ハリーはじっと座っていたくなかった。まだアドレナリンではちきれそうだった。立ち上がり、外で何が起こっているのか見ようとしたが、テントの出口にもたどり着かないうちに、誰か二人が飛び込んできた――ハーマイオニーと、すぐ後ろにロンだった。

「ハリー、あなた、すばらしかったわ！」

ハーマイオニーが上ずった声で言った。顔に爪の跡がついている。恐怖でギュッと爪を立てていたのだろう。

「あなたって、すごいわ！　あなたって、ほんとうに！」

しかし、ハリーはロンを見ていた。真っ青な顔で、まるで幽霊のようにハリーを見つめている。

「ハリー」ロンが深刻な口調で言った。

「君の名前をゴブレットに入れたやつが誰だったにしろ――僕――僕、やつらが君を殺そうとしてるんだと思う」

この数週間が、溶け去ったかのようだった――まるで、ハリーが代表選手になったその直後にロンに会っているような気がした。

「気がついたってわけかい？」

ハリーは冷たく言った。

「ずいぶん長いことかかったな」

ハーマイオニーが心配そうに二人の間に立って、二人の顔を交互に見ていた。ロンがあいまいに口を開きかけた。ハリーにはロンが謝ろうとしているのがわかった。突然、ハリーは、そんな言葉を聞く必要がないのだと気づいた。

「いいんだ」ロンが何も言わないうちにハリーが言った。「気にするな」

「いや」ロンが言った。「僕、もっと早く――」

「**気にするなって**」ハリーが言った。

ロンがおずおずとハリーに笑いかけた。ハリーも笑い返した。

ハーマイオニーがワッと泣きだした。

「何も泣くことはないじゃないか！」ハリーはおろおろした。

「二人とも、ほんとに**大バカ**なんだから！」

ハーマイオニーは地団駄を踏みながら、ボロボロ涙を流し、叫ぶように言った。それから、二人が止める間もなく、ハーマイオニーは二人を抱きしめ、今度はワンワン泣き声を上げて走り去ってしまった。

「狂ってるよな」

ロンがやれやれと頭(かぶり)を振った。

「ハリー、行こう。君の点数が出るはずだ……」

金の卵とファイアボルトを持ち、一時間前にはとうてい考えられなかったほど意気揚々とした気分で、ハリーはテントをくぐり、外に出た。ロンがすぐ横で早口にまくし立てた。

「君が最高だったさ。誰もかなわない。セドリックはへんてこなことをやったんだ。グラウンドにあった岩を変身させた……犬に……ドラゴンが自分のかわりに犬を追いかけるようにしようとした。うん、変身としてはなかなかかっこよかったし、うまくいったとも言えるな。だって、セドリックは卵を取ったからね。でも火傷(やけど)しちゃった――ドラゴンが途中で気が変わって、ラブラドールよりセドリックのほうを捕まえようって思ったんだな。セドリックはかろうじて逃れたけど。それから、あのフラーって子は、魅惑呪文みたいなのをかけた。恍惚(こうこつ)状態にしようとしたんだろうな――うん、それもまあ、うまくいった。ドラゴンがすっかり眠くなって。だけど、いびきをかいたら、鼻から炎が噴き出して、スカートに火がついてさ――フラーは杖から水を出して消したんだ。それから、クラム――君、信じられないと思うよ。クラムったら、飛ぶことを考えもしなかった！　だけど、クラムが君の次によかったかもしれない。なんだか知らないけど呪文をかけて、目を直撃したんだ。ただ、ドラゴンが苦しんでのたうち回ったんで、本物の卵の半数はつぶれっちまった――審査員はそれで減点したんだ。卵にダメージを与えちゃいけなかったんだよ」

二人が囲い地の端までやってきたとき、ロンはやっと息をついた。ホーンテールはもう連れ去られていたので、ハリーは五人の審査員が座っているのを見ることができた――囲い地のむこう正面に設けられた、金色のドレープがかかった一段と高い席に座っている。

「一〇点満点で各審査員が採点するんだ」

ロンが言った。ハリーが目を凝らしてグラウンドのむこうを見ると、最初の審査員――マダム・マクシーム――が杖を宙に上げていた。長い、銀色のリボンのようなものが杖先から噴き出し、ねじれて大きな8の字を描いた。

「よし、悪くないぜ！」

ロンが言った。観衆が拍手している。

「君の肩のことで減点したんだと思うな……」

クラウチ氏の番だ。「9」の数字を高く上げた。

「いけるぞ！」

ハリーの背中をバシンとたたいて、ロンが叫んだ。

次は、ダンブルドアだ。やはり「9」を上げた。観衆がいっそう大きく歓声を上げた。

ルード・バグマン――「**10**」。

「一〇点？」

ハリーは信じられない気持ちだった。

「だって……僕、けがしたし……なんの冗談だろう？」

「文句言うなよ、ハリー」ロンが興奮して叫んだ。

そして、今度は、カルカロフが杖を上げた。一瞬間を置いて、やがて杖から数字が飛び出した——

「4」。

「**なんだって？**」ロンが怒ってわめいた。

「**四点？** ひきょう者、えこひいきのクソッタレ。クラムには一〇点やったくせに！」

ハリーは気にしなかった。たとえカルカロフが零点しかくれなくても気にしなかったろう。ロンがハリーのかわりに憤慨してくれたことのほうが、ハリーにとっては一〇〇点の価値があった。もちろんハリーはロンにそうは言わなかったが、囲い地を去るときのハリーの気分は、空気よりも軽やかだった。それに、ロンだけではなかった……観衆の声援もグリフィンドールからだけではなかった。その場に臨んで、ハリーが立ち向かったものがなんなのかを見たとき、全校生の大部分が、セドリックばかりでなく、ハリーの味方にもなった……スリザリンなんかどうでもよかった。ハリーはもう、スリザリン生になんと言われようががまんできる。

「ハリー、同点で一位だ！ 君とクラムだ！」

学校に戻りかけたとき、チャーリー・ウィーズリーが急いでやってきて言った。

「おい、僕、急いで行かなくちゃ。行って、おふくろにふくろうを送るんだ。結果を知らせるって約束したからな——しかし、信じられないよ！——あ、そうだ——君に伝えてくれって言われたんだけど、もうちょっと残っていてくれってさ……バグマンが、代表選手のテントで、話があるんだそうだ」

ロンが待っていると言ったので、ハリーは再びテントに入った。テントが、いまはまったくちがったものに見えた。親しみがこもり、歓迎しているようだ。ハリーは、ホーンテールをかいくぐっていたときの気持ちを思い浮かべ、対決に出ていくまでの、長い待ち時間の気持ちと比べてみた。……比べるまでもない。待っていたときのほうが、計り知れないほどひどい気持ちだった。

フラー、セドリック、クラムが一緒に入ってきた。

セドリックの顔の半分を、オレンジ色の軟膏（なんこう）がべったりと覆っていた。それが火傷を治しているのだろう。セドリックはハリーを見てニッコリした。

「よくやったな、ハリー」

「君も」ハリーもニッコリ笑い返した。

「**全員**、よくやった！」

ルード・バグマンがはずむ足取りでテントに入ってきた。まるで自分がたったいまドラゴンを出し抜いたかのようにうれしそうだ。

「さて、簡潔に話そう。第二の課題まで、充分に長い休みがある。第二の課題は、二月二十四日の午前九時半に開始される――しかし、それまでの間、諸君に考える材料を与える！　諸君が持っている金の卵を見てもらうと、開くようになっているのがわかると思う……蝶番（ちょうつがい）が見えるかな？　その卵の中にあるヒントを解くんだ――それが第二の課題が何かを教えてくれるし、諸君に準備ができるようにしてくれる！　わかったかな？　大丈夫か？　では、解散！」

ハリーはテントを出て、ロンと一緒に、禁じられた森の端に沿って帰り道をたどった。二人は夢中で話した。ハリーはほかの選手がどうやったか、もっとくわしく聞きたかった。ハリーが最初にドラゴンが吼（ほ）えるのを隠れて聞いたその木立を回り込んだとき、木陰から魔女が一人飛び出した。

リータ・スキーターだった。今日は派手な黄緑色のローブを着ていて、手に持った自動速記羽根ペンが、ローブの色に完全に隠されていた。

「おめでとう、ハリー！」

リータはハリーに向かってニッコリした。

「一言いただけないかな？　ドラゴンに向かったときの感想は？　点数の公平性について、**いま現在、**どういう気持ち？」

「ああ、一言あげるよ」

ハリーは邪険に言った。

「**バイバイ**」

そして、ハリーは、ロンと連れ立って城への道を歩いた。

第21章　屋敷しもべ妖精解放戦線

ハリー、ロン、ハーマイオニーはその晩、ピッグウィジョンを探しにふくろう小屋に行った。シリウスに手紙を送り、ハリーが、対決したドラゴンを出し抜き、しかも無傷だったことを知らせるためだった。道々ハリーは、久しぶりに話すロンに、シリウスがカルカロフについて言ったことを一部始終話して聞かせた。カルカロフが死喰い人だったと聞かされて、最初はショックを受けたロンも、ふくろう小屋に着いたときには、はじめからそれを疑ってかかるべきだったと言うようになっていた。

「つじつまが合うじゃないか？」ロンが言った。

「マルフォイが汽車の中で言ってたこと、覚えてるか？　あいつの父親がカルカロフと友達だって。あいつらがどこで知り合ったか、これでもうわかったぞ。ワールドカップじゃ、きっと二人一緒に、仮面をかぶって暗躍してたんだ……。これだけは言えるぞ、ハリー。もし**カルカロフが**ゴブレットに君の名前を入れたんだったら、きっといまごろ、ばかを見たと思ってるさ。うまくいかなかった、だろ？　君はかすり傷だけだった！　どいて――僕が捕まえるよ――」

ピッグウィジョンは、手紙を運ばせてもらえそうなので大興奮し、ホッホッとひっきりなしに鳴きながら、ハリーの頭上をぐるぐる飛び回っていた。ロンがピッグウィジョンをヒョイと空中でつかみ、ハリーが手紙を脚にくくりつける間、動かないように押さえていた。

「ほかの課題は、絶対あんなに危険じゃないよ。だって、ありえないだろ？」

ピッグウィジョンを窓際に運びながらロンがしゃべり続けた。

「あのさあ、僕、この試合で君が優勝できると思う。ハリー、僕、マジでそう思う」

ロンが、この数週間の態度の埋め合わせをするためにそう言っているだけだと、ハリーにはわかっていた。それでもうれしかった。しかし、ハーマイオニーは、ふくろう小屋の壁に寄りかかり、腕組みをして、しかめっ面でロンを見た。

「この試合が終わるまで、ハリーにとってまだ先は長いのよ」

ハーマイオニーは真剣だ。

「あれが第一の課題なら、次は何がくるやら、考えるのもいや」

「君って、太陽のように明るい人だね」ロンが言った。「君とトレローニー先生と、いい勝負だよ」

ロンは窓からピッグウィジョンを放した。ピッグウィジョンはとたんに四、五メートル墜落して、それからやっとなんとか舞い上がった。脚にくくりつけられた手紙は、いつもよりずっと長い、重い手紙だった――ハリーは、シリウスにくわしく話したいという気持ちを抑えきれずに、ホーンテールをどんなふうにさけ、回り込み、かわしたのか、一撃一撃をくわしく書きたかったのだ。

三人はピッグウィジョンが闇に消えていくのを見送った。それから、ロンが言った。

「さあ、ハリー、下に行って、君のびっくりパーティに出なきゃ――フレッドとジョージが、いまごろはもう厨房(ちゅうぼう)から食べ物をどっさりくすねてきてるはずだ」

まさに、そのとおりだった。グリフィンドールの談話室に入ると、歓声と叫び声が再び爆発した。山のようなケーキ、大瓶入りのかぼちゃジュースやバタービールが、どこもかしこもびっしりだった。リー・ジョーダンが「ドクター・フィリバスターの長々花火」を破裂させたあとだったので、周り中に星や火花が散っていた。絵の上手なディーン・トーマスが、見事な新しい旗を何枚か作っていたが、そのほとんどが、ファイアボルトでホーンテールの頭上をブンブン飛び回るハリーを描いていた。ほんの

二、三枚だけが、頭に火がついたセドリックの絵だった。
まともな空腹感がどんなものか、ハリーはその時までほとんど忘れていた。ハリーは食べ物を取って、ロンやハーマイオニーと一緒に座った。信じられないくらい幸せだった。ロンが自分の味方に戻ってきてくれた。第一の課題をクリアしたし、第二の課題までは、まだ三か月もある。

「おっどろき。これ、重いや」

リー・ジョーダンが、ハリーがテーブルに置いておいた金の卵を持ち上げ、手で重みを量りながら言った。

「開けてみろよ、ハリー、さあ！ 中に何があるか見ようぜ！」

「ハリーは自分一人でヒントを見つけることになってるのよ」

すかさずハーマイオニーが言った。

「試合のルールで決まっているとおり……」

「ドラゴンを出し抜く方法も、自分一人で見つけることになってたんだけど」

ハリーが、ハーマイオニーにだけ聞こえるようにつぶやくと、ハーマイオニーはバツが悪そうに笑った。

「そうだ、そうだ。ハリー、開けろよ！」何人かが同調した。

リーがハリーに卵を渡し、ハリーは卵の周りにぐるりとついている溝に爪を立ててこじ開けた。

からっぽだ。きれいさっぱりからっぽだった――しかし、ハリーが開けたとたん、世にも恐ろしい、大きなキーキー声のむせび泣きのような音が、部屋中に響き渡った。ハリーが聞いたことがある音の中でこれに一番近いのは、「ほとんど首無しニック」の「絶命日パーティ」でのゴースト・オーケストラの演奏で、奏者全員がのこぎりを弾いていたときの音だ。

「だまらせろ！」フレッドが両手で耳を覆って叫んだ。

「いまのはなんだ？」

ハリーがバチンと閉めた卵をまじまじと見つめながら、シェーマス・フィネガンが言った。

「バンシー妖怪の声みたいだったな……もしかしたら、次にやっつけなきゃいけないのはそれだぞ、ハリー！」

「誰かが拷問を受けてた！」

ネビルはソーセージ・ロールをバラバラと床に落として、真っ青になっていた。

「君は『磔の呪文』と戦わなくちゃならないんだ！」

「バカ言うなよ、ネビル。あれは違法だぜ」ジョージが言った。

「代表選手に『磔の呪文』をかけたりするもんか。俺が思うに、ありゃ、パーシーの歌声にちょっと似てたな……もしかしたら、やつがシャワーを浴びてるときに襲わないといけないのかもしれないぜ、ハリー」

「ハーマイオニー、ジャム・タルト、食べるかい？」フレッドが勧めた。

ハーマイオニーはフレッドが差し出した皿を疑わしげに見た。フレッドがニヤッと笑った。

「大丈夫。こっちにはなんにもしてないよ。クリームサンド・ビスケットのほうはご用心さ――」

ちょうどビスケットにかぶりついたネビルが、むせて吐き出した。

フレッドが笑いだした。

「ほんの冗談さ、ネビル……」

ハーマイオニーがジャム・タルトを取った。

「これ、全部厨房から持ってきたの？　フレッド？」ハーマイオニーが聞いた。

「ウン」フレッドがハーマイオニーを見て、ニヤッと笑った。

「旦那さま、なんでも差し上げます。なんでもどうぞ！」

屋敷しもべのかん高いキーキー声で、フレッドが言った。

「連中はほんとうに役に立つ……俺がちょっと腹が空いてるって言ったら、雄牛の丸焼きだって持ってくるぜ」

「どうやってそこに入るの？」

ハーマイオニーはさりげない、なんの下心もなさそうな声で聞いた。

「簡単さ」フレッドが答えた。

「果物が盛ってある器の絵の裏に、隠し戸がある。梨をくすぐればいいのさ。するとクスクス笑う。そこで――」

フレッドは口を閉じて、疑うようにハーマイオニーを見た。

「なんで聞くんだ？」

「別に」ハーマイオニーが口早に答えた。

「屋敷しもべを率いてストライキをやらかそうっていうのかい？」ジョージが言った。

「ビラまきとかなんとかあきらめて、連中をたきつけて反乱か？」

何人かがおもしろそうに笑ったが、ハーマイオニーは何も言わなかった。

「連中をそっとしておけ。服や給料をもらうべきだなんて、連中に言うんじゃないぞ！」

フレッドが忠告した。

「料理に集中できなくなっちまうからな！」

ちょうどその時、ネビルが大きなカナリアに変身してしまい、みんなの注意がそれた。

「あ――ネビル、ごめん！」

みんながゲラゲラ笑う中で、フレッドが叫んだ。

「忘れてた――俺たち、**やっぱり**クリームサンドに呪いをかけてたんだ――」

一分もたたないうちに、ネビルの羽根が抜けはじめ、全部抜け落ちると、いつもとまったく変わらない姿のネビルが再び現れた。ネビル自身もみんなと一緒に笑った。

「カナリア・クリーム！」

興奮しやすくなっている生徒たちに向かって、フレッドが声を張り上げた。

「ジョージと僕とで発明したんだ――一個七シックル。お買い得だよ！」

ハリーがやっと寝室に戻ったのは、夜中の一時近くだった。ロン、ネビル、シェーマス、ディーンと一緒だった。四本柱のベッドのカーテンを引く前に、ハリーはベッド脇の小机にハンガリー・ホーンテールのミニチュアを置いた。するとミニチュアはあくびをし、体を丸めて目を閉じた。ほんとだ――ベッドのカーテンを閉めながら、ハリーは思った――ハグリッドの言うとおりだ……悪くないよ、ドラゴンって……。

十二月が、風とみぞれを連れてホグワーツにやってきた。冬になると、ホグワーツ城は確かにすきま風だらけだったが、湖に浮かぶダームストラングの船のそばを通るたびに、ハリーは城の暖炉に燃える火や、厚い壁をありがたく思った。船は強い風に揺れ、黒い帆が暗い空にうねっていた。

ボーバトンの馬車もずいぶん寒いだろうと、ハリーは思った。ハグリッドがマダム・マクシームの馬たちに、好物のシングルモルト・ウィスキーをたっぷり飲ませていることにも、ハリーは気づいていた。放牧場の隅に置かれた桶（おけ）から漂ってくる酒気だけで、魔法生物飼育学のクラス全員が酔っ払いそうだった。これには弱った。何しろ、恐ろしいスクリュートの世話を続けていたので、気を確かに持たなければならなかったのだ。

「こいつらが冬眠するかどうかわからねえ」

吹きっさらしのかぼちゃ畑での授業で、震えている生徒たちにハグリッドが言った。

「ひと眠りしてえかどうか、ちぃと試してみようかと思ってな……この箱にこいつらをちょっくら寝かせてみて……」

スクリュートはあと十匹しか残っていない。どうやら、連中の殺し合い願望は、運動させても収まらないようだった。いまやそれぞれが二メートル近くに育っている。灰色のぶ厚い甲殻、強力で動きの速い肢（あし）、火を噴射する尾、とげと吸盤など、全部あいまって、スクリュートはハリーがこれまで見た中で、一番気持ちの悪いものだった。クラス全員が、ハグリッドの持ってきた巨大な箱を見てしょげ込んだ。箱には枕が置かれ、ふわふわの毛布が敷きつめられていた。

「あいつらをここに連れてこいや」ハグリッドが言った。

「そんでもって、ふたをして様子を見るんだ」

しかし、スクリュートは**冬眠しない**ということが、結果的にはっきりした。枕を敷きつめた箱に押し込められていたこともお気に召さなかった。まもなくハグリッドが叫んだ。

「落ち着け、みんな、落ち着くんだ！」

スクリュートはかぼちゃ畑で暴れ回り、畑にはバラバラになった箱の残骸が煙を上げて散らばっていた。生徒のほとんどが――マルフォイ、クラッブ、ゴイルを先頭に――ハグリッドの小屋に裏木戸から逃げ込み、バリケードを築いて立てこもっていた。しかし、ハリー、ロン、ハーマイオニーをはじめ何人かは、残ってハグリッドを助けようとした。力を合わせ、なんとかみんなで九匹までは取り押さえてお縄にした。おかげで火傷（やけど）や切り傷だらけになった。残るは一匹だけ。

「脅かすんじゃねえぞ、ええか！」

ハグリッドが叫んだ。その時ロンとハリーは、二人に向かってくるスクリュートに、杖（つえ）を使って火花を噴射したところだった。背中のとげが弓なりに反り、ビリビリ震え、スクリュートは脅すように二人に迫ってきた。

「とげン所に縄をかけろ。そいつがほかのスクリュートを傷つけねえように！」

「ああ、ごもっともなお言葉だ！」

ロンが怒ったように叫んだ。ロンとハリーは、スクリュートを火花で遠ざけながら、ハグリッドの小屋の壁まであとずさりしていた。

「おーや、おや、おや……これは**とっても**おもしろそうざんすね」

リータ・スキーターがハグリッドの庭の柵に寄りかかり、騒ぎを眺めていた。今日は、紫の毛皮のえりがついた、赤紫色の厚いマントを着込み、ワニ革のバッグを腕にかけていた。

ハグリッドが、ハリーとロンを追いつめたスクリュートに飛びかかり、上からねじ伏せた。しっぽから噴射された火で、その付近のかぼちゃの葉や茎がしなびてしまった。

「あんた、誰だね？」

スクリュートのとげの周りに輪にした縄をかけ、きつくしめながら、ハグリッドが聞いた。

「リータ・スキーター。『日刊予言者新聞』の記者ざんすわ」

リータはハグリッドにニッコリ笑いかけながら答えた。金歯がキラリと光った。

「ダンブルドアが、あんたはもう校内に入ってはならねえと言いなすったはずだが？」

少しひしゃげたスクリュートから降りながら、ハグリッドはちょっと顔をしかめ、スクリュートを仲間の所へ引いていった。

リータはハグリッドの言ったことが聞こえなかったかのように振る舞った。

「この魅力的な生き物はなんて言うざんすの？」ますますニッコリしながらリータが聞いた。

「『尻尾（しっぽ）爆発スクリュート』だ」ハグリッドがぶすっとして答えた。

「あらそう？」

どうやら興味津々のリータが言った。

「こんなの見たことないざんすわ……どこから来たのかしら？」

ハリーはハグリッドの黒いもじゃもじゃひげの奥でじわっと顔が赤くなったのに気づき、ドキリとした。ハグリッドは**いったい**どこからスクリュートを手に入れたのだろう？

どうやらハリーと同じことを考えていたらしいハーマイオニーが、急いで口をはさんだ。

「ほんとにおもしろい生き物よね？　ね、ハリー？」

「え？　あ、うん……痛っ……おもしろいね」

ハーマイオニーに足を踏まれながら、ハリーが答えた。

「まっ、ハリー、**君**、ここにいたの！」

リータ・スキーターが振り返って言った。

「それじゃ、魔法生物飼育学が好きなの？　お気に入りの科目の一つかな？」

「はい」

ハリーはしっかり答えた。ハグリッドがうれしそうにハリーに笑いかけた。

「すてきざんすわ」リータが言った。

「ほんと、すてきざんすわ。長く教えてるの？」今度はハグリッドに尋ねた。

リータの目が次から次へと移っていくのにハリーは気づいた。ディーン（ほおにかなりの切り傷があった）、ラベンダー（ローブがひどく焼け焦げていた）、シェーマス（火傷した数本の指をかばっていた）、それから小屋の窓へ——そこには、クラスの大多数の生徒が、窓ガラスに鼻を押しつけて、外はもう安全かとうかがっていた。

「まだ今年で二年目だ」ハグリッドが答えた。

「すてきざんすわ……インタビューさせていただけないざんす？　あなたの魔法生物のご経験を、少し話してもらえない？『予言者』では、毎週水曜に動物学のコラムがありましてね。ご存じざんしょ。特集が組めるわ。この——えーと——尻尾バンバンスクートの」

「『尻尾爆発スクリュート』だ」ハグリッドが熱を込めて言った。

「あー——ウン。かまわねえ」

ハリーは、これはまずいと思った。しかし、リータに気づかれないようにハグリッドに知らせる方法がなかった。ハグリッドとリータ・スキーターが、今週中のいつか別の日に、「三本の箒」で、じっくりインタビューをすると約束するのを、ハリーはだまって見ているほかなかった。その時、城からの鐘が聞こえ、授業の終わりを告げた。

「じゃあね、さよなら、ハリー！」

ロン、ハーマイオニーと一緒に帰りかけたハリーに、リータ・スキーターが陽気に声をかけた。

「じゃ、金曜の夜に。ハグリッド！」

「あの人、ハグリッドの言うこと、みんなねじ曲げるよ」ハリーが声をひそめて言った。

「スクリュートを不法輸入とかしていなければいいんだけど」ハーマイオニーも深刻な声だった。

二人は顔を見合わせた——それこそ、ハグリッドがまさにやりそうなことだった。

「ハグリッドはいままでも山ほど面倒を起こしたけど、ダンブルドアは絶対クビにしなかったよ」

ロンがなぐさめるように言った。

「最悪の場合、ハグリッドはスクリュートを始末しなきゃならないだけだろ。あ、失礼……僕、最悪って言った？　最善のまちがい」

ハリーもハーマイオニーも笑った。そして、少し元気が出て、昼食に向かった。

その午後、ハリーは占い学の二時限続きの授業を充分楽しんだ。中身は相変わらず星座表や予言だったが、ロンとの友情が元に戻ったので、何もかもがまたおもしろくなった。ハリーとロンが、自らの恐ろしい死を予測したことでとても機嫌のよかったトレローニー先生は、冥王星が日常生活を乱すさまざまな例を説明している間、二人がクスクス笑っていたことでたちまちいらいらしだした。

「あたくし、**こう思いますのよ**」

神秘的なささやくような声を出しても、トレローニー先生の機嫌の悪さは隠せなかった。

「あたくしたちの中の**誰かが**」――先生はさも意味ありげな目でハリーを見つめた――「あたくしが昨夜、水晶玉で見たものを、ご自分の目でごらんになれば、それほど**不真面目**ではいられないかもしれませんわ。あたくし、ここに座って、刺繍に没頭しておりましたとき、水晶玉に聞かなければという思いにかられまして立ち上がりましたの。玉の前に座り、水晶の底をのぞきましたら……あたくしを見つめ返していたものはなんだったとお思い？」

「でっかいめがねをかけた醜い年寄りのコウモリ？」ロンが息を殺してつぶやいた。

ハリーはまじめな顔を崩さないよう必死でこらえた。

「**死**ですのよ」

パーバティとラベンダーが、二人ともゾクッとしたように、両手でパッと口を押さえた。

「そうなのです」

トレローニー先生がもったいぶってうなずいた。

「それはやってくる。ますます身近に。それはハゲタカのごとく輪を描き、だんだん低く……城の上に、ますます低く……」

トレローニー先生はしっかりハリーを見すえた。ハリーはあからさまに大きなあくびをした。


「もう八十回も同じことを言ってなけりゃ、少しはパンチが効いたかもしれないけど」

トレローニー先生の部屋から下りる階段で、やっと新鮮な空気を取り戻したとき、ハリーが言った。

「だけど、僕が死ぬって先生が言うたびに、いちいち死んでたら、僕は医学上の奇跡になっちゃうよ」

「超濃縮ゴーストってとこかな」

ロンもおもしろそうに笑った。ちょうど「血みどろ男爵」が不吉な目をぎょろぎょろさせながら二人とすれちがうところだった。

「宿題が出なかっただけよかったよ。ベクトル先生がハーマイオニーに、どっさり宿題を出してるといいな。あいつが宿題やってるとき、こっちがやることがないってのがいいねえ……」

しかし、ハーマイオニーは夕食の席にいなかった。そのあと二人で図書館に探しにいったが、やっぱりいなかった。ビクトール・クラムしかいなかった。ロンは、しばらく書棚の陰をうろうろしながらクラムを眺め、サインを頼むべきかどうかハリーに小声で相談していた――しかしその時、六、七人の女子学生が隣の書棚の陰にひそんで、まったく同じことを相談しているのに気づき、ロンはやる気をなくした。

「あいつ、どこ行っちゃったのかなあ？」

二人でグリフィンドール塔に戻りながら、ロンが言った。

「さあな……**たわごと**」

ところが、「太った婦人(レディ)」が開くか開かないうちに、二人の背後にバタバタと走ってくる音が聞こえた。ハーマイオニーのご到着だ。

「ハリー！」

ハリーの脇で急停止し、息を切らしながらハーマイオニーが呼びかけた（「太った婦人」が眉を吊(つ)り上げてハーマイオニーを見下ろした）。

「ハリー、一緒に来て――来なきゃ**ダメ**。とってもすごいことが起こったんだから――お願い――」

ハーマイオニーはハリーの腕をつかみ、廊下のほうに引き戻そうとした。

「いったいどうしたの？」ハリーが聞いた。

「着いてから見せてあげるから――ああ、早く来て――」

ハリーはロンのほうを振り返った。ロンもいったいなんだろうという顔でハリーを見た。

「オッケー」

ハリーはハーマイオニーと一緒に廊下を戻りはじめ、ロンが急いであとを追った。

「いいのよ、気にしなくて！」

「太った婦人」が後ろからいらいらと声をかけた。

「私に面倒をかけたことを、謝らなくてもいいですとも！　私はみなさんが帰ってくるまで、ここにこうしてパックリ開いたまま引っかかっていればいいというわけね？」

「そうだよ、ありがとう」ロンが振り向きざま答えた。

ハーマイオニーは七階から一階まで二人を引っ張っていった。

「ハーマイオニー、どこに行くんだい？」

玄関ホールに続く大理石の階段を下りはじめたとき、ハリーが聞いた。

「いまにわかるわ。もうすぐよ！」ハーマイオニーは興奮していた。

階段を下りきった所で、左に折れるとドアが見えた。「炎のゴブレット」がセドリックとハリーの名前を吐き出したあの夜、セドリックが通っていったあのドアだ。ハーマイオニーは急いでドアに向かった。ハリーはいままでここを通ったことがなかった。二人がハーマイオニーのあとについて石段を下りると、そこは、スネイプの地下牢に続く陰気な地下通路とはちがって、明々と松明に照らされた広い石の廊下だった。主に食べ物を描いた、楽しげな絵が飾ってある。

「あっ、待てよ……」

廊下の中ほどまで来たとき、ハリーが何か考えながら言った。

「ちょっと待って、ハーマイオニー……」

「えっ？」ハーマイオニーはハリーを振り返った。顔中がワクワクしている。

「なんだかわかったぞ」ハリーが言った。

ハリーはロンをこづいて、ハーマイオニーのすぐ後ろにある絵を指差した。巨大な銀の器に果物を盛った絵だ。

「ハーマイオニー！」ロンもハッと気づいた。

「僕たちを、また『S・P・E・W（反吐）』なんかに巻き込むつもりだろ！」

「ちがう、ちがう。そうじゃないの！」

ハーマイオニーがあわてて言った。

「それに、『**スピュー**（反吐）』って呼ぶんじゃないわよ。ロンったら――」

「名前を変えたとでもいうのか？」

ロンがしかめっ面でハーマイオニーを見た。

「それじゃ、今度は、何になったんだい？　屋敷しもべ妖精解放戦線か？　厨房に押し入って、あいつらに働くのをやめさせるなんて、そんなの、僕はごめんだ――」

「そんなこと、頼みやしないわ！」

ハーマイオニーはもどかしげに言った。

「私、ついさっき、みんなと話すのにここに来たの。そしたら、見つけたのよ――ああ、**とにかく**来てよ、ハリー。あなたに見せたいの！」

ハーマイオニーはまたハリーの腕をつかまえ、巨大な果物皿の絵の前まで引っ張ってくると、人差し指を伸ばして大きな緑色の梨をくすぐった。梨はクスクス笑いながら身をよじり、急に大きな緑色のドアの取っ手に変わった。ハーマイオニーは取っ手をつかみ、ドアを開け、ハリーの背中をぐいと押して、中に押し込んだ。

天井の高い巨大な部屋が、ほんの一瞬だけ見えた。上の階にある大広間と同じくらい広く、石壁の前にずらりと、ピカピカの真鍮の鍋やフライパンが山積みになっている。部屋の奥には大きなれんがの暖炉があった。次の瞬間、部屋の真ん中から、何か小さなものが、ハリーに向かって駆けてきた。キーキー声で叫んでいる。

「ハリー・ポッター様！　**ハリー・ポッター！**」

キーキー声のしもべ妖精が勢いよくみずおちにぶつかり、ハリーは息が止まりそうだった。しもべ妖精は、ハリーの肋骨が折れるかと思うほど強く抱きしめた。

「ド、ドビー？」ハリーは絶句した。

「はい、**ドビーめ**でございます！」

へそのあたりでキーキー声が答えた。

「ドビーはハリー・ポッター様に会いたくて、会いたくて。そうしたら、ハリー・ポッターはドビーめに会いにきてくださいました！」

ドビーはハリーから離れ、二、三歩下がってハリーを見上げ、ニッコリした。巨大な、テニスボールのような緑の目が、うれし涙でいっぱいだった。ドビーはハリーの記憶にあるとおりの姿をしていた。えんぴつのような鼻、コウモリのような耳、長い手足の指――ただ、衣服だけはまったくちがっていた。ドビーがマルフォイ家で働いていたときは、いつも同じ、汚れた枕カバーを着ていた。しかしいまは、ハリーが見たこともないような、へんてこな組み合わせの衣装だ。ワールドカップでの魔法使いたちのマグル衣装よりさらに悪かった。帽子がわりにティーポット・カバーをかぶり、それにキラキラしたバッジをたくさんとめつけていたし、裸の上半身に、馬蹄(ばてい)模様のネクタイをしめ、子供のサッカー用パンツのようなものをはき、ちぐはぐな靴下をはいていた。その片方には、見覚えがあった。ハリーが昔はいていた靴下だ。ハリーはその黒い靴下を脱ぎ、マルフォイ氏がそれをドビーに与えるように計略をしかけ、ドビーを自由の身にしたのだ。もう片方は、ピンクとオレンジの縞(しま)模様だ。

「ドビー、どうしてここに？」ハリーが驚いて尋ねた。

「ドビーはホグワーツに働きにきたのでございます！」

ドビーは興奮してキーキー言った。

「ダンブルドア校長が、ドビーとウィンキーに仕事をくださったのでございます！」

「ウィンキー？　ウィンキーもここにいるの？」ハリーが聞いた。

「さようでございますとも！」

ドビーはハリーの手を取り、四つの長い木のテーブルの間を引っ張って厨房の奥に連れていった。テーブルの脇を通りながら、それぞれがちょうど、大広間の各寮のテーブルの真下に置かれていることにハリーは気づいた。いまは夕食も終わったので、どのテーブルにも食べ物はなかった。しかし、一時間前は食べ物の皿がぎっしり置かれ、天井からそれぞれの寮のテーブルに送られたのだろう。

ドビーがハリーを連れてそばを通ると、少なくとも百人の小さなしもべ妖精が、厨房のあちこちで会釈したり、頭を下げたり、ひざをちょんと折って宮廷風の挨拶をしたりした。全員が同じ格好をしている。ホグワーツの紋章が入ったキッチンタオルを、ウィンキーが以前に着ていたように、トーガ風に巻きつけて結んでいるのだ。

ドビーはれんが造りの暖炉の前で立ち止まり、指差しながら言った。

「ウィンキーでございます！」

ウィンキーは暖炉脇の丸椅子に座っていた。ウィンキーはドビーとちがって、洋服あさりをしなかったらしい。しゃれた小さなスカートにブラウス姿で、それに合ったブルーの帽子をかぶっている。耳が出るように帽子には穴が開いていた。しかし、ドビーの珍妙なごた混ぜの服は清潔で手入れが行き届き、新品のように見えるのに、ウィンキーのほうは、まったく洋服の手入れをしていない。ブラウスの前はスープのしみだらけで、スカートには焼け焦げがあった。

「やあ、ウィンキー」

ハリーが声をかけた。ウィンキーは唇を震わせた。そして泣きだした。クィディッチ・ワールドカップのときと同じように、大きな茶色の目から涙があふれ、滝のように流れ落ちた。

「かわいそうに」

ロンと一緒にハリーとドビーについて厨房の奥までやってきたハーマイオニーが言った。

「ウィンキー、泣かないで。お願いだから……」

しかし、ウィンキーはいっそう激しく泣きだした。ドビーのほうは、逆にハリーにニッコリ笑いかけた。

「ハリー・ポッターは紅茶を一杯お飲みになりますか？」

ウィンキーの泣き声に負けない大きなキーキー声で、ドビーが聞いた。

「あ――うん。オッケー」ハリーが答えた。

たちまち、六人ぐらいのしもべ妖精がハリーの背後から小走りにやってきた。ハリー、ロン、ハーマイオニーのために、大きな銀の盆にのせて、ティーポット、三人分のティーカップ、ミルク入れ、大皿に盛ったビスケットを持ってきたのだ。

「サービスがいいなぁ！」

ロンが感心したように言った。ハーマイオニーはロンをにらんだが、しもべ妖精たちは全員うれしそうで、深々と頭を下げながら退いた。

「ドビー、いつからここにいるの？」

ドビーが紅茶の給仕を始めたとき、ハリーが聞いた。

「ほんの一週間前でございます、ハリー・ポッター様！」

ドビーがうれしそうに答えた。

「ドビーはダンブルドア校長先生の所に来たのでございます。おわかりいただけると存じますが、解雇されたしもべ妖精が新しい職を得るのは、とても難しいのでございます。ほんとうに難しいので――」

ここでウィンキーの泣き声が一段と激しくなった。つぶれたトマトのような鼻から鼻水がボタボタ垂れたが、止めようともしない。

「ドビーは丸二年間、仕事を探して国中を旅したのでございます！」

ドビーはキーキー話し続けた。

「でも、仕事は見つからなかったのでございます。なぜなら、ドビーはお給料が欲しかったからです！」

興味津々で見つめ、聞き入っていた厨房中のしもべ妖精が、この言葉で全員顔を背けた。ドビーが、何か無作法で恥ずかしいことを口にしたかのようだった。

しかし、ハーマイオニーは、「そのとおりだわ、ドビー！」と言った。

「お嬢さま、ありがとうございます！」

ドビーがニカーッと歯を見せてハーマイオニーに笑いかけた。

「ですが、お嬢さま、大多数の魔法使いは、給料を要求する屋敷しもべ妖精を欲しがりません。『それじゃ屋敷しもべにならない』とおっしゃるのです。そして、ドビーの鼻先でドアをピシャリと閉めるのです！　ドビーは働くのが好きです。でもドビーは服を着たいし、給料をもらいたい。ハリー・ポッター……ドビーめは自由が好きです！」

ホグワーツのしもべ妖精たちは、まるでドビーが何か伝染病でも持っているかのように、じりじりとドビーから離れはじめた。ウィンキーはその場から動かなかった。ただし、明らかに泣き声のボリュームが上がった。

「そして、ハリー・ポッター、ドビーはその時ウィンキーを訪ね、ウィンキーも自由になったことがわかったのでございます！」ドビーがうれしそうに言った。

その言葉に、ウィンキーは椅子から身を投げ出し、石畳の床に突っ伏し、小さな拳で床をたたきながら、みじめさに打ちひしがれて泣き叫んだ。

ハーマイオニーが急いでウィンキーの横にひざをつき、なぐさめようとしたが、何を言ってもまったくむだだった。

ウィンキーのピーピーという泣き声をしのぐかん高い声を張り上げ、ドビーの物語は続いた。

「そして、その時、ドビーは思いついたのでございます、ハリー・ポッター様！　『ドビーとウィンキーと一緒の仕事を見つけたら？』と、ドビーが言います。『しもべ妖精が、二人も働けるほど仕事がある所がありますか？』と、ウィンキーが言います。そこでドビーが考えます。そしてドビーは思いついたのでございます！　**ホグワーツ！**　そしてドビーとウィンキーはダンブルドア校長先生に会いにきたのでございます。そしてダンブルドア校長先生がわたくしたちをおやといくださいました！」

ドビーはニッコリと、ほんとうに明るく笑い、その目にうれし涙がまたあふれた。

「そしてダンブルドア校長先生は、ドビーがそう望むなら、お給料を支払うとおっしゃいました！　こうしてドビーは自由な屋敷妖精になったのでございます。そしてドビーは、一週間に一ガリオンと、一か月に一日のお休みをいただくのです！」

「それじゃ少ないわ！」

ハーマイオニーが床に座ったままで、ウィンキーがわめき続ける声や、拳で床を打つ音にも負けない声で、怒ったように言った。

「ダンブルドア校長はドビーめに、週十ガリオンと週末を休日にするとおっしゃいました」

ドビーは、そんなにひまや金ができたら恐ろしいとでもいうように、急にブルッと震えた。

「でも、ドビーはお給料を値切ったのでございます。お嬢さま……。ドビーは自由が好きでございます。でもドビーはそんなにたくさん欲しくはないのでございます。お嬢さま。ドビーは働くほうが好きなのでございます」

「それで、ウィンキー、ダンブルドア校長先生は、**あなたには**いくら払っているの？」

ハーマイオニーがやさしく聞いた。

ハーマイオニーがウィンキーを元気づけるために聞いたつもりだったとしたら、とんでもない見込みちがいだった。ウィンキーは泣きやんだ。しかし、顔中ぐしょぐしょにしながら、床に座りなおし、巨大な茶色の目でハーマイオニーをにらみ、急に怒りだした。

「ウィンキーは不名誉なしもべ妖精でございます。でも、ウィンキーはまだ、お給料をいただくようなことはしておりません！」

ウィンキーはキーキー声を上げた。

「ウィンキーはそこまで落ちぶれてはいらっしゃいません！　ウィンキーは自由になったことをきちんと恥じております！」

「恥じる？」ハーマイオニーはあっけにとられた。

「でも――ウィンキー、しっかりしてよ！　恥じるのはクラウチさんのほうよ。あなたじゃない！　あなたはなんにも悪いことをしてないし、あの人はほんとに、あなたに対してひどいことを――」

しかし、この言葉を聞くと、ウィンキーは帽子の穴から出ている耳を両手でぴったり押さえつけ、一言も聞こえないようにして叫んだ。

「あたしのご主人さまを、あなたさまは侮辱なさらない、ない、ないのです！　クラウチさまを、あなたさまは侮辱なさらないのです！　お嬢さま、クラウチさまはよい魔法使いでございます。クラウチさまは悪いウィンキーをクビにするのが正しいのでございます！」

「ウィンキーはなかなか適応できないのでございます。ハリー・ポッター」

ドビーはハリーに打ち明けるようにキーキー言った。

「ウィンキーは、もうクラウチさんに縛られていないということを忘れるのでございます。なんでも言いたいことを言ってもいいのに、ウィンキーはそうしないのでございます」

「屋敷しもべは、それじゃ、ご主人様のことで、言いたいことが言えないの？」

ハリーが聞いた。

「言えませんとも。とんでもございません」ドビーは急に真顔になった。

「それが、屋敷しもべ妖精制度の一部でございます。わたくしどもはご主人様の秘密を守り、沈黙を守るのでございます。主君の家族の名誉を支え、けっしてその悪口を言わないのでございます──でもダンブルドア校長先生はドビーに、そんなことにこだわらないとおっしゃいました。ダンブルドア校長先生は、わたくしどもに──あの──」

ドビーは急にそわそわして、ハリーにもっと近くに来るように合図した。ハリーが身をかがめた。

ドビーがささやいた。

「ダンブルドア様は、わたくしどもがそう呼びたければ──老いぼれ偏屈じじいと呼んでもいいとおっしゃったのでございます！」

ドビーは畏れ多いという顔でクスッと笑った。

「でも、ドビーはそんなことはしたくないのでございます、ハリー・ポッター」

ドビーの声が元に戻り、耳がパタパタするほど強く首を横に振った。

「ドビーはダンブルドア校長先生がとても好きでございます。校長先生のために秘密を守るのは誇りでございます」

「でも、マルフォイ一家については、もう何を言ってもいいんだね？」

ハリーはニヤッと笑いながら聞いた。

ドビーの巨大な目に、ちらりと恐怖の色が浮かんだ。

「ドビーは――ドビーはそうだと思います」

自信のない言い方だった。そして小さな肩を怒らせ、こう言った。

「ドビーはハリー・ポッターに、このことをお話しできます。ドビーの昔のご主人様たちは――ご主人様たちは――**悪い闇の魔法使いでした！**」

ドビーは自分の大胆さに恐れをなして、全身震えながらその場に一瞬立ちすくんだ――それから一番近くのテーブルに駆けていき、思いきり頭を打ちつけながら、キーキー声で叫んだ。

「**ドビーは悪い子！　ドビーは悪い子！**」

ハリーはドビーのネクタイの首根っこの所をつかみ、テーブルから引き離した。

「ありがとうございます、ハリー・ポッター。ありがとうございます」

ドビーは頭をなでながら、息もつかずに言った。

「ちょっと練習する必要があるだけだよ」ハリーが言った。

「練習ですって！」

ウィンキーが怒ったようにキーキー声を上げた。

「ご主人さまのことをあんなふうに言うなんて、ドビー、あなたは恥をお知りにならなければなりません！」

「あの人たちは、ウィンキー、もう私のご主人ではありません！」

ドビーは挑戦するように言った。

「ドビーはもう、あの人たちがどう思おうと気にしないのです！」

「まあ、ドビー、あなたは悪いしもべ妖精でいらっしゃいます！」

ウィンキーがうめいた。涙がまた顔をぬらしていた。

「あたしのおかわいそうなクラウチさま。ウィンキーがいなくて、どうしていらっしゃるのでしょう？　クラウチさまはウィンキーが必要です。あたしの助けが必要です！　あたしはずっとクラウチ家のお世話をしていらっしゃいました。あたしの母はあたしの前に、あたしのおばあさんはその前に、お世話していまいます……ああ、あの二人は、ウィンキーが自由になったことを知ったら、どうおっしゃるでしょう？　ああ、恥ずかしい。情けない！」

ウィンキーはスカートに顔をうずめ、また泣き叫んだ。

「ウィンキー」ハーマイオニーがきっぱりと言った。

「クラウチさんは、あなたがいなくたって、ちゃんとやっているわよ。私たち、最近お会いしたけど――」

「あなたさまはあたしのご主人さまにお会いに？」

ウィンキーは息をのんで、涙で汚れた顔をスカートから上げ、ハーマイオニーをじろじろ見た。

「あなたさまは、あたしのご主人さまにホグワーツでお目にかかったのですか？」

「そうよ」ハーマイオニーが答えた。

「クラウチさんとバグマンさんは、三校対抗試合の審査員なの」

「バグマンさまもいらっしゃる？」

ウィンキーがまた怒った顔をしたので、ハリーはびっくりした（ロンもハーマイオニーも驚いたらしいことは、二人の表情でわかった）。

「バグマンさまは悪い魔法使い！　とても悪い魔法使い！　あたしのご主人さまはあの人がお好きでは

ない。ええ、そうですとも。全然お好きではありません！」

「バグマンが――悪い？」ハリーが聞き返した。

「ええ、そうでございます」

ウィンキーが激しく頭を振りながら答えた。

「あたしのご主人さまがウィンキーにお話しになったことがあります。でも、でもウィンキーは言わないのです……。ウィンキーは――ウィンキーはご主人さまの秘密を守ります……」

ウィンキーはまたまた涙にかき暮れた。スカートに顔をうずめてすすり泣く声が聞こえた。

「かわいそうな、かわいそうなご主人さま。ご主人さまを助けるウィンキーがもういない！」

それ以上はウィンキーの口から、ちゃんとした言葉は一言も聞けなかった。みんな、ウィンキーを泣くがままにして、紅茶を飲み終えた。ドビーは、その間、自由な屋敷妖精の生活や、給料をどうするつもりかの計画を楽しそうに語り続けた。

「ドビーはこの次にセーターを買うつもりです。ハリー・ポッター！」

ドビーは裸の胸を指差しながら、幸せそうに言った。

「ねえ、ドビー」

ロンはこの屋敷妖精がとても気に入った様子だ。

「ママが今年のクリスマスに僕に編んでくれるヤツ、君にあげるよ。僕、毎年一着もらうんだ。君、栗色は嫌いじゃないだろう？」

ドビーは大喜びだった。

「ちょっと縮めないと君には大きすぎるかもしれないけど」ロンが言った。

「でも、君のティーポット・カバーとよく合うと思うよ」

帰り支度を始めると、周りのしもべ妖精がたくさん寄ってきて、寮に持ち帰ってくださいとスナックを押しつけた。ハーマイオニーは、しもべ妖精たちが引っきりなしにおじぎをしたり、ひざを折って挨拶したりする様子を、苦痛そうに見ながら断ったが、ハリーとロンは、クリームケーキやパイをポケットいっぱいに詰め込んだ。

「どうもありがとう！」

ドアの周りに集まっておやすみなさいを言うしもべ妖精たちに、ハリーは礼を言った。

「ドビー、またね！」

「ハリー・ポッター……ドビーがいつかあなた様をお訪ねしてもよろしいでしょうか？」

ドビーがためらいながら言った。

「もちろんさ」ハリーが答えると、ドビーはニッコリした。

「あのさ」

ロン、ハーマイオニー、ハリーが厨房をあとにし、玄関ホールへの階段を上りはじめたとき、ロンが言った。

「僕、これまでずーっと、フレッドとジョージのこと、ほんとうにすごいと思ってたんだ。厨房から食べ物をくすねてくるなんてさ――でも、そんなに難しいことじゃなかったんだよね？　しもべ妖精たち、差し出したくてうずうずしてるんだ！」

「これは、あの妖精たちにとって、最高のことが起こったと言えるんじゃないかしら」

大理石の階段に戻る道を先頭に立って歩きながら、ハーマイオニーが言った。

「つまり、ドビーがここに働きにきたということが。ほかの妖精たちは、ドビーが自由の身になって、どんなに幸せかを見て、自分たちも自由になりたいと徐々に気づくんだわ！」

「ウィンキーのことをあんまりよく見なければいいけど」ハリーが言った。

「あら、あの子は元気になるわ」

そうは言ったものの、ハーマイオニーは少し自信がなさそうだった。

「いったんショックがやわらげば、ホグワーツにも慣れるでしょうし、あんなクラウチなんて人、いないほうがどんなにいいかわかるわよ」

「ウィンキーはクラウチのこと好きみたいだな」

ロンがもごもご言った（ちょうどクリームケーキをほお張ったところだった）。

「でも、バグマンのことはあんまりよく思ってないみたいだね？」ハリーが言った。

「クラウチは家の中ではバグマンのことをなんて言ってるのかなぁ？」

「きっと、あんまりいい部長じゃない、とか言ってるんでしょ……はっきり言って……それ、当たってるわよね？」

「僕は、クラウチなんかの下で働くより、バグマンのほうがまだいいな」ロンが言った。

「少なくとも、バグマンにはユーモアのセンスってもんがある」

「それ、パーシーには言わないほうがいいわよ」

ハーマイオニーがちょっとほほえみながら言った。

「うん。まあね、パーシーは、ユーモアのわかる人の下なんかで働きたくないだろうな」

今度はチョコレート・エクレアに取りかかりながら、ロンが言った。

「ユーモアってやつが、ドビーのティーポット・カバーをかぶって目の前で裸で踊ったたって、パーシーは気がつきゃしないよ」

第22章　予期せぬ課題

「ポッター！　ウィーズリー！　**こちらに注目なさい！**」

　木曜の変身術のクラスで、マクゴナガル先生のいらいらした声が、鞭のようにビシッと教室中に響いた。ハリーとロンが飛び上がって先生のほうを見た。

　授業も終わろうとしていた。二人はもう課題をやり終えていた。ホロホロ鳥から変身させたモルモットは、マクゴナガル先生の机の上に置かれた大きなかごに閉じ込められていた（ネビルのモルモットはまだ羽が生えていたが）。黒板に書かれた宿題も写し終わっていた（「取り替え呪文」で「異種間取り替え」を行う場合、呪文をどのように調整しなければならないか、例を挙げて説明せよ）。終業のベルがいまにも鳴ろうというときだ。ハリーとロンは、フレッド、ジョージの「だまし杖」を二本持って、教室の後ろのほうでちゃんばらをやっていたのだ。ロンはブリキのオウムを手に、ハリーはゴムの鱈を持ったまま、驚いて先生を見上げた。

「さあ、ポッターもウィーズリーも、年相応な振る舞いをしていただきたいものです」

　マクゴナガル先生は、二人組を怖い目でにらんだ。ちょうど、ハリーの鱈の頭がだらりと垂れ下がり、音もなく床に落ちたところだった――一瞬前にロンのオウムのくちばしが、鱈の頭を切り落としたのだ
――「みなさんにお話があります」

「クリスマス・ダンスパーティが近づきました――三大魔法学校対抗試合の伝統でもあり、外国からのお客様と知り合う機会でもあります。さて、ダンスパーティは四年生以上が参加を許されます――下級

生を招待することは可能ですが――」

ラベンダー・ブラウンがかん高い声でクックッと笑った。パーバティ・パチルは自分もクスクス笑いしたいのを顔をゆがめて必死でこらえながら、ラベンダーの脇腹をこづいた。二人ともハリーを振り返ったのにマクゴナガル先生が二人を無視したので、ハリーは絶対不公平だと思った。ハリーとロンのことはいま叱ったばかりなのに。

「パーティ用のドレスローブを着用なさい」

マクゴナガル先生の話が続いた。

「ダンスパーティは、大広間で、クリスマスの夜八時から始まり、夜中の十二時に終わります。ところで――」

マクゴナガル先生はことさらに念を入れて、クラス全員を見回した。

「クリスマス・ダンスパーティは私(わたくし)たち全員にとって、もちろん――コホン――髪を解き放ち、はめをはずすチャンスです」しぶしぶ認めるという声だ。

ラベンダーのクスクス笑いがさらに激しくなり、手で口を押さえて笑い声を押し殺していた。今度はハリーにも、何がおかしいのかわかった。マクゴナガル先生の髪はきっちりした髷(まげ)に結い上げてあり、どんなときでも髪を解き放ったことなど一度もないように見えた。

「しかし、だからと言って」先生はあとを続けた。「**けっして**ホグワーツの生徒に期待される行動基準をゆるめるわけではありません。グリフィンドール生が、どんな形にせよ、学校に屈辱を与えるようなことがあれば、私としては大変遺憾に思います」

ベルが鳴った。みんなが鞄(かばん)に教材を詰め込んだり、肩にかけたり、いつものあわただしいガヤガヤが始まった。その騒音をしのぐ声で、マクゴナガル先生が呼びかけた。

「ポッター――ちょっと話があります」

頭をちょん切られたゴムの鱈と関係があるのだろうと、ハリーは暗い気持ちで先生の机の前に進んだ。マクゴナガル先生は、ほかの生徒が全員いなくなるまで待って、こう言った。

「ポッター、代表選手とそのパートナーは――」

「なんのパートナーですか？」ハリーが聞いた。

マクゴナガル先生は、ハリーが冗談を言っているのではないかと疑うような目つきをした。

「ポッター、クリスマス・ダンスパーティの代表選手たちのお相手のことです」

先生は冷たく言い放った。

「あなたたちの**ダンスのお相手です**」

ハリーは内臓が丸まってしなびるような気がした。

「ダンスのパートナー？」

ハリーは顔が赤くなるのを感じた。

「僕、ダンスしません」と急いで言った。

「いいえ、するのです」

マクゴナガル先生はいらいら声になった。

「はっきり言っておきます。伝統に従い、代表選手とそのパートナーが、ダンスパーティの最初に踊るのです」

突然ハリーの頭の中に、シルクハットに燕尾服の自分の姿が浮かんだ。ペチュニアおばさんがバーノンおじさんの仕事のパーティでいつも着るような、ひらひらしたドレスを着た女の子を連れている。

「僕、ダンスするつもりはありません」ハリーが言った。

「伝統です」マクゴナガル先生がきっぱり言った。

「あなたはホグワーツの代表選手なのですから、学校代表として、しなければならないことをするのです。ポッター、必ずパートナーを連れてきなさい」

「でも——僕には——」

「わかりましたね、ポッター」

マクゴナガル先生は、問答無用という口調で言った。

一週間前だったら、ハンガリー・ホーンテールに立ち向かうことに比べれば、ダンスのパートナーを見つけることなんかお安い御用だと思ったことだろう。しかし、ホーンテールが片づいたいま、女の子をダンスパーティに誘うという課題をぶつけられると、もう一度ホーンテールと戦うほうがまだましだとハリーは思った。

クリスマスにホグワーツに残る希望者リストに、こんなに大勢の名前が書き込まれるのを、ハリーははじめて見た。もちろんハリーはいままでも必ず名前を書いていた。そうでなければプリベット通りに帰るしかなかったからだ。しかし、これまではハリーはいつも少数派だった。ところが今年は、四年生以上は全員残るようだった。しかも、全員がダンスパーティのことで頭がいっぱいのように見えた——少なくとも女子学生は全員そうだった。ホグワーツにこんなにたくさんの女子学生がいるなんて、ハリーはいままでまったく気づかなかった。廊下でクスクス笑ったり、ヒソヒソささやいたり、男子学生がそばを通り過ぎるとキャアキャア笑い声を上げたり、クリスマスの夜に何を着ていくかを夢中で情報交換していたり……。

「どうしてみんな、固まって動かなきゃならないんだ？」

十二、三人の女子学生がクスクス笑いながらハリーを見つめて通り過ぎたとき、ハリーがロンに問いかけた。
「一人でいるところを捕らえて申し込むなんて、どうやったらいいんだろう？」

「投げ縄はどうだ？」ロンが提案した。

「誰かねらいたい子がいるかい？」

ハリーは答えなかった。誰を**誘いたいか**は自分でよくわかっていたが、その勇気があるかどうかは別問題だ……チョウはハリーより一年上だ。とてもかわいい。クィディッチのいい選手だ。しかも、とても人気がある。

ロンにはハリーの頭の中で起こっていることがわかっているようだった。

「いいか。君は苦労しない。代表選手じゃないか。ハンガリー・ホーンテールもやっつけたばかりだ。みんな行列して君と行きたがるよ」

最近回復したばかりの友情の証（あかし）に、ロンはできるだけいやみに聞こえないような声でそう言った。しかも、ハリーが驚いたことに、ロンの言うとおりの展開になった。

早速その翌日、ハッフルパフ寮の三年生で、巻き毛の女の子が、ハリーがこれまで一度も口をきいたこともないのに、パーティに一緒に行かないかと誘ってきた。ハリーはびっくり仰天し、考える間もなく「ノー」と言っていた。女の子はかなり傷ついた様子で立ち去った。そのあとの魔法史の授業中ずっと、ハリーは、ディーン、シェーマス、ロンの冷やかしにたえるはめになった。次の日、また二人の女の子が誘ってきた。二年生の子と、なんと（恐ろしいことに）五年生の女の子で、五年生は、ハリーが断ったらノックアウトをかましそうな様子だった。

「ルックスはなかなかだったじゃないか」

さんざん笑ったあと、ロンが公正な意見を述べた。

「僕より三十センチも背が高かった」

ハリーはまだショックが収まらなかった。

「考えてもみて。僕があの人と踊ろうとしたらどんなふうに見えるか」

ハーマイオニーがクラムについて言った言葉が、しきりに思い出された。

「みんな、あの人が有名だからチヤホヤしてるだけよ！」

パートナーになりたいと、これまで申し込んできた女の子たちは、自分が代表選手でなかったらはたして一緒にパーティに行きたいと思ったかどうか疑わしい、とハリーは思った。しかし、申し込んだのがチョウだったら、自分はそんなことを気にするだろうか、とも思った。

ダンスパーティで最初に踊るという、なんともバツの悪いことが待ち受けてはいたが、全体的に見れば、第一の課題を突破して以来、状況がぐんと改善した。ハリーもそれは認めざるをえなかった。廊下でのいやがらせも、以前ほどひどくはなくなった。

セドリックのおかげが大きいのではないかとハリーは思った――ハリーがドラゴンのことをこっそりセドリックに教えたお返しに、セドリックがハッフルパフ生に、ハリーをかまうな、と言ったのではないかと考えたのだ。「セドリック・ディゴリーを応援しよう」バッジもあまり見かけなくなった。もちろん、ドラコ・マルフォイは、相変わらず、事あるごとにリータ・スキーターの記事を持ち出していたが、それを笑う生徒もだんだん少なくなってきていた――その上、「日刊予言者新聞」にハグリッドの記事がまったく出ないのも、ハリーの幸せ気分をいっそう高めていた。

「あの女は、あんまり魔法生物に関心があるようには見えんかったな。正直言うと」

学期最後の魔法生物飼育学のクラスで、ハリー、ロン、ハーマイオニーが、リータ・スキーターのインタビューはどうだったと聞くと、ハグリッドがそう答えた。いまやハグリッドはスクリュートと直接触れ合うことをあきらめていたので、みんなホッとしていた。今日の授業は、ハグリッドの丸太小屋の陰に隠れ、簡易テーブルの周りに腰かけ、スクリュートが好みそうな新手の餌を用意するだけだった。

「あの女はな、ハリー、俺におまえさんのことばっかり話させようとした」

ハグリッドが低い声で話し続けた。

「まあ、俺は、おまえさんとはダーズリーの所から連れ出してからずっと友達だって話した。『四年間で一度も叱ったことはないの?』って聞いてな。『授業中にあなたをいらいらさせたりしなかった?』ってな。俺が『ねえ』って言ってやったら、あの女、気に入らねえようだったな。おまえさんのことをな、ハリー、とんでもねえヤツだって、俺にそう言わせたかったみてえだ」

「そのとおりさ」

ハリーはそう言いながら、大きな金属ボウルにドラゴンのレバーを切った塊をいくつか投げ入れ、もう少し切ろうとナイフを取り上げた。

「いつまでも僕のことを、小さな悲劇のヒーロー扱いで書いてるわけにいかないもの。それじゃ、つまんなくなってくるし」

「ハグリッド、あいつ、新しい切り口が欲しいのさ」

火トカゲ(サラマンダー)の卵の殻をむきながら、ロンがわかったような口をきいた。

「ハグリッドは、『ハリーは狂った非行少年です』って言わなきゃいけなかったんだ」

「ハリーがそんなわけねえだろう!」

ハグリッドはまともにショックを受けたような顔をした。

「あの人、スネイプにインタビューすればよかったんだ」ハリーが不快そうに言った。

「スネイプなら、いつでも僕に関するおいしい情報を提供するだろうに。『**本校に来て以来、ポッターはずっと規則破りを続けておる……**』とかね」

「そんなこと、スネイプが言ったのか？」

ロンとハーマイオニーは笑っていたが、ハグリッドは驚いていた。

「そりゃ、ハリー、おまえさんは規則の二つ、三つ曲げたかもしれんが、そんでも、おまえさんはまともだろうが、え？」

「ありがとう、ハグリッド」ハリーがニッコリした。

「クリスマスに、あのダンスなんとかっていうやつに来るの？ハグリッド？」ロンが聞いた。

「ちょっとのぞいてみるかと思っちょる。ウン」ハグリッドがぶっきらぼうに言った。

「ええパーティのはずだぞ。おまえさん、最初に踊るんだろうが、え？ハリー？誰を誘うんだ？」

「まだ、誰も」

ハリーは、また顔が赤くなるのを感じた。ハグリッドはそれ以上追及しなかった。

学期最後の週は、日を追って騒がしくなった。クリスマス・ダンスパーティのうわさが周り中に飛び交っていたが、ハリーはその半分は眉つばだと思った――たとえば、ダンブルドアがマダム・ロスメルタから蜂蜜酒を八百樽(たる)買い込んだとかだ。ただ、ダンブルドアが「妖女シスターズ」の出演を予約したというのはほんとうらしかった。「妖女シスターズ」がいったい誰で、何をするのか、魔法ラジオを聞く機会がなかったハリーは、はっきりとは知らなかったが、WWN魔法ラジオネットワークを聞いて育ったほかの生徒たちの異常な興奮ぶりからすると、きっととても有名なバンドなのだろうと思った。

何人かの先生方は――小さなフリットウィック先生もその一人だったが――生徒がまったく上の空なので、しっかり教え込むのは無理だとあきらめてしまった。フリットウィック先生は水曜の授業で、生徒にゲームをして遊んでよいと言い、自分はほとんどずっと、対抗試合の第一の課題でハリーが使った完璧な「呼び寄せ呪文」についてハリーと話し込んだ。

ほかの先生は、そこまで甘くはなかった。たとえばビンズ先生だが、天地がひっくり返っても、この先生は「小鬼(ゴブリン)の反乱」のノートを延々と読み上げるだろう——自分が死んでも授業を続けるさまたげにならなかったビンズ先生のことだ。たかがクリスマスごときでおたおたするタマではないと、みんなそう思った。血なまぐさい、凄惨な小鬼の反乱でさえ、ビンズ先生の手にかかれば、パーシーの「鍋底に関する報告書」と同じようにたいくつなものになってしまうのは驚くべきことだった。

マクゴナガル先生、ムーディ先生の二人は、最後の一秒まできっちり授業を続けたし、スネイプももちろん、クラスで生徒にゲームをして遊ばせるくらいなら、むしろハリーを養子にしただろう。生徒全員を意地悪くじろりと見渡しながら、スネイプは、学期最後の授業で解毒剤のテストをすると言い渡した。

「ワルだよ、あいつ」

その夜、グリフィンドールの談話室で、ロンが苦々しげに言った。

「急に最後の授業にテストを持ちだすなんて。山ほど勉強させて、学期末をだいなしにする気だ」

「うーん……でも、あなた、あんまり山ほど勉強しているように見えないけど？」

ハーマイオニーは魔法薬学のノートから顔を上げて、ロンを見た。ロンは「爆発スナップ・ゲーム」のカードを積んで城を作るのに夢中だった。カードの城がいつなんどきいっぺんに爆発するかわからないので、マグルのカードを使う遊びよりずっとおもしろい。

「クリスマスじゃないか、ハーマイオニー」

ハリーがけだるそうに言った。暖炉のそばで、ひじかけ椅子に座り、『キャノンズと飛ぼう』をもうこれで十回も読んでいるところだった。

ハーマイオニーはハリーにも厳しい目を向けた。

「解毒剤のほうは勉強したくないにしても、ハリー、あなた、何か建設的なことをやるべきじゃないの！」

「たとえば？」

ちょうどキャノンズのジョーイ・ジェンキンズがバリキャッスル・バッツのチェイサーにブラッジャーを打ち込む場面を眺めながら、ハリーが聞いた。

「あの卵よ！」ハーマイオニーは怒ったように低い声で言った。

「そんなぁ。ハーマイオニー、二月二十四日までまだ日があるよ」ハリーが言った。

金の卵は上階の寝室のトランクにしまい込んであり、ハリーは最初の課題のあとのお祝いパーティ以来一度も開けていなかった。あのけたたましいむせび泣きのような音が何を意味するのかを解明するのに、とにかくまだ二か月半もあるのだ。

「でも、解明するのに何週間もかかるかもしれないわ！」ハーマイオニーが言った。

「ほかの人が全部次の課題を知っているのに、あなただけ知らなかったら、まぬけ面もいいとこでしょ！」

「ほっといてやれよ、ハーマイオニー。休息してもいいだけのものを勝ち取ったんだ」

ロンはそう言いながら、最後の二枚のカードを城のてっぺんに置いた。とたんに全部が爆発して、ロンの眉毛が焦げた。

「男前になったぞ、ロン……おまえのドレスローブにぴったりだ。きっと」

フレッドとジョージだった。ロンが眉の焦げ具合をさわって調べていると、二人はテーブルに来て、ロン、ハーマイオニーと一緒に座った。

「ロン、ピッグウィジョンを借りてもいいか?」ジョージが聞いた。

「だめ。いま、手紙の配達に出てる」ロンが言った。「でも、どうして?」

「ジョージがピッグをダンスパーティに誘いたいからさ」フレッドが皮肉った。

「**俺たちが**手紙を出したいからに決まってるだろ。バカチン」ジョージが言った。

「二人でそんなに次々と、誰に手紙を出してるんだ、ん?」ロンが聞いた。

「くちばしを突っ込むな。さもないとそれも焦がしてやるぞ」

フレッドが脅すように杖を振った。

「で……みんな、ダンスパーティの相手を見つけたか?」

「まーだ」ロンが言った。

「なら、急げよ、兄弟。さもないと、いいのは全部取られっちまうぞ」フレッドが言った。

「それじゃ、そっちこそ誰と行くんだ?」ロンが聞いた。

「アンジェリーナ」フレッドはまったく照れもせず、すぐに答えた。

「え?」ロンは面食らった。「もう申し込んだの?」

「いい質問だ」

そう言いながら、ふいに後ろを振り向き、フレッドは談話室のむこうに声をかけた。

「おーい! アンジェリーナ!」

暖炉のそばでアリシア・スピネットとしゃべっていたアンジェリーナが、フレッドのほうを振り向いた。

「何?」声が返ってきた。

「俺とダンスパーティに行くかい？」

アンジェリーナは品定めするようにフレッドを見た。

「いいわよ」

アンジェリーナはそう言うと、またアリシアのほうを向いておしゃべりを続けた。口元がかすかに笑っていた。

「こんなもんだ」フレッドがハリーとロンに言った。「かーんたん」

フレッドはあくびをしながら立ち上がった。

「学校のふくろうを使ったほうがよさそうだな。ジョージ、行こうか……」

二人がいなくなった。ロンは眉をさわるのをやめ、くすぶっているカードの城の残骸のむこう側からハリーを見た。

「僕たち、**行動開始すべき**だぞ……誰かに申し込もう。フレッドの言うとおりだ。残るはトロール二匹、じゃ困るぞ」

ハーマイオニーはしゃくにさわったように聞き返した。

「ちょっとおうかがいしますけど、二匹の……**なんですって？**」

「あのさ――ほら」ロンが肩をすくめた。

「一人で行くほうがましだろ？――たとえば、エロイーズ・ミジョンと行くくらいなら」

「あの子のにきび、このごろずっとよくなったわ――それにとってもいい子だわ！」

「鼻が真ん中からズレてる」ロンが言った。

「ええ、わかりましたよ」

ハーマイオニーがチクチク言った。

「それじゃ、基本的に、あなたは、お顔のいい順に申し込んで、最初にオーケーしてくれる子と行くわけね。めちゃめちゃいやな子でも？」

「あ――ウン。そんなとこだ」ロンが言った。

「私、もう寝るわ」

ハーマイオニーはそれ以上一言も言わずに、サッと女子寮への階段に消えた。

ホグワーツの教職員は、ボーバトンとダームストラングの客人を、引き続きあっと言わせたいとの願いを込め、クリスマスには城を最高の状態で見せようと決意したようだった。飾りつけができ上がると、それは、ハリーがこれまでホグワーツ城で見た中でも最高にすばらしいものだった。大理石の階段の手すりには万年氷のつららが下がっていたし、十二本のクリスマスツリーがいつものように大広間に並び、飾りは赤く輝く柊(ひいらぎ)の実から、本物のホーホー鳴く金色のふくろうまで、盛りだくさんだった。鎧兜(よろいかぶと)には全部魔法がかけられ、誰かがそばを通るたびにクリスマス・キャロルを歌った。中がからっぽの兜が、歌詞を半分しか知らないのに、「神の御子は今宵しも」と歌うのは、なかなかのものだった。ピーブズは鎧に隠れるのが気に入り、抜けた歌詞のところで勝手に自分で作った合いの手を入れ、それが全部下品な歌詞だったので、管理人のフィルチは、鎧の中から何度もピーブズを引きずり出さなければならなかった。

それなのに、ハリーはまだチョウにダンスパーティの申し込みをしていなかった。ハリーもロンも、いまやだいぶ心配になってきた。しかし、ハリーの指摘するように、ロンの場合、相手がいなくてもハリーほどまぬけには見えないだろう。ハリーの場合は、何しろほかの代表選手と一緒に、最初のダンスをしなければならないのだ。

「いざとなれば『嘆きのマートル』がいるさ」

ハリーは憂鬱な気持ちで、三階の女子トイレに取り憑いているゴーストのことを口にした。

「ハリー――我々は歯を食いしばって、やらねばならぬ」

金曜の朝に、難攻不落の砦に攻め入る計画を練っているかのように、ロンが言った。

「今夜、談話室に戻るときには、我々は二人ともパートナーを獲得している――いいな？」

「あー……オッケー」ハリーが言った。

しかしその日、チョウを見かけるたび――休み時間や昼食時間、一度は「魔法史」に行く途中――チョウは友達に囲まれていた。**一体全体**、一人でどこかに行くことはあるのか？　トイレに入る直前を待ち伏せしてはどうか？　いや、しかし――そこへ行くときさえ、チョウは四、五人の女の子と連れ立っていた。それでも、ハリーがなんとかしてすぐに申し込まないと、チョウはきっと誰かに申し込まれてしまう。

ハリーは、スネイプの解毒剤のテストに身が入らなかった。その結果、大事な材料を一つ加えるのを忘れた――ベゾアール石、山羊の結石――これで点数は最低だった。しかし、そんなことはどうでもよかった。これからやろうとしていることに、勇気を振りしぼるのに精いっぱいだった。ベルが鳴ったとき、ハリーは鞄を引っつかみ、地下牢教室の出口へと突進した。

「夕食のとき会おう」

ハリーはロンとハーマイオニーにそう言うと、階段を駆け上った。

チョウに、二人だけで少し話がしたいと言うしかない……ハリーはチョウを探しながら、混み合った廊下を急いで通り抜けた。そして、（思ったより早く）チョウを見つけた。「闇の魔術に対する防衛術」の教室から出てくるところだった。

「あの――チョウ？　ちょっと二人だけで話せる？」

チョウと一緒の女の子たちがクスクス笑いはじめた。ハリーは腹が立って、クスクス笑いは法律で禁じるべきだと思った。しかし、チョウは笑わなかった。「いいわよ」と言って、クラスメートに声が聞こえない所まで、ハリーについてきた。

ハリーはチョウのほうに向きなおった。まるで階段を下りるとき一段踏みはずしたように、胃が奇妙に揺れた。

「あの」ハリーが言った。

だめだ。チョウに申し込むなんてできない。でもやらなければ。チョウは、そこに立ったまま「何かしら？」という顔でハリーを見ていた。

舌がまだ充分整わないうちに、言葉が出てしまった。

「ぼくダンパティいたい？」

「え？」チョウが聞き返した。

「よかったら――よかったら、僕とダンスパーティに行かない？」

ハリーは言った。どうしていま、僕は赤くならなきゃならないんだ？　**どうして？**

「まあ！」チョウも赤くなった。

「まあ、ハリー。ほんとうに、ごめんなさい」

チョウはほんとうに残念そうな顔をした。

「もう、ほかの人と行くって言ってしまったの」

「そう」ハリーが言った。

変な気持ちだ。いまのいままで、ハリーの内臓は蛇のようにのたうっていたのに、急に腹の中がからっぽになったような気がした。

「そう。オッケー」ハリーは言った。「それならいいんだ」

「ほんとうに、ごめんなさい」チョウがまた謝った。

「いいんだ」

二人は見つめ合ったままそこに立っていた。やがて、チョウが言った。

「それじゃ――」

「ああ」ハリーが言った。

「それじゃ、さよなら」チョウは、まだ顔を赤らめたままそう言うと、歩きはじめた。

ハリーは、思わず後ろからチョウを呼び止めた。

「誰と行くの？」

「あの――セドリック」チョウが答えた。「セドリック・ディゴリーよ」

「わかった」ハリーが言った。

ハリーの内臓が戻ってきた。いなくなっていた間に、どこかで鉛でも詰め込んできたような感じだ。夕食のことなどすっかり忘れて、ハリーはグリフィンドール塔にのろのろと戻っていった。一歩歩くごとに、チョウの声が耳の中でこだました。

「**セドリック――セドリック・ディゴリーよ**」

ハリーはセドリックが好きになりかけていた。一度クィディッチでハリーを破ったことも、ハンサムなことも、人気があることも、ほとんど全校生が代表選手としてセドリックを応援していることも、大目に見ようと思いはじめていた。いま、突然、ハリーは気づいた。セドリックは、役にも立たない、かわいいだけの、頭は鳥の脳みそぐらいしかないやつだ。

「**フェアリー・ライト、豆電球**」

ハリーはのろのろと言った。合言葉はきのうから変わっていた。

「そのとおりよ、坊や！」

「太った婦人(レディ)」は歌うように言いながら、真新しいティンセルのヘアバンドをきちんと直し、パッと開いてハリーを通した。

談話室に入り、ハリーはぐるりと見回した。驚いたことに、ロンが隅っこで、血の気のない顔をして座り込んでいた。ジニーがそばに座って、低い声で、なぐさめるように話しかけていた。

「ロン、どうした？」ハリーは二人のそばに行った。

ロンは、恐怖の表情でぼうぜんとハリーを見上げた。

「僕、どうしてあんなことやっちゃったんだろう？」ロンは興奮していた。

「どうしてあんなことをする気になったのか、わからない！」

「何を？」ハリーが聞いた。

「ロンは――あの――フラー・デラクールに、一緒にダンスパーティに行こうって誘ったの」

ジニーが答えた。つい口元がゆるみそうになるのを必死でこらえているようだったが、それでも、ロンの腕をなぐさめるようになでていた。

「**なんだって？**」ハリーが聞き返した。

「どうしてあんなことをしたのか、わかんないよ！」ロンがまた絶句した。

「いったい何を考えてたんだろう？　たくさん人がいて――みんな周りにいて――僕、どうかしてたんだ――みんなが見てた！　僕、玄関ホールでフラーとすれちがったんだ――フラーはあそこに立って、ディゴリーと話してた――そしたら、急に僕、取り憑かれたみたいになって――あの子に申し込んだんだ！」

　ロンはうめき、両手に顔をうずめた。言葉がよく聞き取れなかったが、ロンはしゃべり続けた。

「フラーはぼくのこと、ナマコか何か見るような目で見たんだ。答えもしなかった。そしたら――なんだか――僕、正気に戻って、逃げ出した」

「あの子にはヴィーラの血が入ってるんだ」ハリーが言った。

「君の言ったことが当たってた――おばあさんがヴィーラだったんだ。君のせいじゃない。きっと、フラーがディゴリーに魅力を振りまいていたとき、君が通りかかったんだ。そしてその魅力にあたったんだ――だけど、フラーは骨折り損だよ。ディゴリーはチョウ・チャンと行く」

　ロンが顔を上げた。

「たったいま、僕、チョウに申し込んだんだ」ハリーは気が抜けたように言った。

「そしたら、チョウが教えてくれた」

　ジニーが急に真顔になった。

「冗談じゃない」ロンが言った。

「相手がいないのは、僕たちだけだ――まあ、ネビルは別として。あっ――ネビルが誰に申し込んだと思う？　**ハーマイオニーだ！**」

「**エーッ！**」

　衝撃のニュースで、ハリーはすっかりそちらに気を取られてしまった。

「そうなんだよ！」

　ロンが笑いだし、顔に少し血の気が戻ってきた。

「魔法薬学のクラスのあとで、ネビルが話してくれたんだ！　あの人はいつもとってもやさしくて、僕の宿題とか手伝ってくれてって言うんだよ――でもハーマイオニーはもう誰かと行くことになってるからとネビルに言ったんだって。ヘン！　まさか！　ただネビルと行きたくなかっただけなんだ……だって、誰があいつなんかと？」

「やめて！」ジニーが当惑したように言った。「笑うのはやめて――」

ちょうどその時、ハーマイオニーが肖像画の穴を這い上がってきた。

「二人とも、どうして夕食に来なかったの？」

そう言いながら、ハーマイオニーも仲間に加わった。

「なぜかっていうとね――ねえ、やめてよ、二人とも。笑うのは――なぜかっていうと、二人ともダンスパーティに誘った女の子に、断られたばかりだからよ！」ジニーが言った。

その言葉でハリーもロンも笑うのをやめた。

「ジニー、大いにありがとよ」ロンがむっとしたように言った。

「かわいい子はみんな予約済みってわけ？　ロン？」

ハーマイオニーがツンツンしながら言った。

「エロイーズ・ミジョンが、いまはちょっとかわいく見えてきたでしょ？　ま、きっと、**どこかには**、お二人を受け入れてくれる誰かさんがいるでしょうよ」

しかし、ロンはハーマイオニーをまじまじと見ていた。急にハーマイオニーが別人に見えたような目つきだ。

「ハーマイオニー、ネビルの言うとおりだ――君は、**れっきとした**女の子だ……」

「まあ、よくお気づきになりましたこと」ハーマイオニーが辛辣に言った。

「そうだ――君が僕たち二人のどっちかと来ればいい！」

「おあいにくさま」ハーマイオニーがピシャリと言った。

「ねえ、そう言わずに」ロンがもどかしそうに言った。

「僕たち、パートナーが必要なんだ。ほかの子は全部いるのに、僕たちだけ誰もいなかったら、ほんとにまぬけに見えるじゃないか……」

「私、一緒には行けないわ」

ハーマイオニーが今度は赤くなった。

「だって、もう、ほかの人と行くことになってるの」

「そんなはずないよ！」ロンが言った。

「そんなこと、ネビルを追い払うために言ったんだよ！」

「あら、**そうかしら？**」ハーマイオニーの目が危険な輝きを放った。

「**あなたは、**三年もかかってやっとお気づきになられたようですけどね、ロン、だからと言って、**ほかの誰も**私が女の子だと気づかなかったわけじゃないわ！」

ロンはハーマイオニーをじっと見た。それからまたニヤッと笑った。

「オッケー、オッケー。僕たち、君が女の子だと認める」ロンが言った。

「これでいいだろ？　さあ、僕たちと行くかい？」

「だから、言ったでしょ！」ハーマイオニーが本気で怒った。「ほかの人と行くんです！」

そして、ハーマイオニーは女子寮のほうへさっさと行ってしまった。

「あいつ、うそついてる」ロンはその後ろ姿を見ながらきっぱりと言った。

「うそじゃないわ」ジニーが静かに言った。

「じゃ、誰と？」ロンが声をとがらせた。

「言わないわ。あたし、関係ないもの」ジニーが言った。

「よーし」ロンはかなり参っているようだった。「こんなこと、やってられないぜ。ジニー、**おまえが**ハリーと行けばいい。僕はただ――」

「あたし、だめなの」ジニーも真っ赤になった。

「あたし――あたし、ネビルと行くの。ハーマイオニーに断られたとき、あたしを誘ったの。あたし……そうね……誘いを受けないと、ダンスパーティには行けないと思ったの。まだ四年生になっていないし」

ジニーはとてもみじめそうだった。

「あたし、夕食を食べにいくわ」

そう言うと、ジニーは立ち上がって、うなだれたまま、肖像画の穴のほうに歩いていった。

ロンは目を丸くしてハリーのほうを見た。

「あいつら、どうなっちゃってんだ？」ロンがハリーに問いかけた。

しかし、ハリーのほうはちょうど肖像画の穴をくぐってきたパーバティとラベンダーを見つけたところだった。思いきって行動を起こすなら、いまだ。

「ここで、待ってて」

ロンにそう言うと、ハリーは立ち上がってまっすぐにパーバティの所に行き、聞いた。

「パーバティ？　僕とダンスパーティに行かない？」

パーバティはクスクス笑いの発作に襲われた。ハリーは、ローブのポケットに手を突っ込み、うまくいくように指でおまじないをしながら、笑いが収まるのを待った。

「ええ、いいわよ」

パーバティはやっとそう言うと、見る見る真っ赤になった。

「ありがとう」ハリーはホッとした。「ラベンダー――ロンと一緒に行かない？」

「ラベンダーはシェーマスと行くの」

パーバティが言った。そして二人でますますクスクス笑いをした。

ハリーはため息をついた。

「誰か、ロンと行ってくれる人、知らない？」

ロンに聞こえないように声を落として、ハリーが聞いた。

「ハーマイオニー・グレンジャーは？」パーバティが言った。

「ほかの人と行くんだって」

パーバティは驚いた顔をした。

「へぇぇぇっ……**いったい誰？**」パーバティは興味津々だ。

ハリーは肩をすぼめて言った。

「全然知らない。それで、ロンのことは？」

「そうね……」パーバティはちょっと考えた。

「私の妹なら……パドマだけど……レイブンクローの。よかったら、聞いてみるけど」

「うん。そうしてくれたら助かる。結果を知らせてくれる？」ハリーが言った。

ハリーはロンの所に戻った。このダンスパーティは、それほどの価値もないのに、余計な心配ばかりさせられると思った。そして、パドマ・パチルの鼻が、顔の真ん真ん中についていますようにと、心から願った。

第23章　クリスマス・ダンスパーティ

四年生には休暇中にやるべき宿題がどっさり出されたが、学期が終わったとき、ハリーは勉強する気になれず、クリスマスまでの一週間、思いきり遊んだ。ほかの生徒も同じだった。グリフィンドール塔は学期中に負けず劣らず混み合っていた。寮生がいつもより騒々しいので、むしろ塔が少し縮んだのではないかと思うくらいだった。

フレッドとジョージの「カナリア・クリーム」は大成功で、休暇が始まってから二、三日は、あちこちで突然ワッと羽の生える生徒が増えた。しかし、まもなくグリフィンドール生も知恵がつき、食べ物の真ん中にカナリア・クリームが入ってはいないかと、他人からもらった食べ物には細心の注意を払うようになった。ジョージは、フレッドと二人でもうほかのものを開発中だと、ハリーに打ち明けた。これからは、フレッドやジョージからポテトチップ一枚たりとももらわないほうがいいと、ハリーは心に刻んだ。ダドリーの「ベロベロ飴(あめ)」騒動を、ハリーはまだ忘れていなかった。

城にも、校庭にも、しんしんと雪が降っていた。ハグリッドの小屋は、砂糖にくるまれたショウガクッキーのようで、その隣のボーバトンの薄青い馬車は、粉砂糖のかかった巨大な冷えたかぼちゃのように見えた。ダームストラングの船窓は氷で曇り、帆やロープは真っ白に霜で覆われていた。厨房(ちゅうぼう)のしもべ妖精たちは、いつにもまして大奮闘し、こってりした体の温まるシチューやピリッとした料理を次々と出した。フラー・デラクールだけが文句を言った。

「オグワーツのたべもーのは、重すぎまーす」

ある晩、大広間を出るとき、フラーが不機嫌そうにブツブツ言うのが聞こえた（ロンは、フラーに見つからないよう、ハリーの陰に隠れてこそこそ歩いていた）。

「わたし、ドレスローブが着られなくなりまーす！」

「あぁぁら、それは悲劇ですこと」

フラーが玄関ホールのほうに出ていくのを見ながら、ハーマイオニーがピシャリと言った。

「あの子、まったく、何様だと思ってるのかしら」

「ハーマイオニー――君、誰と一緒にパーティに行くんだい？」ロンが聞いた。

ハーマイオニーがまったく予期していないときに聞けば、驚いた拍子に答えるのではないかと、ロンは何度も出し抜けにこの質問をしていた。しかし、ハーマイオニーはただしかめっ面をしてこう答えた。

「教えないわ。どうせあなた、私をからかうだけだもの」

「冗談だろう、ウィーズリー？」背後でマルフォイの声がした。

「誰かが、**あんなモノを**ダンスパーティに誘った？　出っ歯の『穢れた血』を？」

ハリーもロンも、サッと振り返った。ところがハーマイオニーは、マルフォイの背後の誰かに向かって手を振り、大声で言った。

「こんばんは、ムーディ先生！」

マルフォイは真っ青になって後ろに飛びのき、きょろきょろとムーディの姿を探した。しかし、ムーディはまだ、教職員テーブルでシチューを食べているところだった。

「小さなイタチがピックピクだわね、マルフォイ？」

ハーマイオニーが痛烈に言い放ち、ハリー、ロンと一緒に、思いっきり笑いながら大理石の階段を上がった。

「ハーマイオニー」ロンが横目でハーマイオニーを見ながら、急に顔をしかめた。「君の歯……」

「歯がどうかした？」ハーマイオニーが聞き返した。

「うーん、なんだかちがうぞ……たったいま気がついたけど……」

「もちろん、ちがうわ――マルフォイのやつがくれた牙を、私がそのままぶら下げているとでも思ったの？」

「ううん、そうじゃなくて、あいつが君に呪いをかける前の歯となんだかちがう……つまり……まっすぐになって、そして――そして、普通の大きさだ」

ハーマイオニーは突然いたずらっぽくニッコリした。すると、ハリーも気がついた。ハリーの覚えているハーマイオニーのニッコリとは全然ちがう。

「そう……マダム・ポンフリーの所に歯を縮めてもらいにいったとき、ポンフリー先生が鏡を持って、元の長さまで戻ったらストップと言いなさい、とおっしゃったの。そこで、私、ただ……少しだけ余分にやらせてあげたの」

ハーマイオニーはさらに大きくニッコリした。

「パパやママはあんまり喜ばないでしょうね。もうずいぶん前から、私が自分で短くするって、二人を説得してたんだけど、二人とも私に歯列矯正のブレースを続けさせたがってたの。二人とも、ほら、歯医者じゃない？　魔法で歯をどうにかなんて――あら！　ピッグウィジョンが戻ってきたわ！」

ロンの豆ふくろうが、つららの下がった階段の手すりのてっぺんでさえずりまくっていた。脚に、丸めた羊皮紙がくくりつけられていた。そばを通り過ぎる生徒たちがピッグを指差しては笑っている。三年生の女子学生たちが立ち止まって言った。

「ねえ、あのちびっ子ふくろう、見て！　**かっわいいー！**」

「あのバカ羽っ子！」

ロンが歯がみして階段を駆け上がり、ピッグウィジョンをパッとつかんだ。

「手紙は、受取人にまっすぐ届けるの！　ふらふらして見せびらかすんじゃないの！」

ピッグウィジョンはロンの握り拳の中から首を突き出して、うれしそうにホッホッと鳴いた。三年生の女子学生たちは、ショックを受けたような顔をして見ていた。

「早く行けよ！」

ロンが女子学生にかみつくように言い、ピッグウィジョンを握ったまま拳を振り上げた。ピッグウィジョンは、「高い、高い」をしてもらったように、ますますうれしそうに鳴いた。

「ハリー、はい――受け取って」

ロンが声を低くして言った。三年生の女子学生たちは、憤慨した顔で走り去った。ロンがピッグウィジョンの脚からはずしたシリウスの返事を、ハリーはポケットにしまい込んだ。それから三人は、手紙を読むために急いでグリフィンドール塔に戻った。

談話室ではみんなお祭り気分で盛り上がり、ほかの人が何をしているかなど気にもとめない。ハリー、ロン、ハーマイオニーは、みんなから離れて窓のそばに座った。窓はだんだん雪で覆われて暗くなっていく。ハリーが手紙を読みあげた。

ハリー
おめでとう。ホーンテールをうまくかわしたんだね。「炎のゴブレット」に君の名前を入れた誰かさんは、きっといまごろがっかりしているだろう！　私は「結膜炎の呪い」を使えと言うつもりだった。ドラゴンの一番の弱点は目だからね――。

「クラムはそれをやったのよ！」ハーマイオニーがささやいた。

――だが、君のやり方のほうがよかった。感心したよ。

しかし、ハリー、これで満足してはいけない。まだ一つしか課題をこなしていないのだ。試合に君を参加させたのが誰であれ、君を傷つけようとたくらんでいるなら、まだまだチャンスがあるわけだ。油断せずに、しっかり目を開けて――特に私たちが話題にしたあの人物が近くにいる間は――トラブルに巻き込まれないよう充分気をつけなさい。

何か変わったことがあったら、必ず知らせなさい。連絡を絶やさないように。

シリウスより

「ムーディにそっくりだ」

手紙をまたローブにしまい込みながら、ハリーがひっそりと言った。

「『油断大敵！』って。まるで、僕が目をつぶったまま歩いて、壁にぶつかるみたいじゃないか……」

「だけど、シリウスの言うとおりよ、ハリー」ハーマイオニーが言った。

「確かに、まだ二つも課題が**残ってる**わ。ほんと、あの卵を調べるべきよ。ね。そしてあれがどういう意味なのか、考えはじめなきゃ……」

「ハーマイオニー、まだずーっと先じゃないか！」ロンがピシャリと言った。

「チェスしようか、ハリー？」

「うん、オーケー」

そう答えはしたが、ハーマイオニーの表情を読み取って、ハリーが言った。

「いいじゃないか。こんなやかましい中で、どうやって集中できる？　この騒ぎじゃ、卵の音だって聞こえやしないだろ」

「ええ、それもそうね」

ハーマイオニーはため息をつき、座り込んで二人のチェスを観戦した。むこう見ずで勇敢なポーンをふた駒と、非常に乱暴なビショップをひと駒使ってロンが王手をかける、わくわくするようなチェックメイトで試合は最高潮に達した。


クリスマスの朝、ハリーは突然目が覚めた。なぜ突然意識がはっきりしたのだろうと不思議に思いながら、ハリーは目を開けた。すると、大きな丸い緑の目をした何かが、暗闇の中からハリーを見つめ返していた。その何かが、あまりに近くにいたので、鼻と鼻がくっつきそうだった。

「**ドビー！**」

ハリーが叫び声を上げた。あわてて妖精から離れようとした拍子に、ハリーは危うくベッドから転げ落ちそうになった。

「**やめてよ**。びっくりするじゃないか！」

「ドビーはごめんなさいなのです！」

ドビーは長い指を口に当てて後ろに飛びのきながら、心配そうに言った。

「ドビーは、ただ、ハリー・ポッターに『クリスマスおめでとう』を言って、プレゼントを差し上げたかっただけなのでございます！　ハリー・ポッターは、ドビーがいつかハリー・ポッターに会いにきてもよいとおっしゃいました！」

「ああ、わかったよ」

心臓のドキドキは元に戻ったが、ハリーはまだ息をはずませていた。

「ただ――ただ、これからは、つっついて起こすとかなんとかしてよね。あんなふうに僕をのぞき込まないで……」

ハリーは四本柱のベッドに張りめぐらされたカーテンを開け、ベッド脇の小机からめがねを取ってかけた。ハリーが叫んだので、ロン、シェーマス、ディーン、ネビルも起こされてしまっていた。四人とも自分のベッドのカーテンのすきまから、どろんとした目、くしゃくしゃ頭でのぞいている。

「誰かに襲われたのか、ハリー？」シェーマスが眠そうに聞いた。

「ちがうよ。ドビーなんだ」ハリーがもごもご答えた。「まだ眠っててよ」

「ンー……プレゼントだ！」

シェーマスは自分のベッドの足元に大きな山ができているのを見つけた。ロン、ディーン、ネビルも、どうせ起きてしまったのだから、プレゼントを開けるのに取りかかろうということになった。ハリーはドビーのほうに向きなおった。ドビーは、ハリーを驚かせてしまったことがまだ気がかりだという顔で、今度はハリーのベッドの脇におどおどと立っていた。ティーポット・カバーを帽子のようにかぶり、そのてっぺんの輪になった所に、クリスマス飾りの小さな玉を結びつけている。

「ドビーは、ハリー・ポッターにプレゼントを差し上げてもよろしいでしょうか？」

ドビーはキーキー声でためらいがちに言った。

「もちろんさ」ハリーが答えた。「えーと……僕も君にあげるものがあるんだ」

うそだった。ドビーにはなんにも買ってはいなかった。しかし、急いでトランクを開け、くるくる丸めた飛びきり毛玉だらけの靴下を一足引っ張り出した。ハリーの靴下の中でも一番古く、一番汚らしい、からし色の靴下で、かつてはバーノンおじさんのものだった。ことさらに毛玉が多いのは、ハリーがこの靴下を一年以上「かくれん防止器」のクッションがわりに使っていたからだ。ハリーは中からかくれん防止器を引っ張り出し、ドビーに靴下を渡しながら言った。

「包むのを忘れてごめんね……」

ドビーは大喜びだった。

「ドビーはソックスが大好きです。大好きな衣服でございます！」

ドビーはいていた左右ちぐはぐな靴下を急いで脱ぎ、バーノンおじさんの靴下をはいた。

「ドビーはいま、七つも持っているのでございます……でも……」

ドビーはそう言うと目を見開いた。靴下は引っ張れるだけ引っ張り上げられ、ドビーの半ズボンのすそのすぐ下まで来ていた。

「お店の人がまちがえたでございます。ハリー・ポッター、二つともおんなじのをよこしたでございます！」

「ああ、ハリー、なんたること。それに気づかなかったなんて！」

ロンが自分のベッドからハリーのほうを見てニヤニヤしながら言った。ロンのベッドは包み紙だらけになっている。

「ドビー、こうしよう――ほら――こっちの二つもあげるよ。そしたら君が全部を好きなように組み合わせればいい。それから、前に約束してたセーターもあげるよ」

ロンは、いま、包みを開けたばかりのスミレ色の靴下一足と、ウィーズリーおばさんが送ってよこした手編みのセーターをドビーのほうに投げた。

ドビーは感激に打ちのめされた顔で、キーキー声で言った。

「旦那さまは、なんてご親切な！」

大きな目にまた涙があふれそうになりながら、ドビーはロンに深々とおじぎした。

「ドビーは旦那さまが偉大な魔法使いにちがいないと存じておりました。旦那さまはハリー・ポッターの一番のお友達ですから。でも、ドビーは存じませんでした。旦那さまがそれだけではなく、ハリー・ポッターと同じようにご親切で、気高くて、無欲な方だとは——」

「たかが靴下じゃないか」

ロンは耳元をかすかに赤らめたが、それでもまんざらでもない顔だった。

「わーっ、ハリー——」

ロンはハリーからのプレゼントを開けたところだった。チャドリー・キャノンズの帽子だ。

「かっこいい！」

ロンは早速かぶった。赤毛と帽子の色が恐ろしく合わなかった。

今度はドビーがハリーに小さな包みを手渡した。それは——靴下だった。

「ドビーが自分で編んだのでございます！」

妖精はうれしそうに言った。

「ドビーはお給料で毛糸を買ったのでございます！」

左用の靴下は鮮やかな赤で、箒(ほうき)の模様があり、右用の靴下は緑色で、スニッチの模様だった。

「これって……この靴下って、ほんとに……うん、ありがとう、ドビー」

ハリーはそう言うなり靴下をはいた。ドビーの目がまた幸せにうるんだ。

「ドビーはもう行かなければならないのでございます。厨房で、もうみんながクリスマス・ディナーを作っています！」

ドビーはそう言うと、ロンやほかのみんなにさようならと手を振りながら、急いで寝室を出ていった。

ハリーのほかのプレゼントは、ドビーのちぐはぐな靴下よりはずっとましなものだった――ダーズリー一家からの、ティッシュペーパー一枚という史上最低記録をのぞけばだが――。まだ「ベロベロ飴」のことを根に持っているのだろう、とハリーは思った。ハーマイオニーは『イギリスとアイルランドのクィディッチ・チーム』の本をくれたし、ロンは「クソ爆弾」のぎっしり詰まった袋、シリウスはペンナイフで、どんな錠でも開ける道具とどんな結び目もほどく道具がついていた。ハグリッドは大きな菓子箱で、ハリーの好物がいっぱい詰まっていた――バーティ・ボッツの「百味ビーンズ」、「蛙チョコレート」、「どんどんふくらむ「ドルーブル風船ガム」、「フィフィ・フィズビー」などだ。もちろん、いつものウィーズリーおばさんからの包みがあった。新しいセーター（緑色でドラゴンの絵が編み込んであった――チャーリーがホーンテールのことをおばさんにいろいろ話したのだろう）、それにお手製のクリスマス用ミンスパイがたくさん入っていた。

ハリーとロンは談話室でハーマイオニーと待ち合わせをして、三人で一緒に朝食に下りていった。午前中は、グリフィンドール塔でほとんどを過ごした。塔では誰もがプレゼントを楽しんでいた。それから大広間に戻り、豪華な昼食。少なくとも百羽の七面鳥、クリスマス・プディング、そしてクリベッジの魔法クラッカーが山ほどあった。

午後は三人で校庭に出た。まっさらな雪だ。ダームストラングやボーバトンの生徒たちが城に行き帰りする道だけが深い溝になっていた。ハーマイオニーは、ハリーとウィーズリー兄弟の雪合戦には加わらずに眺めていた。五時になると、ハーマイオニーはパーティの支度があるので部屋に戻ると言った。

「エーッ、三時間もいるのかよ？」

ロンが信じられないという顔でハーマイオニーを見た。一瞬気を抜いたツケが回ってきた。ジョージが投げた大きな雪玉が、ロンの顔を横からバシッと強打した。

「誰と行くんだよー？」

ハーマイオニーの後ろからロンが叫んだが、ハーマイオニーはただ手を振って、石段を上がり城へと消えた。

今日はダンスパーティでごちそうが出るので、クリスマス・ティーはなかった。七時になると、もう雪玉のねらいを定めることもできなくなってきたので、みんな雪合戦をやめ、ぞろぞろと談話室に戻った。「太った婦人（レディ）」は下の階から来た友人のバイオレットと一緒に額に収まり、二人ともほろ酔い機嫌だった。絵の下のほうに、からになったウィスキー・ボンボンの箱がたくさん散らばっていた。

「『レアリー・ファイト、電豆球』。そうだったわね！」

「太った婦人」は合言葉を聞くと、クスクス笑ってパッと開き、みんなを中に入れた。

ハリー、ロン、シェーマス、ディーン、ネビルは、寝室でドレスローブに着替え、みんな自意識過剰になって照れていたが、一番意識していたのはロンだった。部屋の隅の姿見に映る自分の姿を眺めてぼうぜんとしていた。どう見ても、ロンのローブが女性のドレスに見えるのは、どうしようもない事実だった。少しでも男っぽく見せようと躍起になって、ロンは襟とそで口のレースに「切断の呪文」をかけた。これがかなりうまくいき、少なくともロンは「レースなし」の姿になった。ただし、呪文の詰めが甘く、襟やそで口がみじめにぼろぼろのまま、みんなと階下に下りていった。

「君たち二人とも、どうやって同学年一番の美女を獲得したのか、僕、いまだにわからないなぁ」

ディーンがボソボソ言った。

「動物的魅力ってやつだよ」

ロンは、ぼろぼろのそで口の糸を引っ張りながら、憂鬱そうに言った。

談話室は、いつもの黒いローブの群れではなく、色とりどりの服装であふれ返り、いつもとは様子がちがっていた。パーバティは寮の階段下でハリーを待っていた。とてもかわいい。ショッキング・ピンクのパーティドレスローブに、長い黒髪を三つ編みにして金の糸を編み込み、両方の手首には金のブレスレットが輝いていた。クスクス笑いをしていないので、ハリーはホッとした。

「君——あの——すてきだよ」ハリーはぎこちなくほめた。

「ありがとう」

パーバティが言った。それから、「パドマが玄関ホールで待ってるわ」とロンに言った。

「うん」

ロンはきょろきょろしながら言った。

「ハーマイオニーはどこだろう？」

パーバティは、知らないわとばかり肩をすくめた。

「それじゃ、下に行きましょうか、ハリー？」

「オーケー」

そう答えながら、ハリーは、このまま談話室に残っていられたらいいのに、と思った。肖像画の穴から出る途中、フレッドがハリーを追い越しながらウィンクした。

玄関ホールも生徒でごった返していた。大広間のドアが開放される八時を待って、みんなうろうろしている。自分とちがう寮のパートナーと組む生徒は、お互いを探して、人混みの中を縫うように歩いていた。パーバティは妹のパドマを見つけて、ハリーとロンの所へ連れてきた。

「こんばんは」

明るいトルコ石色のローブを着たパドマは、パーバティに負けないくらいかわいい。しかし、ロンをパートナーにすることにはあまり興味がないように見えた。パドマの黒い瞳が、ロンを上から下まで眺め回したあげく、ぼろぼろの襟とそで口をじっと見た。

「やあ」

ロンは挨拶したが、パドマには目もくれず、人混みをじっと見回していた。

「あっ、まずい……」

ロンはひざをかがめてハリーの陰に隠れた。フラー・デラクールが通り過ぎるところだった。シルバーグレーのサテンのパーティドレスローブを着たフラーは輝くばかりで、レイブンクローのクィディッチ・キャプテン、ロジャー・デイビースを従えていた。二人の姿が見えなくなってから、ロンはやっとまっすぐ立ち、みんなの頭の上から人混みを眺め回した。

「ハーマイオニーは**いったい**どこだろう？」ロンがまた言った。

スリザリンの一群が地下牢（ろう）の寮の談話室から階段を上がって現れた。マルフォイが先頭だ。黒いビロードの詰め襟ローブを着たマルフォイは、英国国教会の牧師のようだとハリーは思った。パンジー・パーキンソンが、フリルだらけの淡いピンクのパーティドレスローブを着て、マルフォイの腕にしがみついていた。クラッブとゴイルは、二人ともグリーンのローブで、苔（こけ）むした大岩のようだった。どちらもパートナーが見つからなかったらしく、ハリーはちょっといい気分になった。

正面玄関の樫（かし）の扉が開いた。ダームストラングの生徒が、カルカロフ校長と一緒に入ってくるのをみんなが振り返って見た。一行の先頭はクラムで、ブルーのローブを着た、ハリーの知らないかわいい女の子を連れている。一行の頭越しに、外の芝生がハリーの目に入った。城のすぐ前の芝生が魔法で洞窟のようになり、中に豆電球ならぬ妖精の光が満ちていた――何百という生きた妖精が、魔法で作られたバラの園に座ったり、サンタクロースとトナカイのような形をした石像の上をひらひら飛び回ったりしている。

するとﾞ、マクゴナガル先生の声が響いた。

「代表選手はこちらへ！」

パーバティはニッコリしながら腕輪をはめなおした。パーバティとハリーは、ロンとパドマに「またあとでね」と声をかけて前に進み出た。ペチャクチャしゃべっていた人垣が割れて、二人に道をあけた。マクゴナガル先生は赤いタータンチェックのドレスローブを着て、帽子の縁には、かなり見栄えの悪いアザミの花輪を飾っていた。先生は代表選手に、ほかの生徒が全部入場するまで、ドアの脇で待つように指示した。代表選手は、生徒が全部着席してから列を作って大広間に入場することになっていた。フラー・デラクールとロジャー・デイビースはドアに一番近い所に陣取った。デイビースはフラーをパートナーにできた幸運にくらくらして、目がフラーに釘づけになっていた。セドリックとチョウもハリーの近くにいたが、ハリーは二人と話をしないですむように目をそらしていた。その目が、ふとクラムの隣にいる女の子をとらえた。ハリーの口があんぐり開いた。

ハーマイオニーだった。

しかしまったくハーマイオニーには見えない。髪をどうにかしたらしく、ぼさぼさと広がった髪ではなく、つやつやとなめらかな髪だ。頭の後ろでねじり、優雅なシニョンに結い上げてある。ふんわりした薄青色の布地のローブで、立ち居振る舞いもどこかちがっていた——たぶん、いつも背負っている二十冊くらいの本がないのでちがって見えるだけかもしれない。それに、ほほえんでいる——緊張気味のほほえみ方なのは確かだが——しかし、前歯が小さくなっているのがますますはっきりわかった。どうしていままで気づかなかったのか、ハリーはわからなかった。

「こんばんは、ハリー！　こんばんは、パーバティ！」ハーマイオニーが挨拶した。

パーバティはあからさまに信じられないという顔で、ハーマイオニーを見つめていた。パーバティだけではない。大広間の扉が開くと、図書館でクラムをつけ回していたファンたちは、ハーマイオニーを恨みがましい目で見ながら、ツンツンして前を通り過ぎた。パンジー・パーキンソンは、ハーマイオニーを穴の開くほど見つめたし、マルフォイでさえ、ハーマイオニーを侮辱する言葉が一言も見つからないようだった。しかし、ロンは、ハーマイオニーの顔も見ずに前を通り過ぎた。

みんなが大広間の席に落ち着くと、マクゴナガル先生が代表選手とパートナーたちに、それぞれ組になって並び、先生のあとについてくるようにと言った。指示に従って大広間に入ると、みんなが拍手で迎えた。代表選手たちは、大広間の一番奥に置かれた、審査員が座っている大きな丸テーブルに向かって歩いた。

大広間の壁はキラキラと銀色に輝く霜で覆われ、星の瞬く黒い天井の下には、何百という宿木(やどりぎ)や蔦(つた)の花綱がからんでいた。各寮のテーブルは消えてなくなり、かわりに、ランタンのほのかな灯(あか)りに照らされた、十人ほどが座れる小さなテーブルが、百あまり置かれていた。

ハリーは自分の足につまずかないよう必死だった。パーバティはうきうきと楽しそうで、一人一人に笑いかけた。パーバティがぐいぐい引っ張っていくので、ハリーは、まるで自分がドッグショーの犬になって、パーバティに引き回されているような気がした。審査員テーブルに近づいたとき、ロンとパドマの姿が目に入った。ロンはハーマイオニーが通り過ぎるのを、目をすぼめて見ていた。パドマはふくれっ面だった。

代表選手たちが審査員テーブルに近づくと、ダンブルドアはうれしそうにほほえんだが、カルカロフはクラムとハーマイオニーが近づくのを見て、驚くほどロンとそっくりの表情を見せた。ルード・バグマンは、今夜は鮮やかな紫に大きな黄色の星を散らしたローブを着込み、生徒たちと一緒になって、夢中で拍手していた。マダム・マクシームは、いつもの黒い繻子のドレスではなく、ラベンダー色の流れるような絹のガウンをまとい、上品に拍手していた。しかし、クラウチ氏は――ハリーは突然気づいた――いない。審査員テーブルの五人目の席には、パーシー・ウィーズリーが座っていた。

代表選手がそれぞれのパートナーとともに審査員のテーブルまで来ると、パーシーは自分の隣の椅子を引いて、ハリーに目配せした。ハリーはその意味を悟って、パーシーの隣に座った。パーシーは真新しい濃紺のドレスローブを着て、鼻高々の様子だった。

「昇進したんだ」

ハリーに聞く間も与えず、パーシーが言った。その声の調子は、「宇宙の最高統治者」に選ばれたとでも発表したかのようだった。

「クラウチ氏個人の補佐官だ。僕は、クラウチ氏の代理でここにいるんですよ」

「あの人、どうして来ないの？」

ハリーが聞いた。宴会の間中、鍋底の講義をされたらたまらないと思った。

「クラウチ氏は、残念ながら体調がよくない。まったくよくない。ワールドカップ以来ずっと調子がおかしい。それも当然――働きすぎですね。もう若くはない――もちろん、まださえているし、昔と変わらないすばらしい頭脳だ。しかし、ワールドカップは魔法省全体にとっての一大不祥事だったし、クラウチ氏個人も、あのブリンキーとかなんとかいう屋敷しもべ妖精の不始末で、大きなショックを受けられた。当然、クラウチ氏はそのあとすぐ、しもべを解雇しましたが。しかし――まあ、なんですよ、クラウチ氏は年を取ってきてるわけだし、世話をする人が必要だ。しもべがいなくなってから、家の中のことは確実に快適ではなくなったと、クラウチ氏も気がついただろうね。それに、この対抗試合の準備はあるし、ワールドカップのあとのごたごたの始末をつけないといけなかったし——あのスキーターっていういやな女がうるさくかぎ回ってるし——ああ、お気の毒に。クラウチ氏はいま、静かにクリスマスを過ごしていらっしゃる。当然の権利ですよ。自分の代理を務める信頼できる者がいることをご存じなのが、僕としてはうれしいですね」

ハリーは、クラウチ氏がパーシーを「ウェーザビー」と呼ばなくなったかどうか聞いてみたくてたまらなかったが、なんとか思いとどまった。

金色に輝く皿には、まだなんのごちそうもなかったが、小さなメニューが一人一人の前に置かれていた。ハリーは、どうしていいかはっきりわからないまま、メニューを取り上げて周りを見回した。ウェイターはいなかった。しかし、ダンブルドアは、自分のメニューをじっくり眺め、自分の皿に向かって、はっきりと、「ポークチョップ！」と言った。

すると、ポークチョップが現れた。そうか、と合点して、同じテーブルに座った者は、それぞれ自分の皿に向かって注文を出した。この新しい、より複雑な食事の仕方を、ハーマイオニーはどう思うだろうかと、ハリーはちらりとハーマイオニーを見た——屋敷しもべ妖精にとっては、これはずいぶん余分な労力がいるはずだが？——しかし、ハーマイオニーはこの時にかぎってS・P・E・Wのことを考えていないようだった。ビクトール・クラムとすっかり話し込んでいて、自分が何を食べているのかさえ気がつかないようだった。

そういえば、ハリーは、クラムが話すのを実際に聞いたことはなかった。しかし、いまは確かに話している。しかも、夢中になって。

「ええ、ヴぉくたちの所にも城があります。こんなに大きくはないし、こんなに居心地よくないです、と思います」

クラムはハーマイオニーに話していた。

「ヴぉくたちの所は四階建てです。そして、魔法を使う目的だけに火をおこします。しかし、ヴぉくたちの校庭はここよりも広いです――でも冬には、ヴぉくたちの所はヴぉとんど日光がないので、ヴぉくたちは楽しんでいないです。しかし、夏には、ヴぉくたちは毎日飛んでいます。湖や山の上を――」

「これ、これ、ビクトール！」

カルカロフは笑いながら言ったが、冷たい目は笑っていない。

「それ以上は、もう明かしてはいけないよ。さもないと、君のチャーミングなお友達に、私たちの居場所がはっきりわかってしまう！」

ダンブルドアがほほえんだ。目がキラキラしている。

「イゴール、そんなに秘密主義じゃと……誰も客に来てほしくないのかと思ってしまうじゃろうが」

「はて、ダンブルドア」

カルカロフは黄色い歯をむき出せるだけむき出して言った。

「我々は、それぞれ、自らの領地を守ろうとするのではないですかな？　我々に託された学びの殿堂を、意固地なまでにガードしているのでは？　我々のみが自らの学校の秘密を知っているという誇りを持ち、それを守ろうとするのは、正しいことではないですかな？」

「おお、わしはホグワーツの秘密のすべてを知っておるなどと、夢にも思わんぞ、イゴール」

ダンブルドアは和気藹々（あいあい）と話した。

「たとえば、つい今朝のことじゃがの、トイレに行く途中、曲がる所をまちがえての、これまでに見たこともない、見事に均整の取れた部屋に迷い込んでしもうた。そこにはほんにすばらしい、おまるのコレクションがあっての。もっとくわしく調べようと、もう一度行ってみると、その部屋は跡形もなかったのじゃ。しかし、わしは、これからも見逃さぬよう気をつけようと思うておる。もしかすると、朝の五時半にのみ近づけるのかもしれんて。さもなければ、上弦、下弦の月のときのみ現れるのか――いや、求める者の膀胱（ぼうこう）が、ことさらに満ちているときかもしれんのう」

ハリーは食べかけのグラーシュシチューの皿に、プーッと噴き出してしまった。パーシーは顔をしかめたが、まちがいなく――とハリーは思った――ダンブルドアがハリーに向かってちょこんとウィンクした。

一方、フラー・デラクールはロジャー・デイビースに向かって、ホグワーツの飾りつけをけなしていた。

「こんなの、なーんでもありませーん」

大広間の輝く壁をぐるりと見回し、軽蔑したようにフラーが言った。

「ボーバトンの宮殿では、クリースマスに、お食事のあいーだ、周りには、ぐるーりと氷の彫刻が立ちまーす。もちろーん、彫刻は、とけませーん……まるでおーきなダイヤモンドの彫刻のようで、ピーカピカ輝いて、あたりを照らしていまーす。そして、お食事は、とーてもすばらしいでーす。そして、森のニンフの聖歌隊がいて、お食事の間、歌を奏でまーす。こんな、見苦しーい鎧（よろい）など、わたーしたちの廊下にはありませーん。もしーも、ポルターガイストがボーバトンに紛れ込むようなことがあーれば、追い出されまーす。コムサ（こんなふうに）」

フラーはがまんならないというふうに、テーブルをピシャリとたたいた。

ロジャー・デイビースは、魂を抜かれたような顔で、フラーが話すのを見つめていた。フォークを口に運んでも、ほおに当たってばかりいる。デイビースはフラーの顔を見つめるのに忙しくて、フラーの話など一言もわかっていないのではないか、とハリーは思った。

「そのとおりだ」

デイビースはあわてて そう言うと、フラーのまねをして、テーブルをピシャリとたたいた。

「**コムサ**。うん」

ハリーは大広間を見回した。ハグリッドが教職員テーブルの一つに座っている。以前に着たことがある、あのやぼったい毛のもこもこした茶色の背広をまた着込んでいる。そして、こちらの審査員テーブルをじっと見つめていた。ハグリッドが小さく手を振るのが見えたので、ハリーはあたりを見回した。マダム・マクシームが手を振り返している。指のオパールがろうそくの光にきらめいた。

ハーマイオニーが、今度はクラムに自分の名前の正しい発音を教えていた。クラムは「ハーミィーオウン」と呼び続けていたのだ。

「ハー－マイ－オー－ニー」

ハーマイオニーがゆっくりはっきり発音した。

「ハーム－オウン－ニニー」

「まあまあね」

ハリーが見ているのに気づいて、ハーマイオニーがニコッとしながら言った。

食事を食べ尽くしてしまうと、ダンブルドアが立ち上がり、生徒たちにも立ち上がるようにうながした。そして、杖(つえ)をひと振りすると、テーブルはズイーッと壁際に退き、広いスペースができた。それから、ダンブルドアは右手の壁に沿ってステージを立ち上げた。ドラム一式、ギター数本、リュート、チェロ、バグパイプがそこに設置された。

いよいよ「妖女シスターズ」が、熱狂的な拍手に迎えられてドヤドヤとステージに上がった。全員異常に毛深く、着ている黒いローブは、芸術的に破いたり、引き裂いたりしてあった。それぞれが楽器を取り上げた。夢中でシスターズに見入っていたハリーは、これからのことをほとんど忘れていたが、突然、ほかのテーブルのランタンがいっせいに消え、代表選手たちが、パートナーと一緒に立ち上がったのに気づいた。

「さあ！」

パーバティが声を殺してうながした。

「私たち、踊らないと！」

ハリーは立ち上がりざま、自分のローブのすそを踏んづけた。「妖女シスターズ」は、スローな物悲しい曲を奏ではじめた。ハリーは、誰の目も見ないようにしながら、煌々（こうこう）と照らされたダンスフロアに歩み出た（シェーマスとディーンがハリーに手を振り、からかうように笑っているのが見えた）。次の瞬間、パーバティがハリーの両手をつかむや否や、片方の手を自分の腰に回し、もう一方の手をしっかり握りしめた。

その場でスローなターンをしながら（パーバティがリードしていた）、恐れていたほどひどくはないな、とハリーは思った。ハリーは観客の頭の上のほうを見つめ続けた。まもなく、観客のほうも大勢ダンスフロアに出てきたので、代表選手はもう注目の的ではなくなった。ネビルとジニーがすぐそばで踊っていた――ネビルが足を踏むので、ジニーがしょっちゅう痛そうにすくむのが見えた――ダンブルドアはマダム・マクシームとワルツを踊っていた。まるで大人と子供で、ダンブルドアの三角帽子の先が、やっとマダム・マクシームのあごをくすぐる程度だった。しかし、マダム・マクシームは巨大な体の割に、とても優雅な動きだった。マッド-アイ・ムーディは、シニストラ先生と、ぎこちなく二拍子のステップを踏んでいたが、シニストラ先生は義足に踏まれないように神経質になっていた。

「いい靴下だな、ポッター」

ムーディがすれちがいながら、「魔法の目」でハリーのローブを透視し、唸(うな)るように言った。

「あ――ええ、屋敷妖精のドビーが編んでくれたんです」ハリーが苦笑いした。

「あの人、**気味が悪い！**」

ムーディがコツコツ遠ざかってから、パーバティがヒソヒソ声で言った。

「あの目は、**許されるべきじゃない**と思うわ！」

バグパイプが最後の音を震わせるのを聞いて、ハリーはホッとした。「妖女シスターズ」が演奏を終え、大広間は再び拍手に包まれた。ハリーはパーバティをサッと離した。

「座ろうか？」

「あら――でも――これ、とってもいい曲よ！」

パーバティが言った。「妖女シスターズ」がずっと速いテンポの新しい曲を演奏しはじめていた。

「僕は好きじゃない」

ハリーはうそをついて、パーバティをダンスフロアから連れ出し、フレッドとアンジェリーナのそばを通って――この二人は元気を爆発させて踊っていたので、けがをさせられてはかなわないと、みんな遠巻きにしていた――ロンとパドマの座っているテーブルに行った。

テーブルに座ってバタービールの栓を抜きながら、ハリーがロンに聞いた。

「調子はどうだい？」

ロンは答えない。近くで踊っているハーマイオニーとクラムを、ギラギラとにらんでいた。パドマは腕組みし足を組んで座っていたが、片方の足が音楽に合わせてヒョイヒョイ拍子を取っていた。ときどきふてくされてロンを見たが、ロンはまったくパドマを無視していた。パーバティもハリーの隣に座ったが、こっちも腕と足を組んだ。しかし、まもなくボーバトンの男の子がパーバティにダンスを申し込んだ。

「かまわないかしら？　ハリー？」パーバティが聞いた。

「え？」

ハリーはその時、チョウとセドリックを見ていた。

「なんでもないわ」

パーバティはプイとそう言うと、ボーバトンの男の子と行ってしまった。曲が終わっても、パーバティは戻ってこなかった。

ハーマイオニーがやってきて、パーバティが去ったあとの席に座った。ダンスのせいで、ほのかに紅潮していた。

「やあ」ハリーが言った。ロンは何も言わなかった。

「暑くない？」

ハーマイオニーは手で顔をあおぎながら言った。

「ビクトールが何か飲み物を取りにいったところよ」

ロンが、じろりとハーマイオニーをねめつけた。

「**ビクトール**だって？」ロンが言った。「**ビッキー**って呼んでくれって、まだ言わないのか？」

ハーマイオニーは驚いてロンを見た。

「どうかしたの？」ハーマイオニーが聞いた。

「そっちがわからないんなら」ロンが辛辣な口調で言った。「こっちが教えるつもりはないね」

ハーマイオニーはロンをまじまじと見た。それからハリーを見た。ハリーは肩をすくめた。

「ロン、何が――？」

「あいつは、ダームストラングだ！」

ロンが吐き捨てるように言った。

「ハリーと張り合ってる！　ホグワーツの敵だ！　君――君は――」

ロンは、明らかに、ハーマイオニーの罪の重さを充分言い表す言葉を探していた。

「**敵とべたべたしている**。君のやってることはそれなんだ！」

ハーマイオニーはぽかんと口を開けた。

「バカ言わないで！」

しばらくしてハーマイオニーが言った。

「**敵ですって！**　まったく――あの人が到着したとき、あんなに大騒ぎしてたのはどこのどなたさん？　サインを欲しがったのは誰なの？　寮にあの人のミニチュア人形を持ってる人は誰？」

ロンは無視を決め込んだ。

「二人で図書館にいるときにでも、お誘いがあったんだろうね？」

「ええ、誘われたわ」

ハーマイオニーのピンクのほおが、ますます紅くなった。

「それがどうしたっていうの？」

「何があったんだ？――あいつを『**反吐**』に入れようとでもしたのか？」

「そんなことしないわ！　**本気**で知りたいなら、あの人――あの人、毎日図書館に来ていたのは、私と話がしたいからだった、と言ったの。だけど、そうする勇気がなかったって！」

ハーマイオニーはこれだけを一気に言い終えると、ますます真っ赤になり、パーバティのローブと同じ色になった。

「へー、そうかい――それがヤツの言い方ってわけだ」ロンがねちっこく言った。

「それって、どういう意味？」

「見え見えだろ？　あいつはカルカロフの生徒じゃないか？　君が誰といつも一緒か、知ってる……あいつはハリーに近づこうとしてるだけだ――ハリーの内部情報をつかもうとしてるか――それとも、ハリーに充分近づいて呪いをかけようと――」

ハーマイオニーは、ロンに平手打ちを食らったような顔をした。口を開いたとき、声が震えていた。

「言っとくけど、あの人は、私に**ただの一言も**ハリーのことを聞いたりしなかったわ。ただの一言も――」

ロンは電光石火、矛先を変えた。

「それじゃあいつは、あの卵の謎を解くのに、君の助けを借りたいと思ってるんだ！　図書館でイチャイチャしてるとき、君たち、知恵を出し合ってたんだろう――」

「私、あの人が卵の謎を考える手助けなんか、**絶対に**しないわ！」

ハーマイオニーは烈火のごとく怒った。

「**絶対に**よ。よくもそんなことが言えるわね――私、ハリーに試合に勝ってほしいのよ。そのことは、ハリーが知ってるわ。そうでしょう、ハリー？」

「それにしちゃ、おかしなやり方で応援してるじゃないか」ロンがあざけった。

「そもそも、この試合は、外国の魔法使いと知り合いになって、友達になることが目的のはずよ！」

ハーマイオニーが激しい口調で言った。

「ちがうね！」ロンが叫んだ。「勝つことが目的さ！」

周囲の目が集まりはじめた。

いないよ――」

「ロン」ハリーが静かに言った。「ハーマイオニーがクラムと一緒に来たこと、僕、なんとも思っちゃいないよ――」

しかし、ロンはハリーの言うことも無視した。

「行けよ。ビッキーを探しにさ。君がどこにいるのか、あいつ、探してるだろうぜ」

ロンが言った。

「あの人をビッキーなんて呼ばないで！」

ハーマイオニーはパッと立ち上がり、憤然とダンスフロアを横切り、人混みの中に消えた。

ロンはハーマイオニーの後ろ姿を、怒りと満足の入りまじった顔で見つめていた。

「私とダンスする気があるの？」パドマがロンに聞いた。

「ない」

ロンは、ハーマイオニーの行ったあとをまだにらみつけていた。

「そう」

パドマはバシッと言うと、立ち上がってパーバティの所に行った。パーバティと一緒にいたボーバトンの男の子は、あっという間に友達を一人調達してきた。その早業。ハリーは、これはまちがいなく「呼び寄せ呪文」で現れたにちがいないと思った。

「ハーム‐オウン‐ニニーはどこ？」声がした。

クラムがバタービールを二つつかんでハリーたちのテーブルに現れたところだった。

「さあね」

ロンがクラムを見上げながら、取りつく島もない言い方をした。

「見失ったのかい？」

クラムはいつものむっつりした表情になった。

「でヴぁ、もし見かけたら、ヴぉくが飲み物を持っていると言ってください」

そう言うと、クラムは背中を丸めて立ち去った。

「ビクトール・クラムと友達になったのか？　ロン？」

パーシーがもみ手しながら、いかにももったいぶった様子で、せかせかとやってきた。

「けっこう！　そう、それが大事なんだよ——国際魔法協力が！」

ハリーの迷惑をよそに、パーシーはパドマの空いた席にサッと座った。審査員テーブルにはいまや誰もいない。ダンブルドア校長はスプラウト先生と、ルード・バグマンはマクゴナガル先生と踊っていた。マダム・マクシームはハグリッドと二人、生徒たちの間をワルツで踊り抜け、ダンスフロアに幅広く通り道を刻んでいた。カルカロフはどこにも見当たらない。

曲が終わると、みんながまた拍手した。ハリーは、ルード・バグマンがマクゴナガル先生の手にキスして、人混みをかき分けて戻ってくるのを見た。その時、フレッドとジョージがバグマンに近づいて声をかけるのが見えた。

「あいつら何をやってるんだ？　魔法省の高官に、ご迷惑なのに」

パーシーはフレッドとジョージをいぶかしげに眺めながら、歯がみした。

「敬意の**かけらも**……」

ルード・バグマンは、しかし、まもなくフレッドとジョージを振り払い、ハリーを見つけると、手を振ってテーブルにやってきた。

「弟たちがお邪魔をしませんでしたでしょうか、バグマンさん？」

パーシーが間髪を容(い)れずに言った。

「え？　ああ、いやいや！」バグマンが言った。

「いや何、あの子たちは、ただ、自分たちが作った『だまし杖』についてちょっと話してただけだ。販売方法について私の助言がもらえないかとね。『ゾンコのいたずら専門店』の私の知り合いに紹介しようと、あの子たちに約束したが……」

パーシーはこれがまったく気に入らない様子だった。家に帰ったら、すぐさまウィーズリーおばさんにこのことを言いつけるだろう。絶対そうだ、とハリーは思った。一般市場に売り出すというのなら、どうやらフレッドとジョージの計画は、最近ますます大がかりになっているようだ。

バグマンはハリーに何か聞こうと口を開きかけたが、パーシーが横合いから口を出した。

「バグマンさん、対校試合(トーナメント)はどんな具合でしょう？　**私(わたくし)どもの**部では、かなり満足しております――『炎のゴブレット』のちょっとしたミスは」――パーシーはハリーをちらりと見た――「もちろん、やや残念ではありますが、しかし、それ以後はとても順調だと思いますが、いかがですか？」

「ああ、そうだね」バグマンは楽しげに言った。

「これまでとてもおもしろかった。バーティ殿はどうしているかね？　来られないとは残念至極」

「ああ、クラウチさんはすぐにも復帰なさると思いますよ」

パーシーはもったいぶって言った。

「まあ、それまでの間の穴埋めを、僕が喜んで務めるつもりです。もちろん、ダンスパーティに出席するだけのことではありませんがね――」

パーシーは陽気に笑った。

「いやいや、それどころか、クラウチさんのお留守中、いろんなことが持ち上がりましてね。それを全部処理しなければならなかったのですよ――アリ・バシールが空飛ぶじゅうたんを密輸入しようとして捕まったのはお聞きおよびでしょう？　それに、トランシルバニア国に『国際決闘禁止条約』への署名をするよう説得を続けていますしね。年明けにはむこうの魔法協力部長との会合がありますし――」

「ちょっと歩こうか」ロンがハリーにボソボソッと言った。

「パーシーから離れよう……」

飲み物を取りに行くふりをしてハリーとロンはテーブルを離れ、ダンスフロアの端を歩き、玄関ホールに抜け出した。正面の扉が開けっ放しになっていた。正面の石段を下りていくと、バラの園に飛び回る妖精の光が、瞬き、きらめいた。石段を下りきると、そこは灌木(かんぼく)の茂みに囲まれ、くねくねとした散歩道がいくつも延び、大きな石の彫刻が立ち並んでいた。ハリーの耳に、噴水のような水音が聞こえてきた。あちらこちらに彫刻をほどこしたベンチが置かれ、人が座っていた。ハリーとロンはバラの園に延びる小道の一つを歩きだしたが、あまり歩かないうちに、聞き覚えのある不快な声が聞こえてきた。

「イゴール……我輩は何も騒ぐ必要はないと思うが」

「セブルス、何も起こっていないふりをすることはできまい！」

カルカロフが盗み聞きを恐れるかのように、不安げな押し殺した声で言った。

「この数か月の間に、ますますはっきりしてきた。私は真剣に心配している。否定できることではない――」

「なら、逃げろ」スネイプがそっけなく言った。

「逃げろ。我輩が言い訳を考えてやる。しかし、我輩はホグワーツに残る」

スネイプとカルカロフが曲がり角にさしかかった。スネイプは杖を取り出していた。意地の悪い表情をむき出しにして、スネイプはバラの茂みをバラバラに吹き飛ばしていた。あちこちの茂みから悲鳴が上がり、黒い影が飛び出してきた。

「ハッフルパフ、一〇点減点だ、フォーセット！」

スネイプが唸った。女の子がスネイプの脇を走り抜けていくところだった。

「さらに、レイブンクローも一〇点減点だ、ステビンズ！」

男の子が女の子のあとを追って駆けていくところだった。

「ところでおまえたち二人は何をしているのだ？」

小道の先にハリーとロンの姿を見つけたスネイプが聞いた。カルカロフが、二人がそこに立っているのを見て、わずかに動揺したのを、ハリーは見逃さなかった。カルカロフの手が神経質に山羊ひげに伸び、指に巻きつけはじめた。

「歩いています」ロンが短く答えた。「規則違反ではありませんね？」

「なら、歩き続けろ！」

スネイプは唸るように言うと、二人の脇をサッと通り過ぎた。後ろ姿に長い黒マントがひるがえっていた。カルカロフは急いでスネイプのあとに続いた。ハリーとロンは小道を歩き続けた。

「カルカロフはなんであんなに心配なんだ？」ロンがつぶやいた。

「それに、いつからあの二人は、イゴール、セブルスなんて、名前で呼び合うほど親しくなったんだ？」ハリーがいぶかった。

二人は大きなトナカイの石像の前に出た。そのむこうに、噴水が水しぶきを輝かせて高々と上がっているのが見えた。石のベンチに、二つの巨大なシルエットが見えた。月明かりに噴水を眺めている。そして、ハリーはハグリッドの声を聞いた。

「あなたを見たとたん、俺にはわかった」

ハグリッドの声は変にかすれていた。

ハリーとロンはその場に立ちすくんだ。邪魔をしてはいけない場面のような気がする。なんとなく……。ハリーは小道を振り返った。すると、近くのバラの茂みに半分隠されて、フラー・デラクールとロジャー・デイビースが立っているのが見えた。ハリーはロンの肩をつついて、あごで二人のほうを差した。その方向からなら、気づかれずにこっそり立ち去れるという意味だ（ハリーには、フラーとデイビースはお取り込み中のように見えた）。しかし、フラーの姿にロンは恐怖で目を見開き、頭をブルブルッと横に振り、ハリーをトナカイの後ろの暗がりの奥深くに引っ張り込んだ。

「何がわかったの。アグリッド？」

マダム・マクシームの低い声には、はっきりと甘えた響きがあった。

ハリーは絶対に聞きたくなかった。こんな状況を盗み聞きされたら、ハグリッドがいやがるだろうとわかっていた——僕なら絶対いやだもの——できることなら、指で耳栓をして大声で鼻歌を歌いたい。しかし、それはとうていできない相談だ。かわりにハリーは、石のトナカイの背中を這（は）っているコガネムシに意識を集中しようとした。しかし、コガネムシでは、ハグリッドの次の言葉が耳に入らなくなるほどおもしろいとは言えなかった。

「わかったんだ……あなたが俺とおんなじだって……あなたのおふくろさんですかい？　親父（おやじ）さんですかい？」

「わたくし——わたくし、なんのことかわかりませんわ、アグリッド……」

「俺の場合はおふくろだ」ハグリッドは静かに言った。

「おふくろは、イギリスで最後の一人だった。もちろん、おふくろのこたぁ、あんまりよく覚えてはいねえが……。いなくなっちまったんだ。俺が三つぐれえのとき。あんまり母親らしくはなかった。まあ……あの連中はそういう質（たち）ではねえんだろう。おふくろがどうなったのか、わからねえ……死んじまったのかもしれねえし……」

　マダム・マクシームは何も言わない。そしてハリーは、思わずコガネムシから目を離し、トナカイの角のむこう側を見た。耳を傾けて……。ハリーはハグリッドが子供のころの話をするのを聞いたことがなかった。

「俺の親父は、おふくろがいなくなると、胸が張り裂けっちまってなあ。ちっぽけな親父だった。俺が六つになるころにゃ、もう、親父が俺にうるさく言ったりすっと、親父を持ち上げて、たんすのてっぺんに乗っけることができた。そうすっと、親父はいつも笑ったもんだ……」

　ハグリッドの太い声がくぐもった。マダム・マクシームは、身じろぎもせず聞いていた。銀色の噴水をじっと見つめているのだろう。

「親父が俺を育ててくれた……でも死んじまったよ。ああ。俺が学校に入ってまもなくだった。それからは、俺は一人でなんとかやっていかにゃならんかった。ダンブルドアが、ほんによーくしてくれたよ。ああ。俺に親切になあ……」

　ハグリッドは大きな水玉の絹のハンカチを取り出し、ブーッと鼻をかんだ。

「そんで……とにかく……俺のことはもういい。あなたはどうなんですかい？　どっち方なんで？」

　しかし、マダム・マクシームは突然立ち上がった。

「冷えるわ」と言った――しかし、天気がどうであれ、マダム・マクシームの声ほど冷たくはなかった。

「わたくし、もう、中にあいります」

「は？」ハグリッドが放心したように言った。

「いや、行かねえでくれ！　俺は――俺はこれまで俺と同類の人に会ったことがねえ！」

「同類の**いったいなんだと**言いたいのでーすか？」

マダム・マクシームは氷のような声だ。

ハリーはハグリッドに答えないほうがいいと伝えたかった。無理な願いだとわかっても、言わないで、と心で叫びながら、ハリーは暗がりに突っ立ったままだった――願いはやはり通じなかった。

「同類の半巨人だ。そうだとも！」ハグリッドが言った。

「おお、なんということを！」

マダム・マクシームが叫んだ。おだやかな夜の空気を破り、その声は霧笛のように響き渡った。ハリーは背後で、フラーとロジャーがバラの茂みから飛び上がる音を聞いた。

「こーんなに侮辱されたことは、あじめてでーす！　あん巨人！　わたくしが？　わたくしは――わたくしは、おねがうといだけでーす！」

マダム・マクシームは荒々しく去っていった。怒って茂みをかき分けながら歩き去ったあとには、色とりどりの妖精の群れがワッと空中に立ち昇った。ハグリッドはそのあとを目で追いながらベンチに座ったままだった。ハグリッドの表情を見るには、あたりがあまりに暗かった。それから、一分ほどもたったろうか。ハグリッドは立ち上がり、大股に歩き去った。城のほうにではなく、真っ暗な校庭を、自分の小屋の方向に向かって。

「行こう」

ハリーはロンに向かってそっと言った。

「さあ、行こう……」

しかし、ロンは動こうとしない。

「どうしたの？」ハリーはロンを見た。

ロンは振り返ってハリーを見た。深刻な表情だった。

「知ってたか?」ロンがささやいた。「ハグリッドが半巨人だってこと?」

「ううん」ハリーは肩をすくめた。

「それがどうかした?」

ロンの表情から、ハリーは、自分がどんなに魔法界のことを知らないかがはっきりしたと、改めて思い知らされた。ダーズリー一家に育てられたので、魔法使いならあたりまえのことでも、ハリーには驚くようなことがたくさんあった。そうした驚きも、学校で一年一年を過ごすうちに少なくなってきていた。ところが、いままた、友達の母親が巨人だったと知ったときに、たいがいの魔法使いなら「それがどうかした?」などと言わないのだとわかった。

「中に入って説明するよ」ロンが静かに言った。「行こうか……」

フラーとロジャー・デイビースはいなくなっていた。もっと二人きりになれる茂みに移動したのだろう。ハリーとロンは大広間に戻った。パーバティとパドマは、ボーバトンの男の子たちに囲まれて、いまはもう遠くのテーブルに座っていたし、ハーマイオニーはクラムともう一度ダンスしていた。ハリーとロンはダンスフロアからずっと離れたテーブルに座った。

「それで?」

ハリーがロンをうながした。

「巨人のどこが問題なの?」

「そりゃ、連中は……連中は……」

ロンは言葉に詰まってもたもたした。

「あんまりよくない」

ロンは中途半端な言い方をした。

「気にすることないだろ？」ハリーが言った。

「ハグリッドはなんにも悪くない！」

「それはわかってる。でも……驚いたなぁ……ハグリッドがだまっていたのも無理ないよ」

ロンが首を振りながら言った。

「僕、ハグリッドが子供のとき、たまたま悪質な『肥らせ呪文』に当たるか何かしたんじゃないかって、そう思ってた。僕、そのこと言いたくなかったんだけど……」

「だけど、ハグリッドの母さんが巨人だと何が問題なの？」ハリーが聞いた。

「うーん……ハグリッドのことを知ってる人にはどうでもいいんだけど。だって、ハグリッドは危険じゃないって知ってるから」

ロンが考えながら話した。

「だけど……ハリー、連中は、巨人は狂暴なんだ。ハグリッドも言ってたけど、そういう質なんだ。トロールと同じで……とにかく殺すのが好きでさ。それはみんな知ってる。ただ、もうイギリスにはいないけど」

「どうなったわけ？」

「うん。いずれにしても絶滅しつつあったんだけど、それに闇祓いにずいぶん殺されたし。でも、外国には巨人がいるらしい……だいたい山に隠れて……」

「マクシームは、いったい誰をごまかすつもりなのかなぁ」

審査員のテーブルに一人つくねんと、醒めた表情で座っているマダム・マクシームを見ながら、ハリーが言った。

「ハグリッドが半巨人なら、あの人も絶対そうだ。骨太だって……あの人より骨が太いのは恐竜ぐらいなもんだよ」

二人だけの片隅で、ハリーとロンは、それからパーティが終わるまでずっと、巨人について語り合った。二人ともダンスをする気分にはなれなかった。ハリーはチョウとセドリックのほうをあまり見ないようにした。見れば何かを蹴飛ばしたい気持ちにかられるからだ。

「妖女シスターズ」が演奏を終えたのは真夜中だった。みんなが最後に盛大な拍手を送り、玄関ホールへの道をたどりはじめた。ダンスパーティがもっと続けばいいのにという声があちこちから聞こえたが、ハリーはベッドに行けるのがとてもうれしかった。ハリーにとっては、今夜はあまり楽しい宵ではなかった。

二人が玄関ホールに出ると、クラムがダームストラングの船に戻る前に、ハーマイオニーがクラムにおやすみなさいを言っているのが見えた。ハーマイオニーはロンにひやりと冷たい視線を浴びせ、一言も言わずにロンのそばを通り過ぎ、大理石の階段を上っていった。ハリーとロンはそのあとをついていったが、階段の途中で、ハリーは誰かが呼ぶ声を聞いた。

「おーい、ハリー！」

セドリック・ディゴリーだった。ハリーは、チョウが階段下の玄関ホールでセドリックを待っているのを見た。

「うん？」

ハリーのほうに駆け上がってくるセドリックに、ハリーは冷たい返事をした。

セドリックは何か言いたそうだったが、ロンのいる所では言いたくないように見えた。ロンは機嫌の悪い顔で、肩をすくめ、一人で階段を上っていった。

「いいか……」

セドリックはロンがいなくなると、声を落として言った。

「君にはドラゴンのことを教えてもらった借りがある。あの金の卵のことだけど、開けたとき、君の卵はむせび泣くか？」

「ああ」ハリーが答えた。

「そうか……風呂に入れ、いいか？」

「えっ？」

「風呂に入れ。そして――えーと――卵を持っていけ。そして――えーと――とにかくお湯の中でじっくり考えるんだ。そうすれば考える助けになる……信じてくれ」

ハリーはセドリックをまじまじと見た。

「こうしたらいい」セドリックが続けた。

「監督生の風呂場がある。六階の『ボケのボリス』の像の左側、四つ目のドアだ。合言葉は『パイン・フレッシュ、松の香さわやか』だ。もう行かなきゃ……おやすみを言いたいからね――」

セドリックはハリーにニコッと笑い、急いで階段を下りてチョウの所に戻った。

ハリーはグリフィンドール塔に一人で戻った。とっても変な助言だったなあ。風呂がなんで泣き卵の謎を解く助けになるんだろう？　セドリックはからかっているんだろうか？　チョウが、僕と比較してセドリックをさらに好きになるように、僕をまぬけに見せようとしているのだろうか？

「太った婦人」と友達のバイが穴の前の肖像画の中で寝息を立てていた。ハリーは二人を起こすため、「**フェアリー・ライト、豆電球！**」と叫ばなければならなかった。それで起こされてしまった二人は、相当おかんむりだった。

談話室に上がっていくと、ロンとハーマイオニーが火花を散らして口論中だった。間を三メートルもあけて立ち、双方真っ赤な顔で叫び合っている。

「ええ、ええ、お気に召さないんでしたらね、解決法はわかってるでしょう？」

ハーマイオニーが叫んだ。優雅なシニョンはいまや垂れ下がり、怒りで顔がゆがんでいる。

「ああ、そうかい？」ロンが叫び返した。

「言えよ。なんだい？」

「今度ダンスパーティがあったら、ほかの誰かが私に申し込む前に申し込みなさいよ。最後の手段じゃなくって！」

ハーマイオニーがきびすを返し、女子寮の階段を荒々しく上っていく間、ロンは水から上がった金魚のように、口をパクパクさせていた。ロンが振り返ってハリーを見た。

「まあな」

ロンは雷に打たれたような顔でブツブツ言った。

「つまり――要するにだ――まったく的はずれもいいとこだ――」

ハリーは何も言わなかった。正直に言うことで、せっかく元どおりになった大切なロンとの仲を壊したくはなかった――しかし、ハリーにはなぜか、ハーマイオニーのほうが、ロンより的を射ているように思えた。

第24章　リータ・スキーターの特ダネ

クリスマスの翌日は、みんな朝寝坊した。グリフィンドールの談話室はこれまでとは打って変わって静かだったし、けだるい会話もあくびでとぎれがちだった。ハーマイオニーの髪はまた元に戻ってぼさぼさだった。ダンスパーティのために「スリーク・イージーの直毛薬」を大量に使ったのだと、ハーマイオニーはハリーに打ち明けた。

「だけど、面倒くさくって、とても毎日やる気にならないわ」

ゴロゴロのどを鳴らしているクルックシャンクスの耳の後ろをカリカリかきながら、ハーマイオニーは事もなげに言った。

ロンとハーマイオニーは、二人の争点には触れないと、暗黙の了解に達したようだった。お互いにばかていねいだったが、仲よくしていた。ハリーとロンは、偶然耳にしたマダム・マクシームとハグリッドの会話を、すぐさまハーマイオニーに話して聞かせた。しかし、ハーマイオニーは、ハグリッドが半巨人だというニュースに、ロンほどショックを受けてはいなかった。

「まあね、そうだろうと思っていたわ」

ハーマイオニーは肩をすくめた。

「もちろん、純巨人でないことはわかってた。だって、ほんとの巨人なら、身長六メートルもあるもの。だけど、巨人のことになるとヒステリーになるなんて、どうかしてるわ。**全部が全部**恐ろしいわけないのに……狼(おおかみ)人間に対する偏見と同じことね……単なる思い込みだわ」

ロンは何か痛烈に反撃したそうな顔をしたが、ハーマイオニーとまたひと悶着起こすのはごめんだと思ったらしく、ハーマイオニーが見ていないときに、「つき合いきれないよ」と頭を振るだけで満足したようだった。

休暇が始まってから一週間無視し続けていた宿題を、思い出す時が来た。クリスマスが終わってしまったいま、誰もが気が抜けていた――ハリー以外は。ハリーは（これで二度目だが）少し不安になりはじめていた。

困ったことに、クリスマスを境に、二月二十四日はぐっと間近に迫って見えた。それなのに、ハリーはまだ何も金の卵の謎を解き明かす努力をしていない。ハリーは、寮の寝室に上がるたびに、トランクから卵を取り出し、開けて、何かわかるのではないかと願いながら一心にその音を聞くことにした。三十丁ののこぎり楽器が奏でる音以外に何か思いつかないかと、必死で考えたが、こんな音はいままで聞いたことがない。ハリーは卵を閉じ、勢いよく振って、何か音が変化しているかとまた開けてみるのだが、なんの変化もない。卵に質問してみたり、泣き声に負けないくらい大声を出してみたりしたが、何も起こらない。ついには卵を部屋のむこうに放り投げた――それでどうにかなると思ったわけではないが。

セドリックがくれたヒントを忘れたわけではなかった。しかし、いまは、セドリックに対して打ち解けない気持ちだ。できればセドリックの助けは借りたくないという思いが強かった。セドリックが本気でハリーに手を貸したいのなら、もっとはっきり教えてくれたはずだ。僕は、セドリックに第一の課題そのものずばりを教えたじゃないか――セドリックの考える公正なお返しは、僕に「風呂に入れ」と言うだけなのか。いいとも。そんなくだらない助けなら僕はいらない――どっちにしろ、チョウと手をつないで廊下を歩いているやつの手助けなんか、いるもんか。

そうこうするうちに、新学期の一日目が始まり、ハリーは授業に出かけた。教科書や羊皮紙、羽根ペンはいつものように重かったが、それればかりでなく、気がかりな卵が胃に重くのしかかり、まるで卵までも持ち歩いているかのようだった。

校庭はまだ深々と雪に覆われ、温室の窓はびっしりと結露して、薬草学の授業中、外が見えなかった。こんな天気に魔法生物飼育学の授業を受けるのは、誰も気が進まなかった。しかし、ロンの言うとおり、スクリュートのおかげでみんな充分に暖かくなれるかもしれない。スクリュートに追いかけられるとか、激烈な爆発でハグリッドの小屋が火事になるとか。

ハグリッドの小屋にたどり着いてみると、白髪を短く刈り込み、あごが突き出た老魔女が、戸口に立っていた。

「さあ、お急ぎ。鐘はもう五分前に鳴ってるよ」

雪道でなかなか先に進まない生徒たちに、魔女が大声で呼びかけた。

「あなたは誰ですか？」ロンが魔女を見つめた。

「ハグリッドはどこ？」

「わたしゃ、グラブリー－プランク先生」魔女は元気よく答えた。

「魔法生物飼育学の代用教師だよ」

「ハグリッドはどこなの？」ハリーも大声で同じことを聞いた。

「あの人は気分が悪くてね」魔女はそれしか言わなかった。

低い不ゆかいな笑い声がハリーの耳に入ってきた。振り返ると、ドラコ・マルフォイとスリザリン生が到着していた。どの顔も上機嫌で、グラブリー－プランク先生を見ても誰も驚いていない。

「こっちへおいで」

グラブリー－プランク先生は、ボーバトンの巨大な馬たちが震えている囲い地に沿って、ずんずん歩いていった。ハリー、ロン、ハーマイオニーは、魔女について歩きながら、ハグリッドの小屋を振り返った。カーテンが全部閉まっている。ハグリッドは病気で、たった一人であそこにいるのだろうか？

「ハグリッドはどこが悪いのですか？」

ハリーは急いでグラブリー－プランク先生に追いつき、聞いた。

「気にしなくていいよ」

余計なお世話だとでも言いたげな答えだった。

「でも気になります」ハリーの声に熱がこもった。

「いったいどうしたのですか？」

グラブリー－プランク先生は聞こえないふりをした。ボーバトンの馬が寒さに身を寄せ合って立っている囲い地を過ぎ、禁じられた森の端に立つ一本の木の所へ、先生はみんなを連れてきた。その木には、大きな美しいユニコーンがつながれていた。

「おぉぉぉぉー！」

ユニコーンを見ると、大勢の女子学生が思わず声を上げた。

「まあ、なんてきれいなんでしょう！」

ラベンダー・ブラウンがささやくように言った。

「あの先生、どうやって手に入れたのかしら？　捕まえるのはとっても難しいはずよ！」

ユニコーンの輝くような白さに、周りの雪さえも灰色に見えるほどだった。ユニコーンは金色のひづめで神経質に地をかき、角のある頭をのけぞらせていた。

「男の子は下がって！」

グラブリー‐プランク先生は腕をサッと伸ばし、ハリーの胸のあたりでがっしり行く手をさえぎり、大声で言った。

「ユニコーンは女性の感触のほうがいいんだよ。女の子は前へ。気をつけて近づくように。さあ、ゆっくりと……」

先生も女子学生もゆっくりとユニコーンに近づき、男の子は囲い地の柵のそばに立って眺めていた。グラブリー‐プランク先生にこちらの声が届かなくなるとすぐ、ハリーがロンに言った。

「ハグリッドはどこが悪いんだと思う？　まさかスクリュートに――？」

「襲われたと思ってるなら、ポッター、そうじゃないよ」

マルフォイがねっとりと言った。

「ただ、恥ずかしくて、あのでかい醜い顔が出せないだけさ」

「何が言いたいんだ？」ハリーが鋭い声で聞き返した。

マルフォイはローブのポケットに手を突っ込み、折りたたんだ新聞を一枚引っ張り出した。

「ほら」マルフォイが言った。

「こんなことを君に知らせたくはないけどね、ポッター……」

ハリーが新聞をひったくり、広げて読むのを、マルフォイはニタニタしながら見ていた。ロン、シェーマス、ディーン、ネビルは、ハリーの後ろから新聞をのぞき込んで一緒に読んだ。新聞記事の冒頭に、いかにもうさんくさそうに見えるハグリッドの写真がのっていた。

ダンブルドアの「巨大な」過ち

本紙の特派員、リータ・スキーターは、「ホグワーツ魔法魔術学校の変人校長、アルバス・ダンブルドアは、常に、あえて問題のある人物を教職員に任命してきた」との記事を寄せた。

本年九月、校長は、「マッド-アイ」と呼ばれる、呪い好きで悪名高い元闇祓いのアラスター・ムーディを、「闇の魔術に対する防衛術」の教師として迎えた。この人選は、魔法省の多くの役人の眉をひそめさせた。ムーディは身近で急に動く者があれば、誰かれ見境なく攻撃する習性があるからだ。そのマッド-アイ・ムーディでさえ、ダンブルドアが「魔法生物飼育学」の教師に任命した半ヒトに比べれば、まだ責任感のあるやさしい人物に見える。

三年生のときホグワーツを退校処分になったと自ら認めるルビウス・ハグリッドは、それ以来、ダンブルドアが確保してくれた森番としての職を享受してきた。ところが、昨年、ハグリッドは、校長に対する不可思議な影響力を行使し、あまたの適任候補を尻目に、「魔法生物飼育学」の教師という座まで射止めてしまった。

危険を感じさせるまでに巨大で、獰猛な顔つきのハグリッドは、新たに手にした権力を利用し、恐ろしい生物を次々とくり出して、自分が担当する生徒を脅している。ダンブルドアの見て見ぬふりをよいことに、ハグリッドは、多くの生徒が「怖いのなんのって」と認めるところの授業で、何人かの生徒を負傷させている。

「僕はヒッポグリフに襲われましたし、友達のビンセント・クラッブは、レタス食い虫にひどくかまれました」四年生のドラコ・マルフォイはそう言う。「僕たちはみんな、ハグリッドをとても嫌っています。でも怖くて何も言えないのです」とも語った。

しかし、ハグリッドは威嚇作戦の手をゆるめる気はさらさらない。先月、日刊予言者新聞の記者の取材に答えて、ハグリッドは、「尻尾爆発スクリュート」と自ら命名した、マンティコアと火蟹とをかけ合わせた危険極まりない生物を飼育していると認めた。魔法生物の新種を創り出すことは、周知のとおり「魔法生物規制管理部」が常日頃厳しく監視している行為だ。どうやらハグリッドは、そんな些細な規制など自分には関わりなしと考えているらしい。

「俺はただちょいと楽しんでいるだけだ」ハグリッドはそう言って、あわてて話題を変えた。

日刊予言者新聞は、さらに、極めつきの、ある事実をつかんでいる。ハグリッドは、純血の魔法使い――そのふりをしてきたが――ではなかった。しかも、純粋のヒトですらない。母親は、本紙のみがつかんだところによれば、なんと、女巨人のフリドウルファで、その所在は、いま現在不明である。

血に飢えた狂暴な巨人たちは、前世紀に仲間内の戦争で互いに殺し合い、絶滅寸前となった。生き残ったほんのひと握りの巨人たちは、「名前を言ってはいけないあの人」に与し、恐怖支配時代に起きたマグル大量殺戮事件の中でも最悪の事件にかかわっている。

「名前を言ってはいけないあの人」に仕えた巨人の多くは、暗黒の勢力と対決した闇祓いたちに殺されたが、フリドウルファはその中にはいなかった。海外の山岳地帯にいまなお残る、巨人の集落に逃れたとも考えられる。「魔法生物飼育学」の授業での奇行が何かを語っているとすれば、フリドウルファの息子は、母親の狂暴な質を受け継いでいると言える。

運命のいたずらか、ハグリッドは、「例のあの人」を失墜させ、自分の母親をふくむ「例のあの人」の支持者たちを日陰の身に追いやった、あの男の子との親交を深めてきたとの評判である。おそらく、ハリー・ポッターは、巨大な友人に関する、不ゆかいな真実を知らないのだろう――しかし、アルバス・ダンブルドアは、ハリー・ポッター、ならびにそのほかの生徒たちに、半巨人と交わることの危険性について警告する義務があることは明白だ。

記事を読み終えたハリーは、ロンを見上げた。ロンはぽかんと口を開けていた。

「なんでわかったんだろう?」ロンがささやいた。

ハリーが気にしていたのは、そのことではなかった。

「『僕たちはみんな、ハグリッドをとても嫌っています』だって? どういうつもりだ?」

ハリーはマルフォイに向かって吐き捨てるように言った。

「**こいつが**——」ハリーはクラッブを指差しながら言った。「——レタス食い虫にひどくかまれた? でたらめだ。あいつらには歯なんかないのに!」

クラッブはいかにも得意げに、ニタニタ笑っていた。

「まあ、これでやっと、あのデカブツの教師生命もおしまいだな」

マルフォイの目がギラギラ光っていた。

「半巨人か……それなのに、僕なんか、あいつが小さいときに『骨生え薬』をひと瓶飲み干したのかと思っていた……どこの親だって、これは絶対気に入らないだろうな……ヤツが子供たちを食ってしまうと心配するだろうよ。ハ、ハ、ハ……」

「よくも——」

「そこの生徒、ちゃんと聞いてるの?」

グラブリー - プランク先生の声が、男子学生のほうに飛んできた。

女の子たちは、みんなユニコーンの周りに集まってなでていた。ハリーはユニコーンのほうに目を向けたが、何も見てはいなかった。怒りのあまり、「日刊予言者新聞」を持った両手が震えていた。グラブリー - プランク先生は、遠くの男子学生にも聞こえるように大声で、ユニコーンのさまざまな魔法特性を列挙しているところだった。

「あの女の先生にずっといてほしいわ！」

　授業が終わり、昼食をとりにみんなで城に向かう途中、パーバティ・パチルが言った。

『魔法生物飼育学』はこんな感じだろうって、私が思っていたのに近いわ……ユニコーンのようなちゃんとした生き物で、怪物なんかじゃなくって……」

「ハグリッドはどうなるんだい？」

　城への石段を上りながら、ハリーが怒った。

「どうなるかですって？」パーバティが声を荒らげた。

「森番に変わりないでしょう？」

　ダンスパーティ以来、パーバティはハリーにいやに冷淡だった。ハリーは、パーバティのことをもう少し気にかけてやるべきだったのだろうと思ったが、どっちにしろパーバティは楽しくやっていたようだ。この次、いつか週末にホグズミードに行くときには、ボーバトンの男の子と会う約束になっているのよと、チャンスさえあれば誰かれなく吹聴していたのは確かだ。

「とってもいい授業だったわ」

　大広間に入るとき、ハーマイオニーが言った。

「ユニコーンについて、私、グラブリー‐プランク先生の教えてくださったことの半分も知らなかっ――」

「これ、見て！」

　唸（うな）るようにそう言うと、ハリーは「日刊予言者新聞」をハーマイオニーの鼻先に突きつけた。

　記事を読みながら、ハーマイオニーはあんぐりと口を開けた。ロンの反応とそっくり同じだった。

「あのスキーターっていやな女、なんでわかったのかしら？　ハグリッドがあの女に話したと思う？」

「思わない」

ハリーは先に立ってグリフィンドールのテーブルのほうにどんどん進み、怒りに任せてドサッと腰を下ろした。

「僕たちにだって一度も話さなかったろ？　さんざん僕の悪口を聞きたかったのに、ハグリッドが言わなかったから、腹を立てて、ハグリッドに仕返しするつもりでかぎ回っていたんだろうな」

「ダンスパーティで、ハグリッドがマダム・マクシームに話しているのを聞いたのかもしれない」

ハーマイオニーが静かに言った。

「それだったら、僕たちがあの庭でスキーターを見てるはずだよ！」ロンが言った。

「とにかく、スキーターは、もう学校には入れないことになってるはずだ。ハグリッドが言ってた。ダンブルドアが禁止したって……」

「スキーターは透明マントを持ってるのかもしれない」ハリーが言った。

チキン・キャセロールを鍋から自分の皿に取り分けながら、ハリーは怒りで手が震え、そこら中にこぼした。

「あの女のやりそうなことだ。草むらに隠れて盗み聞きするなんて」

「あなたやロンがやったと同じように？」ハーマイオニーが言った。

「僕らは盗み聞きしようと思ったわけじゃない！」ロンが憤慨した。

「ほかにどうしようもなかっただけだ！　バカだよ、まったく。誰が聞いているかわからないのに、自分の母親が巨人だって話すなんて！」

「ハグリッドに会いにいかなくちゃ！」ハリーが言った。

「今夜、占い学のあとだ。戻ってきてほしいって、ハグリッドに言うんだ……。君もハグリッドに戻ってほしいって、**そう思うだろう？**」

　ハリーはキッとなってハーマイオニーを見た。

「私――そりゃ、初めてきちんとした『魔法生物飼育学』らしい授業を受けて、新鮮に感じたことは確かだわ――でも、ハグリッドに戻ってほしい。もちろん、そう思うわ！」

　ハリーの激しい怒りの視線にたじろぎ、ハーマイオニーはあわてて最後の言葉をつけ加えた。

　そこで、その日の夕食後、三人はまた城を出て、凍てつく校庭を、ハグリッドの小屋へと向かった。小屋の戸をノックすると、ファングのとどろくような吠え声が応えた。

「ハグリッド、僕たちだよ！」

　ハリーはドンドンと戸をたたきながら叫んだ。

「開けてよ！」

　ハグリッドの応えはなかった。ファングが哀れっぽく鼻を鳴らしながら、戸をガリガリ引っかく音が聞こえた。しかし、戸は開かない。それから十分ほど、三人は戸をガンガンたたいた。ロンは小屋を回り込んで、窓をバンバンたたいた。それでもなんの反応もない。

「どうして**私たち**をさけるの？」

　ついにあきらめて、城に向かって戻る道々、ハーマイオニーが言った。

「ハグリッドが半巨人だってこと、まさか、私たちがそれを気にしてると思ってるわけじゃないでしょうね？」

　しかし、ハグリッドはそれを気にしているようだった。その週、ハグリッドの姿はどこにも見当たらなかった。食事のときも教職員テーブルに姿を見せず、校庭で森番の仕事をしている様子もなかった。

魔法生物飼育学は、グラブリー-プランク先生が続けて教えた。マルフォイは、事あるごとに満足げにほくそ笑んだ。

「混血の仲よしがいなくてさびしいのか？」

マルフォイは、ハリーが反撃できないように、誰か先生が近くにいるときだけをねらってハリーにささやいた。

「エレファントマンに会いたいだろう？」

一月半ばにホグズミード行きが許された。ハリーが行くつもりだと言ったので、ハーマイオニーは驚いた。

「せっかく談話室が静かになるのよ。このチャンスを利用したらいいのにと思って」

ハーマイオニーが言った。

「あの卵に真剣に取り組むチャンスよ」

「ああ。僕――僕、あれがどういうことなのか、もう相当いいとこまでわかってるんだ」

ハリーはうそをついた。

「ほんと？」ハーマイオニーは感心したように言った。

「すごいわ*!*」

ハリーは罪悪感で内臓がよじれる思いだったが、無視した。なんといっても、卵のヒントを解く時間はまだ五週間もある。まだまだ先だ……それに、ホグズミードに行けば、ハグリッドにばったり出会って、戻ってくれるように説得するチャンスもあるかもしれない。

土曜日が来た。ハリーはロン、ハーマイオニーと連れ立って城を出、冷たい、湿った校庭を、校門のほうへと歩いた。湖に停留しているダームストラングの船のそばを通るとき、ビクトール・クラムがデッキに現れるのが見えた。水泳パンツ一枚の姿だ。やせてはいるが、見かけよりずっとタフらしい。船の縁によじ登り、両腕を伸ばしたかと思うと、まっすぐ湖に飛び込んだ。

「狂ってる！」

クラムの黒い頭髪が湖の中央に浮き沈みするのを見つめながら、ハリーが言った。

「凍えちゃう。一月だよ！」

「あの人はもっと寒い所から来ているの」ハーマイオニーが言った。

「あれでもけっこう暖かいと感じてるんじゃないかしら」

「ああ、だけど、その上、大イカもいるしね」

ロンの声は、ちっとも心配そうではなかった――むしろ、何か期待しているようだった。ハーマイオニーはそれに気づいて顔をしかめた。

「あの人、ほんとにいい人よ」ハーマイオニーが言った。

「ダームストラング生だけど、あなたが考えているような人とはまったくちがうわ。ここのほうがずっと好きだって、私にそう言ったの」

ロンはなんにも言わなかった。ダンスパーティ以来、ロンはビクトール・クラムの名を一度も口にしなかったが、クリスマスの翌日、ハリーはベッドの下に小さな人形の腕が転がっているのを見つけた。ポッキリ折れた腕は、どう見ても、ブルガリアのクィディッチ・ユニフォームを着たミニチュア人形の腕だった。

雪でぬかるんだハイストリート通りを、ハリーは目を凝らしてハグリッドの姿を探しながら歩いた。どの店にもハグリッドがいないことがわかると、ハリーは「三本の箒（ほうき）」に行こうと提案した。

パブは相変わらず混み合っていた。しかし、テーブルをひとわたり、ざっと見回しただけで、ハグリッドの姿がないことがわかった。ハリーはがっくり消沈して、ロン、ハーマイオニーと一緒にカウンターに行き、マダム・ロスメルタにバタービールを注文した。こんなことなら、寮に残って、卵の泣きわめく声を聞いていたほうがましだったと、ハリーは暗い気持ちになった。

「あの人、**いったいいつ**、お役所で仕事をしてるの？」

突然ハーマイオニーがヒソヒソ声で言った。

「見て！」

ハーマイオニーはカウンターの後ろにある鏡を指差していた。ハリーがのぞくと、ルード・バグマンが映っていた。大勢の小鬼（ゴブリン）に囲まれて、薄暗い隅のほうに座っている。バグマンは小鬼に向かって、低い声で早口にまくしたてている。小鬼は全員腕組みして、何やら恐ろしげな雰囲気だ。

確かにおかしい、とハリーは思った。今週は三校対抗試合がないし、審査の必要もないのに、週末にバグマンが「三本の箒」にいる。ハリーは鏡のバグマンを見つめた。バグマンはまた緊張している。あの夜、森に「闇の印」が現れる直前に見た、バグマンのあの緊張ぶりと同じだ。しかしその時、ちらりとカウンターを見たバグマンが、ハリーを見つけて立ち上がった。

「すぐだ。すぐだから！」

ハリーは、バグマンが小鬼に向かってぶっきらぼうにそう言うのを聞いた。そして、バグマンは急いでハリーのほうにやってきた。少年のような笑顔が戻っていた。

「ハリー！」バグマンが声をかけた。

「元気か？　君にばったり会えるといいと思っていたよ！　すべて順調かね？」

「はい。ありがとうございます」ハリーが答えた。

「ちょっと、二人だけで話したいんだが、どうかね、ハリー？」バグマンが頼み込んだ。

「君たち、お二人さん、ちょっとだけはずしてくれるかな？」

「アー――オッケー」

ロンはそう言うと、ハーマイオニーと二人でテーブルを探しにいった。

バグマンは、マダム・ロスメルタから一番遠いカウンターの隅に、ハリーを引っ張っていった。

「さーて、ハリー、ホーンテールとの対決は見事だった。まずはもう一度おめでとうだ」

バグマンが言った。

「実にすばらしかった」

「ありがとうございます」

バグマンはそんなことが言いたかったのではないと、ハリーにはわかった。お祝いを言うだけなら、ロンやハーマイオニーの前でもかまわないはずだ。しかし、バグマンは特に急いで手の内を明かすような気配ではなかった。カウンターの奥の鏡をちらりとのぞいて、小鬼を見ているようだ。小鬼は全員、目尻の吊り上がった暗い目で、だまってバグマンとハリーを見つめていた。

「まったく悪夢だ」

ハリーが小鬼を見つめているのに気づいたバグマンが、声をひそめて言った。

「連中の言葉ときたら、お粗末で……クィディッチ・ワールドカップでのブルガリア勢を思い出してしまうよ……。しかし**ブルガリア勢のほうは**、少なくともほかのヒト類にわかるような手話を使った。こいつらは、ちんぷんかんぷんのゴブルディグック語でべらべらまくし立てる……私の知っているゴブルディグック語は『**ブラドヴァック**』の一語だけだ。『つるはし』だがね。連中の前でこの単語は使いたくない。脅迫していると思われると困るからね」

バグマンは低音の効いた声で短く笑った。

「小鬼はいったい何が望みなんですか？」

小鬼がまだバグマンをにらみ続けているのに気づいて、ハリーが聞いた。

「あー――それはだ……」

バグマンは急にそわそわしだした。

「あいつらは……あー……バーティ・クラウチを探しているんだ」

「どうしてこんな所で探すんですか？」ハリーが聞いた。

「クラウチさんは、ロンドンの魔法省でしょう？」

「あー……実は、どこにいるか、私にはわからんのだ」

バグマンが言った。

「なんというか……仕事に出てこなくなったのだ。もう二、三週間欠勤している。助手のパーシーという若者は、病気だと言うんだがね。ふくろう便で指示を送ってくるらしいが。だが、このことは、ハリー、誰にも言わないでくれるかな？　何しろ、リータ・スキーターがまだあっちこっちかぎ回っているんでね。バーティの病気のことを知ったら、まちがいなく、何か不吉な記事にでっち上げる。バーティがバーサ・ジョーキンズと同じに行方不明だとかなんとか」

「バーサ・ジョーキンズのことは、何かわかったのですか？」ハリーが聞いた。

「いや」

バグマンはまたこわばった顔をした。

「もちろん捜索させているが……」（遅いぐらいだ、とハリーは思った）「しかし、不思議なこともあるものだ。バーサは確かにアルバニアに**到着している**。何せ、そこでまたいとこに会っている。それから、またいとこの家を出て、おばさんに会いに南に向かった……そしてその途中、影も形もなく消えた。何が起こったやらさっぱりわからん……駆け落ちするタイプには見えないんだが。たとえばの話だが……いや、しかし……。なんだい、こりゃ？　小鬼とバーサの話などして。私が聞きたかったのは」

バグマンは声を落とした。

「金の卵はどうしてるかね？」

「あの……まあまあです」ハリーは言葉をにごした。

バグマンはハリーのごまかしを見抜いたようだった。

「いいかい、ハリー」

バグマンは（声を低めたまま）言った。

「私は何もかも気の毒だと思っている……君はこの試合に引きずり込まれた。自分から望んだわけでもないのに……もし、（バグマンの声がさらに低くなり、ハリーは耳を近づけないと聞き取れなかった）……もし私に何かできるなら……君をちょっとだけ後押ししてやれたら……私は君が気に入ってね……あのドラゴンとの対決はどうだい！　……さあ、一言言ってくれたら」

ハリーはバグマンのバラ色の丸顔や、大きい赤ん坊のような青い目を見上げた。

「自分一人の力で謎を解くことになっているでしょう？」

ハリーは、「魔法ゲーム・スポーツ部」の部長がルールを破っていると非難がましく聞こえないように気を配り、なにげない調子で言った。

「いや……それは、そうだが」

バグマンがじれったそうに言った。

「しかし――いいじゃないか、ハリー――みんなホグワーツに勝たせたいと思っているんだから」

「セドリックにも援助を申し出られましたか？」ハリーが聞いた。

バグマンのつやつやした顔が、かすかにゆがんだ。

「いいや」バグマンが言った。

「私は――ほら、さっきも言ったように、君が気に入ったんだ。だからちょっと助けてやりたいと……」

「ええ、ありがとうございます」ハリーが言った。

「でも、僕、卵のことはほとんどわかりました……あと二、三日あれば、解決です」

なぜバグマンの申し出を断るのか、ハリーにはよくわからなかった。ただ、バグマンはハリーにとって、まったく赤の他人といってもよい。だから、バグマンの助けを受けるのは、ロンや、ハーマイオニー、シリウスの忠告を聞くことより、ずっと八百長に近いような気がしただけだ。

バグマンは、ほとんど侮辱されたような顔をした。しかし、その時フレッドとジョージが現れたので、それ以上何も言えなくなった。

「こんにちは、バグマンさん」フレッドが明るい声で挨拶した。

「僕たちから何かお飲み物を差し上げたいのですが？」

「あー……いや」

バグマンは残念そうな目つきで、もう一度ハリーを見た。

「せっかくだが、お二人さん……」

バグマンは、ハリーに手ひどく振られたような顔でハリーを眺めていたが、フレッドとジョージも、バグマンと同じくらい残念そうな顔をしていた。

「さて、急いで行かないと」バグマンが言った。

「それじゃあ。ハリー、がんばれよ」

バグマンは急いでパブを出ていった。小鬼は全員椅子からスルリと下りて、バグマンのあとを追った。

ハリーはロンとハーマイオニーの所へ戻った。

「なんの用だったんだい？」ハリーが椅子に座るや否や、ロンが聞いた。

「金の卵のことで、助けたいって言った」ハリーが答えた。

「そんなことしちゃいけないのに！」

ハーマイオニーはショックを受けたような顔をした。

「審査員の一人じゃない！　どっちにしろ、ハリー、あなたもうわかったんでしょう？——そうでしょう？」

「あ……まあね」ハリーが言った。

「バグマンが、あなたに八百長を勧めてたなんて、ダンブルドアが知ったら、きっと気に入らないと思うわ！」

ハーマイオニーは、まだ、絶対に納得できないという顔をしていた。

「バグマンが、セドリックもおんなじように助けたいって思っているならいいんだけど！」

「それが、ちがうんだ。僕も質問した」ハリーが言った。

「ディゴリーが援助を受けているかいないかなんて、どうでもいいだろ？」

ロンが言った。ハリーも内心そう思った。

「あの小鬼たち、あんまり和気藹々（あいあい）の感じじゃなかったわね」

バタービールをすすりながら、ハーマイオニーが言った。

「こんな所で、何していたのかしら？」

「クラウチを探してる。バグマンはそう言ったけど」ハリーが言った。

「クラウチはまだ病気らしい。仕事に来てないんだって」

「パーシーが一服盛ってるんじゃないか」ロンが言った。

「もしかしたら、クラウチが消えれば、自分が『国際魔法協力部』の部長に任命されるって思ってるんだ」

ハーマイオニーが、「そんなこと、冗談にも言うもんじゃないわ」という目つきでロンをにらんだ。

「変ね。小鬼がクラウチさんを探すなんて……普通なら、あの連中は『魔法生物規制管理部』の管轄でしょうに」

「でも、クラウチはいろんな言葉がしゃべれるし」ハリーが言った。「通訳が必要なんじゃないかな」

「今度はかわいそうな『小鬼ちゃん』の心配かい？」

ロンがハーマイオニーに言った。

「S・P・U・Gか何か始めるのかい？　醜い（U）小鬼（G）を守る会とか？」

「お・あ・い・に・く」

ハーマイオニーが皮肉たっぷりに言った。

「小鬼には保護はいりません。ビンズ先生のおっしゃったことを聞いていなかったの？　小鬼の反乱のこと？」

「聞いてない」ハリーとロンが同時に答えた。

「つまり、小鬼たちは魔法使いに太刀打ちできる能力があるのよ」

ハーマイオニーがまたひと口バタービールをすすった。

「あの連中はとっても賢いの。自分たちのために立ち上がろうとしない屋敷しもべ妖精とはちがってね」

「お、わ」ロンが入口を見つめて声を上げた。

リータ・スキーターが入ってきたところだった。今日はバナナ色のローブを着ている。長い爪をショッキング・ピンクに染め、いつもの腹の出たカメラマンを従えている。飲み物を買い、カメラマンと二人でほかの客をかき分け、近くのテーブルにやってきた。近づいてくるリータ・スキーターを、ハリー、ロン、ハーマイオニーがギラギラとにらみつけた。

スキーターは何かとても満足げに、早口でしゃべっている。

「……あたしたちとあんまり話したくないようだったわねえ、ボゾ？　さーて、どうしてか、あんた、わかる？　あんなにぞろぞろ小鬼を引き連れて、何してたんざんしょ？　観光案内だとさ……バカ言ってるわ……あいつはまったくうそがへたなんだから。何かにおわない？　ちょっとほじくってみようか？　**『魔法ゲーム・スポーツ部、失脚した元部長、ルード・バグマンの不名誉』**……なかなか切れのいい見出しじゃないか、ボゾ――あとは、見出しに合う話を見つけるだけざんす――」

「また誰かを破滅させるつもりか？」ハリーが大声を出した。

何人かが声のほうを振り返った。リータ・スキーターは、声の主を見つけると、宝石縁のめがねの奥で、目を見開いた。

「ハリー！」リータ・スキーターがニッコリした。

「すてきざんすわ！　こっちに来て一緒に――」

「おまえなんか、いっさいかかわりたくない。三メートルの箒を中にはさんだっていやだ」

ハリーはカンカンに怒っていた。

「いったいなんのために、ハグリッドにあんなことをしたんだ？」

リータ・スキーターは、眉ペンシルでどぎつく描いた眉を吊り上げた。

「読者には真実を知る権利があるのよ。ハリー、あたくしはただ自分の役目を――」

「ハグリッドが半巨人だって、それがどうだっていうんだ？」ハリーが叫んだ。

「ハグリッドはなんにも悪くないのに！」

酒場中がしんとなっていた。マダム・ロスメルタはカウンターのむこうで目を凝らしていた。注いでいる蜂蜜酒が大だるま瓶からあふれているのにも気づいていないらしい。

リータ・スキーターの笑顔がわずかに動揺したが、たちまち取りつくろって笑顔に戻った。ワニ革バッグの留め金をパチンと開き、自動速記羽根ペンQQQを取り出し、リータ・スキーターはこう言った。

「ハリー、**君の**知っているハグリッドについてインタビューさせてくれない？　『筋骨隆々に隠された顔』ってのはどうざんす？　君の意外な友情とその裏の事情についてざんすけど。君はハグリッドが父親がわりだと思う？」

突然ハーマイオニーが立ち上がった。手にしたバタービールのジョッキを手榴弾のように握りしめている。

「あなたって、最低の女よ」

ハーマイオニーは歯を食いしばって言った。

「記事のためなら、なんにも気にしないのね。誰がどうなろうと。たとえルード・バグマンだって――」

「お座りよ。バカな小娘のくせして。わかりもしないのに、わかったような口をきくんじゃない」

ハーマイオニーをにらみつけ、リータ・スキーターは冷たく言った。

「ルード・バグマンについちゃ、あたしゃね、あんたの髪の毛が縮み上がるようなことをつかんでいるんだ……**もっとも**、もう縮み上がっているようざんすけど――」

ハーマイオニーのぼさぼさ頭をちらりと見て、リータ・スキーターが捨てゼリフを吐いた。

「行きましょう」ハーマイオニーが言った。

「さあ、ハリー――ロン……」

三人は席を立った。大勢の目が、三人の出ていくのを見つめていた。出口に近づいたとき、ハリーはちらりと振り返った。リータ・スキーターの自動速記羽根ペンＱＱＱが取り出され、テーブルに置かれた羊皮紙の上を、飛ぶように往ったり来たりしていた。

「ハーマイオニー、あいつ、きっと次は君をねらうぜ」

急ぎ足で帰る道々、ロンが心配そうに低い声で言った。

「やるならやってみろだわ！」

ハーマイオニーは怒りに震えながら、挑むように言った。

「目に物見せてやる！　バカな小娘？　私が？　絶対にやっつけてやる。最初はハリー、次にハグリッド……」

「リータ・スキーターを刺激するなよ」ロンが心配そうに言った。

「ハーマイオニー、僕、本気で言ってるんだ。あの女、君の弱みを突いてくるぜ――」

「私の両親は『日刊予言者新聞』を読まないから、私は、あんな女に脅されて隠れたりしないわ！」

ハーマイオニーがどんどん早足で歩くので、ハリーとロンはついていくだけでやっとだった。ハリーにとって、ハーマイオニーがこんなに怒ったのを見るのは、ドラコ・マルフォイの横面をピシャリと張ったとき以来だった。

「それに、ハグリッドはもう逃げ隠れしてちゃダメ！　あんな、ヒトのできそこないみたいな女のことでおたおたするなんて、絶対ダメ！　さあ、行くわよ！」

ハーマイオニーは突然走りだした。二人を従え、帰り道を走り続け、羽の生えたイノシシ像が一対立っている校門を駆け抜け、校庭を突き抜けて、ハグリッドの小屋へと走った。

小屋のカーテンはまだ閉まったままだった。三人が近づいたので、ファングが吠える声が聞こえた。

「ハグリッド！」

玄関の戸をガンガンたたきながら、ハーマイオニーが叫んだ。

「ハグリッド、いいかげんにして！　そこにいることはわかってるわ！　あなたのお母さんが巨人だろうとなんだろうと、誰も気にしてないわ、ハグリッド！　リータみたいなくさった女にやられてちゃダメ！　ハグリッド、ここから出るのよ。こんなことしてちゃ」

ドアが開いた。ハーマイオニーは「ああ、やっと――！」と言いかけて、突然口をつぐんだ。ハーマイオニーに面と向かって立っていたのは、ハグリッドではなく、アルバス・ダンブルドアだった。

「こんにちは」

ダンブルドアは三人にほほえみかけながら、心地よく言った。

「私たち――あの――ハグリッドに会いたくて」

ハーマイオニーの声が小さくなった。

「おお、わしもそうじゃろうと思いましたぞ」

ダンブルドアは目をキラキラさせながら言った。

「さあ、お入り」

「あ……あの……はい」ハーマイオニーが言った。

ハーマイオニー、ロン、ハリーの三人は、小屋に入った。ハリーが入るなり、ファングが飛びついて、めちゃめちゃ吠えながらハリーの耳をなめようとした。ハリーはファングを受け止めながら、あたりを見回した。

ハグリッドは、大きなマグカップが二つ置かれたテーブルの前に座っていた。ひどかった。顔は泣いてまだらになり、両目は腫れ上がり、髪の毛にいたっては、これまでの極端から反対の極端へと移り、なでつけるどころか、いまや、からみ合った針金のかつらのように見えた。

「やあ、ハグリッド」ハリーが挨拶した。

ハグリッドは目を上げた。

「よう」ハグリッドはしわがれた声を出した。

「もっと紅茶が必要じゃの」

ダンブルドアは三人が入ったあとで戸を閉め、杖を取り出してくるくるっと回した。空中に、紅茶をのせた回転テーブルが現れ、ケーキをのせた皿も現れた。ダンブルドアはテーブルの上に回転テーブルをのせ、みんながテーブルに着いた。ちょっと間を置いてから、ダンブルドアが言った。

「ハグリッド、ひょっとして、ミス・グレンジャーが叫んでいたことが聞こえたかね？」

ハーマイオニーはちょっと赤くなったが、ダンブルドアはハーマイオニーにほほえみかけて言葉を続けた。

「ハーマイオニーもハリーもロンも、ドアを破りそうなあの勢いから察するに、いまでもおまえと親しくしたいと思っているようじゃ」

「もちろん、僕たち、いまでもハグリッドと友達でいたいと思ってるよ！」

ハリーがハグリッドを見つめながら言った。

「あんなブスのスキーターばばぁの言うことなんか——すみません。先生」

ハリーはあわてて謝り、ダンブルドアの顔を見た。

「急に耳が聞こえなくなってのう、ハリー、いまなんと言うたか、さっぱりわからん」

ダンブルドアは天井を見つめ、手を組んで親指をくるくるもてあそびながら言った。

「あの――えーと――」

ハリーはおずおずと言った。

「僕が言いたかったのは――ハグリッド、あんな――女が――ハグリッドのことをなんて書こうと、僕たちが気にするわけないだろう？」

コガネムシのような真っ黒なハグリッドの目から、大粒の涙がふた粒あふれ、もじゃもじゃひげをゆっくりと伝って落ちた。

「わしが言ったことの生きた証拠じゃな、ハグリッド」

ダンブルドアはまだじっと天井を見上げたまま言った。

「生徒の親たちから届いた、数えきれないほどの手紙を見せたじゃろう？　自分たちが学校にいたころのおまえのことをちゃんと覚えていて、もし、わしがおまえをクビにしたら、一言言わせてもらうと、はっきりそう書いてよこした――」

「全部が全部じゃねえです」ハグリッドの声はかすれていた。

「みんながみんな、俺が残ることを望んではいねえです」

「それはの、ハグリッド、世界中の人に好かれようと思うのなら、残念ながらこの小屋にずっと長いこと閉じこもっているほかあるまい」

ダンブルドアは半月めがねの上から、今度は厳しい目を向けていた。

「わしが校長になってから、学校運営のことで、少なくとも週に一度はふくろう便が苦情を運んでくる。かといって、わしはどうすればよいのじゃ？　校長室に立てこもって、誰とも話さんことにするかの？」

「そんでも――先生は半巨人じゃねえ*！*」ハグリッドがしわがれた声で言った。

「ハグリッド。じゃ、僕の親戚はどうなんだい！」

ハリーが怒った。

「ダーズリー一家なんだよ！」

「よいところに気づいた」ダンブルドア校長が言った。

「わしの兄弟のアバーフォースは、山羊（やぎ）に不適切な呪文をかけた咎（とが）で起訴されての。あらゆる新聞に大きく出た。しかしアバーフォースは、逃げ隠れしたかの？　いや、しなかった！　頭をしゃんと上げ、いつものとおり仕事をした！　もっとも、字が読めるのかどうか定かではない。したがって、勇気があったということにはならんかもしれんがのう……」

「戻ってきて、教えてよ、ハグリッド」

ハーマイオニーが静かに言った。

「お願いだから、戻ってきて。ハグリッドがいないと、私たちほんとにさびしいわ」

ハグリッドがゴクッとのどを鳴らした。涙がボロボロとほおを伝い、もじゃもじゃのひげを伝った。

ダンブルドアが立ち上がった。

「辞表は受け取れぬぞ、ハグリッド。月曜日に授業に戻るのじゃ」

ダンブルドアが言った。

「明日の朝八時半に、大広間でわしと一緒に朝食じゃ。言い訳は許さぬぞ。それではみな、元気での」

ダンブルドアは、ファングの耳をカリカリするのにちょっと立ち止まり、小屋を出ていった。その姿を見送り、戸が閉まると、ハグリッドはごみバケツのふたほどもある両手に顔をうずめてすすり泣きはじめた。ハーマイオニーはハグリッドの腕を軽くたたいてなぐさめた。やっと顔を上げたハグリッドは、目を真っ赤にして言った。

「偉大なお方だ。ダンブルドアは……偉大なお方だ……」

「うん、そうだね」

ロンが言った。

「ハグリッド、このケーキ、一つ食べてもいいかい？」

「ああ、やってくれ」

ハグリッドは手の甲で涙をぬぐった。

「ん。あのお方が正しい。そうだとも――おまえさんら、みんな正しい……俺はバカだった……俺の父ちゃんは、俺がこんなことをしてるのを見たら、恥ずかしいと思うにちげぇねえ……」

またしても涙があふれ出たが、ハグリッドはさっきよりきっぱりと涙をぬぐった。

「父ちゃんの写真を見せたことがなかったな？　どれ……」

ハグリッドは立ち上がって洋だんすの所へ行き、引き出しを開けて写真を取り出した。ハグリッドと同じくくしゃくしゃっとした真っ黒な目の、小柄な魔法使いが、ハグリッドの肩に乗っかってニコニコしていた。そばのりんごの木から判断して、ハグリッドは優に二メートル豊かだが、顔にはひげがなく、若くて、丸くて、つるつるだった――せいぜい十一歳だろう。

「ホグワーツに入学してすぐに撮ったやつだ」ハグリッドはしわがれ声で言った。

「親父(おやじ)は大喜びでなあ……俺が魔法使いじゃねえかもしれんと思ってたからな。ほれ、おふくろのことがあるし……うん、まあ、もちろん、俺はあんまり魔法がうまくはなかったな。うん……しかし、少なくとも、親父は俺が退学になるのを見ねえですんだ。死んじまったからな。二年生んときに……」

「親父が死んでから、俺を支えてくれなさったのがダンブルドアだ。森番の仕事をくださった……人をお信じなさる、あの方は。誰にでもやり直しのチャンスをくださる……そこが、ダンブルドアとほかの校長とのちがうとこだ。才能さえあれば、ダンブルドアは誰でもホグワーツに受け入れなさる。みんなちゃんと育つってことを知ってなさる。たとえ家系が……その、なんだ……そんなに立派じゃねえくてもだ。しかし、それが理解できねえやつもいる。生まれ育ちを盾にとって、批判するやつが必ずいるもんだ……骨が太いだけだなんて言うやつもいるな――『自分は自分だ。恥ずかしくなんかねえ』ってきっぱり言って立ち上がるより、ごまかすんだ。『恥じることはないぞ』って、俺の父ちゃんはよく言ったもんだ。『そのことでおまえをたたくやつがいても、そんなやつはこっちが気にする価値もない』ってな。親父は正しかった。俺がバカだった。**あの女**(ひと)のことも、もう気にせんぞ。約束する。骨が太いだと……よう言うわ」

ハリー、ロン、ハーマイオニーはそわそわと顔を見合わせた。ハグリッドがマダム・マクシームに話しているのを聞いてしまったと認めるくらいなら、ハリーは尻尾(しっぽ)爆発スクリュート五十匹を散歩に連れていくほうがましだと思った。しかしハグリッドは、自分がいま、変なことを口走ったとも気づかないらしく、しゃべり続けていた。

「ハリー、あのなぁ」

父親の写真から目を上げたハグリッドが言った。目がキラキラ輝いている。

「おまえさんにはじめて会ったときなぁ、昔の俺に似てると思った。父ちゃんも母ちゃんも死んで、おまえさんはホグワーツなんかでやっていけねえと思っちょった。覚えとるか？　そんな資格があるのかどうか、おまえさんは自信がなかったなぁ……ところが、ハリー、どうだ！　学校の代表選手だ！」

ハグリッドはハリーをじっと見つめ、それから真顔で言った。

「ハリーよ、俺がいま、心から願っちょるのがなんだかわかるか？　おまえさんに勝ってほしい。ほんとうに勝ってほしい。みんなに見せてやれ……純血じゃなくてもできるんだってな。自分の生まれを恥じることはねえんだ。ダンブルドアが正しいんだっちゅうことを、みんなに見せてやれる。魔法ができる者なら誰でも入学させるのが正しいってな。ハリー、あの卵はどうなってる？」

「大丈夫」ハリーが言った。「ほんとに大丈夫さ」

ハグリッドのしょぼくれた顔が、パッと涙まみれの笑顔になった。

「それでこそ、俺のハリーだ……目に物見せてやれ。ハリー、みんなに見せてやれ。みんなを負かしっちまえ」

ハグリッドにうそをつくのは、ほかの人にうそをつくのと同じではなかった。午後も遅くなって、ロンとハーマイオニーと一緒に城に戻ったハリーの目に、ハリーが試合で優勝する姿を想像したときに見せた、ひげもじゃハグリッドのあのうれしそうな顔が焼きついていた。その夜は、意味のわからない卵がハリーの良心に一段と重くのしかかった。ベッドに入るとき、ハリーの心は決まっていた――プライドを一時忘れ、セドリックのヒントが役に立つかどうかを試してみる時が来た。

第25章　玉子と目玉

金の卵の謎を解き明かすのに、どのくらいの時間、風呂に入る必要があるのか見当がつかないので、ハリーは好きなだけ時間が取れるよう、夜になってから実行することにした。これ以上セドリックに借りを作るのは気が進まなかったが、ハリーは監督生用の浴室を使うことにした。かぎられた人しか入れない場所なので、そこなら誰かに邪魔されることも少ないはずだ。

浴室行きを、ハリーは綿密に計画した。前に一度、真夜中にベッドを抜け出し、禁止区域で管理人のフィルチに捕まったことがあるが、もう二度とあの経験はしたくない。もちろん、「透明マント」は欠かせない。さらに、用心のため、「忍びの地図」も持っていくことにした。ハリーの持っている規則破り用の道具の中では、透明マントの次に役立つのがこの地図だ。ホグワーツ全体の地図で、近道や秘密の抜け道も描いてあるし、もっとも重要なのは、城内にいる人が、廊下を動く小さな点で示され、それぞれの点に名前がついていることだった。誰かが浴室に近づけば、ハリーにはこれで前もってわかる。

木曜の夜、ハリーはこっそりベッドを抜け出し、透明マントをかぶり、そうっと下に下りていった。ハグリッドがハリーにドラゴンを見せてくれたあの夜と同じように、ハリーは肖像画が開くのを、内側で待った。今夜はロンが外側にいて、「太った婦人（レディ）」に合言葉を言った（「**バナナ・フリッター**」）。「がんばれよ」談話室に這（は）い上がりながら、ロンはすれちがいに出ていくハリーにささやいた。

今夜は、透明マントを着ていると動きにくかった。片腕に重い卵を抱え、もう一方の手で地図を目の前に掲げているからだ。しかし、月明かりに照らされた廊下は閑散としていたし、肝心なところで地図をチェックすることで、出会いたくない人物に出会わないですんだ。「ボケのボリス」の像――手袋の右左をまちがえて着けている、ぼうっとした魔法使いだ――にたどり着くと、ハリーは目指す扉を見つけ、近づいて寄りかかり、セドリックに教えてもらったとおり、「**パイン・フレッシュ**」と合言葉を唱えた。

ドアがきしみながら開いた。ハリーは中にすべり込み、内側からかんぬきをかけ、透明マントを脱いで周りを見回した。

第一印象は、こんな浴室を使えるなら、それだけで監督生になる価値がある、ということだった。ろうそくの灯った豪華なシャンデリアが一つ、白い大理石造りの浴室をやわらかく照らしている。床の真ん中に埋め込まれた、長方形のプールのような浴槽も白大理石だ。浴槽の周囲に、百本ほどの金の蛇口があり、取っ手の所に一つ一つ色のちがう宝石がはめ込まれている。飛び込み台もあった。窓には真っ白なリンネルの長いカーテンがかけられ、浴室の隅にはふわふわの白いタオルが山のように積まれていた。壁には金の額縁の絵が一枚かけてある。ブロンドの人魚の絵だ。岩の上でぐっすり眠っている。寝息を立てるたびに、長い髪がその顔の上でひらひら揺れた。

ハリーは透明マントと卵、地図を下に置き、あたりを見回しながらもっと中に入った。足音が壁にこだました。

浴室は確かにすばらしかったが――それに、蛇口をいくつかひねってみたいという気持ちも強かったが――ここに来てみると、セドリックが自分を担いだのではないかという気持ちが抑えきれなかった。これがいったいどうして卵の謎を解くのに役立つというんだ?

それでも、ハリーは、ふわふわのタオルを一枚と、透明マント、地図、卵を水泳プールのような浴槽の脇に置き、ひざまずいて蛇口を一、二本ひねってみた。

湯と一緒に、蛇口によってちがう種類の入浴剤の泡が出てくることがすぐわかった。しかも、これまでハリーが経験したことがないような泡だった。ある蛇口からは、サッカーボールほどもあるピンクとブルーの泡が噴き出し、別の蛇口からは雪のように白い泡が出てきた。白い泡は細かくしっかりとしていて、試しにその上に乗ったら、体を支えて浮かしてくれそうだった。三本目の蛇口からは香りの強い紫の雲が出てきて、水面にたなびいた。

ハリーは蛇口を開けたり閉めたりして、しばらく遊んだ。とりわけ、勢いよく噴き出した湯が、水面を大きく弧を描いて飛びはねる蛇口が楽しかった。

やがて、深い浴槽も湯と大小さまざまな泡で満たされた（これだけ大きい浴槽にしては、かなり短い時間でいっぱいになった）。ハリーは蛇口を全部閉め、ガウン、スリッパ、パジャマを脱ぎ、湯に浸かった。

浴槽はとても深く、足がやっと底に届くほどで、ハリーは浴槽の端から端まで二、三回泳ぎ、それから、浴槽の縁まで泳いで戻り、立ち泳ぎをして、卵をじっと見た。泡立った温かい湯の中を、色とりどりの湯気が立ち昇る中で泳ぐのはすごく楽しかったが、抜き手を切っても頭は切れず、なんのひらめきも思いつきも出てこなかった。

ハリーは腕を伸ばして、濡れた手で卵を持ち上げ、開けてみた。泣きわめくようなかん高い悲鳴が浴室いっぱいに広がり、大理石の壁に反響したが、相変わらずわけがわからない。それどころか、反響でよけいわかりにくかった。

卵をパチンと閉じ、フィルチがこの音を聞きつけるのではないかと、ハリーは心配になった。もしかしたら、それがセドリックのねらいだったのでは――その時、誰かの声がした。ハリーは驚いて飛び上がり、その拍子に卵が手を離れて、浴室の床をカンカンと転がっていった。

「わたしなら、それを水の**中に**入れてみるけど」

ハリーはショックで、しこたま泡を飲み込んでしまった。咳き込みながら立ち上がったハリーは、憂鬱な顔をした女の子のゴーストが蛇口の上にあぐらをかいて座っているのを見た。いつもは、三階下のトイレの、S字パイプの中ですすり泣いている「嘆きのマートル」だった。

「マートル！」

ハリーは憤慨した。

「ぼ――僕は、裸なんだよ！」

泡が厚く覆っていたので、それはあまり問題ではなかった。しかし、ハリーがここに来たときからずっと、マートルが蛇口の中からハリーの様子をうかがっていたのではないかと、いやな感じがしたのだ。

「あんたが浴槽に入るときは目をつぶってたわ」

マートルは分厚いめがねの奥でハリーに向かって目をパチパチさせた。

「**ずいぶん長いこと**、会いにきてくれなかったじゃない」

「うん……まあ……」

ハリーは、マートルに頭以外は絶対なんにも見えないように、少しひざを曲げた。

「君のいるトイレには、僕、行けないだろ？　女子トイレだもの」

「前は、そんなこと気にしなかったじゃない」

マートルがみじめな声で言った。

「しょっちゅうあそこにいたじゃない」

そのとおりだった。ただ、それは、ハリー、ロン、ハーマイオニーが、隠れて「ポリジュース薬」を煎じるのに、マートルのいる故障中のトイレが好都合だったからだ。ポリジュース薬は禁じられた魔法薬で、ハリーとロンがそれを飲み、一時間だけクラッブとゴイルに変身して、スリザリンの談話室に入り込むことができたのだ。

「あそこに行ったことで、叱られたんだよ」

ハリーが言った。それも半分ほんとうだった。ハリーがマートルのトイレから出てくるところを、パーシーに捕まったことがあった。

「そのあとは、もうあそこに行かないほうがいいと思ったんだ」

「ふーん……そう……」

マートルはむっつりとあごのにきびをつぶした。

「まあ……とにかく……卵は水の中で試すことだわね……セドリック・ディゴリーはそうやったわ」

「セドリックのこともののぞき見してたのか？」

ハリーは憤然と言った。

「どういうつもりなんだ？　夜な夜なこっそりここに来て、監督生が風呂に入るところを見てるのか？」

「ときどきね」

マートルがちょっといたずらっぽく言った。

「だけど、出てきて話をしたことはないわ」

「光栄だね」

ハリーは不機嫌な声を出した。

「目をつぶってて！」

マートルがめがねをきっちり覆うのを確認してから、ハリーは浴槽を出て、タオルをしっかり巻きつけて、卵を取りにいった。

ハリーが湯に戻ると、マートルは指の間からのぞいて「さあ、それじゃ……水の中で開けて！」と言った。

ハリーは泡だらけの湯の中に卵を沈めて、開けた……すると、今度は泣き声ではなかった。ゴボゴボという歌声が聞こえてきた。水の中なので、ハリーには歌の文句が聞き取れない。

「あんたも頭を沈めるの」

マートルはハリーに命令するのが楽しくてたまらない様子だ。

「さあ！」

ハリーは大きく息を吸って、湯にもぐった――すると今度は、泡がいっぱいの湯の中で、大理石の浴槽の底に座ったハリーの耳に、両手に持った卵から、不思議な声のコーラスが聞こえてきた。

探しにおいで　声を頼りに
地上じゃ歌は　歌えない
探しながらも　考えよう
我らが捕らえし　大切なもの
探す時間は　一時間
取り返すべし　大切なもの
一時間のその後は――もはや望みはありえない
遅すぎたなら　そのものは　もはや二度とは戻らない

ハリーは浮上して、泡だらけの水面から顔を出し、目にかかった髪を振り払った。

「聞こえた？」マートルが聞いた。

「うん……『探しにおいで　声を頼りに……』そして、探しにいく理由は……待って。もう一度聞かなきゃ……」ハリーはまたもぐった。

卵の歌をそれから三回水中で聞き、ハリーはやっと歌詞を覚えた。それからしばらく立ち泳ぎをしながら、ハリーは必死で考えた。マートルは腰かけてハリーを眺めていた。

「地上では声が使えない人たちを探しにいかなくちゃならない……」

ハリーはしゃべりながら考えていた。

「うーん……誰なんだろう？」

「鈍いのね」

こんなに楽しそうな「嘆きのマートル」を見るのは初めてだった。ポリジュース薬が出来上がった日に、ハーマイオニーがそれを飲んで顔に毛が生え、猫のしっぽが生えたときも、やはり楽しそうだったが。

ハリーは考えながら浴室を見回した……水の中でしか声が聞こえないのなら、水中の生物だと考えれば筋道が立つ。マートルにこの考えを話すと、マートルはハリーに向かってニヤッと笑った。

「そうね。ディゴリーもそう考えたわ。そこに横になって、長々とひとり言を言ってた。長々とね……もう泡がほとんど消えていたわ……」

「水中か……」

ハリーは考えた。

「マートル……湖には何が棲（す）んでる？　大イカのほかに」

「そりゃ、いろいろだわ」マートルが答えた。

「わたし、ときどき行くんだ……仕方なく行くこともあるわ。うっかりしてるときに、急に誰かがトイレを流したりするとね……」

嘆きのマートルがトイレの中身と一緒にパイプを通って湖に流されていく様子を想像しないようにしながら、ハリーが言った。

「そうだなあ、人の声を持っている生物がいるかい？　待てよ——」

ハリーは絵の中で寝息を立てている人魚に目をとめた。

「マートル、湖には**水中人**がいるんだろう？」

「ウゥゥ、やるじゃない」

マートルの分厚いめがねがキラキラした。

「ディゴリーはもっと長くかかったわ！　しかも、**あの女が**」——マートルは憂鬱な顔に大嫌いだという表情を浮かべて、人魚のほうをぐいとあごでしゃくった——「起きてるときだったんだ。クスクス笑ったり、見せびらかしたり、鰭(ひれ)をパタパタ振ったりしてさ……」

「そうなんだね？」

ハリーは興奮した。

「第二の課題は、湖に入って水中人を見つけて、そして……そして……」

ハリーは急に自分が何を言っているのかに気づいた。すると、誰かが突然ハリーの胃袋の栓を引き抜いたかのように、興奮が一度に流れ去った。ハリーは水泳が得意ではなかった。あまり練習したことがなかったのだ。ダドリーは小さいときに水泳訓練を受けたが、ペチュニアおばさんもバーノンおじさんも、ハリーには訓練を受けさせようとしなかった。まちがいなく、ハリーがいつかおぼれればよいと願っていたのだろう。浴槽プールを二、三回往復するくらいならいい。しかし、あの湖はとても大きいし、とても深い……それに、水中人はきっと湖底に棲んでいるはずだ……。

「マートル」

ハリーは考えながらしゃべっていた。

「どうやって**息をすれば**いいのかなあ？」

するとマートルの目に、またしても急に涙があふれた。

「ひどいわ！」

マートルはハンカチを探してローブをまさぐりながらつぶやいた。

「何が？」ハリーは当惑した。

「**わたしの**前で『息をする』って言うなんて！」

マートルのかん高い声が、浴室中にガンガン響いた。

「わたしはできないのに……わたしは息をしてないのに……もう何年も……」

マートルはハンカチに顔をうずめ、グスグス鼻をすすった。

ハリーは、マートルが自分の死んだことに対していつも敏感だったということを思い出した。しかし、ハリーが知っているほかのゴーストは、誰もそんな大騒ぎはしない。

「ごめんよ」

ハリーはいらいらしながら言った。

「そんなつもりじゃ――ちょっと忘れてただけだ……」

「ええ、そうよ。マートルが死んだことなんか、簡単に忘れるんだわ」

マートルはのどをゴクンと鳴らし、泣き腫らした目でハリーを見た。

「生きてるときだって、わたしがいなくても誰もさびしがらなかった。わたしの死体だって、何時間も何時間も気づかれずに放っておかれた——わたし知ってるわ。あそこに座ってみんなを待ってたんだもの。オリーブ・ホーンビーがトイレに入ってきたわ——『マートル、あんた、またここにいるの？　すねちゃって』そう言ったの。『ディペット先生が、あんたを探してきなさいっておっしゃるから——』そして、オリーブはわたしの死体を見たわ……うぅぅぅー、オリーブは死ぬまでそのことを忘れなかった。わたしが忘れさせなかったもの……取り憑いて、思い出させてやった。そうよ。オリーブの兄さんの結婚式のこと、覚えてるけど——」

しかし、ハリーは聞いていなかった。水中人の歌のことをもう一度考えていたのだ。**我らが捕らえし　大切なもの**」僕のものを何か盗むように聞こえる。僕が取り返さなくちゃならない何かを。何を盗むんだろう？

「——そして、もちろん、オリーブは魔法省に行って、わたしがストーカーするのをやめさせようとしたわ。だからわたしはここに戻って、トイレに棲まなければならなくなったの」

「よかったね」

ハリーは上の空の受け答えをした。

「さあ、僕、さっきよりずいぶんいろいろわかった……また目を閉じてよ。出るから」

ハリーは浴槽の底から卵を取り上げ、浴槽から這い出て体をふき、元どおりパジャマとガウンを着た。

「いつかまた、わたしのトイレに来てくれる？」

ハリーが透明マントを取り上げると、嘆きのマートルが悲しげに言った。

「ああ……できたらね」

内心ハリーは、今度マートルのトイレに行くときは、城の中のほかのトイレが全部詰まったときだろうなと考えていた。

「それじゃね、マートル……助けてくれてありがとう」

「バイバイ」

マートルが憂鬱そうに言った。ハリーが透明マントを着ているとき、マートルが蛇口の中に戻っていくのが見えた。

暗い廊下に出て、ハリーは忍びの地図を調べ、誰もいないかどうかチェックした。大丈夫だ。フィルチとミセス・ノリスを示す点は、フィルチの部屋にあるので安全だ……上の階のトロフィールームを跳ね回っているピーブズ以外は、何も動いている様子がない……ハリーがグリフィンドール塔に戻ろうと、一歩踏み出したちょうどその時、地図上の何かが目にとまった……とてもおかしな何かが。

動いているのはピーブズだけでは**なかった**。左下の角の部屋で、一つの点があっちこっちと飛び回っている――スネイプの研究室だ。しかし、その点の名前は「**セブルス・スネイプ**」ではない……「バーテミウス・クラウチ」だ。

ハリーはその点を見つめた。クラウチ氏は、仕事にもクリスマス・ダンスパーティにも来られないほど病気が重いはずだ――何をしているのだろう？　ホグワーツに忍び込んで、夜中の一時に？　点があっちこっちで止まりながら部屋の中をぐるぐる動き回っているのを、ハリーはじっと見つめていた……。

ハリーは迷った。考えた……そして、ついに好奇心に勝てなかった。行き先を変え、ハリーは反対方向の一番近い階段へと進んだ。クラウチ氏が何をしているのかを見るつもりだ。

ハリーはできるだけ静かに階段を下りた。それでも、床板がきしむ音やパジャマのこすれる音に、肖像画の顔がいくつか、不思議そうに振り向いた。

階下の廊下を忍び足で進み、真ん中あたりで壁のタペストリーをめくり、より狭い階段を下りた。二階下まで下りられる近道だ。ハリーは地図をちらちら見ながら、考え込んだ……クラウチ氏のような規則を遵守する品行方正な人が、こんな夜中に他人の部屋をコソコソ歩くのは、どう考えても腑に落ちない……。

階段を半分ほど下りたその時、クラウチ氏の奇妙な行動にばかり気を取られ、自分のことが上の空だったハリーは、突然、だまし階段にずぶりと片足を突っ込んでしまった。ネビルがいつも飛び越すのを忘れて引っかかる階段だ。

ハリーはぶざまにグラッとよろけ、まだ風呂でぬれたままの金の卵が、抱えていた腕をすべり抜けた――ハリーは身を乗り出してなんとか取り押さえようとしたが遅かった。卵は長い階段を一段一段、バス・ドラムのような大音響を上げて落ちていった――透明マントがずり落ちた――ハリーがあわてて押さえたとたん、今度は忍びの地図が手を離れ、六段下まですべり落ちた。階段にひざ上まで沈んだハリーには届かない所だ。

金の卵は階段下のタペストリーを突き抜けて廊下に落ち、パックリ開いて、廊下中に響く大きな泣き声を上げた。ハリーは杖を取り出し、なんとか忍びの地図に触れて、白紙に戻そうとしたが、遠すぎて届かない――。

透明マントをきっちり巻きつけなおし、ハリーは身を起こして耳を澄ました。ハリーの目は恐怖で引きつっていた……ほとんど間髪を容れず――。

「**ピーブズ!**」

紛れもなく、管理人フィルチの狩の雄叫びだ。バタバタと駆けつけてくるフィルチの足音がだんだん近くなる。怒りでゼイゼイ声を張り上げている。

「この騒ぎはなんだ？　城中を起こそうっていうのか？　取っ捕まえてやる。ピーブズ。取っ捕まえてやる。おまえは……こりゃ、なんだ？」

フィルチの足音が止まった。金属と金属が触れ合うカチンという音がして、泣き声が止まった――フィルチが卵を拾って閉じたのだ。ハリーはじっとしていた。片足をだまし階段にがっちりはさまれたまま、聞き耳を立てた。いまにもフィルチが、タペストリーを押し開けて、ピーブズを探すだろう……そして、ピーブズはいないのだ……しかし、フィルチが階段を上がってくれば、忍びの地図が目に入る……透明マントだろうがなんだろうが、地図には「ハリー・ポッター」の位置が、まさにいまいる位置に示されている。

「卵？」

階段の下で、フィルチが低い声で言った。

「チビちゃん！」――ミセス・ノリスが一緒にいるにちがいない――「こりゃあ、三校対抗試合のヒントじゃないか！　代表選手の所持品だ！」

ハリーは気分が悪くなった。心臓が早鐘を打っている――。

「**ピーブズ！**」

フィルチがうれしそうに大声を上げた。

「おまえは盗みを働いた！」

フィルチがタペストリーをめくり上げた。ハリーはぶくぶくたるんだフィルチの恐ろしい顔と、飛び出た二つの薄青い目とが、誰もいない（ように見える）階段をにらんでいるのが見えた。

「隠れてるんだな」

フィルチが低い声で言った。

「さぁ、取っ捕まえてやるぞ、ピーブズ……三校対抗試合のヒントを盗みに入ったな、ピーブズ……これでダンブルドアはおまえを追い出すぞ。くされこそ泥ポルターガイストめ……」

ガリガリの汚れ色の飼い猫を足元に従え、フィルチは階段を上りはじめた。ミセス・ノリスのランプのような目が、飼い主そっくりのその目が、しっかりとハリーをとらえていた。ハリーは前にも、透明マントが猫には効かないのではないかと思ったことがある……。古ぼけた、ネルのガウンを着たフィルチがだんだん近づいてくるのを、ハリーは、不安で気分が悪くなりながら見つめていた――はまれた足を必死で引っ張ってはみたが、かえって深く沈むばかりだった――もうすぐだ。フィルチが地図を見つけるか、僕にぶつかるのは――。

「フィルチか？　何をしている？」

ハリーの所より数段下で、フィルチは立ち止まり、振り返った。階段下に立っている姿は、ハリーのピンチをさらに悪化させることのできる唯一の人物――スネイプだ。長い灰色の寝巻きを着て、スネイプはひどく怒っていた。

「スネイプ教授、ピーブズです」

フィルチが毒々しくささやいた。

「あいつがこの卵を、階段の上から転がして落としたのです」

スネイプは急いで階段を上り、フィルチのそばで止まった。ハリーは歯を食いしばった。心臓のドキドキという大きな音が、いまにもハリーの居場所を教えてしまうにちがいない。

「ピーブズだと？」

フィルチの手にした卵を見つめながら、スネイプが低い声で言った。

「しかし、ピーブズは我輩の研究室に入れまい……」

「卵は教授の研究室にあったのでございますか？」

「もちろん、ちがう」

スネイプがバシッと言った。

「バンバンという音と、泣き叫ぶ声が聞こえたのだ――」

「はい、教授、それは卵が――」

「――我輩は調べにきたのだ――」

「――ピーブズめが投げたのです。教授――」

「――そして、研究室の前を通ったとき、松明（たいまつ）の火が灯り、戸棚の扉が半開きになっているのを見つけたのだ！　誰かが引っかきまわしていった」

「しかし、ピーブズめにはできないはずで――」

「そんなことはわかっておる！」

スネイプがまたバシッと言った。

「我輩の研究室は、呪文で封印してある。魔法使い以外は破れん！」

スネイプはハリーの体をまっすぐに通り抜ける視線で階段を見上げた。それから下の廊下を見下ろした。

「フィルチ、一緒に来て侵入者を捜索するのだ」

「私は――はい、教授――しかし――」

フィルチの目は、ハリーの体を通過して、未練たっぷりに階段を見上げた。ピーブズを追い詰めるチャンスを逃すのは無念だ、という顔だ。

「**行け**」とハリーは心の中で叫んだ。「**スネイプと一緒に行け……行くんだ……**」

ミセス・ノリスがフィルチの足の間からじいっと見ている……ハリーのにおいをかぎつけたにちがいない、とハリーははっきりそう思った……どうしてあんなにいっぱい、香りつきの泡をお風呂に入れてしまったんだろう？

「お言葉ですが、教授」

フィルチは哀願するように言った。

「校長は今度こそ私の言い分をお聞きくださるはずです。ピーブズが生徒のものを盗んでいるのです。今度こそ、あいつをこの城から永久に追い出す、またとないチャンスになるかもしれません――」

「フィルチ、あんな下劣なポルターガイストなどどうでもよい。問題は我輩の研究室だ――」

コツッ、コツッ、コツッ。

スネイプはぱったり話をやめた。スネイプもフィルチも、階段の下を見下ろした。二人の頭の間のわずかなすきまから、マッド‐アイ・ムーディが足を引きずりながら階段下に姿を現すのがハリーの目に入った。寝巻きの上に古ぼけた旅行用マントをはおり、いつものようにステッキにすがっている。

「パジャマパーティかね？」ムーディは上を見上げて唸った。

「スネイプ教授も私も、物音を聞きつけたのです、ムーディ教授」

フィルチがすぐさま答えた。

「ポルターガイストのピーブズめが、いつものように物を放り投げていて――それに、スネイプ教授は誰かが教授の研究室に押し入ったのを発見され――」

「だまれ！」

スネイプが歯を食いしばったままフィルチに言った。

ムーディは階段下へと一歩近づいた。ムーディの「魔法の目」がスネイプに移り、それから、紛れもなく、ハリーに注がれた。

ハリーの心臓が激しく揺れた。**ムーディは透明マントを見透す**……ムーディだけがこの場の奇妙さを完全に見透せる……スネイプは寝巻き姿、フィルチは卵を抱え、そしてハリーは、その二人より上の段に足を取られている。ムーディのゆがんだ裂け目のような口が、驚いてパックリ開いた。数秒間、ムーディとハリーは互いの目をじっと見つめた。それからムーディは口を閉じ、青い「魔法の目」を再びスネイプに向けた。

「スネイプ、いま聞いたことは確かか？」

ムーディが考えながらゆっくり聞いた。

「誰かが君の研究室に押し入ったと？」

「たいしたことではない」スネイプが冷たく言った。

「いいや」ムーディが唸った。

「たいしたことだ。君の研究室に押し入る動機があるのは誰だ？」

「おそらく、生徒の誰かだ」

スネイプが答えた。スネイプのねっとりしたこめかみに、青筋がピクピク走るのをハリーは見た。

「以前にもこういうことがあった。我輩の個人用の薬材棚から、魔法薬の材料がいくつか紛失した……生徒が何人か、禁じられた魔法薬を作ろうとしたにちがいない……」

「魔法薬の材料を探していたというんだな？　え？」ムーディが言った。

「ほかに何か研究室に隠してはいないな？　え？」

ハリーは、スネイプの土気色の顔の縁が汚いれんが色に変わり、こめかみの青筋がますます激しくピクピクするのを見た。

「我輩が何も隠していないのは知ってのとおりだ、ムーディ」

スネイプは低い、危険をはらんだ声で答えた。

「君自身がかなり徹底的に調べたはずだ」

ムーディの顔がニヤリとゆがんだ。

「闇祓(やみばら)いの特権でね、スネイプ。ダンブルドアがわしに警戒せよと――」

「そのダンブルドアは、たまたま我輩を信用なさっているのですがね」

スネイプは歯がみした。

「ダンブルドアが我輩の研究室を探れと命令したなどという話は、我輩には通じない！」

「それは、ダンブルドアのことだ。君を信用する」

ムーディが言った。

「人を信用する方だからな。やり直しのチャンスを与える人だ。しかしわしは――洗っても落ちないしみがあるものだ、というのが持論だ。けっして消えないしみというものがある。どういうことか、わかるはずだな？」

スネイプは突然奇妙な動きを見せた。発作的に右手で左の前腕をつかんだのだ。まるで左腕が痛むかのように。

ムーディが笑い声を上げた。

「ベッドに戻れ、スネイプ」

「君にどこへ行けと命令される覚えはない！」

スネイプは歯がみしたままそう言うと、自分に腹を立てるかのように右手を離した。

「我輩にも、君と同じに、暗くなってから校内を歩き回る権利がある！」

「勝手に歩き回るがよい」

ムーディの声はたっぷりと脅しが効いていた。

「そのうち、どこか暗い廊下で君と出会うのを楽しみにしている……ところで、何か落とし物だぞ……」

ムーディは、ハリーより六段下の階段に転がったままの忍びの地図を指していた。ハリーは恐怖でグサリと刺し貫かれたような気がした。スネイプとフィルチが振り返って地図を見た。ハリーは慎重さをかなぐり捨て、ムーディの注意を引こうと、透明マントの下で両腕を上げ、懸命に振りながら、声を出さずに言った。

「それ僕のです！ **僕の！**」

スネイプが地図に手を伸ばした。わかったぞ、という恐ろしい表情を浮かべている――。

「**アクシオ！ 羊皮紙よ来い！**」

羊皮紙は宙を飛び、スネイプが伸ばした指の間をかいくぐり、階段を舞い下り、ムーディの手に収まった。

「わしの勘ちがいだ」

ムーディが静かに言った。

「わしのものだった――前に落としたものらしい――」

しかし、スネイプの目は、フィルチの腕にある卵から、ムーディの手にある地図へと矢のように走った。ハリーにはわかった。スネイプは、スネイプにだけわかるやり方で二つを結びつけているのだ……。

「ポッターだ」スネイプが低い声で言った。

「何かね？」

地図をポケットにしまい込みながら、ムーディが静かに言った。

「ポッターだ！」

スネイプが歯ぎしりした。そしてくるりと振り返り、突然ハリーが見えたかのように、ハリーがいる場所をはったとにらんだ。

「その卵はポッターのものだ。羊皮紙もポッターのものだ。以前に見たことがあるから我輩にはわかる！ポッターがいるぞ！　ポッターだ。透明マントだ！」

スネイプは目が見えないかのように、両腕を前に突き出し、階段を上りはじめた。スネイプの特大の鼻の穴が、ハリーをかぎ出そうとさらに大きくなっている――足をはさまれたまま、ハリーは後ろにのけぞって、スネイプの指先に触れまいとした。しかし、もはや時間の問題だ――。

「そこには何もないぞ、スネイプ！」ムーディが叫んだ。

「しかし、校長には謹んで伝えておこう。君の考えが、いかにすばやくハリー・ポッターに飛躍したかを！」

「どういう意味だ？」

スネイプがムーディを振り返って唸った。スネイプが伸ばした両手は、ハリーの胸元からほんの数センチの所にあった。

「ダンブルドアは、誰がハリーに恨みを持っているのか、大変興味があるという意味だ！」

ムーディが足を引きずりながら、さらに階段下に近づいた。

「わしも興味があるぞ、スネイプ……大いにな……」

松明がムーディの傷だらけの顔をチラチラと照らし、傷痕も、大きくそぎ取られた鼻も、いっそう際立って見えた。

スネイプはムーディを見下ろした。ハリーのほうからはスネイプの表情が見えなくなった。しばらくの間、誰も動かず、何も言わなかった。それから、スネイプがゆっくりと手を下ろした。

「我輩はただ」

スネイプが感情を抑え込んだ冷静な声で言った。

「ポッターがまた夜遅く徘徊(はいかい)しているなら……それは、ポッターの嘆かわしい習慣だ……やめさせなければならんと思っただけだ。あの子の、あの子自身の――安全のためにだ」

「なるほど」

ムーディが低い声で言った。

「ポッターのためを思ったと、そういうわけだな？」

一瞬、間があいた。スネイプとムーディはまだにらみ合ったままだ。ミセス・ノリスが大きくニャアと鳴いた。フィルチの足元からじいっと目を凝らし、風呂上がりの泡のにおいの源をかぎ出そうとしているようだ。

「我輩はベッドに戻ろう」スネイプはそれだけを言った。

「今晩君が考えた中では、最高の考えだな」ムーディが言った。

「さあ、フィルチ、その卵をわしに渡せ――」

「ダメです！」

卵がまるで初めて授かった自分の息子でもあるかのように、フィルチは離さなかった。

「ムーディ教授、これはピーブズの窃盗の証拠です！」

「その卵は、ピーブズに盗まれた代表選手のものだ」ムーディが言った。

「さあ、渡すのだ」

スネイプはすばやく階段を下り、無言でムーディの脇を通り過ぎた。フィルチはミセス・ノリスをチュッチュッと呼んだ。ミセス・ノリスはほんのしばらく、ハリーのほうをじっと見ていたが、きびすを返して主人のあとに従った。

ハリーはまだ動悸が治まらないまま、スネイプが廊下を立ち去る音を聞き、フィルチが卵をムーディに渡して姿を消すのを見ていた。フィルチがミセス・ノリスにボソボソと話しかけていた。

「いいんだよ、チビちゃん……朝になったらダンブルドアに会いにいこう……ピーブズが何をやらかしたか、報告しよう……」

扉がバタンと閉まった。残されたハリーは、ムーディを見下ろしていた。ムーディはステッキを一番下の階段に置き、体を引きずるように階段を上り、ハリーのほうにやってきた。一段おきに、**コツッ**という鈍い音がした。

「危なかったな、ポッター」ムーディがつぶやくように言った。

「ええ……僕――あの……ありがとうございました」ハリーが力なく言った。

「これは何かね?」

ムーディがポケットから忍びの地図を引っ張り出して広げた。

「ホグワーツの地図です」

ムーディが早く階段から引っ張り出してくれないかと思いながら、ハリーは答えた。足が強く痛みだしていた。

「たまげた」

地図を見つめて、ムーディがつぶやいた。「魔法の目」がぐるぐる回っている。

「これは……これは、ポッター、たいした地図だ!」

「ええ、この地図……とても便利です」

ハリーは痛みで涙が出てきた。

「あの――ムーディ先生。助けていただけないでしょうか――？」

「何？　おう！　ふむ……どれ……」

ムーディはハリーの腕を抱えて引っ張った。だまし階段から足が抜け、ハリーは一段上に戻った。

ムーディはまだ地図を眺めていた。

「ポッター……」

ムーディがゆっくり口を開いた。

「スネイプの研究室に誰が忍び込んだか、もしや、おまえ、見なんだか？　この地図の上でという意味だが？」

「え……あの、見ました……」

ハリーは正直に言った。

「クラウチさんでした」

ムーディの「魔法の目」が、地図の隅々まで飛ぶように眺めた。そして、突然警戒するような表情が浮かんだ。

「クラウチとな？　それは――それは確かか？　ポッター？」

「まちがいありません」ハリーが答えた。

「ふむ。やつはもうここにはいない」

「魔法の目」を地図の上に走らせたまま、ムーディが言った。

「クラウチ……それは、まっこと――まっこと、おもしろい……」

ムーディは地図をにらんだまま、それから一分ほど何も言わなかった。ハリーは、このニュースがムーディにとって何か特別な意味があるのだとわかった。それがなんなのか知りたくてたまらなかった。聞いてみようか？　ムーディはちょっと怖い……でも、たったいま、ムーディは僕を大変な危機から救ってくれた……。

「あの……ムーディ先生……クラウチさんは、どうしてスネイプの研究室を探し回っていたのでしょう？」

ムーディの「魔法の目」が地図から離れ、プルプル揺れながらハリーを見すえた。鋭く突き抜けるような視線だ。答えるべきか否か、どの程度ハリーに話すべきなのか、ムーディはハリーの品定めをしているようだった。

「ポッター、つまり、こういうことだ」

ムーディがやっとぼそりと口を開いた。

「老いぼれマッド-アイは闇の魔法使いを捕らえることに取り憑かれている、と人は言う……しかし、わしなどはまだ小者よ――**まったくの小者よ**――バーティ・クラウチに比べれば」

ムーディは地図を見つめたままだった。ハリーはもっと知りたくてうずうずした。

「ムーディ先生？」ハリーはまた聞いた。

「もしかして……関係があるかどうか……クラウチさんは、何かが起こりつつあると考えたのでは……」

「どんなことかね？」ムーディが鋭く聞いた。

ハリーはどこまで言うべきか迷った。ムーディに、ハリーにはホグワーツの外に情報源があると、悟られたくなかった。それがシリウスに関する質問に結びついたりすると危険だ。

「わかりません」ハリーがつぶやいた。

「最近変なことが起こっているでしょう？『日刊予言者新聞』にのっています……ワールドカップで

の『闇の印』とか、『死喰い人』とか……」

ムーディはちぐはぐな目を、両方とも見開いた。

「おまえは聡い子だ、ポッター」

そう言うと、ムーディの「魔法の目」はまた忍びの地図に戻った。

「クラウチもその線を追っているのだろう」

ムーディがゆっくりと言った。

「確かにそうかもしれない……最近奇妙なうわさが飛び交っておる——リータ・スキーターがあおっていることも確かだが。どうも、人心が動揺しておる」

ゆがんだ口元にぞっとするような笑いが浮かんだ。

「いや、わしが一番憎いのは」

ムーディはハリーにというより、自分自身に言うようにつぶやいた。「魔法の目」が地図の左下に釘づけになっている。

「野放しになっている『死喰い人』よ……」

ハリーはムーディを見つめた。ムーディが言ったことが、ハリーの考えるような意味だとしたら？

「さて、ポッター、今度はわしが**おまえに**聞く番だ」

ムーディが感情抜きの言い方をした。

ハリーはドキリとした。こうなると思った。ムーディは、怪しげな魔法の品であるこの地図をどこで手に入れたか、と聞くにちがいない——どうしてハリーの手に入ったかの経緯を話せば、ハリーばかりでなく、ハリーの父親も、フレッドとジョージ・ウィーズリーも、去年「闇の魔術に対する防衛術」を教えたルーピン先生も巻き込むことになる。ムーディは地図をハリーの目の前で振った。ハリーは身がまえた――。

「これを貸してくれるか？」

「え？」

ハリーはこの地図が好きだった。しかし、ムーディが地図をどこで手に入れたかと聞かなかったので、大いにホッとした。それに、ムーディに借りがあるのも確かだ。

「ええ、いいですよ」

「いい子だ」ムーディが唸った。

「これはわしの役に立つ……**これこそ**、わしが求めていたものかもしれん……よし、ポッター、ベッドだ、さあ、行くか……」

二人で一緒に階段を上った。ムーディは、こんなお宝は見たことがないというふうに、まだ地図に見入っていた。ムーディの部屋の入口まで二人はだまって歩いた。部屋の前で、ムーディは目を上げてハリーを見た。

「ポッター、おまえ、『闇祓い』の仕事に就くことを、考えたことがあるか？」

「いいえ」ハリーはぎくりとした。

「考えてみろ」ムーディは一人うなずきながら、考え深げにハリーを見た。

「うむ、まっこと……。ところで……おまえは、今夜、卵を散歩に連れ出したわけではあるまい？」

「あの――いいえ」

ハリーはニヤリとした。

「ヒントを解こうとしていました」

ムーディはハリーにウィンクした。「魔法の目」が、またぐるぐる回った。

「いいアイデアを思いつくには、夜の散歩ほどよいものはないからな、ポッター……。また明日会おう……」

ムーディはまたしても忍びの地図を眺めながら自分の部屋に入り、ドアを閉めた。

ハリーは想(おも)いにふけりながら、ゆっくりとグリフィンドール塔に戻った。スネイプのこと、クラウチのこと、それらがどういう意味を持つのだろう……。クラウチは、好きなときにホグワーツに入り込めるなら、どうして仮病を使っているんだ？　スネイプの研究室に、何が隠してあると思ったんだ？

それに、ムーディは僕が闇祓いになるべきだと考えた　おもしろいかもしれない……。

しかし、十分後、卵と透明マントを無事トランクに戻して、そっと四本柱のベッドにもぐり込んでから、ハリーは考えなおした。自分の仕事にすべきかどうかは、ほかの闇祓いたちが、どのぐらい傷だらけかを調べてからにしよう。

第26章　第二の課題

「卵の謎はもう解いたって言ったじゃない！」ハーマイオニーが憤慨した。

「大きな声を出さないで！」ハリーは不機嫌に言った。

「ちょっと——仕上げが必要なだけなんだから。わかった？」

呪文学の授業中、ハリーとロン、ハーマイオニーは、教室の一番後ろに三人だけで机を一つ占領していた。今日は「呼び寄せ呪文」の反対呪文——「追い払い呪文」——を練習することになっていた。いろいろな物体が教室を飛び回ると、始末の悪い事故にならないともかぎらないので、フリットウィック先生は生徒一人にクッションひと山を与えて練習させた。理論的には、たとえ目標をそれても、クッションなら誰もけがをしないはずだった。理論は立派だったが、実際はそううまくはいかない。ネビルはけたちがいの的はずれで、そんなつもりでなくとも、クッションより重いものを教室のむこうまで飛ばしてしまった——たとえばフリットウィック先生だ。

「頼むよ。卵のことはちょっと忘れて」

ハリーは小声で言った。ちょうどその時、フリットウィック先生が、あきらめ顔で三人のそばをヒューッと飛び去り、大きなキャビネットの上に着地した。

「スネイプとムーディのことを話そうとしてるんだから……」

私語をするには、このクラスはいい隠れみのだった。みんなおもしろがって、三人のことなど気にもとめていないからだ。ここ半時間ほど、ハリーは昨夜の冒険を少しずつ、ヒソヒソ声で話して聞かせていた。

「スネイプは、ムーディも研究室を捜索したって言ったのかい？」

ロンは興味津々で、目を輝かせてささやいた。同時に、杖をひと振りして、クッションを一枚「追い払い」した（クッションは宙を飛び、パーバティの帽子を吹っ飛ばした）。

「どうなんだろう……ムーディは、カルカロフだけじゃなく、スネイプも監視するためにここにいるのかな？」

「ダンブルドアがそれを頼んだかどうかわからない。だけど、ムーディは絶対そうしてるな」

ハリーが上の空で杖を振ったので、クッションが出来そこないの宙返りをして机から落ちた。

「ムーディが言ったけど、ダンブルドアがスネイプをここに置いているのは、やり直すチャンスを与えるためだとかなんだとか……」

「なんだって？」

ロンが目を丸くした。ロンの次のクッションが回転しながら高々と飛び上がり、シャンデリアにぶつかって跳ね返り、フリットウィック先生の机にドサリと落ちた。

「ハリー……もしかしたら、ムーディは**スネイプが**君の名前を『炎のゴブレット』に入れたと思ってるんだろう！」

「でもねえ、ロン」

ハーマイオニーがそうじゃないでしょうと首を振りながら言った。

「前にも、スネイプがハリーを殺そうとしてるって思ったことがあったけど、あの時、スネイプはハリーの命を救おうとしてたのよ。覚えてる？」

ハーマイオニーはクッションを「追い払い」した。クッションは教室を横切って飛び、決められた目的地の箱にスポッと着地した。ハリーはハーマイオニーを見ながら考えていた……確かに、スネイプは一度ハリーの命を救った。しかし、奇妙なことに、スネイプはハリーを毛嫌いしている。学生時代、同窓だったハリーの父親を毛嫌いしていたように。スネイプはハリーを減点処分にするのが大好きだし、罰を与えるチャンスは逃さない。退学処分にすべきだと提案することさえある。

「ムーディが何を言おうが私は気にしないわ」

ハーマイオニーがしゃべり続けた。

「ダンブルドアはバカじゃないもの。ハグリッドやルーピン先生を信用なさったのも正しかった。あの人たちを雇おうとはしない人は山ほどいるけど。だから、ダンブルドアはスネイプについてもまちがってないはずだわ。たとえスネイプが少し——」

「——ワルでも」

ロンがすぐに言葉を引き取った。

「だけどさあ、ハーマイオニー、それならどうして『闇の魔法使い捕獲人』たちが、そろってあいつの研究室を捜索するんだい？」

「クラウチさんはどうして仮病なんか使うのかしら？」

ハーマイオニーはロンの言葉を無視した。

「ちょっと変よね。クリスマス・ダンスパーティには来られないのに、来たいと思えば、真夜中にここに来られるなんて、おかしくない？」

「君はクラウチが嫌いなんだろう？　しもべ妖精のウィンキーのことで」

クッションを窓のほうに吹っ飛ばしながら、ロンが言った。

「**あなたこそ**、スネイプに難癖をつけたいんじゃない」

クッションをきっちり箱の中へと飛ばしながら、ハーマイオニーが言った。

「僕はただ、スネイプがやり直すチャンスをもらう前に、何をやったのか知りたいんだ」

ハリーが厳しい口調で言った。ハリーのクッションは、自分でも驚いたことに、まっすぐ教室を横切り、ハーマイオニーのクッションの上に見事に着地した。

ホグワーツで何か変わったことがあればすべて知りたいというシリウスの言葉に従い、ハリーはその夜、茶モリフクロウにシリウス宛の手紙を持たせた。クラウチがスネイプの研究室に忍び込んだことや、ムーディとスネイプの会話のことを記した。それからハリーは、自分にとって、より緊急な課題に真剣に取り組んだ。二月二十四日に一時間、どうやって水の中で生き延びるかだ。

ロンはまた「呼び寄せ呪文」を使うというアイデアが気に入っていた――ハリーがアクアラングの説明をすると、ロンは、一番近くのマグルの町から、一式呼び寄せればいいのにと言った。ハーマイオニーはこの計画をたたきつぶした。一時間の制限時間内でハリーがアクアラングの使い方を習得することはありえないし、たとえそんなことができたにしても、「国際魔法秘密綱領」に触れて失格になるにちがいないというのだ。アクアラング一式がホグワーツ目指して田舎の空をブンブン飛ぶのを、マグルが誰も気づかないだろうと思うのは虫がよすぎる。

「もちろん、理想的な答えは、あなたが潜水艦か何かに変身することでしょうけど」

ハーマイオニーが言った。

「ヒトを変身させるところまで習ってたらよかったのに！　だけど、それは六年生まで待たないといけないし。生半可に知らないことをやったら、とんでもないことになりかねないし……」

「うん、僕も、頭から潜望鏡を生やしたままうろうろするのはうれしくないしね」

ハリーが言った。

「ムーディの目の前で誰かを襲ったら、ムーディが僕を変身させてくれるかもしれないけど……」

「でも、何に変身したいか選ばせてくれるわけじゃないでしょ」

ハーマイオニーは真顔で言った。

「だめよ。やっぱり一番可能性のあるのは、何かの呪文だわね」

そしてハリーは、もう一生図書館を見たくないほどうんざりした気分になりながら、またしてもほこりっぽい本の山に埋もれて、酸素なしでもヒトが生き残れる呪文はないかと探した。ハリーも、ロンも、ハーマイオニーも、昼食時、夜、週末全部を通して探しまくったが——ハリーはマクゴナガル先生に願い出て、禁書の棚を利用する許可までもらったし、怒りっぽい、ハゲタカに似た司書のマダム・ピンスにさえ助けを求めたにもかかわらず——ハリーが水中で一時間生き延びて、それを後々の語り草にすることができるような手段はまったく見つからなかった。

あの胸騒ぎのような恐怖感が、またハリーを悩ませはじめ、授業に集中することができなくなっていた。校庭の景色の一部として、なんの気なしに見ていた湖が、教室の窓近くに座るたびにハリーの目を引いた。湖は、いまや鋼のように灰色の冷たい水をたたえた巨大な物体に見え、その暗く冷たい水底は、月ほどに遠く感じられた。

ホーンテールとの対決を控えたときと同じく、時間がすべり抜けていった。誰かが時計に魔法をかけ、超特急で進めているかのようだった。二月二十四日まであと一週間（まだ時間はある）……あと五日（もうすぐ何かが見つかるはずだ）……あと三日（お願いだから、何か教えて……**お願い……**）。

あと二日に迫ったとき、ハリーはまた食欲がなくなりはじめた。月曜の朝食でたった一つよかったのは、シリウスに送った茶モリフクロウが戻ってきたことだった。羊皮紙をもぎ取り、広げると、これまでのシリウスからの手紙の中で一番短いものだった。

返信ふくろう便で、次のホグズミード行きの日を知らせよ。

ハリーはほかに何かないかと、羊皮紙をひっくり返したが、白紙だった。

「来週の週末よ」

ハリーの後ろからメモ書きを読んでいたハーマイオニーがささやいた。

「ほら──私の羽根ペン使って、このふくろうですぐ返事を出しなさいよ」

ハリーはシリウスの手紙の裏に日づけを走り書きし、また茶モリフクロウの脚にそれを結びつけ、ふくろうが再び飛び立つのを見送った。僕は何を期待していたんだろう？　水中で生き残る方法のアドバイスか？　ハリーはスネイプとムーディのことをシリウスに教えるのに夢中で、卵のヒントに触れるのをすっかり忘れていたのだ。

「次のホグズミード行きのこと、シリウスはどうして知りたいのかな？」ロンが言った。

「さあ」ハリーはのろのろと答えた。茶モリフクロウを見たときに一瞬心にはためいた幸福感が、しぼんでしまった。

「行こうか……『魔法生物飼育学』に」

ハグリッドが「尻尾爆発スクリュート」の埋め合わせをするつもりなのか、スクリュートが二匹しか残っていないせいなのか、それともグラブリー‐プランク先生のやることくらい自分にもできると証明したかったのか、ハリーにはわからなかった。しかし、ハグリッドは仕事に復帰してからずっと、ユニコーンの授業を続けていた。ハグリッドが、怪物についてと同じくらいユニコーンにもくわしいことがわかった。ただ、ハグリッドが、ユニコーンに毒牙がないのは残念だ、と思っていることは確かだった。

今日は、いったいどうやったのか、ハグリッドはユニコーンの赤ちゃんを二頭捕らえていた。成獣とちがい、純粋な金色だ。パーバティとラベンダーは、二頭を見てうれしさのあまりぼうっと恍惚状態になり、パンジー・パーキンソンでさえ、どんなに気に入ったか、感情を隠しきれないでいた。

「大人より見つけやすいぞ」ハグリッドがみんなに教えた。

「二歳ぐれえになると、銀色になるんだ。そんでもって、四歳ぐれえで角が生えるな。すっかり大人になって、七歳ぐれえになるまでは、真っ白にはならねえ。赤ん坊のときは、少しばっかり人なつっこいな……男の子でもあんまりいやがらねえ……ほい、ちょっくら近くに来いや。なでたければなでてええぞ……この砂糖の塊を少しやるとええ……」

「ハリー、大丈夫か？」

みんなが赤ちゃんユニコーンに群がっているとき、ハグリッドは少し脇によけ、声をひそめてハリーに聞いた。

「うん」ハリーが答えた。

「ちょいと心配か？　ん？」ハグリッドが言った。

「ちょっとね」ハリーが答えた。

「ハリー」

ハグリッドは巨大な手でハリーの肩をぽんとたたいた。衝撃でハリーのひざがガクンとなった。

「おまえさんがホーンテールと渡り合うのを見る前は、俺も心配しちょった。だがな、いまはわかっちょる。おまえさんはやろうと思ったらなんでもできるんだ。俺はまったく心配しちょらんぞ。おまえさんは大丈夫だ。手がかりはわかったんだな？」

ハリーはうなずいた。しかし、うなずきながらも、湖の底で一時間、どうやって生き残るのかわからないのだと、ぶちまけてしまいたい狂おしい衝動にかられた。ハリーはハグリッドを見上げた――もしかしたら、ハグリッドはときどき湖に出かけて、中にいる生物の面倒を見ることがあるのじゃないだろうか？　何しろ、地上の生物はなんでも面倒を見るのだから――。

「おまえさんは勝つ」

ハグリッドは唸るように言うと、もう一度ハリーの肩をぽんとたたいた。ハリーはやわらかい地面に数センチめり込むのが自分でもわかった。

「俺にはわかる。感じるんだ。**おまえさんは勝つぞ、ハリー**」

ハグリッドの顔に浮かんだ、幸せそうな確信に満ちた笑顔をぬぐい去ることなんて、ハリーにはとてもできなかった。ハリーはつくろった笑顔を返し、赤ちゃんユニコーンに興味があるふりをして、ユニコーンをなでにみんなの所に近づいていった。

いよいよ第二の課題の前夜、ハリーは悪夢にとらわれたような気分だった。奇跡でも起こって適切な呪文がわかったとしても、ひと晩で習得するのは大仕事だとハリーは充分認識していた。どうしてこんなことになってしまったのだろう？　もっと早く卵の謎に取り組むべきだったのに。どうして授業を受けるときぼんやりしていたんだろう？――先生が水中で呼吸する方法をどこかで話していたかもしれないのに。

夕陽が落ちてからも、ハリー、ロン、ハーマイオニーは、図書館で互いに姿が見えないほどうずたかく机に本を積み、憑かれたように呪文のページをめくり続けていた。「水」という字が見つかるたびに、ハリーの心臓は大きく飛び上がったが、たいていはこんな文章だった。「二パイントの水に、刻んだマンドレイクの葉半ポンド、さらにイモリ……」

「不可能なんじゃないかな」

机のむこう側から、ロンの投げやりな声がした。

「なんにもない。**なーんにも**。一番近いのでも、水たまりや池を干上がらせる『旱魃（かんばつ）の呪文』だ。だけど、あの湖を干上がらせるには弱すぎて問題にならないよ」

「何かあるはずよ」

ハーマイオニーはろうそくを引き寄せながらつぶやいた。ハーマイオニーは、つかれきった目をして、『忘れ去られた古い魔法と呪文』の細かい文字を、ページに鼻をくっつけるようにして、詳細に読んでいた。

「不可能な課題が出されるはずはないんだから」

「出されたね」ロンが言った。

「ハリー、あしたはとにかく湖に行け。いいか。頭を突っ込んで、水中人に向かって叫べ。なんだか知らないけど、ちょろまかしたものを返せって。やつらが投げ返してくるかどうか様子を見よう。それっきゃないぜ、相棒」

「何か方法はあるの！」

ハーマイオニーが不機嫌な声を出した。

「何かあるはずなの！」

この問題に関して、図書館に役立つ情報がないのは、ハーマイオニーにとって、自分が侮辱されたような気になるらしい。これまで図書館で見つからないことなどなかったのだ。

「僕、どうするべきだったのか、わかったよ」

『トリック好きのためのおいしいトリック』の上に突っ伏して休憩しながら、ハリーが言った。

「僕、シリウスみたいに、『動物もどき（アニメーガス）』になる方法を習えばよかった」

「うん。好きなときに金魚になれたろうに」ロンが言った。

「それともカエルだ」ハリーがあくびした。つかれきっていた。

「『動物もどき』になるには何年もかかるのよ。それから登録やら何やらしなきゃならないし」

ハーマイオニーもぼうっとしていた。今度は『奇妙な魔法のジレンマとその解決法』の索引に目を凝らしている。

「マクゴナガル先生がおっしゃったわ。覚えてるでしょ……魔法不適正使用取締局に登録しなければならないって……どういう動物に変身するかとか、特徴とか。濫用できないように……」

「ハーマイオニー、僕、冗談で言ったんだよ」

ハリーがつかれた声で言った。

「あしたの朝までにカエルになるチャンスがないことぐらい、わかってる……」

「ああ、これは役に立たないわ」

ハーマイオニーは『奇妙な魔法のジレンマとその解決法』をパタンと閉じながら言った。

「鼻毛を伸ばして小さな輪を作る、ですって。どこのどなたがそんなことしたがるっていうの？」

「俺、やってもいいよ」

フレッド・ウィーズリーの声がした。

「話の種になるじゃないか」

ハリー、ロン、ハーマイオニーが顔を上げると、どこかの本棚の陰からフレッドとジョージが現れた。

「こんな所で、二人で何してるんだ？」ロンが聞いた。

「おまえたちを探してたのさ」ジョージが言った。

「マクゴナガルが呼んでるぞ、ロン。ハーマイオニー、君もだ」

「どうして？」ハーマイオニーは驚いた。

「知らん……少し深刻な顔してたけど」フレッドが言った。

「俺たちが、二人をマクゴナガルの部屋に連れていくことになってる」

ジョージが言った。

ロンとハーマイオニーはハリーを見つめた。ハリーは胃袋が落ち込むような気がした。マクゴナガル先生は、ロンとハーマイオニーを叱るのだろうか？　どうやって課題をこなすかは、僕一人で考えなければならないのに、二人がどんなにたくさん手伝ってくれているかに気づいたのだろうか？

「談話室で会いましょう」

ハーマイオニーはハリーにそう言うと、ロンと一緒に席を立った――二人ともとても心配そうだった。

「ここにある本、できるだけたくさん持ち帰ってね。いい？」

「わかった」ハリーも不安だった。

八時になると、マダム・ピンスがランプを全部消し、ハリーを巧みに図書館から追い出した。本を持てるだけ持って、重みでよろけながら、ハリーはグリフィンドールの談話室に戻った。テーブルを片隅に引っ張ってきて、ハリーはさらに調べ続けた。『突飛な魔法戦士のための突飛な魔法』には何もない……『中世の魔術ガイドブック』もダメ……『十八世紀の呪文選集』には水中での武勇伝は皆無だ……『深い水底の不可解な住人』も、『気づかず持ってるあなたの力、気づいたいまはどう使う』にも何もない。

クルックシャンクスがハリーのひざにのって丸くなり、低い声でのどを鳴らした。談話室のハリーの周りは、だんだん人がいなくなった。みんな、あしたはがんばれと、ハグリッドと同じように明るい、信じきった声で応援して出ていった。みんながみんな、第一の課題で見せたと同じ、目の覚めるような技をハリーがくり出してくれるのだろうと、信じきっているようだ。ハリーは声援を受けても応えられなかった。ゴルフボールがのどに詰まったかのように、ただこっくりするだけだった。あと十分で真夜中というとき、談話室はハリーとクルックシャンクスだけになった。持ってきた本は全部調べた。しかし、ロンとハーマイオニーは戻ってきていない。

おしまいだ。ハリーは自分に言い聞かせた。できない。明日の朝、湖まで行って、審査員にそう言うほかない……。

ハリーは、課題ができませんと審査員に説明している自分の姿を想像した。バグマンが目を丸くして驚く顔が浮かぶ。カルカロフは、満足げに黄色い歯を見せてほくそ笑む。フラー・デラクールの声が聞こえるようだ。「**わたし、わかってまーした……あのいと、若すぎまーす。あのいと、まだ小さな子供でーす**」。マルフォイが観客席の最前列で、「汚いぞ、ポッター」バッジをチカチカ光らせているのが見える。ハグリッドが、信じられないという顔で、打ちしおれている……。

クルックシャンクスがひざにのっていることを忘れ、ハリーは突然立ち上がった。クルックシャンクスは怒ってシャーッと鳴きながら床に落ち、フンという目でハリーをにらみ、瓶洗いブラシのようなしっぽをピンと立てて、悠々と立ち去った。しかし、ハリーはもう寝室への螺旋(らせん)階段を駆け上がっていた……早く透明マントを取って、図書館に戻るんだ。徹夜でもなんでもやってやる……。

「**ルーモス! 光よ!**」

十五分後、ハリーは図書館の戸を開いていた。

杖灯(つえあか)りを頼りに、ハリーは本棚から本棚へと忍び足で歩き、本を引っ張り出した――呪いの本、呪文の本、水中人や水中怪獣の本、有名魔女・魔法使いの本、魔法発明の本、とにかく、一言でも水中でのサバイバルに触れていればなんでもよかった。ハリーは全部の本を机に運び、調べにかかった。細い杖灯りの下で、ときどき腕時計を見ながら、探しに探した……。

午前一時……午前二時……同じ言葉を、何度も何度も自分に言い聞かせて、ハリーは調べ続けた。**次の本にこそ……次こそ……**次こそ……。

監督生の浴室にかかった人魚の絵が、岩の上で笑っている。そのすぐそばの泡だらけの水面に、ハリーはコルクのようにプカプカ浮かんでいる。人魚がファイアボルトをハリーの頭上にかざした。

「ここまでおいで！」

人魚は意地悪くクスクス笑った。

「さあ、飛び上がるのよ！」

「僕、できない」

ファイアボルトを取り戻そうと空を引っかき、沈むまいともがきながら、ハリーはあえいだ。

「返して！」

しかし、人魚は、ハリーに向かって笑いながら、箒（ほうき）の先でハリーの脇腹を痛いほどつっついただけだった。

「痛いよ――やめて――アイタッ――」

「ハリー・ポッターは起きなくてはなりません！」

「つっつくのはやめて――」

「ドビーはハリー・ポッターをつっつかないといけません。ハリー・ポッターは目を覚まさなくてはいけません！」

ハリーは目を開けた。まだ図書館の中だった。寝ている間に、透明マントが頭からずり落ち、ハリーは『杖あるところに道は開ける』の本のページにべったりほおをつけていた。ハリーは体を起こし、めがねをかけなおし、まぶしい陽の光に目をパチパチさせた。

「ハリー・ポッターは急がないといけません！」

ドビーがキーキー声で言った。

「あと十分で第二の課題が始まります。そして、ハリー・ポッターは――」

「十分？」ハリーの声がかすれた。

「じっ――**十分？**」

ハリーは腕時計を見た。ドビーの言うとおりだ。九時二十分すぎ。ハリーの胸から胃へと、重苦しい大きなものがズーンと落ちていくようだった。

「急ぐのです。ハリー・ポッター！」

ドビーはハリーのそでを引っ張りながら、キーキー叫んだ。

「ほかの代表選手と一緒に、湖のそばにいなければならないのです！」

「もう遅いんだ、ドビー」

ハリーは絶望的な声を出した。

「僕、第二の課題はやらない。どうやっていいか僕には――」

「ハリー・ポッターは、その課題を**やります！**」

妖精がキーキー言った。

「ドビーは、ハリー・ポッターが正しい本を見つけられなかったことを、知っていました。それで、ドビーは、かわりに見つけました！」

「えっ？　だけど、**君は**第二の課題が何かを知らない――」ハリーが言った。

「ドビーは知っております！　ハリー・ポッターは、湖に入って、探さなければなりません。あなた様のウィージーを――」

「僕の、なんだって？」

「――そして、水中人からあなた様のウィージーを取り戻すのです！」

「ウィージーってなんだい？」

「あなた様のウィージーでございます。ウィージー――ドビーにセーターをくださったウィージーでございます！」

ドビーはショートパンツの上に着ている縮んだ栗色のセーターをつまんでみせた。

「**なんだって？**」

ハリーは息をのんだ。

「水中人が取っていったのは……取っていったのは、**ロン？**」

「ハリー・ポッターが一番失いたくないものでございます！」

ドビーがキーキー言った。

「そして、一時間過ぎると――」

「――『**もはや望みはありえない**』」

ハリーは恐怖に打ちのめされ、目を見張って妖精を見ながら、あの歌をくり返した。

「『**遅すぎたなら　そのものは　もはや二度とは戻らない……**』ドビー――僕、何をすればいいんだろう？」

「あなた様は、これを食べるのです！」

妖精はキーキー言って、ショートパンツのポケットに手を突っ込み、ネズミのしっぽを団子にしたような、灰緑色のぬるぬるしたものを取り出した。

「湖に入るすぐ前にでございます——ギリウィード、エラ昆布です！」

「何するもの？」ハリーはエラ昆布を見つめた。

「これは、ハリー・ポッターが水中で息ができるようにするのです！」

「ドビー」ハリーは必死だった。「ね——ほんとにそうなの？」

以前にドビーがハリーを「助けよう」としたとき、結局右腕が骨抜きになってしまったことを、ハリーは完全に忘れるわけにはいかなかった。

「ドビーは、ほんとにほんとでございます！」

妖精は大真面目だった。

「ドビーは耳利きでございます。ドビーは屋敷妖精でございます。火をおこし、床にモップをかけ、ドビーは城の隅々まで行くのでございます。ドビーはマクゴナガル先生とムーディ先生が、職員室で次の課題を話しているのを耳にしたのでございます……ドビーはハリー・ポッターにウィージーを失わせるわけにはいかないのでございます！」

ハリーの疑いは消えた。ハリーは勢いよく立ち上がり、透明マントを脱いで鞄に丸めて入れ、エラ昆布をつかんでポケットに突っ込み、飛ぶように図書館を出た。ドビーがすぐあとについて出た。

「ドビーは厨房に戻らなければならないのでございます！」

二人でワッと廊下に飛び出したとき、ドビーがキーキー言った。

「ドビーがいないことに気づかれてしまいますから——がんばって、ハリー・ポッター、どうぞ、がんばって！」

「あとでね、ドビー！」

そう叫ぶと、ハリーは全速力で廊下を駆け抜け、階段を三段飛ばしで下りた。

玄関ホールにはまだ数人まごまごしていた。みんな大広間での朝食を終え、樫(かし)の両開き扉を通って第二の課題を観戦しに出かけるところだった。ハリーがそのそばを矢のように駆け抜け、石段を飛び下りる勢いでコリンとデニス・クリービーを宙に舞い上げ、まばゆい、肌寒い校庭にダッシュしていくのを、みんなあっけに取られて見ていた。

芝生を踏んで駆け下りながら、ハリーは、十一月にはドラゴンの囲い地の周りに作られていた観客席が、今度は湖の反対側の岸辺に沿って築かれているのを見た。何段にも組み上げられたスタンドは超満員で、下の湖に影を映していた。大観衆の興奮したガヤガヤ声が、湖面を渡って不思議に反響するのを聞きながら、ハリーは全速力で湖の反対側に走り込み、審査員席に近づいた。水際に金色の垂れ布で覆われたテーブルが置かれ、審査員が着席していた。セドリック、フラー、クラムが審査員席のそばで、ハリーが疾走してくるのを見ていた。

「到着……しました……」

ハリーは泥に足を取られながら急停止し、はずみでフラーのローブに泥をはねてしまった。

「いったい、どこに行ってたんだ？」

いばった、非難がましい声がした。

「課題がまもなく始まるというのに！」

ハリーはきょろきょろ見回した。審査員席に、パーシー・ウィーズリーが座っていた——クラウチ氏はまたしても出席していない。

「まあまあ、パーシー！」

ルード・バグマンだ。ハリーを見て心底ホッとした様子だった。

「息ぐらいつかせてやれ！」

ダンブルドアはハリーにほほえみかけたが、カルカロフとマダム・マクシームは、ハリーの到着をまったく喜んでいなかった……ハリーはもう来ないだろうと思っていたことが、表情からはっきり読み取れた。

ハリーは両手をひざに置き、前かがみになってゼイゼイと息を切らしていた。肋骨（ろっこつ）にナイフを差し込まれたかのように、脇腹がキリキリ痛んだ。しかし、治まるまで待っている時間はない。ルード・バグマンが代表選手の中を動き回り、湖の岸に沿って、三メートル間隔に選手を立たせた。ハリーは一番端で、クラムの隣だった。クラムは水泳パンツをはき、すでに杖をかまえていた。

「大丈夫か？　ハリー？」

ハリーをクラムの三メートル隣からさらに数十センチ離して立たせながら、バグマンがささやいた。

「何をすべきか、わかってるね？」

「ええ」ハリーは胸をさすり、あえぎながら言った。

バグマンはハリーの肩をギュッと握り、審査員席に戻った。そして、ワールドカップのときと同じように、杖を自分ののどに向け、「**ソノーラス！　響け！**」と言った。バグマンの声が暗い水面を渡り、スタンドにとどろいた。

「さて、全選手の準備ができました。第二の課題は私のホイッスルを合図に始まります。選手たちは、きっちり一時間のうちに奪われたものを取り返します。では、三つ数えます。いーち……にー……**さん！**」

ホイッスルが冷たく静かな空気に鋭く鳴り響いた。スタンドは拍手と歓声でどよめいた。ほかの代表選手が何をしているかなど見もせずに、ハリーは靴と靴下を脱ぎ、エラ昆布をひとつかみポケットから取り出し、口に押し込み、湖に入っていった。

水は冷たく、氷水というより、両足の肌をジリジリ焼く火のように感じられた。だんだん深みへと歩いていくと、水を吸ったローブの重みで、ハリーは下に下にと引っ張られた。もう水はひざまで来た。足はどんどん感覚がなくなり、泥砂やぬるぬるする平たい石ですべった。ハリーはエラ昆布をできるだけ急いで、しっかりかんだ。ぬるっとしたゴムのようないやな感触で、タコの足のようだった。凍るような水が腰の高さに来たとき、ハリーは立ち止まって、エラ昆布を飲み込み、何かが起こるのを待った。

観衆の笑い声が聞こえた。なんの魔力を表す気配もなく湖の中をただ歩いている姿は、きっとばかみたいに見えるのだろうと、ハリーはわかっていた。まだぬれていない皮膚には鳥肌が立ち、氷のような水に半身を浸し、情け容赦ない風に髪を逆立て、ハリーは激しく震えだした。ハリーはスタンドを見ないようにした。笑い声がますます大きくなった。スリザリン生が口笛を吹いたり、やじったりしている……。

その時、まったく突然、ハリーは、見えない枕を口と鼻に押しつけられたような気がした。息をしようとすると、頭がくらくらする。肺がからっぽだ。そして、急に首の両脇に刺すような痛みを感じた――。

ハリーは両手でのどを押さえた。すると、耳のすぐ下の大きな裂け目に手が触れた。冷たい空気の中で、パクパクしている……**エラがある**。なんのためらいもなくハリーは、これしかない、という行動をとった――水に飛び込んだのだ。

ガブリと最初のひと口、氷のような湖の水は、命の水のように感じられた。頭のくらくらが止まった。

もうひと口大きくガブリと飲んだ。水がエラをなめらかに通り抜け、脳に酸素を送り込むのを感じた。ハリーは両手を突き出して見つめた。水の中では緑色で半透明に見える。それに、水かきができている。身をよじってむき出しの足を見た——足は細長く伸びて、やはり指の間に水かきがあった。まるで、鰭(ひれ)足(あし)が生えたようだった。

水も、もう氷のようではない……それどころか、冷たさが心地よく、とても軽かった……ハリーはもう一度水を蹴ってみた。鰭足が推進力になり、驚くほど速く、遠くまで動ける。それに、なんてはっきり見えるんだろう。もう瞬(まばた)きをする必要もない。たちまち湖の岸からずっと離れ、もう湖底が見えないほど深い所に来ていた。ハリーは身をひるがえし、頭を下にして湖深くもぐっていった。

見たこともない暗い、霧のかかったような景色を下に見ながら、ハリーは泳ぎ続けた。静寂が鼓膜を押した。視界は周辺の二、三メートルなので、前へ前へと泳いでいくと、突然新しい景色が前方の闇からぬっと姿を現した。もつれ合った黒い水草がゆらゆら揺れる森、泥の中に鈍い光を放つ石が点々と転がる広い平原。ハリーは深みへ深みへと、湖の中心に向かって泳いだ。周囲の不可思議な灰色に光る水を透かして、目を大きく見開き、前方の半透明の水に映る黒い影を見つめながら、ハリーは進んだ。

小さな魚が、ハリーの脇を銀のダーツのようにキラッキラッと通り過ぎていった。一、二度、行く手に何かやや大きいものが動いたように思ったが、近づくと、単に黒くなった大きな水中木だったり、水草の密生した茂みだったりした。ほかの選手の姿も、水中人もロンも、まったくその気配がない——それに、ありがたいことに、大イカの影もない。

淡い緑色の水草が、目の届くかぎり先まで広がっている。一メートル弱の高さに伸び、草ぼうぼうの牧草地のようだった。薄暗がりの中を何か形のあるものを見つけようと、ハリーは瞬きもせずに前方を見つめ続けた……すると、突如、何かがハリーのくるぶしをつかんだ。

ハリーは体をひねって足元を見た。グリンデロー、水魔だ。小さな、角のある魔物で、水草の中から顔を出し、長い指でハリーの足をがっちりつかみ、とがった歯をむき出している――ハリーは水かきのついた手を急いでローブに突っ込み、杖を探った――やっと杖をつかんだときには、水魔があと二匹、水草の中から現れて、ハリーのローブをギュッと握り、ハリーを引きずり込もうとしていた。

「**レラシオ！　放せ！**」

ハリーは叫んだ。ただ、音は出てこない……大きな泡が一つ口から出てきた。杖からは、水魔目がけて火花が飛ぶかわりに、熱湯のようなものを噴射して水魔を連打した。水魔に当たると、緑の皮膚に赤い斑点ができた。ハリーは水魔に握られていた足を引っ張って振りほどき、ときどき、肩越しに、熱湯を当てずっぽうに噴射しながら、できるだけ速く泳いだ。何度か水魔がまた足をつかむのを感じたが、ハリーは思いきり蹴飛ばした。角のある頭が足に触れたような気がして振り返ると、気絶した水魔が、白目をむいて流されていくところだった。仲間の水魔はハリーに向かって拳を振り上げながら、再び水草の中にもぐっていった。

ハリーは少しスピードを落とし、杖をローブにすべり込ませ、周りを見回して再び耳を澄ました。水の中で一回転すると、静寂が前にも増して強く鼓膜を押した。いまはもう、湖のずいぶん深い所にいるにちがいない。しかし、揺れる水草以外に動くものは何もなかった。

「うまくいってる？」

ハリーは心臓が止まるかと思った。くるりと振り返ると、「嘆きのマートル」だった。ハリーの目の前に、ぼんやりと浮かび、分厚い半透明のめがねのむこうからハリーを見つめている。

「マートル！」

ハリーは叫ぼうとした――しかし、またしても、口から出たのは大きな泡一つだった。嘆きのマートルは声を出してクスクス笑った。

「あっちを探してみなさいよ！」

マートルは指差しながら言った。

「わたしは一緒に行かないわ……あの連中はあんまり好きじゃないんだ。わたしがあんまり近づくと、いっつも追いかけてくるのよね……」

ハリーは感謝の気持ちを表すのに親指を上げるしぐさをして、また泳ぎだした。水草にひそむ水魔にまた捕まったりしないよう、今度は水草より少し高い所を泳ぐように気をつけた。

かれこれ二十分も泳ぎ続けたろうか。ハリーは、黒い泥地が広々と続く場所を通り過ぎていた。水をかくたびに黒い泥が巻き上がり、あたりがにごった。そして、ついに、あの耳について離れない、水中人の歌が聞こえてきた。

探す時間は　一時間
取り返すべし　大切なもの……

ハリーは急いだ。まもなく、前方の泥でにごった水の中に、大きな岩が見えてきた。岩には水中人の絵が描いてあった。槍（やり）を手に、巨大イカのようなものを追っている。ハリーは水中人歌（マーピープルソング）を追って、岩を通り過ぎた。

……時間は半分　ぐずぐずするな
求めるものが　朽ちはてぬよう……

藻に覆われたあらけずりの石の住居の群れが、薄暗がりの中から突然姿を現した。あちこちの暗い窓からのぞいている顔、顔……監督生の浴室にあった人魚の絵とは似ても似つかぬ顔が見えた。

水中人の肌は灰色味を帯び、ぼうぼうとした長い暗緑色の髪をしていた。目は黄色く、あちこち欠けた歯も黄色だった。首には丸石をつなげたロープを巻きつけていた。ハリーが泳いでいくのを、みんな横目で見送った。一人、二人は、力強い尾鰭(おひれ)で水を打ち、槍を手に洞窟から出てきて、ハリーをもっとよく見ようとした。

ハリーは目を凝らしてあたりを見ながら、スピードを上げた。まもなく穴居の数がもっと多くなった。家の周りに水草の庭がある所もあるし、ドアの外に水魔をペットにして杭(くい)につないでいる所さえあった。いまや水中人が四方八方から近づいてきて、ハリーをしげしげ眺め、水かきのある手やエラを指差しては、口元を手で隠してヒソヒソ話をしていた。ハリーが急いで角を曲がると、不思議な光景が目に入った。

水中人村のお祭り広場のような所を囲んで家が立ち並び、大勢の水中人がたむろしていた。その真ん中で、水中人コーラス隊が歌い、代表選手を呼び寄せている。その後ろに、あらけずりの石像が立っていた。大岩をけずった巨大な水中人の像だ。その像の尾の部分に、四人の人間がしっかり縛りつけられていた。

ロンはチョウ・チャンとハーマイオニーの間に縛られている。もう一人の女の子はせいぜい八歳ぐらいで、銀色の豊かな髪から、ハリーはフラー・デラクールの妹にちがいないと思った。四人ともぐっすり眠り込んでいるようだった。頭をだらりと肩にもたせかけ、口から細かい泡をプクプク立ち昇らせている。

ハリーは人質のほうへと急いだ。水中人が槍をかまえてハリーを襲うのではないかと半ば覚悟していたが、何もしない。人質を巨像に縛りつけている水草のロープは、太く、ぬるぬるで、強靭だった。一瞬、ハリーは、シリウスがクリスマスにくれたナイフのことを思った――遠く離れたホグワーツ城のトランクに鍵をかけてしまってある。いまはなんの役にも立たない。

ハリーはあたりを見回した。周りの水中人の多くが槍を抱えている。ハリーは身の丈二メートル豊かの水中人の所に急いで泳いでいった。長い緑のあごひげをたくわえ、サメの歯をつないで首にかけている。ハリーは手まねで槍を貸してくれと頼んだ。水中人は声を上げて笑い、首を横に振った。

「我らは助けはせぬ」

厳しい、しわがれた声だ。

「**お願いだ！**」

ハリーは強い口調で言った（しかし、口から出るのは泡ばかりだった）。槍を引っ張って、水中人の手から奪い取ろうとしたが、水中人はぐいと引いて、首を振りながらまだ笑っていた。

ハリーはぐるぐる回りながら、目を凝らしてあたりを見た。何かとがったものはないか……何かないか……。

湖底には石が散乱していた。ハリーはもぐって一番ギザギザした石を拾い、石像の所へ戻った。ロンを縛りつけているロープに石を打ちつけ、数分間の苦労の末、ロープをたたき切った。ロンは気を失ったまま、湖底から十数センチの所に浮かび、水の流れに乗ってゆらゆら漂っていた。

ハリーはきょろきょろあたりを見回した。ほかの代表選手が来る気配がない。何をもたもたしてるんだ？　どうして早く来ない？　ハリーはハーマイオニーのほうに向きなおり、同じ石で縄目をたたき切りはじめた――。

たちまち屈強な灰色の手が数本、ハリーを押さえた。五、六人の水中人が、緑の髪を振り立て、声を上げて笑いながら、ハリーをハーマイオニーから引き離そうとしていた。

「自分の人質だけを連れていけ」

一人が言った。

「ほかの者は放っておけ……」

「それは、できない！」

ハリーが激しい口調で言った――しかし、大きな泡が二つ出てきただけだった。

「おまえの課題は、自分の友人を取り返すことだ……ほかにかまうな……」

「**この子も**僕の友達だ！」

ハーマイオニーを指差して、ハリーが叫んだ。巨大な銀色の泡が一つ、音もなくハリーの唇から現れた。

「それに、**ほかの子たちも**死なせるわけにはいかない！」

チョウは、ハーマイオニーの肩に頭をもたせかけていた。銀色の髪の小さな女の子は、透きとおった真っ青な顔をしている。ハーマイオニーの肩に頭をもたせかけていた。ハリーは水中人を振り払おうともがいたが、水中人はますます大声で笑いながら、ハリーを押さえつけた。ハリーは必死にあたりを見回した。いったいほかの選手はどうしたんだ？ ロンを湖面まで連れていってから、戻ってハーマイオニーやほかの人質を助ける時間はあるだろうか？ 戻ったときにまた人質を見つけることができるだろうか？ ハリーはあとどのくらい時間が残っているか、腕時計を見た――止まっている。

しかし、その時、水中人が興奮してハリーの頭上を指差した。見上げると、セドリックがこちらへ泳いでくる。頭の周りに大きな泡がついている。セドリックの顔は、その中で奇妙に横に広がって見えた。

「道に迷ったんだ！」

パニック状態のセドリックの口が、そう言っている。

「フラーもクラムもいま来る！」

ハリーはホッとして、セドリックがナイフをポケットから取り出し、チョウの縄を切るのを見ていた。セドリックはチョウを引っ張り上げ、姿を消した。

ハリーはあたりを見回しながら、待っていた。フラーとクラムはどこだろう？　時間は残り少なくなっている。歌によれば、一時間たつと人質は永久に失われてしまう……。

水中人たちが興奮してギャーギャー騒ぎだした。ハリーを押さえていた手がゆるみ、水中人が振り返って背後を見つめた。ハリーも振り返って見ると、水を切り裂くように近づいてくる怪物のようなものが見えた。水泳パンツをはいた胴体にサメの頭……クラムだ。変身したらしい――ただし、やりそこないだ。

サメ男はまっすぐにハーマイオニーの所に来て、縄にかみつき、かみ切りはじめた。残念ながら、クラムの新しい歯は、イルカより小さいものをかみ切るのには、非常に不便な歯並びだった。注意しないと、まちがいなく、ハーマイオニーを真っ二つにかみ切ってしまう。ハリーは飛び出して、クラムの肩を強くたたき、持っていたギザギザの石を差し出した。クラムはそれをつかみ、ハーマイオニーの縄を切りはじめた。数秒で切り終えると、クラムはハーマイオニーの腰のあたりをむんずと抱え、ちらりとも振り向かず、湖面目指して急速浮上していった。

さあどうする？　ハリーは必死だった。フラーが来ると確信できるなら……しかし、そんな気配はまだない。もうどうしようもない……。

ハリーはクラムが捨てていった石を拾い上げた。しかし、今度は水中人が、ロンと少女を取り囲み、ハリーに向かって首を横に振った。

ハリーは杖を取り出した。

「邪魔するな！」

ハリーの口からは泡しか出てこなかったが、ハリーは手応えを感じた。水中人は自分の言っていることがわかったらしい。急に笑うのをやめたからだ。黄色い目がハリーの杖に釘づけになり、怖がっているように見えた。水中人の数は、たった一人のハリーよりはるかに多い。しかし、水中人の表情から、ハリーは、この人たちが魔法については大イカと同じ程度の知識しかないのだとわかった。

「三つ数えるまで待ってやる！」

ハリーが叫んだ。ハリーの口から、ブクブクと泡が噴き出した。それでも、ハリーは指を三本立て、水中人に言いたいことをまちがいなく伝えようとした。

「ひとーつ……」（ハリーは指を一本折った）――。

「ふたーつ……」（二本折った）――。

水中人が散り散りになった。ハリーはすかさず飛び込んで、少女を石像に縛りつけている縄をたたき切りはじめた。ついに少女は自由になった。ハリーは少女の腰のあたりを抱え、ロンのローブの襟首をつかみ、湖底を蹴った。

なんとものろのろとした作業だった。もう水かきのある手を使って前に進むことはできない。ハリーは鰭足を激しくばたつかせた。しかし、ロンとフラーの妹は、ジャガイモをいっぱいに詰め込んだ袋のように重く、ハリーを引きずり下ろした……。湖面までの水は暗く、まだかなり深い所にいることはわかっていたが、ハリーはしっかりと天を見つめていた。

水中人がハリーと一緒に上がってきた。ハリーが水と悪戦苦闘するのを眺めながら、周りを楽々泳ぎ回っているのが見えた……。時間切れになったら、水中人はハリーを湖深く引き戻すのだろうか？　水中人はヒトを食うんだっけ？　泳ぎつかれて、足がつりそうだった。ロンと少女を引っ張り上げようとしているので、肩も激しく痛んだ……。

息が苦しくなってきた。首の両脇に、再び痛みを感じた……口の中で、水が重たくなったのが、はっきりわかった……闇は確実に薄らいできた……上に陽の光が見えた……。

ハリーは鰭足で強く蹴った。しかし、足はもう普通の足だった……水が口に、そして肺にどっと流れ込んできた……目がくらむ。でも、光と空気はほんの三メートル上にある……たどり着くんだ……たどり着かなければ……。

ハリーは両足を思いきり強く、速くばたつかせて水を蹴った。筋肉が抵抗の悲鳴を上げているような感じがした。頭の中が水浸しだ。息ができない。酸素が欲しい。やめることはできない。やめてたまるか――。

その時、頭が水面を突き破るのを感じた。すばらしい、冷たい、澄んだ空気が、ハリーのぬれた顔をチクチクと刺すようだった。ハリーは思いっきり空気を吸い込んだ。これまで一度もちゃんと息を吸ったことがなかったような気がした。そして、あえぎあえぎ、ハリーはロンと少女を引き上げた。ハリーの周りをぐるりと囲んで、ぼうぼうとした緑の髪の頭が、いっせいに水面に現れた。みんなハリーに笑いかけている。

スタンドの観衆が大騒ぎしていた。叫んだり、悲鳴を上げたり、総立ちになっているようだ。みんな、ロンと少女が死んだと思っているのだろうと、ハリーは思った。みんなまちがっている……二人とも目を開けた。少女は混乱して怖がっていたが、ロンはピューッと水を吐き出し、明るい陽射（ひざ）しに目をパチクリさせ、ハリーのほうを見て言った。

「びしょびしょだな、こりゃ」

たったそれだけだ。それからフラーの妹に目をとめ、ロンが言った。

「なんのためにこの子を連れてきたんだい？」

「フラーが現れなかったんだ。僕、この子を残しておけなかった」

ハリーがゼイゼイ言った。

「ハリー、ドジだな」ロンが言った。

「あの歌を真に受けたのか？　ダンブルドアが僕たちをおぼれさせるわけないだろ！」

「だけど、歌が――」

「制限時間内に君がまちがいなく戻れるように歌ってただけなんだ！」

ロンが言った。

「英雄気取りで、湖の底で時間をむだにしたんじゃないだろうな！」

ハリーは自分のばかさかげんとロンの言い方の両方にいや気がさした。ロンはそれでいいだろう。**君はずっと**眠っていたんだから。やすやすと人を殺めそうな、槍を持った水中人に取り囲まれて、湖の底でどんなに不気味な思いをしたか、君は知らずにすんだのだから。

「行こう」

ハリーはぽつんと言った。

「この子を連れてゆくのを手伝って。あんまり泳げないようだから」

フラーの妹を引っ張り、二人は岸へと泳いだ。岸辺には審査員が立って眺めている。二十人の水中人が、護衛兵のようにハリーとロンに付き添い、恐ろしい悲鳴のような歌を歌っていた。

マダム・ポンフリーが、せかせかと、ハーマイオニー、クラム、セドリック、チョウの世話をしているのが見えた。みんな厚い毛布にくるまっている。ダンブルドアとルード・バグマンが岸辺に立ち、近づいてくるハリーとロンにニッコリ笑いかけていた。しかし、パーシーは蒼白な顔で、なぜかいつもよりずっと幼く見えた。パーシーが水しぶきを上げて二人に駆け寄った。マダム・マクシームは、湖に戻ろうと半狂乱で必死にもがいているフラー・デラクールを抑えようとしていた。

「**ガブリエル！　ガブリエル！　あの子は生きているの？　けがしてないの？**」

「大丈夫だよ！」

　ハリーはそう伝えようとした。しかし、疲労困憊で、ほとんど口をきくこともできない。ましてや大声を出すことはできなかった。

　パーシーはロンをつかみ、岸まで引っ張っていこうとした（「放せよ、パーシー。僕、なんともないんだから！」）。ダンブルドアとバグマンがハリーに手を貸して立たせた。フラーはマダム・マクシームの制止を振りきって、妹をしっかり抱きしめた。

「水魔なの……わたし、襲われて……ああ、ガブリエル、もうだめかと……だめかと……」

「こっちへ。ほら」

　マダム・ポンフリーの声がした。ハリーを捕まえると、マダム・ポンフリーは、ハーマイオニーやほかの人がいる所にハリーを引っ張ってきて、毛布にくるまれた。あまりにきっちりくるまれて、ハリーは身動きができなかった。熱い煎じ薬を一杯、のどに流し込まれると、ハリーの耳から湯気が噴き出した。

「よくやったわ、ハリー！」

　ハーマイオニーが叫んだ。

「できたのね。自分一人でやり方を見つけたのね！」

「えーと――」

ハリーは口ごもった。ドビーのことを話すつもりだった。しかし、その時、カルカロフがハリーを見つめているのに気づいた。カルカロフはただ一人、審査員席を離れていない。ハリー、ロン、フラーの妹が無事戻ったことに、カルカロフだけが、喜びも安堵（あんど）したそぶりも見せていない。

「うん、そうさ」

ハリーは、カルカロフに聞こえるように、少し声を張り上げた。

「髪にゲンゴロウがついているよ、ハーム－オウン－ニニー」クラムが言った。

クラムはハーマイオニーの関心を取り戻そうとしている、とハリーは感じた。たったいま、湖から君を救い出したのは僕だよ、と言いたいのだろう。しかし、ハーマイオニーは、うるさそうにゲンゴロウを髪から払いのけ、こう言った。

「でも、あなた、制限時間をずいぶんオーバーしたのよ、ハリー……私たちを見つけるのに、そんなに長くかかったの？」

「ううん……ちゃんと見つけたけど……」

ばかだったという気持ちがつのった。ダンブルドアが安全対策を講じていて、代表選手が現れなかったからといって、人質を死なせたりするはずがない。水から上がってみると、そんなことは明々白々だと思えた。ロンだけを取り返して戻ってくればよかったのに。自分が一番で戻れたのに……。セドリックやクラムは、ほかの人質のことを心配して時間をむだにしたりしなかった。水中人の歌を真に受けたりしなかった……。

ダンブルドアは水際にかがみ込んで、水中人の長（おさ）らしい、ひときわ荒々しく、恐ろしい顔つきの女の水中人と話し込んでいた。水中人は水から出ると悲鳴のような声を発するが、ダンブルドアもいま、同じような音で話している。ダンブルドアはマーミッシュ語が話せたのだ。やっとダンブルドアが立ち上がり、審査員に向かってこう言った。

「どうやら、点数をつける前に、協議じゃ」

審査員が秘密会議に入った。マダム・ポンフリーが、パーシーにがっちり捕まっているロンを救出に行った。ハリーやほかのみんながいる所にロンを連れてくると、マダム・ポンフリーはロンに毛布をかけ、「元気爆発薬」を飲ませ、それからフラーと妹を迎えにいった。フラーは顔や腕が切り傷だらけで、ローブも破れていたが、まったく気にかけない様子で、マダム・ポンフリーがきれいにしようとしても断った。

「ガブリエルの面倒を見て」

フラーはそう言うと、ハリーのほうを見た。

「あなた、妹を助けました」

フラーは声を詰まらせた。

「あの子があなたのいとじちではなかったのに」

「うん」

ハリーは女の子を三人全部、石像に縛られたまま残してくればよかったと、いま、心からそう思っていた。

フラーは身をかがめて、ハリーの両ほおに二回ずつキスした（ハリーは顔が燃えるかと思った。また耳から湯気が出てもおかしくないと思った）。それからフラーはロンに言った。

「それに、あなたもです――エルプしてくれました――」

「うん」

ロンは何か期待しているように見えた。

「ちょっとだけね——」

フラーはロンの上にかがみ込んで、ロンにもキスした。ハーマイオニーはプンプン怒っている顔だ。しかし、その時、ルード・バグマンの魔法で拡大された声がすぐそばでとどろき、みんなが飛び上がった。スタンドの観衆はしんとなった。

「レディーズ・アンド・ジェントルメン。審査結果が出ました。水中人の女長、マーカスが、湖底で何があったかを仔細に話してくれました。そこで、五〇点満点で、各代表選手は次のような得点となりました……」

「ミス・デラクール。すばらしい『泡頭呪文』を使いましたが、水魔に襲われ、ゴールにたどり着けず、人質を取り返すことができませんでした。得点は二五点」

スタンドから拍手が沸いた。

「わたしは零点のいとです」

見事な髪の頭を横に振りながら、フラーがのどを詰まらせた。

「セドリック・ディゴリー君。やはり『泡頭呪文』を使い、最初に人質を連れて帰ってきました。ただし、制限時間の一時間を一分オーバー」

ハッフルパフから大きな声援が沸いた。チョウがセドリックに熱い視線を送ったのをハリーは見た。

「そこで、四七点を与えます」

ハリーはがっくりした。セドリックが一分オーバーなら、ハリーは絶対オーバーだ。

「ビクトール・クラム君は変身術が中途半端でしたが、効果的なことには変わりありません。人質を連れ戻したのは二番目でした。得点は四〇点」

カルカロフが得意顔で、特に大きく拍手した。

「ハリー・ポッター君の『エラ昆布』は特に効果が大きい」

　バグマンの解説は続いた。

「戻ってきたのは最後でしたし、一時間の制限時間を大きくオーバーしていました。しかし、水中人の長の報告によれば、ポッター君は最初に人質に到着したとのことです。遅れたのは、自分の人質だけではなく、全部の人質を安全に戻らせようと決意したせいだとのことです」

　ロンとハーマイオニーは半ばあきれ、半ば同情するような目でハリーを見た。

「ほとんどの審査員が」――と、ここでバグマンは、カルカロフをじろりと見た――「これこそ道徳的な力を示すものであり、五〇点満点に値するとの意見でした。しかしながら……ポッター君の得点は四五点です」

　ハリーは胃袋が飛び上がった――これで、セドリックと同点一位になった。ロンとハーマイオニーは、きょとんとしてハリーを見つめたが、すぐに笑いだして、観衆と一緒に力いっぱい拍手した。

「やったぜ、ハリー！」

　ロンが歓声に負けじと声を張り上げた。

「君は結局まぬけじゃなかったんだ――道徳的な力を見せたんだ！」

　フラーも大きな拍手を送っていた。しかし、クラムはまったくうれしそうではなかった。なんとかハーマイオニーと話そうとしていたが、ハーマイオニーはハリーに声援を送るのに夢中で、クラムの話など耳に入らなかった。

「第三の課題、最終課題は、六月二十四日の夕暮れ時に行われます」

　引き続きバグマンの声がした。

「代表選手は、そのきっかり一か月前に、課題の内容を知らされることになります。諸君、代表選手の応援をありがとう」

終わった。ぼうっとした頭でハリーはそう思った。マダム・ポンフリーは代表選手と人質にぬれた服を着替えさせるために、みんなを引率して城へと歩きだしたところだった。……終わったんだ。通過したんだ……六月二十四日までは、もう何も心配する必要はないんだ……。

城に入る石段を上りながら、ハリーは心に決めた。今度ホグズミードに行ったら、ドビーに、一日一足として、一年分の靴下を買ってきてやろう。

第27章　パッドフット帰る

第二の課題の余波で、一つよかったのは、湖の底で何が起こったのか、誰もがくわしく聞きたがったことだ。つまり、初めてロンが、ハリーと一緒に脚光を浴びることになったのだ。ロンが話す事件の経緯が毎回微妙にちがうことに、ハリーは気づいた。最初は、真実だと思われる話をしていた。少なくともハーマイオニーの話と一致していた――マクゴナガル先生の部屋で、ダンブルドアが、人質全員が安全であること、水から上がったときに目覚めるのだということを全員に保証し、それからみんなに眠りの魔法をかけた。ところが一週間後には、ロンの話がスリルに満ちた誘拐の話に変わっていた。ロンがたった一人で、五十人もの武装した水中人と戦い、さんざん打ちのめされて服従させられ、縛り上げられたという。

「だけど、僕、そでに杖を隠してたんだ」

ロンがパドマ・パチルに話して聞かせた。パドマは、ロンが注目の的になっているので、前よりずっと関心を持ったらしく、廊下ですれちがうたびにロンに話しかけた。

「やろうと思えばいつでも、バカ水中人なんかやっつけられたんだ」

「どうやるつもりだったの？　いびきでも吹っかけてやるつもりだった？」

ハーマイオニーはピリッと皮肉った。ビクトール・クラムが一番失いたくないものがハーマイオニーだったことを、みんながからかうので、かなり気が立っていたのだ。

ロンは耳元を赤らめ、それからは元の「魔法の眠り」版に話を戻した。

三月に入ると、天気はからっとしてきたが、校庭に出ると冷たい風が情け容赦なく手や顔を真っ赤にした。ふくろうが吹き飛ばされて進路をそれるので、郵便も遅れた。ホグズミード行きの日にちをシリウスに知らせる手紙をたくしたふくろうは、金曜の朝食のときに戻ってきた。全身の羽根の半分が逆立っていた。ハリーがシリウスの返信をはずすや否や、茶モリフクロウは飛び去った。また配達に出されてはかなわないと思ったにちがいない。

シリウスの手紙は前のと同じくらい短かった。

ホグズミードから出る道に、柵が立っている（ダービシュ・アンド・バングズ店を過ぎた所だ）。
土曜日の午後二時に、そこにいること。食べ物を持てるだけ持ってきてくれ。

「まさかホグズミードに帰ってきたんじゃないだろうな？」

ロンが信じられないという顔をした。

「帰ってきたみたいじゃない？」ハーマイオニーが言った。

「そんなばかな」ハリーは緊張した。「捕まったらどうするつもり……」

「これまでは大丈夫だったみたいだ」ロンが言った。

「それに、あそこはもう、吸魂鬼がうじゃうじゃというわけじゃないし」

ハリーは手紙を折りたたみ、あれこれ考えた。正直言って、ハリーはシリウスにまた会いたくてたまらない。だから、午後の最後の授業に出かけるときも——二時限続きの魔法薬学の授業だ——地下牢教室への階段を下りながら、いつもよりずっと心がはずんでいた。

マルフォイ、クラッブ、ゴイルが、パンジー・パーキンソン率いるスリザリンの女子学生と一緒に、教室のドアの前に群がっていた。ハリーの所からは見えない何かを見て、みんなで思いっきりクスクス笑いをしている。ハリー、ロン、ハーマイオニーが近づくと、ゴイルのだだっ広い背中の陰から、パンジーのパグ犬そっくりの顔が、興奮してこっちをのぞいた。

「来た、来た!」

パンジーがクスクス笑った。すると固まっていたスリザリン生の群れがパッと割れた。パンジーが手にした雑誌が、ハリーの目に入った——『週刊魔女』だ。表紙の動く写真は巻き毛の魔女で、ニッコリ歯を見せて笑い、杖で大きなスポンジケーキを指している。

「あなたの関心がありそうな記事がのってるわよ、グレンジャー!」

パンジーが大声でそう言いながら、雑誌をハーマイオニーに投げてよこした。ハーマイオニーは驚いたような顔で受け取った。その時、地下牢のドアが開いて、スネイプがみんなに入れと合図した。

ハーマイオニー、ハリー、ロンは、いつものように地下牢教室の一番後ろに向かった。スネイプが、今日の魔法薬の材料を黒板に書くのに後ろを向いたとたん、ハーマイオニーは急いで机の下で雑誌をパラパラめくった。ついに、真ん中のページに、ハーマイオニーは探していた記事を見つけた。ハリーとロンも横からのぞき込んだ。ハリーのカラー写真の下に、短い記事がのり、「ハリー・ポッターの密(ひそ)やかな胸の痛み」と題がついている。

ほかの少年とはちがう。そうかもしれない——しかしやはり少年だ。あらゆる青春の痛みを感じている。と、リータ・スキーターは書いている。両親の悲劇的な死以来、愛を奪われた十四歳のハリー・ポッターは、ホグワーツでマグル出身のハーマイオニー・グレンジャーというガールフレンドを得て、安らぎを見出していた。すでに痛みに満ちたその人生で、やがてまた一つの心の痛手を味わうことになろうとは、少年は知る由もなかったのである。

ミス・グレンジャーは、美しいとは言いがたいが、有名な魔法使いがお好みの野心家で、ハリーだけでは満足できないらしい。先ごろ行われたクィディッチ・ワールドカップのヒーローで、ブルガリアのシーカー、ビクトール・クラムがホグワーツにやってきて以来、ミス・グレンジャーは二人の少年の愛情をもてあそんできた。クラムが、このすれっからしのミス・グレンジャーに首ったけなのは公の事実で、夏休みにブルガリアに来てくれとすでに招待している。クラムは、「こんな気持ちをほかの女の子に感じたことはない」とはっきり言った。

しかしながら、この不幸な少年たちの心をつかんだのは、ミス・グレンジャーの自然な魅力（それもたいした魅力ではないが）ではないかもしれない。

「あの子、ブスよ」活発でかわいらしい四年生のパンジー・パーキンソンは、そう言う。「だけど、『愛の妙薬』を調合することは考えたかもしれない。頭でっかちだから。たぶん、そうしたんだと思うわ」

「愛の妙薬」は、もちろんホグワーツでは禁じられている。アルバス・ダンブルドアは、この件の調査に乗り出すべきであろう。しばらくの間、ハリーの応援団としては、次にはもっとふさわしい相手に心を捧げることを、願うばかりである。

「だから言ったじゃないか！」

記事をじっと見下ろしているハーマイオニーに、ロンが歯ぎしりしながらささやいた。

「リータ・スキーターにかまうなって、そう**言ったろう！**　あいつ、君のことを、なんていうか――緋色（ひいろ）のおべべ扱いだ！」

愕然(がくぜん)としていたハーマイオニーの表情が崩れ、プッと噴き出した。

「**緋色のおべべ？**」

ハーマイオニーはロンのほうを見て、体を震わせてクスクス笑いをこらえていた。

「ママがそう呼ぶんだ。その手の女の人を」

ロンはまた耳元を真っ赤にしてボソボソつぶやいた。

「せいぜいこの程度なら、リータもおとろえたものね」

ハーマイオニーはまだクスクス笑いながら、隣の空いた椅子に『週刊魔女』を放り出した。

「バカバカしいの一言だわ」

ハーマイオニーはスリザリンのほうを見た。スリザリン生はみな、記事のいやがらせ効果は上がったかと、教室のむこうから、ハーマイオニーとハリーの様子をじっとうかがっていた。ハーマイオニーは皮肉っぽくほほえんで、手を振った。そして、ハーマイオニー、ハリー、ロンは「頭冴え薬」に必要な材料を広げはじめた。

「だけど、ちょっと変だわね」

十分後、タマオシコガネの入った乳鉢の上で乳棒を持った手を休め、ハーマイオニーが言った。

「リータ・スキーターはどうして知ってたのかしら……？」

「何を？」ロンが聞き返した。「君、**まさか**『愛の妙薬』、調合してなかったろうな」

「バカ言わないで」

ハーマイオニーはビシッと言って、またタマオシコガネをトントンつぶしはじめた。

「ちがうわよ。ただ……夏休みに来てくれって、ビクトールが私に言ったこと、どうして知ってるのかしら？」

そう言いながら、ハーマイオニーの顔が緋色になった。そして、意識的にロンの目をさけていた。

「えーっ？」

ロンは乳棒をガチャンと取り落とした。

「湖から引き上げてくれたすぐあとにそう言ったの」

ハーマイオニーが口ごもった。

「サメ頭を取ったあとに。マダム・ポンフリーが私たちに毛布をくれて、それから、ビクトールが、審査員に聞こえないように、私をちょっと脇に引っ張っていって、それで言ったの。夏休みに特に計画がないなら、よかったら来ないかって――」

「それで、なんて答えたんだ？」

ロンは乳棒を拾い上げ、乳鉢から十五センチも離れた机をゴリゴリすっていた。ハーマイオニーを見ていたからだ。

「そして、**確かに**言ったわよ。こんな気持ちをほかの女の子に感じたことはないって」

ハーマイオニーは燃えるように赤くなり、ハリーはそこからの熱を感じたくらいだった。

「だけど、リータ・スキーターはどうやってあの人の言うことを聞いたのかしら？　透明マントを**ほんとうに**持っているのかもしれない。あそこにはいなかったし……それともいたのかしら？　こっそり校庭に忍び込んだのかもしれない……第二の課題を見るのに、こっそり校庭に忍び込んだのかもしれない……」

「それで、なんて**答えた**んだ？」

ロンがくり返し聞いた。乳棒であまりに強くたたいたので、机がへこんだ。

「それは、私、あなたやハリーが無事かどうか見るほうが忙しくて、とても――」

「君の個人生活のお話は、確かにめくるめくものではあるが、ミス・グレンジャー」

氷のような声が三人のすぐ後ろから聞こえた。

「我輩の授業では、そういう話はご遠慮願いたいですな。グリフィンドール、一〇点減点」

三人が話し込んでいる間に、スネイプが音もなく三人の机の所まで来ていたのだ。クラス中が三人を振り返って見ていた。マルフォイは、すかさず、「**汚いぞ、ポッター**」のバッジを点滅させ、地下牢のむこうからハリーに見せつけた。

「ふむ……その上、机の下で雑誌を読んでいたな？」

スネイプは『週刊魔女』をサッと取り上げた。

「グリフィンドール、もう一〇点減点……ふむ、しかし、なるほど……」

リータ・スキーターの記事に目をとめ、スネイプの暗い目がギラギラ光った。

「ポッターは自分の記事を読むのに忙しいようだな……」

地下牢にスリザリン生の笑いが響いた。スネイプの薄い唇がゆがみ、不快な笑いが浮かんだ。ハリーが怒るのを尻目に、スネイプは声を出して記事を読みはじめた。

「『**ハリー・ポッターの密やかな胸の痛み**』……おう、おう、ポッター、今度はなんの病気かね？『**ほかの少年とはちがう**』。**そうかもしれない……**」

ハリーは顔から火が出そうだった。スネイプは一文読むごとに間を取って、スリザリン生がさんざん笑えるようにした。スネイプが読むと、十倍もひどい記事に聞こえた。

「『……**ハリーの応援団としては、次にはもっとふさわしい相手に心を捧げることを、願うばかりである**』。感動的ではないか」

スリザリン生の大爆笑が続く中、スネイプは雑誌を丸めながら鼻先で笑った。

「さて、三人を別々に座らせたほうがよさそうだ。もつれた恋愛関係より、魔法薬のほうに集中できるようにな。ウィーズリー、ここに残れ。ミス・グレンジャー、こっちへ。ミス・パーキンソンの横に。ポッター——我輩の机の前のテーブルへ。移動だ。さあ」

怒りに震えながら、ハリーは材料と鞄を大鍋に放り込み、空席になっている地下牢教室の一番前のテーブルに鍋を引きずっていった。スネイプがあとからついてきて、自分の机の前に座り、ハリーが鍋の中身を出すのをじっと見ていた。わざとスネイプと目を合わさないようにしながら、ハリーはタマオシコガネつぶしを続けた。タマオシコガネの一つ一つをスネイプの顔だと思いながらつぶした。

「マスコミに注目されて、おまえのデッカチ頭がさらにふくれ上がったようだな。ポッター」

クラスが落ち着きを取り戻すと、スネイプが低い声で言った。

ハリーは答えなかった。スネイプが挑発しようとしているのはわかっていた。これが初めてではない。授業が終わる前に、グリフィンドールからまるまる五〇点減点する口実を作りたいにちがいない。

「魔法界全体が君に感服しているという妄想に取り憑かれているのだろう」

スネイプはハリー以外には聞こえないような低い声で話し続けた(タマオシコガネはもう細かい粉になっていたが、ハリーはまだたたきつぶし続けていた)。

「しかし、我輩は、おまえの写真が何度新聞にのろうと、なんとも思わん。我輩にとって、ポッター、おまえは単に、規則を見下している性悪の小童だ」

ハリーはタマオシコガネの粉末を大鍋にあけ、根生姜を刻みはじめた。怒りで手が少し震えていたが、目を伏せ、スネイプの言うことが聞こえないふりをしていた。

「そこで、きちんと警告しておくぞ、ポッター」

スネイプはますます声を落とし、一段と危険な声で話し続けた。

「小粒でもピリリの有名人であろうがなんだろうが——今度我輩の研究室に忍び込んだところを捕まえ

たら――」

「僕、先生の研究室に近づいたことなどありません」

聞こえないふりも忘れ、ハリーは怒ったように言った。

「我輩にうそは通じない」

スネイプは歯を食いしばったまま言った。底知れない暗い目が、ハリーの目をえぐるようにのぞき込んだ。

「毒ツルヘビの皮。エラ昆布。どちらも我輩個人の保管庫のものだ。誰が盗んだかはわかっている」

ハリーはじっとスネイプを見つめ返した。瞬き(まばた)もせず、後ろめたい様子も見せまいとつっぱった。事実、そのどちらも、スネイプから盗んだのはハリーではない。毒ツルヘビの皮は、二年生のときハーマイオニーが盗(と)った――ポリジュース薬を煎じるのに必要だったのだ――あの時、スネイプはハリーを疑ったが、証拠がなかった。エラ昆布を盗んだのは、当然ドビーだ。

「なんのことか僕にはわかりません」

ハリーは冷静にうそをついた。

「おまえは、我輩の研究室に侵入者があった夜、ベッドを抜け出していた！」

スネイプのヒソヒソ声が続いた。

「わかっているぞ、ポッター！　今度はマッド-アイ・ムーディがおまえのファンクラブに入ったらしいが、我輩はおまえの行動を許さん！　今度我輩の研究室に、夜中に入り込むことがあれば、ポッター、つけを払うはめになるぞ！」

「わかりました」

ハリーは冷静にそう言うと、根生姜刻みに戻った。

「どうしてもそこに行きたいという気持ちになることがあれば、覚えておきます」

スネイプの目が光り、黒いローブに手を突っ込んだ。一瞬ハリーはどきりとした。スネイプが杖を取り出し、ハリーに呪いをかけるのではないかと思ったのだ——しかし、スネイプが取り出したのは、透きとおった液体の入った小さなクリスタルの瓶だった。ハリーはじっと瓶を見つめた。

「なんだかわかるか、ポッター」

スネイプの目が再び怪しげに光った。

「いいえ」

今度は真っ正直に答えた。

「ベリタセラム——真実薬だ。強力で、三滴あれば、おまえは心の奥底にある秘密を、このクラス中に聞こえるようにしゃべることになる」

スネイプが毒々しく言った。

「さて、この薬の使用は、魔法省の指針で厳しく制限されている。しかし、おまえが足元に気をつけないと、我輩の手が**すべる**ことになるぞ——」

スネイプはクリスタルの瓶をわずかに振った。

「——おまえの夕食のかぼちゃジュースの真上で。そうすれば、ポッター……そうすれば、おまえが我輩の研究室に入ったかどうかわかるだろう」

ハリーはだまっていた。もう一度根生姜の作業に戻り、ナイフを取って薄切りにしはじめた。「真実薬」なんて、いやなことを聞いた。スネイプなら手がすべって飲ませるくらいのことはやりかねない。そんなことになったら、自分の口から何がもれるか、ハリーは考えるだけで震えが来るのをやっと抑えつけた……。いろんな人をトラブルに巻き込んでしまう——手始めにハーマイオニーとドビーのことだ

——そればかりか、ほかにも隠していることはたくさんある……シリウスと連絡を取り合っていること……それに——チョウへの思い——そう考えると内臓がよじれた……。ハリーは根生姜も大鍋に入れた。ムーディを見習うべきかもしれない、とハリーは思った。これからは自分用の携帯瓶からしか飲まないようにするのだ。

地下牢教室の戸をノックする音がした。

「入れ」スネイプがいつもどおりの声で言った。

戸が開くのをクラス全員が振り返って見た。カルカロフ校長だった。スネイプの机に向かって歩いてくるのを、みんなが見つめた。山羊(やぎ)ひげを指でひねりひねり、カルカロフは何やら興奮していた。

「話がある」

カルカロフはスネイプの所まで来ると、出し抜けに言った。自分の言っていることを誰にも聞かれないように、カルカロフはほとんど唇を動かさずにしゃべっていた。下手な腹話術師のようだった。ハリーは根生姜に目を落としたまま、耳をそばだてた。

「授業が終わってから話そう、カルカロフ——」

スネイプがつぶやくように言った。しかし、カルカロフはそれをさえぎった。

「いま話したい。セブルス、君が逃げられないときに。君は私をさけ続けている」

「授業のあとだ」

スネイプがピシャリと言った。

アルマジロの胆汁の量が正しかったかどうか見るふりをして、ハリーは計量カップを持ち上げ、二人を横目でちらりと見た。カルカロフは極度に心配そうな顔で、スネイプは怒っているようだった。

カルカロフは二時限続きの授業の間、ずっとスネイプの机の後ろでうろうろしていた。授業が終わったとき、スネイプが逃げるのを、どうあっても阻止するかまえだ。カルカロフがいったい何を言いたいのか聞きたくて、終業ベルが鳴る二分前、ハリーはわざとアルマジロの胆汁の瓶をひっくり返した。これで、大鍋の陰にしゃがみ込む口実ができた。ほかの生徒がガヤガヤとドアに向かっているとき、ハリーは床をふいていた。

「何がそんなに緊急なんだ？」

スネイプがヒソヒソ声でカルカロフに言うのが聞こえた。

「**これだ**」カルカロフが答えた。

ハリーは大鍋の端からのぞき見た。カルカロフがローブの左そでをまくり上げ、腕の内側にある何かをスネイプに見せているのが見えた。

「どうだ？」

カルカロフは、依然として、懸命に唇を動かさないようにしていた。

「見たか？　こんなにはっきりしたのは初めてだ。あれ以来――」

「しまえ！」スネイプが唸(うな)った。暗い目が教室全体をサッと見た。

「君も気づいているはずだ――」カルカロフの声が興奮している。

「あとで話そう、カルカロフ！」スネイプが吐き捨てるように言った。

「ポッター！　何をしているんだ？」

「アルマジロの胆汁をふき取っています、先生」

ハリーは何事もなかったかのように、立ち上がって、汚れた雑巾をスネイプに見せた。

カルカロフはきびすを返し、大股で地下牢を出ていった。心配と怒りが入りまじったような表情だった。怒り心頭のスネイプと二人きりになるのは願い下げだ。ハリーは教科書と材料を鞄に投げ入れ、猛スピードでその場を離れた。たったいま目撃したことを、ロンとハーマイオニーに話さなければ。

翌日、三人は正午に城を出た。校庭を淡い銀色の太陽が照らしていた。これまでになくおだやかな天気で、ホグズミードに着くころには、三人ともマントを脱いで片方の肩に引っかけていた。シリウスが持ってこいと言った食料は、ハリーの鞄に入っている。鳥の足を十二本、パン一本、かぼちゃジュースひと瓶を、昼食のテーブルからくすねておいたのだ。

三人で「グラドラグス魔法ファッション店」に入り、ドビーへのみやげを買った。思いっきりけばけばしい靴下を選ぶのはおもしろかった。金と銀の星が点滅する柄や、あんまり臭くなると大声で叫ぶ靴下もあった。一時半、三人はハイストリート通りを歩き、ダービシュ・アンド・バングズ店を通り過ぎ、村のはずれに向かっていた。

ハリーはこっちのほうには来たことがなかった。曲がりくねった小道が、ホグズミードを囲む荒涼とした郊外へと続いていた。住宅もこのあたりはまばらで、庭は大きめだった。三人は山のふもとに向かって歩いていた。ホグズミードはその山ふところにあるのだ。そこで角を曲がると、道のはずれに柵があった。柵の一番高い所に二本の前脚をのせ、新聞らしいものを口にくわえて三人を待っている大きな、毛むくじゃらの黒い犬。見覚えのある、なつかしい姿……。

「やあ、シリウスおじさん」

そばまで行って、ハリーが挨拶した。

黒い犬はハリーの鞄を夢中でかぎ、しっぽを一度だけ振り、向きを変えてトコトコ走りだした。あたりは低木が茂り、上り坂で、行く手は岩だらけの山のふもとだ。ハリー、ロン、ハーマイオニーは、柵を乗り越えてあとを追った。

シリウスは三人を山のすぐ下まで導いた。あたり一面岩石で覆われている。四本足なら苦もなく歩けるが、ハリー、ロン、ハーマイオニーはたちまち息切れした。三人は、シリウスについて山を登った。およそ三十分、三人はシリウスの振るしっぽに従い、太陽に照らされて汗をかきながら、曲がりくねった険しい石ころだらけの道を登っていった。ハリーの肩に、鞄のベルトが食い込んだ。

そして、最後に、シリウスがスルリと視界から消えた。三人がその姿の消えた場所まで行くと、狭い岩の裂け目があった。裂け目に体を押し込むようにして入ると、中は薄暗い涼しい洞窟だった。一番奥に、大きな岩にロープを回してつながれているのは、ヒッポグリフのバックビークだ。下半身は灰色の馬、上半身は巨大な鷲（わし）のバックビークは、三人の姿を見ると、獰猛（どうもう）なオレンジ色の目をギラギラさせた。三人がていねいにおじぎするると、バックビークは一瞬尊大な目つきで三人を見たが、うろこに覆われた前脚を折って挨拶した。ハーマイオニーは駆け寄って、羽毛の生えた首をなでた。ハリーは、黒い犬が名付け親の姿に戻るのを見ていた。

シリウスはぼろぼろの灰色のローブを着ていた。アズカバンを脱出したときと同じローブだ。黒い髪は、暖炉の火の中に現れたときより伸びて、また昔のようにぼうぼうともつれていた。とてもやせたように見えた。

「チキン！」

くわえていた「日刊予言者新聞」の古新聞を口から離し、洞窟の床に落としたあと、シリウスはかすれた声で言った。

ハリーは鞄をパッと開け、鳥の足をひとつかみと、パンを渡した。

「ありがとう」

そう言うなり、シリウスは包みを開け、鳥の足をつかみ、洞窟の床に座り込んで、歯で大きく食いちぎった。

「ほとんどネズミばかり食べて生きていた。ホグズミードからあまりたくさん食べ物を盗むわけにもいかない。注意を引くことになるからね」

シリウスはハリーにニッコリした。ハリーも笑いを返したが、心から笑う気持ちにはなれなかった。

「シリウスおじさん、どうしてこんな所にいるの？」ハリーが言った。

「名付け親としての役目をはたしている」

シリウスは、犬のようなしぐさで鳥の骨をかじった。

「私のことは心配しなくていい。愛すべき野良犬のふりをしているから」

シリウスはまだほほえんでいた。しかし、ハリーの心配そうな表情を見て、さらに真剣に言葉を続けた。

「私は現場にいたいのだ。君が最後にくれた手紙……そう、ますますきな臭くなっているとだけ言っておこう。誰かが新聞を捨てるたびに拾っていたのだが、どうやら、心配しているのは私だけではないようだ」

シリウスは洞窟の床にある、黄色く変色した「日刊予言者新聞」をあごで指した。ロンが何枚か拾い上げて広げた。

しかし、ハリーはまだシリウスを見つめ続けていた。

「捕まったらどうするの？　姿を見られたら？」

「私が『動物もどき』だと知っているのは、ここでは君たち三人とダンブルドアだけだ」

シリウスは肩をすくめ、鳥の足を貪り続けた。

ロンがハリーをこづいて、「日刊予言者新聞」を渡した。二枚あった。最初の記事の見出しは、「バーテミウス・クラウチの不可解な病気」とあり、二つ目の記事は「魔法省の魔女、いまだに行方不明――いよいよ魔法大臣自ら乗り出す」とあった。

ハリーはクラウチの記事をざっと読んだ。切れ切れの文章が目に飛び込んできた。

十一月以来、公の場に現れず……家に人影はなく……聖マンゴ魔法疾患傷害病院はコメントを拒否……魔法省は重症のうわさを否定……。

「まるでクラウチが死にかけているみたいだ」

ハリーは考え込んだ。

「だけど、ここまで来られる人がそんなに重い病気のはずないし……」

「僕の兄さんが、クラウチの秘書なんだ」

ロンがシリウスに教えた。

「兄さんは、クラウチが働きすぎだって言ってる」

「だけど、あの人、僕が最後に近くで見たときは、**ほんとに病気**みたいだった」

ハリーはまだ新聞を読みながら、ゆっくりと言った。

「僕の名前がゴブレットから出てきたあの晩だけど……」

「ウィンキーをクビにした当然の報いじゃない？」

ハーマイオニーが冷たく言った。ハーマイオニーは、シリウスの食べ残した鳥の骨をバリバリかんでいるバックビークをなでていた。

「クビにしなきゃよかったって、きっと後悔してるのよ――世話してくれるウィンキーがいないと、どんなに困るかわかったんだわ」

「ハーマイオニーは屋敷しもべに取り憑かれてるのさ」

ロンがハーマイオニーに困ったもんだという目を向けながら、シリウスにささやいた。

しかし、シリウスは関心を持ったようだった。

「クラウチが屋敷しもべをクビに？」

「うん、クィディッチ・ワールドカップのとき」

ハリーは「闇の印」が現れたこと、ウィンキーがハリーの杖を握りしめたまま発見されたこと、クラウチ氏が激怒したことを話しはじめた。

話し終えると、シリウスは再び立ち上がり、洞窟を往ったり来たりしはじめた。

「整理してみよう」

しばらくすると、鳥の足をもう一本持って振りながら、シリウスが言った。

「はじめはしもべ妖精が、貴賓席に座っていた。クラウチの席を取っていた。そうだね？」

「そう」

ハリー、ロン、ハーマイオニーが同時に答えた。

「しかし、クラウチは試合には現れなかった？」

「うん」ハリーが言った。「あの人、忙しすぎて来られなかったって言ったと思う」

シリウスは洞窟中をだまって歩き回った。それから口を開いた。

「ハリー、貴賓席を離れたとき、杖があるかどうかポケットの中を探ってみたか？」

「うーん……」

ハリーは考え込んだ。そしてやっと答えが出た。

「ううん。森に入るまでは使う必要がなかった。そこでポケットに手を入れたら、『万眼鏡』しかなかったんだ」

ハリーはシリウスを見つめた。

「『闇の印』を創り出した誰かが、僕の杖を貴賓席で盗んだってこと?」

「その可能性はある」シリウスが言った。

「ウィンキーは杖を盗んだりしないわ!」ハーマイオニーが鋭い声を出した。

「貴賓席にいたのは妖精だけじゃない」

シリウスは眉根にしわを寄せて、歩き回っていた。

「君の後ろには誰がいたのかね?」

「いっぱい、いた」ハリーが答えた。

「ブルガリアの大臣たちとか……コーネリウス・ファッジとか……マルフォイ一家……」

「マルフォイ一家だ!」

ロンが突然叫んだ。あまりに大きな声を出したので、洞窟中に反響し、バックビークが神経質に首を振り立てた。

「絶対、ルシウス・マルフォイだ!」

「ほかには?」シリウスが聞いた。

「ほかにはいない」ハリーが言った。

「いたわ。いたわよ、ルード・バグマンが」

ハーマイオニーがハリーに教えた。

「ああ、そうだった……」

「バグマンのことはよく知らないな。ウィムボーン・ワスプスのビーターだったこと以外は」

シリウスはまだ歩き続けながら言った。

「どんな人だ?」

「あの人は大丈夫だよ」ハリーが言った。

「三校対抗試合で、いつも僕を助けたいって言うんだ」

「そんなことを言うのか?」

シリウスはますます眉根にしわを寄せた。

「なぜそんなことをするのだろう?」

「僕のことを気に入ったって言うんだ」ハリーが言った。

「ふぅむ」シリウスは考え込んだ。

「『闇の印』が現れる直前に、私たち森でバグマンに出会ったわ」

ハーマイオニーがシリウスに教えた。

「覚えてる?」

ハーマイオニーはハリーとロンに言った。

「うん。でも、バグマンは森に残ったわけじゃないだろ?」ロンが言った。

「騒ぎのことを言ったら、バグマンはすぐにキャンプ場に行ったよ」

「どうしてそう言える?」

ハーマイオニーが切り返した。

「『姿くらまし』したのに、どうして行き先がわかるの?」

「やめろよ」

ロンは信じられないという口調だ。

「ルード・バグマンが『闇の印』を創り出したと言いたいのか?」

「ウィンキーよりは可能性があるわ」ハーマイオニーは頑固に言い張った。

「言ったよね?」

ロンが意味ありげにシリウスを見た。

「言ったよね。ハーマイオニーが取り憑かれてるって、屋敷――」

しかし、シリウスは手を上げてロンをだまらせた。

「『闇の印』が現れて、妖精がハリーの杖を持ったまま発見されたとき、クラウチは何をしたかね?」

「茂みの様子を見にいった」ハリーが答えた。「でも、そこにはなんにもなかった」

「そうだろうとも」

シリウスは、往ったり来たりしながらつぶやいた。

「そうだろうとも。クラウチは自分のしもべ妖精以外の誰かだと決めつけたかったただろうな……それで、しもべ妖精をクビにしたのかね?」

「そうよ」

ハーマイオニーの声が熱くなった。

「クビにしたのよ。テントに残って、踏みつぶされるままになっていなかったのがいけないっていうわけ――」

「ハーマイオニー、**頼むよ**、妖精のことはちょっとほっといてくれ!」ロンが言った。

しかし、シリウスは頭(かぶり)を振ってこう言った。

「クラウチのことは、ハーマイオニーのほうがよく見ているぞ、ロン。人となりを知るには、その人が、自分と同等の者より目下の者をどう扱うかをよく見ることだ」

シリウスはひげの伸びた顔をなでながら、考えに没頭しているようだった。

「バーティ・クラウチがずっと不在だ……わざわざしもべ妖精にクィディッチ・ワールドカップの席を取らせておきながら、観戦しなかった。三校対抗試合の復活にずいぶん尽力したのに、それにも来なくなった……クラウチらしくない。これまでのあいつなら、一日たりとも病気で欠勤したりしない。そんなことがあったら、私はバックビークを食ってみせるよ」

「それじゃ、クラウチを知ってるの？」ハリーが聞いた。

シリウスの顔が曇った。突然、ハリーが最初に会ったときのシリウスの顔のように、ハリーがシリウスを殺人者だと信じていたあの夜のように、恐ろしげな顔になった。

「ああ、クラウチのことはよく知っている」シリウスが静かに言った。

「私をアズカバンに送れと命令を出したやつだ──裁判もせずに」

「**えっ？**」ロンとハーマイオニーが同時に叫んだ。

「うそでしょう！」ハリーが言った。

「いや、うそではない」

シリウスはまた大きくひと口、チキンにかぶりついた。

「クラウチは当時、魔法省の警察である『魔法法執行部』の部長だった。知らなかったのか？」

ハリー、ロン、ハーマイオニーは首を横に振った。

「次の魔法大臣とうわさされていた」シリウスが言った。

「すばらしい魔法使いだ、バーティ・クラウチは。強力な魔法力──それに、権力欲だ。ああ、ヴォルデモートの支持者だったことはない」

ハリーの顔を読んで、シリウスがつけ加えた。

「それはない。バーティ・クラウチは常に闇の陣営にはっきり対抗していた。しかし、闇の陣営に反対を唱えていた多くの者が……いや、君たちにはわかるまい……あの時は、まだ小さかったから……」

「僕のパパもワールドカップでそう言ったんだ」

ロンが、声にいらいらをにじませて言った。

「わかるかどうか、僕たちを試してくれないかな？」

シリウスのやせた顔がニコッとほころびた。

「いいだろう。試してみよう……」

シリウスは洞窟の奥まで歩いていき、また戻ってきて話しはじめた。

「ヴォルデモートが、いま、強大だと考えてごらん。誰が支持者なのかわからない。誰があやつに仕え、誰がそうではないのか、わからない。あやつには人を操る力がある。誰もが、自分では止めることができずに、恐ろしいことをやってしまう。自分で自分が怖くなる。家族や友達でさえ怖くなる。毎週、毎週、またしても死人や、行方不明や、拷問のニュースが入ってくる……魔法省は大混乱だ。どうしてよいやらわからない。すべてをマグルから隠そうとするが、一方でマグルも死んでゆく。いたるところ恐怖だ……パニック……混乱……そういう状態だった」

「いや、そういうときにこそ、最良の面を発揮する者もいれば、最悪の面が出る者もある。クラウチの主義主張は、最初はよいものだったのだろう――私にはわからないが。あいつは魔法省でたちまち頭角を現し、ヴォルデモートに従う者に極めて厳しい措置を取りはじめた。『闇祓い』たちに新しい権力が与えられた――たとえば、捕まえるのでなく、殺してもいいという権力だ。裁判なしに吸魂鬼の手に渡されたのは、私だけではない。クラウチは、暴力には暴力をもって立ち向かい、疑わしい者に対して、

『許されざる呪文』を使用することを許可した。あいつは、多くの闇の陣営の輩と同じように、冷酷無情になってしまったと言える。確かに、あいつを支持する者もいた――あいつのやり方が正しいと思う者もたくさんいたし、多くの魔法使いたちが、あいつを魔法大臣にせよと叫んでいた。ヴォルデモートがいなくなったとき、クラウチがその最高の職に就くのは時間の問題だと思われた。しかし、その時不幸な事件があった……」

シリウスがニヤリと笑った。

「クラウチの息子が『死喰い人』の一味と一緒に捕まった。この一味は、言葉巧みにアズカバンを逃れた者たちで、ヴォルデモートを探し出して権力の座に復帰させようとしていた」

「クラウチの**息子が**捕まった？」ハーマイオニーが息をのんだ。

「そう」

シリウスは鳥の骨をバックビークに投げ与え、自分は飛びつくようにパンの横に座り込み、パンを半分に引きちぎった。

「あのパーティにとっては、相当きついショックだっただろうね。もう少し家にいて、家族と一緒に過ごすべきだった。そうだろう？　たまには早く仕事を切り上げて帰るべきだった……自分の息子をよく知るべきだったのだ」

シリウスは大きなパンの塊を、がつがつ食らいはじめた。

「自分の息子が**ほんとうに**死喰い人だったの？」ハリーが聞いた。

「わからない」

シリウスはまだパンを貪っていた。

「息子がアズカバンに連れてこられたとき、私自身もアズカバンにいたから、いま話していることは、大部分アズカバンを出てからわかったことだ。あの時牢に入れられたのは、確かに死喰い人たちだった。私の首を賭けてもいい。あの子はその連中と一緒に捕まったのだ――しかし、屋敷しもべと同じように、単に、運悪くその場に居合わせただけかもしれない」

「クラウチは自分の息子に罰を逃れさせようとしたの？」

ハーマイオニーが小さな声で聞いた。

シリウスは犬の吠え声のような笑い方をした。

「クラウチが自分の息子に罰を逃れさせる？　ハーマイオニー、君にはあいつの本性がわかっていると思ったんだが？　少しでも自分の評判を傷つけるようなことは消してしまうやつだ。魔法大臣になることに一生をかけてきた男だよ。献身的なしもべ妖精をクビにするのを見ただろう。しもべ妖精が、またしても自分と『闇の印』とを結びつけるようなことをしたからだ――それでやつの正体がわかるだろう？　クラウチがせいぜい父親らしい愛情を見せたのは、息子を裁判にかけることだった。それとて、どう考えても、クラウチがどんなにその子を憎んでいるかを公に見せるための口実にすぎなかった……それから息子をまっすぐアズカバン送りにした」

「自分の息子を吸魂鬼に？」ハリーは声を落とした。

「そのとおり」

シリウスはもう笑ってはいなかった。

「吸魂鬼が息子を連れてくるのを見たよ、独房の鉄格子を通して。十九歳になるかならないかだったろう。私の房に近い独房に入れられた。その日が暮れるころには、母親を呼んで泣き叫んだ。二、三日するとおとなしくなったがね……みんなしまいには静かになったものだ……眠っているときに悲鳴を上げる以外は……」

一瞬、シリウスの目に生気がなくなった。まるで目の奥にシャッターが下りたような暗さだ。

「それじゃ、息子はまだアズカバンにいるの？」ハリーが聞いた。

「いや」

シリウスがゆっくり答えた。

「いや。あそこにはもういない。連れてこられてから約一年後に死んだ」

「**死んだ？**」

「あの子だけじゃない」

シリウスが苦々しげに答えた。

「たいがい精神に異常をきたす。最後には何も食べなくなる者が多い。生きる意志を失うのだ。死が近づくと、まちがいなくそれがわかる。吸魂鬼がそれをかぎつけて興奮するからだ。あの子は収監されたときから病気のようだった。クラウチは魔法省の重要人物だから、奥方と一緒に息子の死に際に面会を許された。それが、私がバーティ・クラウチに会った最後だった。奥方を半分抱きかかえるようにして私の独房の前を通り過ぎていった。奥方はどうやらそれからまもなく死んでしまったらしい。嘆き悲しんで。息子と同じように、憔悴(しょうすい)していったらしい。クラウチは息子の遺体を引き取りにこなかった。吸魂鬼が監獄の外に埋葬した。私はそれを目撃している」

シリウスは口元まで持っていったパンを脇に放り出し、かわりにかぼちゃジュースの瓶を取って飲み干した。

「そして、あのクラウチは、すべてをやりとげたと思ったときに、すべてを失った」

シリウスは手のこうで口をぬぐいながら話し続けた。

「一時は、魔法大臣と目されたヒーローだった……次の瞬間、息子は死に、奥方も亡くなり、家名は汚された。そして、私がアズカバンを出てから聞いたのだが、人気も大きく落ち込んだ。あの子が亡くなると、みんながあの子に少し同情しはじめた。れっきとした家柄の、立派な若者が、なぜそこまで大きく道をあやまったのかと、人々は疑問に思いはじめた。結論は、父親が息子をかまってやらなかったからだ、ということになった。そこで、コーネリウス・ファッジが最高の地位に就き、クラウチは『国際魔法協力部』などという傍流に押しやられた」

長い沈黙が流れた。ハリーは、クィディッチ・ワールドカップのとき、森の中で、自分に従わなかった屋敷しもべ妖精を見下ろしたときの、目が飛び出したクラウチの顔を思い浮かべていた。すると、ウィンキーが「闇の印」の下で発見されたとき、クラウチが過剰な反応を示したのには、こんな事情があったのか。息子の思い出が、昔の醜聞が、そして魔法省での没落がよみがえったのか。

「ムーディは、クラウチが闇の魔法使いを捕まえることに取り憑かれているって言ってた」

ハリーがシリウスに話した。

「ああ、ほとんど病的だと聞いた」シリウスはうなずいた。「私の推測では、あいつは、もう一人死喰い人を捕まえれば昔の人気を取り戻せると、まだそんなふうに考えているのだ」

「そして、学校に忍び込んで、スネイプの研究室を家捜ししたんだ！」

ロンがハーマイオニーを見ながら、勝ち誇ったように言った。

「そうだ。それがまったく理屈に合わない」シリウスが言った。

「理屈に合うよ！」ロンが興奮して言った。

しかし、シリウスは頭を振った。

「いいかい。クラウチがスネイプを調べたいなら、試合の審査員として来ればいい。しょっちゅうホグワーツに来て、スネイプを見張る格好の口実ができるじゃないか」

「それじゃ、スネイプが何かたくらんでいるって、そう思うの？」

ハリーが聞いた。が、ハーマイオニーが口をはさんだ。

「いいこと？　あなたがなんと言おうと、ダンブルドアがスネイプを信用なさっているのだから——」

「まったく、いいかげんにしろよ、ハーマイオニー」

ロンがいらいらした。

「ダンブルドアは、そりゃ、すばらしいよ。だけど、ほんとにずる賢い闇の魔法使いなら、ダンブルドアをだませないわけじゃない——」

「だったら、そもそもどうしてスネイプは、一年生のときハリーの命を救ったりしたの？　どうしてあのままハリーを死なせてしまわなかったの？」

「知るかよ——ダンブルドアに追い出されるかもしれないと思ったんだろ——」

「どう思う？　シリウス？」

ハリーが声を張り上げ、ロンとハーマイオニーは、ののしり合うのをやめて、耳を傾けた。

「二人ともそれぞれいい点を突いている」

シリウスがロンとハーマイオニーを見て、考え深げに言った。

「スネイプがここで教えていると知って以来、私は、どうしてダンブルドアがスネイプをやとったのかと不思議に思っていた。スネイプはいつも闇の魔術に魅せられていて、学校ではそれで有名だった。気味の悪い、べっとりと脂っこい髪をした子供だったよ、あいつは」

シリウスがそう言うと、ハリーとロンは顔を見合わせてニヤッとした。

「スネイプは学校に入ったとき、もう七年生の大半の生徒より多くの呪いを知っていた。スリザリン生の中で、後にほとんど全員が死喰い人になったグループがあり、スネイプはその一員だった」

シリウスは手を前に出し、指を折って名前を挙げた。

「ロジエールとウィルクス――両方ともヴォルデモートが失墜する前の年に、闇祓いに殺された。レストレンジたち――夫婦だが――アズカバンにいる。エイブリー――聞いたところでは、『服従の呪文』で動かされていたと言って、からくも難を逃れたそうだ――まだ捕まっていない。だが、私の知るかぎり、スネイプは死喰い人だと非難されたことはない――それだからどうと言うのではないが。死喰い人の多くが一度も捕まっていないのだから。しかも、スネイプは、確かに難を逃れるだけの狡猾さを備えている」

「スネイプはカルカロフをよく知っているよ。でもそれを隠したがってる」

ロンが言った。

「うん。カルカロフがきのう、『魔法薬』の教室に来たときの、スネイプの顔を見せたかった！」

ハリーが急いで言葉を継いだ。

「カルカロフはスネイプに話があったんだ。スネイプが自分をさけているってカルカロフが言ってた。カルカロフはとっても心配そうだった。スネイプに自分の腕の何かを見せていたけど、なんだか、僕には見えなかった」

「スネイプに自分の腕の何かを見せた？」

シリウスはすっかり当惑した表情だった。何かに気を取られたように汚れた髪を指でかきむしり、それからまた肩をすくめた。

「さあ、私にはなんのことやらさっぱりわからない……しかし、もしカルカロフが真剣に心配していて、スネイプに答えを求めたとすれば……」

シリウスは洞窟の壁を見つめ、それから焦燥感で顔をしかめた。

「それでも、ダンブルドアがスネイプを信用しているというのは事実だ。ほかの者なら信用しないような場合でも、ダンブルドアなら信用するということもわかっている。しかし、もしもスネイプがヴォルデモートのために働いたことがあるなら、ホグワーツで教えるのをダンブルドアが許すとはとても考えられない」

「それなら、ムーディとクラウチは、どうしてそんなにスネイプの研究室に入りたがるんだろう」

ロンがしつこく言った。

「そうだな」

シリウスは考えながら答えた。

「マッド-アイのことだ。ホグワーツに来たとき、教師全員の部屋を捜索するぐらいのことはやりかねない。ムーディは『闇の魔術に対する防衛術』を真剣に受け止めている。ダンブルドアとちがい、**ムーディのほうは**誰も信用しないのかもしれない。ムーディが見てきたことを考えれば、当然だろう。しかし、これだけはムーディのために言っておこう。あの人は、殺さずにすむときは殺さなかった。できるだけ生け捕りにした。厳しい人だが、死喰い人のレベルまで身を落とすことはなかった。しかし、クラウチは……クラウチはまた別だ……ほんとうに病気か？　病気なら、なぜそんな身を引きずってまでスネイプの研究室に入り込んだ？　病気でないなら……何がねらいだ？　ワールドカップで、貴賓席に来られないほど重要なことをしていたのか？　三校対抗試合の審査をするべきときに、何をやっていたんだ？」

シリウスは、洞窟の壁を見つめたまま、だまり込んだ。バックビークは見逃した骨はないかと、岩の床をあちこちほじくっている。

シリウスがやっと顔を上げ、ロンを見た。

「君の兄さんがクラウチの秘書だと言ったね？　最近クラウチを見かけたかどうか、聞くチャンスはあるか？」

「やってみるけど」

ロンは自信なさそうに言った。

「でも、クラウチが何か怪しげなことをたくらんでいる、なんていうふうに取られる言い方はしないほうがいいな。パーシーはクラウチが大好きだから」

「それに、ついでだから、バーサ・ジョーキンズの手がかりがつかめたかどうか聞き出してみるといい」

シリウスは別な「日刊予言者新聞」を指した。

「バグマンは僕に、まだつかんでないって教えてくれた」ハリーが言った。

「ああ、バグマンの言葉がそこに引用されている」

シリウスは新聞のほうを向いてうなずいた。

「バーサがどんなに忘れっぽいかとわめいている。まあ、私の知っていたころのバーサとは変わっているかもしれないが、私の記憶では、バーサは忘れっぽくはなかった――むしろ逆だ。ちょっとぼんやりしていたが、ゴシップとなると、すばらしい記憶力だった。それで、よく災いに巻き込まれたものだ。いつ口を閉じるべきなのかを知らない女だった。魔法省では少々やっかい者だっただろう……だからバグマンが長い間探そうともしなかったのだろう……」

シリウスは大きなため息をつき、落ちくぼんだ目をこすりながら聞いた。

「何時かな？」

ハリーは腕時計を見たが、湖の中で一時間を過ごしてから、ずっと止まったままだったことを思い出した。

「三時半よ」ハーマイオニーが答えた。

「もう学校に戻ったほうがいい」

シリウスが立ち上がりながら、そう言った。

「いいか。よく聞きなさい……」シリウスは特にハリーをじっと見た――「君たちは、私に会うために学校を抜け出したりしないでくれ。いいね？　ここ宛にメモを送ってくれ。これからも、おかしなことがあったら知りたい。しかし許可なしにホグワーツを出たりしないように。誰かが君たちを襲う格好のチャンスになってしまうから」

「僕を襲おうとした人なんて誰もいない。ドラゴンと水魔が数匹だけだよ」

ハリーが言った。

しかし、シリウスはハリーをにらんだ。

「そんなことじゃない……この試合が終われば、私はまた安心して息ができる。つまり六月まではだめだ。それから、大切なことが一つ。君たちの間で私の話をするときは、『スナッフルズ』と呼びなさい。いいかい？」

シリウスはナプキンとからになったジュースの瓶をハリーに返し、バックビークを「ちょっと出かけてくるよ」となでた。

「村境まで送っていこう」シリウスが言った。「新聞が拾えるかもしれない」

洞窟を出る前に、シリウスは巨大な黒い犬に変身した。三人は犬と一緒に岩だらけの山道を下って、柵の所まで戻った。そこで犬は三人にかわるがわる頭をなでさせ、それから村はずれを走り去っていった。

ハリー、ロン、ハーマイオニーはホグズミードへ、そしてホグワーツへと向かった。

「パーシーのやつ、クラウチのいろんなことを全部知ってるのかなあ？」

城への道を歩きながら、ロンが言った。

「でも、たぶん、気にしないだろうな……クラウチをもっと崇拝するようになるだけかもな。うん、パーシーは規則ってやつが好きだからな。クラウチはたとえ息子のためでも規則を破るのを拒んだのだって、きっとそう言うだろう」

「パーシーは自分の家族を吸魂鬼の手に渡すなんてことしないわ」

ハーマイオニーが厳しい口調で言った。

「わかんねえぞ」ロンが言った。「僕たちがパーシーの出世の邪魔になるとわかったら……あいつ、ほんとに野心家なんだから……」

三人は玄関ホールへの石段を上った。大広間からおいしそうなにおいが漂ってきた。

「かわいそうなスナッフルズ」

ロンが大きくにおいを吸い込んだ。

「あの人って、ほんとうに君のことをかわいがっているんだね、ハリー……ネズミを食って生き延びてまで」

第28章　クラウチ氏の狂気

日曜の朝食のあと、ハリー、ロン、ハーマイオニーはふくろう小屋に行き、パーシーに手紙を送った。シリウスの提案どおり、最近クラウチ氏を見かけたかどうかを尋ねる手紙だ。ヘドウィグにはずいぶん長いこと仕事を頼んでいなかったので、この手紙はヘドウィグにたくすことにした。ふくろう小屋の窓から、ヘドウィグの姿が見えなくなるまで見送ってから、三人は、ドビーに新しい靴下をプレゼントするために厨房(ちゅうぼう)まで下りていった。

屋敷しもべ妖精たちは、大はしゃぎで三人を迎え、おじぎしたり、ひざをちょっと折り曲げる宮廷風の挨拶をしたり、お茶を出そうと走り回ったりした。プレゼントを手にしたドビーは、うれしくて恍惚(こうこつ)状態だった。

「ハリー・ポッターはドビーにやさしすぎます！」

ドビーは巨大な目からこぼれる大粒の涙をぬぐいながら、キーキー言った。

「君の『エラ昆布』のおかげで、僕、命拾いした。ドビー、ほんとだよ」ハリーが言った。

「この前のエクレア、もうないかなぁ？」

ニッコリしたり、おじぎしたりしているしもべ妖精を見回しながら、ロンが言った。

「いま、朝食を食べたばかりでしょう！」

ハーマイオニーがあきれ顔で言った。しかしその時にはもう、エクレアの入った大きな銀の盆が、四人の妖精に支えられて、飛ぶようにこちらに向かって来るところだった。

「スナッフルズに何か少し送らなくちゃ」ハリーがつぶやいた。

「そうだよ」ロンが言った。

「ピッグにも仕事をさせよう。ねえ、少し食べ物を分けてくれるかなぁ？」

周りを囲んでいる妖精にそう言うと、みんな喜んでおじぎし、急いでまた食べ物を取りにいった。

「ドビー、ウィンキーはどこ？」ハーマイオニーがきょろきょろきょろした。

「ウィンキーは、暖炉のそばです。お嬢さま」

ドビーはそっと答えた。ドビーの耳が少し垂れ下がった。

「まあ……」

ウィンキーを見つけたハーマイオニーが声を上げた。

ハリーも暖炉のほうを見た。ウィンキーは前に見たのと同じ丸椅子に座っていたが、汚れ放題で、後ろの黒くすすけたれんがとすぐには見分けがつかなかった。洋服はぼろぼろで洗濯もしていない。バタービールの瓶を握り、暖炉の火を見つめて、わずかに体を揺らしている。ハリーたちが見ている間に、ウィンキーは大きく「ヒック」としゃくり上げた。

「ウィンキーはこのごろ一日六本も飲みます」ドビーがハリーにささやいた。

「でも、そんなに強くないよ、あれは」ハリーが言った。

しかしドビーは頭を振った。

「屋敷妖精には強すぎるのでございます」

ウィンキーがまたしゃっくりした。エクレアを運んできた妖精たちが、非難がましい目でウィンキーをにらみ、持ち場に戻った。

「ウィンキーは嘆き暮らしているのでございます。ハリー・ポッター」

ドビーが悲しそうにささやいた。

「ウィンキーは家に帰りたいのです。ウィンキーはいまでもクラウチ様をご主人だと思っているのでございます。ダンブルドア校長先生がいまのご主人様だと、ドビーがどんなに言っても聞かないのでございます」

「やあ、ウィンキー」

ハリーは突然ある考えがひらめき、ウィンキーに近づいて、腰をかがめて話しかけた。

「クラウチさんがどうしてるか知らないかな? 三校対抗試合の審査をしに来なくなっちゃったんだけど」

ウィンキーの目がチラチラッと光った。大きな瞳が、ぴたりとハリーをとらえた。もう一度ふらりと体を揺らしてから、ウィンキーが言った。

「ご——ご主人さまが——**ヒック**——来ない——来なくなった?」

「うん」ハリーが言った。

「第一の課題のときからずっと姿を見てない。『日刊予言者新聞』には病気だって書いてあるよ」

ウィンキーがまたふらふらっと体を揺らし、とろんとした目でハリーを見つめた。

「ご主人さま——**ヒック**——ご病気?」

ウィンキーの下唇がわなわな震えはじめた。

「だけど、ほんとうかどうか、私たちにはわからないのよ」

ハーマイオニーが急いで言った。

「ご主人さまには必要なのです——**ヒック**——このウィンキーが*!*」

妖精は涙声で言った。

「ご主人さまは——**ヒック**——一人では——**ヒック**——おできになりません……」

「ほかの人は、自分のことは自分でできるのよ、ウィンキー」

ハーマイオニーは厳しく言った。

「ウィンキーは——**ヒック**——ただ——**ヒック**——クラウチさまの家事だけをやっているのではありません！」

ウィンキーは怒ったようにキーキー叫び、体がもっと激しく揺れて、しみだらけになってしまったブラウスに、バタービールをぼとぼとこぼした。

「ご主人さまは——**ヒック**——ウィンキーを信じて、預けています——**ヒック**——一番大事な——**ヒック**——一番秘密の——」

「何を？」ハリーが聞いた。

しかしウィンキーは激しく頭を振り、またまたバタービールをこぼした。

「ウィンキーは守ります——**ヒック**——ご主人さまの秘密を」

反抗的にそう言うと、ウィンキーは、今度は激しく体を揺すり、寄り目でハリーをにらみつけた。

「あなたは——**ヒック**——おせっかいなのでございます。あなたは」

「ウィンキーはハリー・ポッターにそんな口をきいてはいけないのです！」

ドビーが怒った。

「ハリー・ポッターは勇敢で気高いのです。ハリー・ポッターはおせっかいではないのです！」

「あたしのご主人さまの——**ヒック**——秘密を——**ヒック**——のぞこうとしています——**ヒック**——ウィンキーはよい屋敷しもべです——**ヒック**——ウィンキーはだまります——**ヒック**——みんながいろいろ——**ヒック**——根掘り葉掘り——**ヒック**——」

ウィンキーのまぶたが垂れ下がり、突然丸椅子からずり落ちて、暖炉の前で大いびきをかきはじめた。

からになったバタービールの瓶が、石畳の床を転がった。

五、六人のしもべ妖精が、愛想が尽きたという顔で、急いで駆け寄った。一人が瓶を拾い、ほかの妖精がウィンキーを大きなチェックのテーブルクロスで覆い、端をきれいにたくし込んで、ウィンキーの姿が見えないようにした。

「お見苦しいところをお見せして、あたくしたちは申し訳なく思っていらっ、しゃい、ます、！」

すぐそばにいた一人の妖精が、頭を振り、恥ずかしそうな顔でキーキー言った。

「お嬢さま、お坊ちゃま方、ウィンキーを見て、あたくしたちみんながそうだと思わないようにお願いなさい、ます！」

「ウィンキーは不幸なのよ！」

ハーマイオニーが憤然として言った。

「隠したりせずに、どうして元気づけてあげないの？」

「お言葉を返しますが、お嬢さま」

同じしもべ妖精が、また深々とおじぎしながら言った。

「でも屋敷しもべ妖精は、やるべき仕事があり、お仕えするご主人がいるときに、不幸になる権利がありません」

「なんてばかげてるの！」ハーマイオニーが怒った。

「みんな、よく聞いて！　みんなは、魔法使いとまったく同じように、不幸になる権利があるの！　賃金や休暇、ちゃんとした服をもらう権利があるの。何もかも言われたとおりにしている必要はないわ――ドビーをごらんなさい！」

「お嬢さま、どうぞ、ドビーのことは別にしてくださいませ」

ドビーは怖くなったようにもごもご言った。厨房中のしもべ妖精の顔から、楽しそうな笑顔が消えていた。急にみんなが、ハーマイオニーをおかしな危険人物を見るような目で見ていた。

「食べ物を余分に持っていらっしゃいまし、いい」

ハリーのひじの所で、妖精がキーキー言った。そして、大きなハム、ケーキ一ダース、果物少々をハリーの腕に押しつけた。

「さようなら！」

屋敷しもべ妖精たちがハリー、ロン、ハーマイオニーの周りに群がって、三人を厨房から追い出しはじめた。たくさんの小さな手が三人の腰を押した。

「ソックス、ありがとうございました、ハリー・ポッター！」

ウィンキーをくるんで盛り上がっているテーブルクロスの脇に立って、ドビーが情けなさそうな声で言った。

「君って、どうしてだまってられないんだ？　ハーマイオニー？」

厨房の戸が背後でバタンと閉まったとたん、ロンが怒りだした。

「連中は、僕たちにもうここに来てほしくないと思ってるぞ！　ウィンキーからクラウチのことをもっと聞き出せたのに！」

「あら、まるでそれが気になってるみたいな言い方ね！」

ハーマイオニーが混ぜっ返した。

「食べ物に釣られてここに下りてきたいだけのくせに！」

そのあとはとげとげしい一日になった。談話室で、ロンとハーマイオニーが宿題をしながら口論に火花を散らすのを聞くのにつかれ、その晩ハリーは、シリウスへの食べ物を持って、一人でふくろう小屋に向かった。

ピッグウィジョンは小さすぎて、一羽では大きなハムをまるまる山まで運びきれないので、ハリーは、メンフクロウ二羽を介助役に頼むことにした。夕暮れの空に、三羽は飛び立った。一緒に大きな包みを運ぶ姿が、なんとも奇妙だった。

ハリーは窓枠にもたれて校庭を見ていた。禁じられた森の暗い梢(こずえ)がざわめき、ダームストラングの船の帆がはためいている。一羽のワシミミズクが、ハグリッドの小屋の煙突からくるくると立ち昇る煙をくぐり抜けて飛んできた。そして城のほうに舞い下り、ふくろう小屋の周りを旋回して姿を消した。見下ろすと、ハグリッドが小屋の前で、せっせと土を掘り起こしていた。何をしているのだろう。新しい野菜畑を作っているようにも見える。ハリーが見ていると、マダム・マクシームがボーバトンの馬車から現れ、ハグリッドのほうに歩いていった。ハグリッドと話したがっている様子だ。ハグリッドは鍬(くわ)に寄りかかって手を休めたが、長く話す気はなかったらしい。ほどなくマダム・マクシームは馬車に戻っていった。

グリフィンドール塔に戻って、ロンとハーマイオニーのいがみ合いを聞く気にはなれず、ハリーは闇がハグリッドの姿を飲み込んでしまうまで、その耕す姿を眺めていた。やがて周りのふくろうが目を覚ましはじめ、ハリーのそばを音もなく飛んで夜空に消え去った。

翌日の朝食までには、ロンとハーマイオニーの険悪なムードも燃え尽きたようだった。ハーマイオニーがしもべ妖精たちを侮辱したから、グリフィンドールの食事はお粗末なものが出る、というロンの暗い予想ははずれたので、ハリーはホッとした。ベーコン、卵、燻製(くんせい)ニシン、どれもいつものようにおいしかった。

伝書ふくろうが郵便を持ってやってくると、ハーマイオニーは熱心に見上げた。何かを待っているようだ。

「パーシーはまだ返事を書く時間がないよ」ロンが言った。

「きのうヘドウィグを送ったばかりだもの」

「そうじゃないの」ハーマイオニーが言った。

『日刊予言者新聞』を新しく購読予約したの。何もかもスリザリン生から聞かされるのは、もううんざりよ」

「いい考えだ！」

ハリーもふくろうたちを見上げた。

「あれっ、ハーマイオニー、君、ついてるかもしれないよ――」

灰色モリフクロウが、ハーマイオニーのほうにスイーッと舞い降りてきた。

「でも、新聞を持ってないわ」

ハーマイオニーががっかりしたように言った。

「これって――」

しかし、驚くハーマイオニーをよそに、灰色モリフクロウがハーマイオニーの皿の前に降り、そのすぐあとにメンフクロウが四羽、茶モリフクロウが二羽、続いて舞い降りた。

「いったい何部申し込んだの？」

ハリーはふくろうの群れにひっくり返されないよう、ハーマイオニーのゴブレットを押さえた。ふくろうたちは、自分の手紙を一番先に渡そうと、押し合いへし合いハーマイオニーに近づこうとしていた。

「いったいなんの騒ぎ――？」

ハーマイオニーは灰色モリフクロウから手紙をはずし、開けて読みはじめた。

「まあ、なんてことを！」

ハーマイオニーは顔を赤くし、急き込んで言った。

「どうした？」ロンが言った。

「これ――まったく、なんてバカな――」

ハーマイオニーは手紙をハリーに押しやった。手書きでなく、「日刊予言者新聞」を切り抜いたような文字が貼りつけてあった。

おまえは　わるい　おんなだ……ハリー・ポッターには　もっと　いい子が　ふさわしい　マグルよ戻れ　もと居た　ところへ

「みんなおんなじようなものだわ！」

次々と手紙を開けながら、ハーマイオニーがやりきれなさそうに言った。

「『ハリー・ポッターは、おまえみたいなやつよりもっとましな子を見つける……』『おまえなんか、カエルの卵と一緒にゆでてしまうのがいいんだ……』。**アイタッ！**」

最後の封筒を開けると、強烈な石油のにおいがする黄緑色の液体が噴き出し、ハーマイオニーの手にかかった。両手に大きな黄色い腫れ物がブツブツふくれ上がった。

「『腫れ草』の膿(うみ)の薄めてないやつだ！」

ロンが恐る恐る封筒を拾い上げてにおいをかぎながら言った。

「あー！」

ナプキンでふき取りながら、ハーマイオニーの目から涙がこぼれだした。指が腫れ物だらけで痛々しく、まるで分厚いボコボコの手袋をはめているようだ。

「医務室に行ったほうがいいよ」

ハーマイオニーの周りのふくろうが飛び立ったとき、ハリーが言った。

「スプラウト先生には、僕たちがそう言っておくから……」

「だから言ったんだ！」

ハーマイオニーが手をかばいながら急いで大広間から出ていくのを見ながら、ロンが言った。

「リータ・スキーターにはかまうなって、忠告したんだ！　これを見ろよ……」

ロンはハーマイオニーが置いていった手紙の一つを読み上げた。

『あんたのことは「週刊魔女」で読みましたよ。ハリーをだましてるって。あの子はもう充分につらい思いをしてきたのに。大きな封筒が見つかりしだい、次のふくろう便で呪いを送りますからね』。たいへんだ。ハーマイオニー、気をつけないといけないよ」

ハーマイオニーは薬草学の授業に出てこなかった。ハリーとロンが温室を出て魔法生物飼育学の授業に向かうとき、マルフォイ、クラッブ、ゴイルが城の石段を下りてくるのが見えた。その後ろで、パンジー・パーキンソンが、スリザリンの女子軍団と一緒にクスクス笑っている。ハリーを見つけると、パンジーが大声で言った。

「ポッター、ガールフレンドと別れちゃったの？　あの子、朝食のとき、どうしてあんなにあわててたの？」

ハリーは無視した。『週刊魔女』の記事がこんなにトラブルを引き起こしたなんて、パンジーに教えて、喜ばせるのはいやだった。

ハグリッドは先週の授業で、もうユニコーンはおしまいだと言っていたが、今日は小屋の外で、新しい、ふたなしの木箱をいくつか足元に置いて待っていた。木箱を見てハリーは気落ちした――まさかまたスクリュートが孵ったのでは？――しかし、中が見えるくらいに近づくと、そこには鼻の長い、ふわふわの黒い生き物が何匹もいるだけだった。前脚がまるで鍬のようにペタンと平たく、みんなに見つめられて、不思議そうに、おとなしく生徒たちを見上げて目をパチクリさせている。

「ニフラーだ」

みんなが集まるとハグリッドが言った。

「だいたい鉱山に棲んどるな。光るものが好きだ……ほれ、見てみろ」

一匹が突然飛び上がって、パンジー・パーキンソンの腕時計をかみ切ろうとした。パンジーが金切り声を上げて飛びのいた。

「宝探しにちょいと役立つぞ」

ハグリッドがうれしそうに言った。

「今日はこいつらで遊ぼうと思ってな。あそこが見えるか？」

ハグリッドは耕されたばかりの広い場所を指差した。ハリーがふくろう小屋から見ていたときにハグリッドが掘っていた所だ。

「金貨を何枚か埋めておいたからな。自分のニフラーに金貨を一番たくさん見つけさせた者にほうびをやろう。自分の貴重品ははずしておけ。そんでもって、自分のニフラーを選んで、放してやる準備をしろ」

ハリーは自分の腕時計をはずしてポケットに入れた。動いていない時計だが、ただ習慣ではめていたのだ。それからニフラーを一匹選んだ。ニフラーはハリーの耳に長い鼻をくっつけ、夢中でクンクンかいだ。抱きしめたいようなかわいさだ。

「ちょっと待て」木箱をのぞき込んでハグリッドが言った。

「一匹余っちょるぞ……誰がいない？　ハーマイオニーはどうした？」

「医務室に行かなきゃならなくて」ロンが言った。

「あとで説明するよ」

パンジー・パーキンソンが聞き耳を立てていたので、ハリーはボソボソと言った。

いままでの「魔法生物飼育学」で最高に楽しい授業だった。ニフラーは、まるで水に飛び込むようにやすやすと土の中にもぐり込み、這い出してては、自分を放してくれた生徒の所に大急ぎで駆け戻って、その手に金貨を吐き出した。ロンのニフラーが特に優秀で、ロンのひざはあっという間に金貨で埋まった。

「こいつら、ペットとして買えるのかな、ハグリッド？」

ニフラーが自分のローブに泥をはね返して飛び込むのを見ながら、ロンが興奮して言った。

「おふくろさんは喜ばねえぞ、ロン」

ハグリッドがニヤッと笑った。

「家の中を掘り返すからな、ニフラーってやつは。さーて、そろそろ全部掘り出したな」

ハグリッドはあたりを歩き回りながら言った。その間もニフラーはまだもぐり続けていた。

「金貨は百枚しか埋めとらん。おう、来たか、ハーマイオニー！」

ハーマイオニーが芝生を横切ってこちらに歩いてきた。両手を包帯でぐるぐる巻きにして、みじめな顔をしている。パンジー・パーキンソンが詮索するようにハーマイオニーを見た。

「さーて、どれだけ取れたか調べるか！」

ハグリッドが言った。

「金貨を数えろや！　そんでもって、盗んでもだめだぞ、ゴイル」

ハグリッドはコガネムシのような黒い目を細めた。

「レプラコーンの金貨だ。数時間で消えるわい」

ゴイルはぶすっとしてポケットをひっくり返した。結局、ロンのニフラーが、一番成績がよかった。ハグリッドは賞品として、ロンに「ハニーデュークス菓子店」の大きな板チョコを与えた。校庭のむこうで鐘が鳴り、昼食を知らせた。みんなは城に向かったが、ハリー、ロン、ハーマイオニーは残って、ハグリッドがニフラーを箱に入れるのを手伝った。マダム・マクシームが馬車の窓からこちらを見ているのに、ハリーは気がついた。

「手をどうした？　ハーマイオニー？」

ハグリッドが心配そうに聞いた。

ハーマイオニーは、今朝受け取ったいやがらせの手紙と、「腫れ草」の膿が詰まった封筒の事件を話した。

「あぁぁー、心配するな」

ハグリッドがハーマイオニーを見下ろしてやさしく言った。

「俺も、リータ・スキーターが俺のおふくろのことを書いたあとにな、そんな手紙だのなんだの、来たもんだ。『おまえは怪物だ。やられてしまえ』とか、『おまえの母親は罪もない人たちを殺した。恥を知って湖に飛び込め』とか」

「そんな！」

ハーマイオニーはショックを受けた顔をした。

「ほんとだ」

ハグリッドはニフラーの木箱をよいしょと小屋の壁際に運んだ。

「やつらは、頭がおかしいんだ。ハーマイオニー、また来るようだったら、もう開けるな。すぐ暖炉に放り込め」

「せっかくいい授業だったのに、残念だったね」

城に戻る道々、ハリーがハーマイオニーに言った。

「いいよね、ロン？　ニフラーってさ」

しかし、ロンは、顔をしかめてハグリッドがくれたチョコレートを見ていた。すっかり気分を害した様子だ。

「どうしたんだい？」ハリーが聞いた。「味が気に入らないの？」

「ううん」

ロンはぶっきらぼうに言った。

「金貨のこと、どうして話してくれなかったんだ？」

「なんの金貨？」ハリーが聞いた。

「クィディッチ・ワールドカップで僕が君にやった金貨さ」

ロンが答えた。

「『万眼鏡』のかわりに君にやった、レプラコーンの金貨。貴賓席で。あれが消えちゃったって、どうして言ってくれなかったんだ？」

ハリーはロンの言っていることがなんなのか、しばらく考えないとわからなかった。

「あぁ……」

やっと記憶が戻ってきた。

「さあ、どうしてか……なくなったことにちっとも気がつかなかった。杖のことばっかり心配してたから。そうだろ？」

三人は玄関ホールへの階段を上り、昼食をとりに大広間に入った。

「いいなぁ」

席に着き、ローストビーフとヨークシャー・プディングを取り分けながら、ロンが出し抜けに言った。

「ポケットいっぱいのガリオン金貨が消えたことにも気づかないぐらい、お金をたくさん持ってるなんて」

「あの晩は、ほかのことで頭がいっぱいだったんだって、そう言っただろ！」

ハリーはいらいらした。

「僕たち全員、そうだった。そうだろう？」

「レプラコーンの金貨が消えちゃうなんて、知らなかった」

ロンがつぶやいた。

「君に支払い済みだと思ってた。君、クリスマスプレゼントにチャドリー・キャノンズの帽子を僕にくれちゃいけなかったんだ」

「そんなこと、もういいじゃないか」ハリーが言った。

ロンはフォークの先で突き刺したローストポテトをにらみつけた。

「貧乏って、いやだな」

ハリーとハーマイオニーは顔を見合わせた。二人とも、なんと言っていいかわからなかった。

「みじめだよ」

ロンはポテトをにらみつけたままだった。

「フレッドやジョージが少しでもお金をかせごうとしてる気持ち、わかるよ。僕もかせげたらいいのに。

僕、ニフラーが欲しい」

「じゃあ、次のクリスマスにあなたにプレゼントするもの、決まったわね」

ハーマイオニーが明るく言った。ロンがまだ暗い顔をしているので、ハーマイオニーがまた言った。

「さあ、ロン、あなたなんか、まだいいほうよ。だいたい指が膿だらけじゃないだけましじゃない」

ハーマイオニーは指がこわばって腫れ上がり、ナイフとフォークを使うのに苦労していた。

「あのスキーターって女、**憎たらしい！**」

ハーマイオニーは腹立たしげに言った。

「何がなんでもこの仕返しはさせていただくわ！」


いやがらせメールはそれから一週間、とぎれることなくハーマイオニーに届いた。ハグリッドに言われたとおり、ハーマイオニーはもう開封しなかったが、いやがらせ屋の中には「吠（ほ）えメール」を送ってくる者もいた。グリフィンドールのテーブルでメールが爆発し、大広間全体に聞こえるような音でハーマイオニーを侮辱した。『週刊魔女』を読まなかった生徒でさえ、いまやハリー、クラム、ハーマイオニーのうわさの三角関係のすべてを知ることになった。ハリーは、ハーマイオニーはガールフレンドじゃないと訂正するのにうんざりしてきた。

「そのうち収まるよ」

ハリーがハーマイオニーに言った。

「僕たちが無視してさえいればね……前にあの女が僕のことを書いた記事だって、みんなあきてしまったし――」

「学校に出入り禁止になってるのに、どうして個人的な会話を立ち聞きできるのか、私、それが知りたいわ！」

ハーマイオニーは腹を立てていた。

次の「闇の魔術に対する防衛術」の授業で、ハーマイオニーはムーディ先生に何か質問するために教室に残った。ほかの生徒は早く教室から出たがった。ムーディが「呪いそらし」の厳しいテストをしたので、生徒の多くが軽い傷をさすっていた。ハリーは「耳ヒクヒク」の症状がひどく、両手で耳を押さえつけながら教室を出る始末だった。

ハーマイオニーは五分後に、玄関ホールで、息をはずませながらハリーとロンに追いついた。

「ねえ、リータは絶対、透明マントを使ってないわ！」

ハーマイオニーが、ハリーに聞こえるように、ハリーの片手をヒクヒク耳から引きはがしながら言った。

「ムーディは、第二の課題のとき、審査員席の近くであの女を見てないし、湖の近くでも見なかったって言ったわ！」

「ハーマイオニー、そんなことやめろって言ってもむだか？」ロンが言った。

「むだ！」

ハーマイオニーが頑固に言った。

「私がビクトールに話してたのを、あの女がどうやって聞いたのか、知りたいの！　それに、ハグリッドのお母さんのことをどうやって知ったのかもよ」

「もしかして、君に虫をつけたんじゃないかな」ハリーが言った。

「虫をつけた？」ロンがポカンとした。

「なんだい、それ……ハーマイオニーにノミでもくっつけるのか？」

ハリーは「虫」と呼ばれる盗聴マイクや録音装置について説明しはじめた。

ロンは夢中になって聞いたが、ハーマイオニーは話をさえぎった。

「二人とも、**いつになったら**『ホグワーツの歴史』を読むの？」

「そんな必要あるか？」ロンが言った。

「君が全部暗記してるもの。僕たちは君に聞けばいいじゃないか」

「マグルが魔法の代用品に使うものは——電気だとかコンピュータ、レーダー、そのほかいろいろだけど——ホグワーツでは全部めちゃめちゃ狂うの。空気中の魔法が強すぎるから。だから、ちがうわ。リータは盗聴の魔法を使ってるのよ。そうにちがいないわ……それがなんなのかつかめたらなぁ……うーん、それが非合法だったら、もうこっちのものだわ……」

「ほかにも心配することがたくさんあるだろ？」

ロンが言った。

「この上リータ・スキーターへの復讐劇までおっぱじめる必要があるのかい？」

「何も手伝ってくれなんて言ってないわ！」

ハーマイオニーがきっぱり言った。

「一人でやります！」

ハーマイオニーは大理石の階段を、振り返りもせずどんどん上っていった。ハリーは、図書館に行くにちがいないと思った。

「賭けようか？　あいつが『リータ・スキーター大嫌い』ってバッジの箱を持って戻ってくるかどうか」

ロンが言った。

しかし、ハーマイオニーはリータ・スキーターの復讐にハリーやロンの手を借りようとはしなかった。

二人にとってそれはありがたいことだった。何しろイースター休暇をひかえ、勉強の量が増える一方だったからだ。こんなにやることがあるのに、ハーマイオニーはその上どうやって盗聴の魔法を調べることができるのか、ハリーは正直、感心していた。宿題をこなすだけでもハリーは目いっぱいだったが、定期的に山の洞窟にいるシリウスに食べ物を送ることだけはやめなかった。去年の夏以来、ハリーは、いつも空腹だということがどんな状態なのかを忘れてはいなかった。ハリーはシリウスへのメモを同封して、何も異常なことは起きていないことや、パーシーからの返事をまだ待っていることなどを書いておいた。

ヘドウィグはイースター休暇が終わってからやっと戻ってきた。パーシーの返事は、ウィーズリーおばさんお手製のチョコレートでできた「イースター卵」の包みの中に入っていた。ハリーとロンの卵はドラゴンの卵ほど大きく、中には手作りのヌガーがぎっしり入っていた。しかし、ハーマイオニーの卵は鶏の卵より小さい。見たとたん、ハーマイオニーはがっかりした顔になった。

「あなたのお母さん、もしかしたら『週刊魔女』を読んでる？　ロン？」

ハーマイオニーが小さな声で聞いた。

「ああ」

口いっぱいにヌガーをほお張って、ロンが答えた。

「料理のページを見るのにね」

ハーマイオニーは悲しそうに小さなチョコレート卵を見た。

「パーシーがなんて書いてきたか、見たくない？」ハリーが急いで言った。

パーシーの手紙は短く、いらいらした調子だった。

「日刊予言者新聞」にもしょっちゅうそう言っているのだが、クラウチ氏は当然取るべき休暇を取っている。クラウチ氏は定期的にふくろう便で仕事の指示を送ってよこす。実際にお姿は見ていないが、私はまちがいなく自分の上司の筆跡を見分けることくらいできる。そもそも私はいま、仕事が手いっぱいで、ばかなうわさをもみ消しているひまはないくらいなのだ。よほど大切なこと以外で、私をわずらわせないでくれ。

ハッピー・イースター。

イースターが終わると夏学期が始まる。いつもならハリーは、シーズン最後のクィディッチ試合に備えて猛練習している時期だ。しかし、今年は三校対抗試合の最終課題があり、その準備が必要だ。もっとも、ハリーはどんな課題なのかをまだ知らなかった。五月の最後の週に、やっと、マクゴナガル先生が変身術の授業のあとでハリーを呼び止めた。

「ポッター、今夜九時にクィディッチ競技場に行きなさい。そこで、バグマンさんが第三の課題を代表選手に説明します」

そこで、夜の八時半、ハリーはロンやハーマイオニーと別れて、グリフィンドール塔をあとにし、階段を下りていった。玄関ホールを横切る途中、ハッフルパフの談話室から出てきたセドリックに会った。

「今度はなんだと思う？」

二人で石段を下りながら、セドリックがハリーに聞いた。外は曇り空だった。

「フラーは地下トンネルのことばかり話すんだ。宝探しをやらされると思ってるんだよ」

「それならいいけど」

ハグリッドからニフラーを借りて、自分のかわりに探させればいいとハリーは思った。

二人は暗い芝生を、クィディッチ競技場へと歩き、スタンドのすきまを通ってピッチに出た。

「いったい何をしたんだ？」

セドリックが憤慨してその場に立ちすくんだ。

平らでなめらかだったクィディッチ・ピッチが様変わりしている。誰かが、そこに、長い低い壁を張りめぐらせたようだ。壁は曲がりくねり、四方八方に入り組んでいる。

「生け垣だ！」

かがんで一番近くの壁を調べたハリーが言った。

「よう、よう！」元気な声がした。

ルード・バグマンがピッチの真ん中に立っていた。クラムとフラーもいる。ハリーとセドリックは、生け垣を乗り越え乗り越え、バグマンたちのほうに行った。だんだん近づくと、フラーがハリーに笑いかけた。湖からフラーの妹を助け出して以来、フラーのハリーに対する態度がまったく変わっていた。

「さあ、どう思うね？」

ハリーとセドリックが最後の垣根を乗り越えると、バグマンがうれしそうに言った。

「しっかり育ってるだろう？　あと一か月もすれば、ハグリッドが六メートルほどの高さにしてくれるはずだ。いや、心配ご無用」

ハリーとセドリックが気に入らないという顔をしているのを見て取って、バグマンがニコニコしながら言った。

「課題が終われば、クィディッチ・ピッチは元どおりにして返すよ　さて、私たちがここに何を作っているのか、想像できるかね？」

一瞬誰も何も言わなかった。そして――。

「迷路」クラムが唸るように言った。

「そのとおり！」

バグマンが言った。

「迷路だ。第三の課題は、極めて明快だ。迷路の中心に三校対抗優勝杯が置かれる。最初にその優勝杯に触れた者が満点だ」

「迷路をあやく抜けるだーけですか？」フラーが聞いた。

「障害物がある」

バグマンはうれしそうに、体をはずませながら言った。

「ハグリッドがいろんな生き物を置く……それに、いろいろ呪いを破らないと進めない……まあ、そんなとこだ。さて、これまでの成績でリードしている選手が先にスタートして迷路に入る」

バグマンがハリーとセドリックに向かってニッコリした。

「次にミスター・クラムが入る……それからミス・デラクールだ。しかし、全員に優勝のチャンスはある。障害物をどううまく切り抜けるか、それしだいだ。おもしろいだろう、え？」

ハグリッドがこういうイベントにどんな生き物を置きそうか、ハリーはよく知っている。とても「おもしろい」とは思えなかったが、ほかの代表選手と同じく、礼儀正しくうなずいた。

「よろしい……質問がなければ、城に戻るとしようか。少し冷えるようだ……」

みんなが育ちかけの迷路を抜けて外に出ようとすると、バグマンが急いでハリーに近づいてきた。バグマンがハリーに、助けてやろうとまた申し出るような感じがした。しかし、ちょうどその時、クラムがハリーの肩をたたいた。

「ちょっと話したいんだけど？」

「ああ、いいよ」ハリーはちょっと驚いた。

「ヴぉくと一緒に来てくれないか？」

「オッケー」ハリーはいったいなんだろうと思った。

バグマンは少し戸惑った表情だった。

「ハリー、ここで待っていようか？」

「いいえ、バグマンさん、大丈夫です」

ハリーは笑いをこらえて言った。

「ありがとうございます。でも、城には一人で帰れますから」

ハリーとクラムは一緒に競技場を出た。しかしクラムはダームストラングの船に戻る道はとらず、禁じられた森に向かって歩きだした。

「どうしてこっちのほうに行くんだい？」

ハグリッドの小屋や、照明に照らされたボーバトンの馬車を通り過ぎながら、ハリーが聞いた。

「盗み聞きされたくヴぁない」クラムが短く答えた。

ボーバトンの馬のパドックから少し離れた静かな空き地にたどり着くと、ようやくクラムは木陰で足を止め、ハリーのほうに顔を向けた。

「知りたいのだ」クラムがにらんだ。

「君とハーミー－オウン－ニニーの間にヴぁ、何かあるのか」

クラムの秘密めいたやり方からして、何かもっと深刻なことを予想していたハリーは、拍子抜けしてクラムをまじまじと見た。

「なんにもないよ」ハリーが答えた。

しかし、クラムはまだにらみつけている。なぜか、ハリーは、クラムがとても背が高いことに改めて気づき、説明をつけ足した。

「僕たち、友達だ。ハーマイオニーはいま、僕のガールフレンドじゃないし、これまで一度もそうだったことはない。スキーターって女がでっち上げただけだ」

「ハーミー‐オウン‐ニニーヴぁ、しょっちゅう君のことをヴぁ題にする」

クラムは疑うような目でハリーを見た。

「ああ。それは、**ともだち**だからさ」ハリーが言った。

国際的に有名なクィディッチの選手、ビクトール・クラムとこんな話をしていることが、ハリーにはなんだか信じられなかった。まるで、十八歳のクラムが、僕を同等に扱っているようじゃないか——ほんとうのライバルのように——。

「君たちヴぁ一度も……これまで一度も……」

「一度もない」ハリーはきっぱり答えた。

クラムは少し気が晴れたような顔をした。ハリーをじっと見つめ、それからこう言った。

「君ヴぁ飛ぶのがうまいな。第一の課題のとき、ヴぉく、見ていたよ」

「ありがとう」

ハリーはニッコリした。そして、急に自分も背が高くなったような気がした。

「僕、クィディッチ・ワールドカップで、君のこと見たよ。ウロンスキー・フェイント。君ってほんとうに——」

その時、クラムの背後の木立の中で、何かが動いた。禁じられた森にうごめくものについては、いささか経験のあるハリーは、本能的にクラムの腕をつかみ、くるりと体の向きを変えさせた。

「なんだ？」クラムが言った。

ハリーはわからないというふうに首を振り、動きの見えた場所をじっと見た。そしてローブに手をすべり込ませ、杖をつかんだ。

大きな樫の木の陰から、突然男が一人、よろよろと現れた。一瞬、ハリーには誰だかわからなかった……そして、気づいた。クラウチ氏だ。

クラウチ氏は何日も旅をしてきたように見えた。ローブのひざが破れ、血がにじんでいる。顔は傷だらけで、無精ひげが伸び、つかれきって灰色だ。きっちりと分けてあった髪も、口ひげも、ぼさぼさに伸び、汚れ放題だ。しかし、その奇妙な格好も、クラウチ氏の行動の奇妙さに比べればなんでもない。ブツブツ言いながら、身振り手振りで、クラウチ氏は自分にしか見えない誰かと話しているようだった。ダーズリーたちと一緒に買い物に行ったときに、一度見たことがある浮浪者を、ハリーはまざまざと思い出した。その浮浪者も、空に向かってわめき散らしていた。ペチュニアおばさんはダドリーの手をつかんで、道の反対側に引っ張っていき、浮浪者をさけようとした。そのあと、バーノンおじさんは、自分なら物乞いや浮浪者みたいなやつらをどう始末するか、家族全員に長々と説教したものだ。

「審査員の一人でヴぁないのか？」

クラムはクラウチ氏をじっと見た。

「あの人ヴぁ、こっちの魔法省の人だろう？」

ハリーはうなずいた。一瞬迷ったが、ハリーはそれから、ゆっくりとクラウチ氏に近づいた。クラウチ氏はハリーには目もくれず、近くの木に話し続けている。

「……それが終わったら、ウェーザビー、ダンブルドアにふくろう便を送って、試合に出席するダームストラングの生徒の数を確認してくれ。カルカロフがたったいま、十二人だと言ってきたところだが……」

「クラウチさん？」

ハリーは慎重に声をかけた。

「……それから、マダム・マクシームにもふくろう便を送るのだ。カルカロフが一ダースという切りのいい数にしたと知ったら、マダムのほうも生徒の数を増やしたいと言うかもしれない……そうしてくれ、ウェーザビー、頼んだぞ。頼ん……」

クラウチ氏の目が飛び出ていた。じっと木を見つめて立ったまま、声も出さず口だけもごもご動かして木に話しかけている。それからよろよろと脇にそれ、崩れ落ちるようにひざをついた。

「クラウチさん？」

ハリーが大声で呼んだ。

「大丈夫ですか？」

クラウチ氏の目がぐるぐる回っている。ハリーは振り返ってクラムを見た。クラムもハリーについて木立に入り、驚いてクラウチ氏を見下ろしていた。

「この人ヴぁ、いったいどうしたの？」

「わからない」ハリーがつぶやいた。

「君、誰かを連れてきてくれないか――」

「ダンブルドア！」

クラウチ氏があえいだ。手を伸ばし、ハリーのローブをぐっと握り、引き寄せた。しかし、その目はハリーの頭を通り越して、あらぬほうを見つめている。

「私は……会わなければ……ダンブルドアに……」

「いいですよ」ハリーが言った。

「立てますか、クラウチさん。一緒に行きます――」

「私は……ばかなことを……してしまった……」

クラウチ氏が低い声で言った。完全に様子がおかしい。目は飛び出し、ぐるぐる回り、よだれがひと筋、だらりとあごまで流れている。一言一言、言葉を発することさえ苦しそうだ。

「どうしても……話す……ダンブルドアに……」

「立ってください、クラウチさん」

ハリーは大声ではっきりと言った。

「立つんです。ダンブルドアの所へお連れします！」

クラウチ氏の目がぐるりと回ってハリーを見た。

「誰だ……君は？」ささやくような声だ。

「僕、この学校の生徒です」

ハリーは、助けを求めてクラムを振り返ったが、クラムは後ろに突っ立ったまま、ますます心配そうな顔をしているだけだった。

「君はまさか……**彼の？**」

クラウチ氏は口をだらりと開け、ささやくように言った。

「ちがいます」

ハリーはクラウチ氏が何を言っているのか見当もつかなかったが、そう答えた。

「ダンブルドアの？」

「そうです」ハリーが答えた。

クラウチ氏はハリーをもっと引き寄せた。ハリーはローブを握っているクラウチ氏の手をゆるめようとしたが、できなかった。恐ろしい力だった。

「警告を……ダンブルドアに……」

「放してくれたら、ダンブルドアを連れてきます。クラウチさん、放してください。そしたら連れてきますから……」

「ありがとう、ウェーザビー。それが終わったら、紅茶を一杯もらおうか。妻と息子がまもなくやってくるのでね。今夜はファッジご夫妻とコンサートに行くのだ」

クラウチ氏は再び木に向かって流暢に話しはじめた。ハリーがそこにいることなどまったく気づいていないようだ。ハリーはあんまり驚いたので、クラウチ氏が手を離したことにも気づかなかった。

「そうなんだよ。息子は最近『O・W・L試験』で十二科目もパスしてね。満足だよ。いや、ありがとう。いや、まったく鼻が高い。さてと、アンドラの魔法大臣のメモを持ってきてくれるかな。返事を書く時間ぐらいあるだろう……」

「君はこの人と一緒にここにいてくれ！」

ハリーはクラムに言った。

「僕がダンブルドアを連れてくる。僕が行くほうが早い。校長室がどこにあるかを知ってるから――」

「この人、狂ってる」

木をパーシーだと思い込んでいるらしく、べらべら木に話しかけているクラウチ氏を見下ろして、クラムはうさんくさそうに言った。

「一緒にいるだけだから」

ハリーは立ち上がりかけた。するとその動きに刺激されてか、クラウチ氏がまた急変した。ハリーのひざをつかみ、再び地べたに引きずり下ろしたのだ。

「私を……置いて……行かないで！」

ささやくような声だ。また目が飛び出している。

「逃げてきた……警告しないと……言わないと……ダンブルドアに会う……私のせいだ……みんな私のせいだ……バーサ……死んだ……みんな私のせいだ……息子……私のせいだ……ダンブルドアに言う……ハリー・ポッター……闇の帝王……より強くなった……ハリー・ポッター……」

「ダンブルドアを連れてきます。行かせてください。クラウチさん！」

ハリーは夢中でクラムを振り返った。

「手伝って。お願いだ」

クラムは恐る恐る近寄り、クラウチ氏の脇にしゃがんだ。

「ここで見ていてくれればいいから」

ハリーはクラウチ氏を振りほどきながら言った。

「ダンブルドアを連れて戻るよ」

「急いでくれよ？」

クラムが呼びかける声を背に、ハリーは禁じられた森を飛び出し、暗い校庭を抜けて全速力で走った。校庭にはもう誰もいない。バグマン、セドリック、フラーの姿もない。ハリーは飛ぶように石段を上がり、樫の木の正面扉を抜け、大理石の階段を上がって、三階へと疾走した。

五分後、ハリーは、三階の誰もいない廊下の中ほどに立つ、怪獣（ガーゴイル）の石像目がけて突進していた。

「レ――レモン・キャンディ！」

ハリーは息せき切って石像に叫んだ。

これがダンブルドアの部屋に通じる隠れた階段への合言葉だった――いや、少なくとも二年前まではそうだった。しかし、どうやら、合言葉は変わったらしい。石の怪獣は命を吹き込まれてピョンと飛びのくはずだったが、じっと動かず、意地の悪い目でハリーをにらむばかりだった。

「動け！」

ハリーは像に向かってどなった。

「頼むよ！」

しかし、ホグワーツでは、どなられたからといって動くものは一つもない。どうせだめだと、ハリーにはわかっていた。ハリーは暗い廊下を端から端まで見た。もしかしたら、ダンブルドアは職員室かな？　ハリーは階段に向かって全速力で駆けだした。

「**ポッター！**」

ハリーは急停止してあたりを見回した。

スネイプが石の怪獣の裏の隠れ階段から姿を現したところだった。スネイプがハリーに戻れと合図する間に、背後の壁がするすると閉まった。

「ここで何をしているのだ？　ポッター？」

「ダンブルドア先生にお目にかからないと！」

ハリーは廊下を駆け戻り、スネイプの前で急停止した。

「クラウチさんです……たったいま、現れたんです……禁じられた森にいます……クラウチさんの頼みで――」

「寝ぼけたことを」

スネイプの暗い目がギラギラ光った。

「なんの話だ？」

「クラウチさんです！」

ハリーは叫んだ。

「魔法省の！　あの人は病気か何かです——禁じられた森にいます。ダンブルドア先生に会いたがっています！　教えてください。そこの合言葉を——」

「校長は忙しいのだ。ポッター」

スネイプの薄い唇がゆがんで、不ゆかいな笑いが浮かんだ。

「ダンブルドア先生に伝えないといけないんです！」ハリーが大声で叫んだ。

「聞こえなかったのか？　ポッター？」

ハリーが必死になっているときに、ハリーの欲しいものを拒むのは、スネイプにとってこの上ない楽しみなのだと、ハリーにはわかった。

「スネイプ先生」

ハリーは腹が立った。

「クラウチさんは普通じゃありません——あの人は——あの人は正気じゃないんです——警告したいって、そう言ってるんです——」

スネイプの背後の石壁がするすると開いた。長い緑のローブを着て、少し物問いたげな表情で、ダンブルドアが立っていた。

「何か問題があるのかね？」

ダンブルドアがハリーとスネイプを見比べながら聞いた。

「先生！」

スネイプが口を開く前に、ハリーがスネイプの横に進み出た。

「クラウチさんがいるんです……禁じられた森です。ダンブルドア先生と話したがっています！」

ハリーはダンブルドアが何か質問するだろうと身がまえた。しかし、ダンブルドアはいっさい何も聞かなかった。ハリーはホッとした。

「案内するのじゃ」

ダンブルドアはすぐさまそう言うと、ハリーのあとからすべるように廊下を急いだ。あとに残されたスネイプが、怪獣の石像と並んで、怪獣の二倍も醜い顔で立っていた。

「クラウチ氏はなんと言ったのかね？　ハリー？」

大理石の階段をすばやく下りながら、ダンブルドアが聞いた。

「先生に警告したいと……ひどいことをやってきたとも言いました……息子さんのことも……それに、バーサ・ジョーキンズのこと……それに――それにヴォルデモートのこと……ヴォルデモートが強力になってきているとか……」

「なるほど」

ダンブルドアは足を速めた。二人は真っ暗闇の中へと急いだ。

「あの人の行動は普通じゃありません」

ハリーはダンブルドアと並んで急ぎながら言った。

「自分がどこにいるのかもわからない様子で、パーシー・ウィーズリーがその場にいるかのように話しかけてみたかと思えば、また急に変わって、ダンブルドア先生に会わなくちゃって言うんです……ビクトール・クラムを一緒に残してきました」

「残した？」

ダンブルドアの声が鋭くなり、いっそう大股に歩きはじめた。ハリーは遅れないよう、小走りになった。

「誰かほかにはクラウチ氏を見たかの？」

「いいえ」ハリーが答えた。

「僕、クラムと話をしていました。バグマンさんが僕たちに第三の課題について話をしたすぐあとで、僕たちだけが残って、それで、クラウチさんが森から出てきたのを見ました――」

「どこじゃ？」

「あっちです」

ボーバトンの馬車が暗闇から浮き出して見えてきたとき、ダンブルドアが聞いた。

ハリーはダンブルドアの前に立ち、木立の中を案内した。クラウチ氏の声はもう聞こえなかったが、ハリーはどこに行けばいいかわかっていた。ボーバトンの馬車からそう離れてはいなかった……どこかこのあたりだ……。

「ビクトール？」ハリーが大声で呼びかけた。

応えがない。

「ここにいたんです」

ハリーがダンブルドアに言った。

「絶対このあたりにいたんです……」

「**ルーモス、光よ**」

ダンブルドアが杖に灯(あか)りをともし、上にかざした。

細い光が地面を照らし、黒い木の幹を一本、また一本と照らし出した。そして、二本の足の上で光が止まった。

ハリーとダンブルドアが駆け寄った。クラムが地面に大の字に倒れている。意識がないらしい。クラウチ氏の影も形もない。ダンブルドアはクラムの上にかがみ込み、片方のまぶたをそっと開けた。

「『失神術』にかかっておる」

ダンブルドアは静かに言った。周りの木々を透かすように見回すダンブルドアの半月めがねが、杖灯りにキラリと光った。

「誰か呼んできましょうか？」ハリーが言った。

「マダム・ポンフリーを？」

「いや」ダンブルドアがすぐに答えた。「ここにおるのじゃ」

ダンブルドアは杖を宙に上げ、ハグリッドの小屋を指した。杖から何か銀色のものが飛び出し、半透明な鳥のゴーストのように、それは木々の間をすり抜け、飛び去った。それからダンブルドアは再びクラムの上にかがみ込み、杖をクラムに向けて唱えた。

「**リナベイト、蘇生せよ**」

クラムが目を開けた。ぼんやりしている。ダンブルドアを見ると、クラムは起き上がろうとした。しかし、ダンブルドアはクラムの肩を押さえ、横にならせた。

「あいつがヴぉくを襲った！」

クラムが頭を片手で押さえながらつぶやいた。

「あの狂った男がヴぉくを襲った！　ヴぉくが、ポッターはどこへ行ったかと振り返ったら、あいつが、後ろからヴぉくを襲った！」

「しばらくじっと横になっているがよい」ダンブルドアが言った。

雷のような足音が近づいてきた。ハグリッドがファングを従え、息せき切ってやってきた。石弓を背負っている。

「ダ、ダンブルドア先生さま！」

ハグリッドは目を大きく見開いた。

「ハリー――いってえ、これは――？」

「ハグリッド、カルカロフ校長を呼んできてくれんか」

ダンブルドアが言った。

「カルカロフの生徒が襲われたのじゃ。それがすんだら、ご苦労じゃが、ムーディ先生に警告を――」

「それにはおよばん、ダンブルドア」

ゼイゼイという唸り声がした。

「ここにおる」

ムーディがステッキにすがり、杖灯りをともし、足を引きずってやってきた。

「この足め」

ムーディが腹立たしげに言った。

「もっと早く来られたものを……何事だ？　スネイプが、クラウチがどうのと言っておったが――」

「クラウチ？」ハグリッドがポカンとした。

「カルカロフを早く、ハグリッド！」ダンブルドアの鋭い声が飛んだ。

「あ、へえ……わかりました、先生さま……」

そう言うなり、くるりと背を向け、ハグリッドは暗い木立の中に消えていった。ファングが駆け足であとに従った。

「バーティ・クラウチがどこに行ったのか、わからんのじゃが」

ダンブルドアがムーディに話しかけた。

「しかし、なんとしても探し出すことが大事じゃ」

「承知した」

ムーディは唸るようにそう言うと、杖をかまえなおし、足を引きずりながら禁じられた森へと去った。

それからしばらく、ダンブルドアもハリーも無言だった。やがて、紛れもなく、ハグリッドとファングの戻ってくる音がした。カルカロフがそのあとから急いでやってきた。なめらかなシルバーの毛皮をはおり、青ざめて、動揺しているように見えた。

「いったいこれは？」

クラムが地面に横たわり、ダンブルドアとハリーがそばにいるのを見て、カルカロフが叫んだ。

「これは何事だ？」

「ヴぉく、襲われました*！*」

クラムが今度は身を起こし、頭をさすった。

「クラウチ氏とかなんとかいう名前の――」

「クラウチが君を襲った？　**クラウチが**襲った？　対校試合の審査員が？」

「イゴール」

ダンブルドアが口を開いた。しかしカルカロフは身がまえ、激怒した様子で、毛皮をギュッと体に巻きつけた。

「裏切りだ*！*」

ダンブルドアを指差し、カルカロフがわめいた。

「罠だ！　君と魔法省とで、私をここにおびきよせるために、にせの口実を仕組んだな、ダンブルドア！　はじめから平等な試合ではないのだ！　最初は、年齢制限以下なのに、ポッターを試合にもぐり込ませた！　今度は魔法省の君の仲間の一人が、**私の**代表選手を動けなくしようとした！　何もかも裏取引と腐敗のにおいがするぞ、ダンブルドア。魔法使いの国際連携を深めるの、旧交を温めるの、昔の対立を水に流すのと、口先ばかりだ——**おまえなんか**、こうしてやる！」

カルカロフはダンブルドアの足元にペッとつばを吐いた。そのとたん、ハグリッドがあっという間にカルカロフの毛皮の胸ぐらをつかみ、宙吊りにしてそばの木にたたきつけた。

「謝れ！」

ハグリッドが唸った。ハグリッドの巨大な拳をのど元に突きつけられ、カルカロフは息が詰まり、両足は宙に浮いてぶらぶらしていた。

「ハグリッド、**やめるのじゃ！**」

ダンブルドアが叫んだ。目がピカリと光った。

ハグリッドはカルカロフを木に押しつけていた手を離した。カルカロフはずるずる木の幹に沿ってずり落ち、ぶざまに丸まって木の根元にドサリと落ちた。小枝や木の葉がバラバラとカルカロフの頭上に降りかかった。

「ご苦労じゃが、ハグリッド、ハリーを城まで送ってやってくれ」

ダンブルドアが鋭い口調で言った。

ハグリッドは息を荒らげ、カルカロフを恐ろしい顔でにらみつけた。

「俺は、ここにいたほうがいいんではねえでしょうか、校長先生さま……」

「ハリーを学校に連れていくのじゃ、ハグリッド」

ダンブルドアが、きっぱりとくり返した。

「まっすぐにグリフィンドール塔へ連れていくのじゃ。そして、ハリー――動くでないぞ。何かしたくとも――ふくろう便を送りたくとも――明日の朝まで待つのじゃ。わかったかな？」

「あの――はい」

ハリーはダンブルドアをじっと見た。たったいま、ピッグウィジョンをシリウスの所に送って、何が起こったかを知らせようと思っていたのに、ダンブルドアはどうしてそれがわかったんだろう？

「ファングを残していきますだ、校長先生さま」

ハグリッドがカルカロフを脅すようににらみつけながら言った。カルカロフは毛皮と木の根とにもつれて、まだ木の根元に伸びていた。

「ファング、ステイ。ハリー、行こう」

二人はだまったまま、ボーバトンの馬車を通り過ぎ、城に向かって歩いた。

「あいつ、よくも」

急ぎ足で湖を通り過ぎながら、ハグリッドが唸った。

「ダンブルドアを責めるなんて、よくも。そんなことをダンブルドアがしたみてえに。ダンブルドアが**おまえさんを**、はじめから試合に出したかったみてえに。心配なさってるんだ！　ここんとこ、ずっとだ。ダンブルドアがこんなに心配なさるのをいままでに見たことがねえ。それにおまえもおまえだ！」

ハグリッドが急にハリーに怒りを向けた。ハリーはびっくりしてハグリッドを見た。

「クラムみてえな野郎とほっつき歩いて、何しとったんだ？　やつはダームストラングだぞ、ハリー！　あそこでおまえさんに呪いをかけることもできただろうが。え？　ムーディから何も学ばんかったのか？　一人でのこのこやつにおびき出されるたあ――」

「クラムはそんな人じゃない！」

玄関ホールの石段を上りながら、ハリーが言った。

「僕に呪いをかけようとなんかしなかった。ただ、ハーマイオニーのことを話したかっただけなんだ――」

「ハーマイオニーとも少し話をせにゃならんな」

石段をドシンドシン踏みしめながら、ハグリッドが暗い顔をした。

「よそ者とはなるべくかかわらんほうがええ。そのほうが身のためだ。誰も信用できん」

「ハグリッドだって、マダム・マクシームと仲よくやってたじゃない」

ハリーはちょっとかんにさわった。

「あの女(ひと)の話は、もうせんでくれ！」

ハグリッドは一瞬怖い顔をした。

「もう腹は読めとる！　俺に取り入ろうとしちょる。第三の課題がなんなのか聞き出そうとしとる。へん！　あいつら、誰も信用できん！」

ハグリッドの機嫌が最悪だったので、「太った婦人(レディ)」の前でおやすみを言ったとき、ハリーはとてもホッとした。

肖像画の穴を這い上がって談話室に入ると、ハリーはまっすぐ、ロンとハーマイオニーのいる部屋の隅に急いだ。今夜の出来事を二人に話さなければ。

第29章　夢

「つまり、こういうことになるわね」

　ハーマイオニーが額をこすりながら言った。

「クラウチさんがビクトールを襲ったか、それとも、ビクトールがよそ見をしているときに、別の誰かが二人を襲ったかだわ」

「クラウチに決まってる」

　ロンがすかさず突っ込んだ。

「だから、ハリーとダンブルドアが現場に行ったときに、クラウチはいなかった。とんずらしたんだ」

「ちがうと思うな」ハリーが首を振った。

「クラウチはとっても弱っていたみたいだ――『姿くらまし』なんかもできなかったと思う」

「ホグワーツの敷地内では、『姿くらまし』は**できないの**。何度も言ったでしょ？」

　ハーマイオニーが言った。

「よーし……こんな説はどうだ」ロンが興奮しながら言った。

「クラムがクラウチを襲った――いや、ちょっと待って――それから自分自身に『失神術』をかけた！」

「そして、クラウチさんは蒸発した。そういうわけ？」ハーマイオニーが冷たく言い放った。

「ああ、そうか……」

　夜明けだった。ハリー、ロン、ハーマイオニーは朝早く、こっそり寮を抜け出し、シリウスに手紙を送るために、急いでふくろう小屋にやってきたところだった。いま、三人は朝靄（あさもや）の立ち込める校庭を眺めながら話をしていた。夜遅くまでクラウチ氏の話をしていたので、三人とも顔色が悪く、腫れぼったい目をしていた。

「ハリー、もう一回話してちょうだい」ハーマイオニーが言った。

「クラウチさんは、何をしゃべったの？」

「もう話しただろ。わけのわからないことだったって」ハリーが言った。

「ダンブルドアに何かを警告したいって言ってた。バーサ・ジョーキンズの名前ははっきり言った。もう死んでると思ってるらしいよ。何かが、自分のせいだって、何度もくり返してた……自分の息子のことを言った」

「そりゃ、**確かに**あの人のせいだわ」ハーマイオニーはつっけんどんに言った。

「あの人、正気じゃなかった」ハリーが言った。

「話の半分ぐらいは、奥さんと息子がまだ生きているつもりで話してたし、パーシーに仕事のことばかり話しかけて、命令していた」

「それと……『例のあの人』についてはなんて言ったんだっけ？」

ロンが聞きたいような、聞きたくないような言い方をした。

「もう話しただろ」

ハリーはのろのろとくり返した。

「より強くなっているって、そう言ってたんだ」

みんなだまり込んだ。

それから、ロンがから元気を振りしぼって言った。

「だけど、クラウチは正気じゃなかったんだ。そう言ってたよね。だから、半分ぐらいはたぶんうわ言さ……」

「ヴォルデモートのことをしゃべろうとしたときは、一番正気だったよ」

ハリーは、ロンがヴォルデモートの名前だけでぎくりとするのを無視した。

「言葉を二つつなぐことさえやっとだったのに、このことになると、自分がどこにいて何をしたいのかがわかってたみたいなんだ。ダンブルドアに会わなきゃって、それぱっかり言ってた」

ハリーは窓から目を離し、天井の垂木を見上げた。ふくろうのいない止まり木が多かった。ときどき一羽、また一羽と、夜の狩から戻ったふくろうが、ネズミをくわえてスイーッと窓から入ってきた。

「スネイプに邪魔されなけりゃ」ハリーは悔しそうに言った。「間に合ってたかもしれないのに。『校長は忙しいのだ、ポッター……寝ぼけたことを！』だってさ。邪魔せずにほっといてくれればよかったんだ」

「もしかしたら、君を現場に行かせたくなかったんだ！」

ロンが急き込んで言った。

「たぶん――待てよ――スネイプが禁じられた森に行くとしたら、どのくらい早く行けたと思う？　君やダンブルドアを追い抜けたと思うか？」

「コウモリか何かに変身しないと無理だ」ハリーが言った。

「それもありだな」ロンがつぶやいた。

「ムーディ先生に会わなきゃ」ハーマイオニーが言った。

「クラウチさんを見つけたかどうか、確かめなきゃ」

「ムーディがあの時『忍びの地図』を持っていたら、簡単だったろうけど」ハリーが言った。

「ただし、クラウチが校庭から外に出てしまっていなければだけどな」ロンが言った。

「だって、あれは学校の境界線の中しか見せてくれないはずだし――」

「シッ！」

突然ハーマイオニーが制した。

階段を上がって誰かがふくろう小屋に来る。ハリーの耳に、二人で口論する声がだんだん近づいてくるのが聞こえた。

「――脅迫だよ、それは。それじゃ、面倒なことになるかもしれないぜ――」

「――これまでは行儀よくやってきたんだ。もう汚い手に出る時だ。やつとおんなじに。やつは、自分のやったことを、魔法省に知られたくないだろうから――」

「それを書いたら、脅迫状になるって、そう言ってるんだよ！」

「そうさ。だけど、そのおかげでどっさりおいしい見返りがあるなら、おまえだって文句はないだろう？」

ふくろう小屋の戸がバーンと開き、フレッドとジョージが敷居をまたいで入ってきた。そして、ハリー、ロン、ハーマイオニーを見つけ、その場に凍りついた。

「こんなとこで何してるんだ？」ロンとフレッドが同時に叫んだ。

「ふくろう便を出しに」ハリーとジョージが同時に答えた。

「え？　こんな時間に？」ハーマイオニーとフレッドが言った。

フレッドがニヤッとした。

「いいさ――君たちが何も聞かなけりゃ、俺たちも君たちが何しているか聞かないことにしよう」

フレッドは封書を手に持っていた。ハリーがちらりと見ると、フレッドは偶然か、わざとか、手をもぞもぞさせて宛名を隠した。

「さあ、みなさんをお引きとめはいたしませんよ」

フレッドが出口を指差しながら、おどけたようにおじぎした。

ロンは動かなかった。

「誰を脅迫するんだい？」ロンが聞いた。

フレッドの顔からニヤリが消えた。ハリーが見ていると、ジョージがちらっとフレッドを横目で見て、それからロンに笑いかけた。

「バカ言うな。単なる冗談さ」ジョージがなんでもなさそうに言った。

「そうは聞こえなかったぞ」ロンが言った。

フレッドとジョージが顔を見合わせた。

それから、ふいにフレッドが言った。

「前にも言ったけどな、ロン、鼻の形を変えたくなかったら、引っ込んでろ。もっとも鼻の形は変えたほうがいいかもしれないけどな――」

「誰かを脅迫しようとしてるなら、僕にだって関係があるんだ」

ロンが言った。

「ジョージの言うとおりだよ。そんなことしたら、すごく面倒なことになるかもしれないぞ」

「冗談だって、言ったじゃないか」ジョージが言った。

ジョージはフレッドの手から手紙をもぎ取り、一番近くにいたメンフクロウの脚にくくりつけはじめた。

「おまえ、少しあのなつかしの兄貴に似てきたぞ、ロン。そのままいけば、おまえも監督生になれる」

「そんなのになるもんか！」ロンが熱くなった。

ジョージはメンフクロウを窓際に連れていって、飛び立たせた。

そして、振り返ってロンにニヤッと笑いかけた。

「そうか、それなら他人に何しろかにしろと、うるさく言うな。じゃあな」

フレッドとジョージはふくろう小屋を出ていった。ハリー、ロン、ハーマイオニーは互いに顔を見合わせた。

「あの二人、何か知ってるのかしら?」ハーマイオニーがささやいた。

「クラウチのこととか、いろいろ」

「いいや」ハリーが言った。

「それぐらい深刻なことなら、二人とも誰かに話してるはずだ。ダンブルドアに話すだろう」

しかし、ロンはなんだか落ち着かない。

「どうしたの?」ハーマイオニーが聞いた。

「あのさ……」

ロンが言いにくそうに言った。

「あの二人が誰かに話すかどうか、僕、わかんない。あの二人……あの二人、最近金もうけに取り憑かれてるんだ。僕、あの連中にくっついて歩いていたときにそのことに気づいたんだ――ほら、あの時だよ――ほら――」

「僕たちが口をきかなかったときだね」

ハリーがロンのかわりに言った。

「わかったよ。だけど、脅迫なんて……」

「あの『いたずら専門店』のことさ」ロンが言った。

「僕、あの二人が、ママを困らせるために店のことを言ってるんだと思ってた。そしたら、真剣なんだよ。二人で店を始めたいんだ。ホグワーツ卒業まであと一年しかないし、将来のことを考える時だって。パパは二人を援助することができないし、だから二人は、店を始めるのに金貨が必要だって、いつもそう言ってるんだ」

今度はハーマイオニーが落ち着かなくなった。

「そう。でも……あの二人は、金貨のために法律に反するようなことしないでしょう？」

「しないかなぁ」

ロンが疑わしそうに言った。

「わかんない……規則破りを気にするような二人じゃないだろ？」

「そうだけど、今度は**法律**なのよ」

ハーマイオニーは恐ろしそうに言った。

「ばかげた校則とはちがうわ……脅迫したら、居残り罰じゃすまないわよ！　ロン……パーシーに言ったほうがいいんじゃないかしら……」

「正気か？」ロンが言った。

「パーシーに言う？　あいつ、クラウチとおんなじように、弟を突き出すぜ」

ロンはフレッドとジョージがふくろうを放った窓をじっと見た。

「さあ、行こうか。朝食だ」

「ムーディ先生にお目にかかるのには早すぎると思う？」

螺旋（らせん）階段を下りながら、ハーマイオニーが言った。

「うん」ハリーが答えた。「こんな夜明けに起こしたら、僕たちドアごと吹っ飛ばされると思うな。

ムーディの寝込みを襲ったと思われちゃうよ。休み時間まで待ったほうがいい」

魔法史の授業がこんなにのろのろ感じられるのもめずらしかった。ハリーは自分の腕時計をついに捨ててしまったので、ロンの腕時計をのぞき込んでばかりいた。しかしロンの時計の進みがあまりに遅いので、きっとこれも壊れているにちがいないと思った。三人ともつかれはてていたので、机に頭をのせたら、気持ちよく眠り込んでしまっただろう。ハーマイオニーでさえ、いつものようにノートを取る様子もなく、片手で頭を支え、ビンズ先生をとろんとした目で見つめているだけだった。

やっと終業のベルが鳴ると、三人は廊下に飛び出し、「闇の魔術」の教室に急いだ。ムーディは教室から出るところだった。ムーディも、三人と同じようにつかれた様子だった。普通の目のまぶたが垂れ下がり、いつもに増してひん曲がった顔に見えた。

「ムーディ先生？」

生徒たちをかき分けてムーディに近づきながら、ハリーが呼びかけた。

「おお、ポッター」

ムーディが唸（うな）った。「魔法の目」が、通り過ぎていく二、三人の一年生を追っていた。一年生はびくびくしながら足を速めて通り過ぎた。「魔法の目」が、背後を見るようにひっくり返り、一年生が角を曲がるのを見届け、それからムーディが口を開いた。

「こっちへ来い」

ムーディは少し後ろに下がって、からになった教室に三人を招じ入れ、そのあとで自分も入ってドアを閉めた。

「見つけたのですか？」

ハリーは前置きなしに聞いた。

「クラウチさんを？」

「いや」

そう言うと、ムーディは自分の机まで行って腰かけ、小さくうめきながら義足を伸ばし、携帯用酒瓶を引っ張り出した。

「あの地図を使いましたか？」ハリーが聞いた。

「もちろんだ」

ムーディは酒瓶を口にしてぐいと飲んだ。

「おまえのまねをしてな、ポッター。『呼び寄せ呪文』でわしの部屋から禁じられた森まで、地図を呼び出した。クラウチは地図のどこにもいなかった」

「それじゃ、**やっぱり**『姿くらまし』術？」ロンが言った。

「**ロン！　学校の敷地内では、『姿くらまし』はできないの！**」ハーマイオニーが言った。

「消えるには、何かほかの方法があるんですね？　先生？」

ムーディの「魔法の目」が、ハーマイオニーを見すえて、笑うように震えた。

「おまえもプロの闇祓い（やみばらい）になることを考えてもよい一人だな」

ムーディが言った。

「グレンジャー、考えることが筋道立っておる」

ハーマイオニーがうれしそうにほおを赤らめた。

「うーん、クラウチは透明ではなかったし」

ハリーが言った。

「あの地図は透明でも現れます。それじゃ、きっと学校の敷地から出てしまったのでしょう」

「だけど、自分一人の力で？」

ハーマイオニーの声に熱がこもった。

「それとも、誰かがそうさせたのかしら？」

「そうだ。誰かがやったかも――箒に乗せて、一緒に飛んでいった。ちがうかな？」

ロンは急いでそう言うと、期待のこもった目でムーディを見た。自分も闇祓いの素質があると言ってもらいたそうな顔だった。

「さらわれた可能性は皆無ではない」ムーディが唸った。

「じゃ」ロンが続けた。「クラウチはホグズミードのどこかにいると？」

「どこにいてもおかしくはないが」

ムーディが頭を振った。

「確実なのは、ここにはいないということだ」

ムーディは大きなあくびをした。傷痕が引っ張られて伸びた。ひん曲がった口の中で、歯が数本欠けているのが見えた。

「さーて、ダンブルドアが言っておったが、おまえたち三人は探偵ごっこをしておるようだな。クラウチはおまえたちの手には負えん。魔法省が捜索に乗り出すだろう。ダンブルドアが知らせたのでな。ポッター、おまえは第三の課題に集中することだ」

「え？」ハリーは不意をつかれた。「ああ、ええ……」

あの迷路のことは、昨夜クラムと一緒にあの場を離れてから一度も考えなかった。

「お手の物だろう、これは」

ムーディは傷だらけの無精ひげの生えたあごをさすりながら、ハリーを見上げた。

「ダンブルドアの話では、おまえはこの手のものは何度もやってのけたらしいな。一年生のとき、賢者の石を守る障害の数々を破ったとか。そうだろうが？」

「僕たちが手伝ったんだ」ロンが急いで言った。「僕とハーマイオニーが手伝った」

ムーディがニヤリと笑った。

「ふむ。今度のも練習を手伝うがよい。今度はポッターが勝って当然だ。当面は……ポッター、警戒をおこたるな。油断大敵だ」

ムーディは携帯用酒瓶からまたぐいーっと大きくひと飲みし、「魔法の目」を窓のほうにくるりと回した。ダームストラング船の一番上の帆が窓から見えていた。

「おまえたち二人は」――ムーディの普通の目がロンとハーマイオニーを見ていた――「ポッターから離れるでないぞ。いいか？　わしも目を光らせているが、それにしてもだ……警戒の目は多すぎて困るということはない」


翌朝には、シリウスが同じふくろうで返事をよこした。ハリーのそばにそのふくろうが舞い降りると同時に、モリフクロウが一羽、くちばしに「日刊予言者新聞」をくわえて、ハーマイオニーの前に降りてきた。新聞の最初の二、三面を斜め読みしたハーマイオニーが「フン！　あの女、クラウチのことはまだかぎつけてないわ！」と言った。それから、ロン、ハリーと一緒に、シリウスがおとといの夜の不可思議な事件について、なんと言ってきたのかを読んだ。

ハリー――いったい何を考えているんだ？　ビクトール・クラムと一緒に禁じられた森に入るな

んて。誰かと夜に出歩くなんて、二度としないと返事のふくろう便で約束してくれ。ホグワーツには、誰か極めて危険な人物がいる。クラウチがダンブルドアに会うのを、そいつが止めようとしたのは明らかだ。そいつは、暗闇の中で、君のすぐ近くにいたはずだ。殺されていたかもしれないのだぞ。

君の名前が「炎のゴブレット」に入っていたのも、偶然ではない。誰かが君を襲おうとしているなら、これからが最後のチャンスだ。ロンやハーマイオニーから離れるな。夜にグリフィンドール塔から出るな。そして、第三の課題のために準備するのだ。「失神呪文」「武装解除呪文」を練習すること。呪いをいくつか覚えておいても損はない。クラウチに関しては、君の出る幕ではない。おとなしくして、自分のことだけを考えるのだ。もう変な所へ出ていかないと、約束の手紙を送ってくれ。待っている。

シリウスより

「変な所に行くなって、僕に説教する資格がある？」

ハリーは少し腹を立てながらシリウスの手紙を折りたたんでローブにしまった。

「学校時代に自分がやったことを棚に上げて！」

「あなたのことを心配してるんじゃない！」

ハーマイオニーが厳しい声で言った。

「ムーディもハグリッドもそうよ！　ちゃんと言うことを聞きなさい！」

「この一年、誰も僕を襲おうとしてないよ」ハリーが言った。

「誰も、なーんにもしやしない――」

「あなたの名前を『炎のゴブレット』に入れた以外はね」

ハーマイオニーが言った。

「それに、ちゃんと理由があってそうしたにちがいないのよ、ハリー。スナッフルズが正しいわ。きっとやつは時を待ってるんだわ。たぶん、今度の課題であなたに手を下すつもりよ」

「いいかい」ハリーはいらいらと言った。

「スナッフルズが正しいとするよ。誰かがクラムに『失神呪文』をかけて、クラウチをさらったとするよ。なら、そいつは僕らの近くの木陰に**いたはずだ**。そうだろう？　だけど僕がいなくなるまで何もしなかった。そうじゃないか？　だったら、僕がねらいってわけじゃないだろう？」

「禁じられた森であなたを殺したら、事故に見せかけることができないじゃない！」

ハーマイオニーが言った。

「だけど、もしあなたが課題の最中に死んだら――」

「クラムのことは平気で襲ったじゃないか」

ハリーが言い返した。

「僕のことも一緒に消しちゃえばよかっただろ？　クラムと僕が決闘かなんかしたように見せかけることもできたのに」

「ハリー、私にもわからないのよ」

ハーマイオニーが弱りはてたように言った。

「おかしなことがたくさん起こっていることだけはわかってる。それが気に入らないわ……ムーディは正しい――スナッフルズも正しい――あなたはすぐにでも第三の課題のトレーニングを始めるべきだわ。それに、すぐにスナッフルズに返事を書いて、二度と一人で抜け出したりしないと約束しなきゃ」

城の中にこもっていなければならないとなると、ホグワーツの校庭はますます強く誘いかけてくるようだった。二、三日は、ハリーもハーマイオニーやロンと図書館に行って呪いを探したり、からっぽの教室に三人で忍び込んで練習をしたりして自由時間を過ごした。ハリーはこれまで使ったことのない「失神呪文」に集中していた。困ったことには、練習をすると、ロンかハーマイオニーがある程度犠牲になるのだった。

「ミセス・ノリスをさらってこれないか？」

月曜の昼食時に、呪文学の教室に大の字になって倒れたまま、ロンが提案した。五回連続で「失神呪文」にかけられ、ハリーに目をさまさせられた直後のことだ。

「ちょっとあいつに『失神術』をかけてやろうよ。じゃなきゃ、ハリー、ドビーを使えばいい。君のためならなんでもすると思うよ。僕、文句を言ってるわけじゃないけどさ」――ロンは尻をさすりながらそろそろと立ち上がった――「だけど、あっちこっち痛くて……」

「だって、あなた、クッションの所に倒れないんだもの！」

ハーマイオニーがもどかしそうに言いながら、クッションの山を並べなおした。「追い払い呪文」の練習に使ったクッションを、フリットウィック先生が戸棚に入れたままにしておいたのだ。

「後ろにばったり倒れなさいよ」

「『失神』させられたら、ハーマイオニー、ねらい定めて倒れられるかよ！」

ロンが怒った。

「今度は君がやれば？」

「いずれにしても、ハリーはもうコツをつかんだと思うわ」

ハーマイオニーがあわてて言った。

「それに、『武装解除』のほうは心配ないわ。ハリーはずいぶん前からこれを使ってるし……今夜はここにある呪いのどれかに取りかかったほうがいいわね」

ハーマイオニーは、図書館で三人で作ったリストを眺めた。

「この呪いなんかよさそうだわ。『妨害の呪い』。あなたを襲うもののスピードを遅くします。ハリー、この呪いから始めましょう」

ベルが鳴った。三人はフリットウィック先生の戸棚に急いでクッションを押し込み、そっと教室を抜け出した。

「それじゃ、夕食のときにね！」

ハーマイオニーはそう言うと数占いの授業に行った。ハリーとロンは北塔の占い学の教室に向かった。金色のまぶしい日光が高窓から射し込み、廊下に太い縞模様を描いていた。空はエナメルを塗ったかのように、明るいブルー一色だった。

「トレローニーの部屋は蒸し風呂だぞ。あの暖炉の火を消したことがないからな」

天井の跳ね戸の下に伸びる銀のはしごに向かって、階段を上りながらロンが言った。

そのとおりだった。ぼんやりと灯りのともった部屋はうだるような暑さだった。香料入りの火から立ち昇る香気はいつもより強く、ハリーは頭がくらくらしながら、カーテンを閉めきった窓に向かって歩いていった。トレローニー先生がランプに引っかかったショールをはずすのにむこうを向いたすきに、ハリーはほんのわずか窓を開け、チンツ張りのひじかけ椅子に背をもたせ、そよ風が顔の回りをなでるようにした。とても心地よかった。

「みなさま」

トレローニー先生は、ヘッドレストつきのひじかけ椅子に座り、生徒と向き合い、めがねで奇妙に拡大された目でぐるりとみんなを見回した。

「星座占いはもうほとんど終わりました。ただし、今日は、火星の位置がとても興味深い所にございましてね。その支配力を調べるのにはすばらしい機会ですの。こちらをごらんあそばせ。灯りを落としますわ……」

先生が杖を振ると、ランプが消えた。暖炉の火だけが明るかった。トレローニー先生はかがんで、自分の椅子の下から、ガラスのドームに入った、太陽系のミニチュア模型を取り上げた。それは美しいものだった。九個の惑星の周りにはそれぞれの月が輝き、燃えるような太陽があり、その全部が、ガラスの中にぽっかりと浮いている。トレローニー先生が、火星と海王星がほれぼれするような角度を構成していると説明しはじめたのを、ハリーはぼんやりと眺めていた。むっとするような香気が押し寄せ、窓からのそよ風が顔をなでた。どこかカーテンの陰で、虫がやさしく鳴いているのが聞こえた。ハリーのまぶたが重くなってきた……。

ハリーはワシミミズクの背に乗って、澄みきったブルーの空高く舞い上がり、高い丘の上に立つ蔦のからんだ古い屋敷へと向かっていた。だんだん低く飛ぶと、心地よい風がハリーの顔をなでた。そしてハリーは、館の上の階の暗い破れた窓にたどり着き、中に入った。いま、ハリーとワシミミズクは、一番奥の部屋を目指して、薄暗い廊下を飛んでいる……ドアから暗い部屋に入ると、部屋の窓は板が打ちつけてあった……。

ハリーはワシミミズクから降りた……ワシミミズクが部屋を横切り、ハリーに背を向けた椅子のほうへと飛んでいくのを、ハリーは見ていた……椅子のそばの床に、二つの黒い影が見える……二つの影がうごめいている……。

一つは巨大な蛇……もう一つは男……はげかけた頭、薄い水色の目、とがった鼻の小男だ……男は暖炉マットの上で、ゼイゼイ声を上げ、すすり泣いている……。

「**ワームテール、貴様は運のいいやつよ**」

冷たい、かん高い声が、ワシミミズクのとまったひじかけ椅子の奥のほうから聞こえた。

「まったく運のいいやつよ。貴様はしくじったが、すべてがだいなしにはならなかった。やつは死んだ」

「ご主人様！」床に平伏した男があえいだ。

「ご主人様。わたくしめは……わたくしめは、まことにうれしゅうございます……まことに申し訳なく……」

「ナギニ」冷たい声が言った。

「おまえは運が悪い。結局、ワームテールをおまえの餌食にはしない……しかし、心配するな。よいか……まだ、ハリー・ポッターがおるわ……」

蛇はシューッシューッと音を出した。舌がチロチロするのを、ハリーは見た。

「さて、ワームテールよ」冷たい声が言った。

「おまえの失態はもう二度と許さん。そのわけを、もう一度おまえの体に覚えさせよう」

「ご主人様……どうか……お許しを……」

椅子の奥のほうから杖の先端が出てきた。ワームテールに向けられている。

「**クルーシオ、苦しめ**」冷たい声が言った。

ワームテールは悲鳴を上げた。体中の神経が燃えているような悲鳴だ。悲鳴がハリーの耳をつんざき、額の傷が焼きごてを当てられたように痛んだ。ハリーも叫んでいた……。ヴォルデモートが聞いたら、ハリーがそこにいることに気づかれてしまう……。

「ハリー！　**ハリー！**」

ハリーは目を開けた。ハリーは、両手で顔を覆い、トレローニー先生の教室の床に倒れていた。傷痕がまだひどく痛み、目がうるんでいる。痛みは夢ではなかった。クラス全員がハリーを囲んで立っていた。ロンはすぐそばにひざをつき、恐怖の色を浮かべていた。

「大丈夫か？」ロンが聞いた。

「大丈夫なはずありませんわ！」

トレローニー先生は興奮しきっていた。大きな目がハリーに近づき、じっとのぞき込んだ。

「ポッター、どうなさったの？　不吉な予兆？　亡霊？　何が見えましたの？」

「なんにも」

ハリーはうそをついて、身を起こした。自分が震えているのがわかった。周りを見回し、自分の後ろの暗がりを振り返らずにはいられなかった。ヴォルデモートの声があれほど間近に聞こえていた……。

「あなたは自分の傷をしっかり押さえていました！」

トレローニー先生が言った。

「傷を押さえつけて、床を転げ回ったのですよ！　さあ、ポッター、こういうことには、あたくし、経験がありましてよ！」

ハリーは先生を見上げた。

「医務室に行ったほうがいいと思います」ハリーが言った。「ひどい頭痛がします」

「まあ。あなたはまちがいなく、あたくしの部屋の、透視霊気の強さに刺激を受けたのですわ！」

トレローニー先生が言った。

「いまここを出ていけば、せっかくの機会を失いますわよ。これまでに見たことのないほどの透視――」

「頭痛の治療薬以外には何も見たくありません」ハリーが言った。

ハリーが立ち上がった。クラス中が、たじたじとあとずさりした。

「じゃ、あとでね」

ロンにそうささやき、ハリーは鞄(かばん)を取り、トレローニー先生には目もくれず、跳ね戸へと向かった。先生はせっかくのごちそうを食べそこねたような、欲求不満の顔をしていた。

教室から伸びるはしごの一番下まで下りたハリーは、しかし、医務室へは行かなかった。行くつもりははじめからなかった。また傷痕が痛んだらどうすべきか、シリウスが教えてくれていた。ハリーはそれに従うつもりだった。まっすぐにダンブルドアの校長室に行くのだ。夢に見たことを考えながら、ハリーは廊下をただ一心に歩いた……プリベット通りで目が覚めたときの夢と同じように、今度の夢も生々しかった……ハリーは頭の中で夢の細かいところまで思い返し、忘れないようにした……ヴォルデモートがワームテールのしくじりを責めているのを聞いた……しかし、ワシミミズクはいい知らせを持っていったのだ。へまはつくろわれ、誰かが死んだ……それで、ワームテールは蛇の餌食にならずにすんだ……そのかわり、僕が蛇の餌食になる……。

ダンブルドアの部屋への入口を守る怪獣(ガーゴイル)の石像を、ハリーはうっかり通り過ぎてしまった。ハッとして、あたりを見回し、自分が何をしてしまったかに気づいて、ハリーはあと戻りした。石像の前に立つと、ハリーは合言葉を知らなかったことを思い出した。

「レモン・キャンディ？」だめかな、と思いながら言ってみた。

怪獣像はピクリともしない。

「よーし」ハリーは石像をにらんだ。

「梨飴（あめ）。えーと、杖形甘草飴。フィフィ・フィズビー。どんどんふくらむドルーブルの風船ガム。バーティ・ボッツの百味ビーンズ……あ、ちがったかな。ダンブルドアはこれ、嫌いだったっけ？……えーい、開いてくれよ。だめ？」

ハリーは怒った。

「どうしてもダンブルドアに会わなきゃならないんだ。緊急なんだ！」

怪獣像は不動の姿勢だ。

ハリーは石像を蹴飛ばした。足の親指が死ぬほど痛かっただけだった。

「蛙（かえる）チョコレート！」

ハリーは片足だけで立って、腹を立てながら叫んだ。

「砂糖羽根ペン！　**ゴキブリゴソゴソ豆板！**」

怪獣像に命が吹き込まれ、脇に飛びのいた。ハリーは目をパチクリした。

「ゴキブリゴソゴソ豆板？」

ハリーは驚いた。

「冗談のつもりだったのに……」

ハリーは壁のすきまを急いで通り抜け、石の螺旋階段に足をかけた。すると階段はゆっくり上に動きはじめ、ハリーの背後で壁が閉まった。動く螺旋階段は、ハリーを磨き上げられた樫（かし）の扉の前まで連れていった。扉には真鍮（しんちゅう）のノッカーがついていて、それを扉に打ちつけて客の来訪を知らせるようになっていた。

部屋の中から人声が聞こえた。動く螺旋階段から降りたハリーは、ちょっとためらいながら人声を聞いた。

「ダンブルドア、私にはどうもつながりがわかりませんよ。まったくわかりませんな！」

魔法大臣、コーネリウス・ファッジの声だ。

「ルードが言うには、バーサの場合は行方不明になっても、まったくおかしくはない。確かに、いまごろはもうとっくにバーサを発見しているはずではあったが、それにしても、なんら怪しげなことが起きているという証拠はないですぞ、ダンブルドア。まったくない。バーサが消えたことと、バーティ・クラウチの失踪を結びつける証拠となると、なおさらない！」

「それでは、大臣。バーティ・クラウチに何が起こったとお考えかな？」ムーディの唸り声が聞こえた。

「アラスター、可能性は二つある」ファッジが言った。

「クラウチはついに正気を失ったか――大いにありうることだ。あなた方にもご同意いただけるとは思うが、クラウチのこれまでの経歴を考えれば――心身喪失で、どこかをさまよっている――」

「もしそれなれば、ずいぶんと短い時間に、遠くまでさまよい出たものじゃ」

ダンブルドアが冷静に言った。

「もしくは――いや……」

ファッジは困惑したような声を出した。

「いや、クラウチが見つかった現場を見るまでは、判断をひかえよう。しかし、ボーバトンの馬車を過ぎたあたりだとおっしゃいましたかな？　ダンブルドア、あの女が何者なのか、ご存じか？」

「非常に有能な校長だと考えておるよ――それにダンスがすばらしくお上手じゃ」

ダンブルドアが静かに言った。

「ダンブルドア、よせ！」ファッジが怒った。

「あなたは、ハグリッドのことがあるので、偏見からあの女に甘いのではないのか？　連中は全部が全部無害ではない――もっとも、あの異常な怪物好きのハグリッドを無害と言うのならの話だが――」

「わしはハグリッドと同じように、マダム・マクシームをも疑っておらんよ」

ダンブルドアは依然として平静だった。

「コーネリウス、偏見があるのは、あなたのほうかもしれんのう」

「議論はもうやめぬか？」ムーディが唸った。

「そうそう。それでは外に行こう」コーネリウスのいらいらした声が聞こえた。

「いや、そうではないのだ」ムーディが言った。

「ポッターが話があるらしいぞ、ダンブルドア。扉の外におる」

第30章　ペンシーブ

扉が開いた。

「よう、ポッター」ムーディが言った。「さあ、入れ」

ハリーは中に入った。ダンブルドアの部屋には前に一度来たことがある。そこは、とても美しい円形の部屋で、ホグワーツの歴代校長の写真がずらりと飾ってある。どの写真もぐっすり眠り込んで、胸が静かに上下していた。

コーネリウス・ファッジは、いつもの細縞(ほそじま)のマントを着て、ライムのような黄緑色の山高帽を手に、ダンブルドアの机の脇に立っていた。

「ハリー！」ファッジは愛想よく呼びかけながら、近づいてきた。

「元気かね？」

「はい」ハリーはうそをついた。

「いま、ちょうど、クラウチ氏が学校に現れた夜のことを話していたところだ」ファッジが言った。

「見つけたのは君だったね？」

「はい」

そう答えながら、いまみんなが話していたことを聞かなかったふりをしても仕方がないと思い、ハリーは言葉を続けた。

「でも、僕、マダム・マクシームはどこにも見かけませんでした。あの方は隠れるのは難しいのじゃないでしょうか？」

　ダンブルドアはファッジの背後で、目をキラキラさせながらほほえんだ。

「まあ、そうだが」ファッジはバツの悪そうな顔をした。

「いまからちょっと校庭に出てみようと思っていたところなんでね、ハリー、すまんが……。授業に戻ってはどうかね——」

「僕、校長先生にお話ししたいのです」

　ダンブルドアを見ながら、ハリーが急いで言った。ダンブルドアがすばやく、探るようにハリーを見た。

「ハリー、ここで待っているがよい」ダンブルドアが言った。

「我々の現場調査は、そう長くはかからんじゃろう」

　三人はだまりこくって、ぞろぞろとハリーの横を通り過ぎ、扉を閉めた。しばらくして、ハリーの耳に、下の廊下をコツッコツッと遠ざかっていくムーディの義足の音が聞こえてきた。ハリーはあたりを見回した。

「やあ、フォークス」ハリーが言った。

　フォークスはダンブルドアの飼っている不死鳥で、扉の脇の金の止まり木に止まっていた。白鳥ぐらいの大きさの、真紅と金色のすばらしい羽を持った雄の不死鳥で、長い尾をシュッと振り、ハリーを見てやさしく目をパチクリした。

　ハリーはダンブルドアの机の前の椅子に座った。しばらくの間、ハリーはただ座って、いまもれ聞いたことを考え、傷痕を指でなぞりながら、額の中ですやすや眠る歴代の校長たちを眺めていた。もう痛みは止まっていた。

こうしてダンブルドアの部屋にいて、まもなくダンブルドアに夢の話を聞いてもらえると思うと、ハリーはなぜかずっと落ち着いた気分になった。ハリーは机の後ろの壁を見上げた。継ぎはぎだらけのぼろぼろの組分け帽子が、棚に置いてある。その隣のガラスケースには、柄に大きなルビーをはめ込んだ、見事な銀の剣が収められている。二年生のとき、組分け帽子の中からハリー自身が取り出した、あの剣だ。かつてこの剣は、ハリーの寮の創始者、ゴドリック・グリフィンドールの持ち物だった。剣をじっと見つめながら、ハリーは剣が助けにきてくれたときのことを、すべての望みが絶たれたと思ったあの時のことを思い出していた。すると、ガラスケースに、銀色の光が反射し、踊るようにチラチラ揺れているのに気づいた。ハリーは光の射してくるほうを見た。ハリーの背後の黒い戸棚からひと筋、まばゆいばかりの銀色の光が射しているのが見えた。戸棚の戸がきっちり閉まっていなかったのだ。ハリーは戸惑いながらフォークスを見た。それから立ち上がって、戸棚の所へ行って戸を開けた。

浅い石の水盆が置かれていた。縁にぐるりと不思議な彫り物がほどこしてある。ルーン文字と、ハリーの知らない記号だ。銀の光は、水盆の中から射している。中にはハリーが見たこともない何かが入っていた。液体なのか、気体なのか、ハリーにはわからなかった。明るい白っぽい銀色の物質で、絶え間なく動いている。水面に風が渡るように、表面にさざなみが立ったかと思うと、雲のようにちぎれ、なめらかに渦巻いた。まるで光が液体になったかのような——風が固体になったかのような——ハリーにはどちらとも判断がつかなかった。

ハリーは触れてみたかった。どんなものか、感じてみたかった。しかし、もう魔法界での経験も四年近くになれば、得体の知れない物質の充満した水盆に手を突っ込んでみるのがどんなに愚かしいことか、ハリーにもわかるようになっていた。そこでハリーは、ローブから杖を取り出し、校長室を恐る恐る見回し、また水盆の中身に目を戻し、つついてみた。水盆の中の、何か銀色のものの表面が、急速に渦巻きはじめた。

ハリーは頭を戸棚に突っ込んで、水盆に顔を近づけた。銀色の物質は透明になっていた。ガラスのようだ。ハリーは、石の底が見えるかと思いながら、中をのぞき込んだ――ところが、不可思議な物質の表面を通して見えたのは、底ではなく、大きな部屋だった。その部屋の天井の丸窓から中を見下ろしているような感じだった。

薄明かりの部屋だ。ハリーは地下室ではないかと思ったくらいだ。窓がない。ホグワーツ城の壁の照明と同じように、腕木に松明(たいまつ)が灯っているだけだ。ハリーは、ガラス状の物質に、ほとんど鼻がくっつくほど顔を近づけた。部屋の壁にぐるりと、ベンチのようなものが階段状に並び、どの段にも魔法使いや魔女たちがびっしりと座っている。部屋のちょうど中央に椅子が一脚置いてある。その椅子を見ると、なぜかハリーは不吉な胸騒ぎを覚えた。椅子のひじの所に鎖が巻きつけてあり、椅子に座る者をいつも縛りつけておくかのようだった。

ここはどこだろう？　ホグワーツじゃないことは確かだ。城の中でこんな部屋は見たことがない。それに、水盆の底の不可思議な部屋にいる大勢の魔法使いたちは、大人ばかりだ。ホグワーツにはこんなにたくさんの先生がいないことを、ハリーは知っている。みんな、何かを待っているようだ。かぶっている帽子の先しか見えなかったが、全員が同じ方向を向き、誰一人として話をしている者がいない。

水盆は円形だが、中の部屋は四角で、隅のほうで何が起こっているかは、ハリーにはわからない。ハリーは首をひねるようにして、もっと顔を近づけた。なんとか見たい……。

ダンブルドアの部屋が、ぐらりと大きく揺れた――ハリーの鼻の先が触れた。

のぞき込んでいる得体の知れない物質に、ハリーはつんのめり、水盆の中の何かに頭から突っ込んだ――。

しかし、ハリーは石の底に頭を打ちつけはしなかった。何か氷のように冷たい黒いものの中を落ちていった。暗い渦の中に吸い込まれるように――。

そして、突然、ハリーは水盆の中の部屋の隅で、ベンチに座っていた。ほかのベンチより一段と高い場所だ。たったいまのぞき込んでいた丸窓が見えるはずだと、ハリーは高い石の天井を見上げた。しかし、そこには暗い硬い石があるだけだった。

息を激しくはずませながら、ハリーは周りを見回した。部屋にいる魔法使いたちは（少なくとも二百人はいる）、誰もハリーを見ていない。十四歳の男の子が、たったいま天井からみんなのただ中に落ちてきたことなど、誰一人気づいていないようだ。同じベンチの隣に座っている魔法使いのほうを見たハリーは、驚きのあまり大声を上げ、その叫び声がしんとした部屋に響き渡った。

ハリーはアルバス・ダンブルドアの隣に座っていた。

「校長先生！」

ハリーはのどをしめつけられたような声でささやいた。

「すみません――僕、そんなつもりじゃなかったんです――戸棚の中にあった水盆を見ていただけなんです――僕――ここはどこですか？」

しかし、ダンブルドアは身動きもせず、話もしない。ハリーをまったく無視している。ベンチに座っているほかの魔法使いたちと同じように、ダンブルドアも部屋の一番隅のほうを見つめている。そこにドアがあった。

ハリーは、ぼうぜんとしてダンブルドアを見つめ、だまりこくって何かを待っている、大勢の魔法使いたちを見つめ、またダンブルドアを見つめた。そして、ハッと気づいた……。

前に一度、こんな場面に出くわしたことがあった。誰もハリーを見てもいないし、聞いてもいなかった。あの時は、呪いのかかった日記帳の一ページの中に落ち込んだのだ。誰かの記憶のただ中に……そして、ハリーの考えがそうまちがっていなければ、また同じようなことが起こったのだ……。

ハリーは右手を上げ、ちょっとためらったが、ダンブルドアの目の前で激しく手を振ってみた。ダンブルドアは瞬き(まばた)もせず、ハリーを振り返りもせず、身動き一つしなかった。これではっきりした、とハリーは思った。ダンブルドアならこんなふうにハリーを無視したりするはずがない。ハリーは「記憶」の中にいるのだ。ここにいるのは現在のダンブルドアではない。しかし、それほど昔のことではないはずだ……隣に座ったダンブルドアは、いまと同じように銀色の髪をしている。それにしても、ここはどこなのだろう？　みんな、何を待っているのだろう？

ハリーはもっとしっかりあたりを見回した。上からのぞいていたときに感じたように、この部屋はほとんど地下室にまちがいなかった――部屋というより、むしろ地下牢(ろう)のようだ。なんとなく陰気な、不吉な空気が漂っている。壁には絵もなく、なんの飾りもない。四方の壁にびっしりと、ベンチが階段状に並んでいるだけだ。部屋のどこからでも、ひじの所に鎖のついた椅子がはっきり見えるようにベンチが並んでいる。

ここがどこなのか、まだ何も結論が出ないうちに、足音が聞こえた。地下牢の隅にあるドアが開いた。そして三人の人影が入ってきた――いや、むしろ男が一人と、二人の吸魂鬼だ。

ハリーは体の芯が冷たくなった。吸魂鬼は、フードで顔を隠した背の高い生き物だ。それぞれが、腐った死人のような手で男の腕をつかみ、部屋の中央にある椅子に向かってするするとゆっくりすべるように動いていた。中にはさまれた男は気を失いかけている。無理もない……記憶の中では、吸魂鬼はハリーに手出しはできないとわかってはいた。しかし、ハリーは吸魂鬼の恐ろしい力をまざまざと覚えている。見つめる魔法使いたちがギクリと身を引く中、吸魂鬼が鎖つきの椅子に男を座らせ、するすると下がって部屋から出ていった。ドアがバタンと閉まった。

ハリーは鎖の椅子に座らされた男を見下ろした。カルカロフだ。

ダンブルドアとちがい、カルカロフはずっと若く見えた。髪も山羊(やぎ)ひげも黒々としている。なめらかな毛皮ではなく、ぼろぼろの薄いローブを着ている。震えている。ハリーが見ているうちに、椅子のひじの鎖が急に金色に輝き、くねくね這(は)い上がってカルカロフの腕に巻きつき、椅子に縛りつけた。

「イゴール・カルカロフ」

ハリーの左手できびきびした声がした。振り向くと、クラウチ氏がハリーの隣のベンチの真ん中で立ち上がっていた。髪は黒く、しわもずっと少なく、健康そうでさえていた。

「おまえは魔法省に証拠を提供するために、アズカバンからここに連れてこられた。おまえが、我々にとって重要な情報を提示すると理解している」

カルカロフは椅子にしっかり縛りつけられながらも、できるかぎり背筋を伸ばした。

「そのとおりです。閣下」

恐怖にかられた声だったが、それでもそのねっとりした言い方には聞き覚えがあった。

「私は魔法省のお役に立ちたいのです。手を貸したいのです――私は魔法省がやろうとしていることを知っております――闇の帝王の残党を一網打尽にしようとしていることを。私にできることでしたら、なんでも喜んで……」

ベンチからザワザワと声が上がった。カルカロフに関心を持って品定めをする者もあれば、不信感をあらわにする者もいた。その時、ダンブルドアのむこう隣から、聞き覚えのある唸(うな)り声が、はっきり聞こえた。

「汚いやつ」

ハリーはダンブルドアのむこう側を見ようと、身を乗り出した。マッド-アイ・ムーディがそこに座っていた――ただし、姿形がいまとははっきりとちがう。「魔法の目」はなく、両眼とも普通の目だ。激しい嫌悪に目を細め、両眼でカルカロフを見下ろしている。

「クラウチはやつを釈放するつもりだ」

ムーディが低い声でダンブルドアにささやいた。

「やつと取引したのだ。六か月もかかってやつを追い詰めたのに、仲間の名前をたくさん吐けば、クラウチはやつを解き放つつもりだ。いいだろう。情報とやらを聞こうじゃないか。それからまたまっすぐ吸魂鬼の所へぶち込め」

ダンブルドアは高い折れ曲がった鼻から、小さく、賛成しかねるという音を出した。

「ああ、忘れておった……あなたは吸魂鬼がお嫌いでしたな、アルバス」

ムーディはちゃかすように鼻先で笑った。

「さよう」

ダンブルドアが静かに言った。

「確かに嫌いじゃ。魔法省があのような生き物と結託するのはまちがいじゃと、わしは前々からそう思っておった」

「しかし、このような悪党めには……」ムーディが低い声で言った。

「カルカロフ、仲間の名前を明かすと言うのだな」クラウチが言った。

「聞こう。さあ」

「ご理解いただかなければなりませんが」カルカロフが急いで言った。

「『名前を言ってはいけないあの人』は、いつも極秘に事を運びました……あの人は、むしろ我々が

――あの人の支持者がという意味ですが――それに、私は、一度でもその仲間だったことを深く悔いておりますが――」

「さっさと言え」ムーディがあざけった。

「――我々は仲間の名前を全部知ることはありませんでした――全員を把握していたのはあの人だけでした――」

「それは賢い手だ。カルカロフ、おまえのようなやつが、全員を売ることを防いだからな」

ムーディがつぶやいた。

「それでも、**何人かの名前**を言うことはできるというわけだな？」クラウチが言った。

「そ――そうです」カルカロフがあえぎながら言った。

「しかも、申し添えますが、主だった支持者たちです。あの人の命令を実行しているのを、この目で見ました。この情報を提供いたしますのは、私が全面的にあの人を否定し、たえがたいほどに深く後悔していることの証(あかし)として――」

「名前は？」クラウチが鋭く聞いた。

カルカロフは息を深く吸い込んだ。

「アントニン・ドロホフ。私は――この者がマグルを、そして――そして闇の帝王に従わぬ者を、数えきれぬほど拷問したのを見ました」

「その上、その者を手伝ったのだろうが」ムーディがつぶやいた。

「我々はすでにドロホフを逮捕した」クラウチが言った。

「おまえのすぐあとに捕まっている」

「まことに？」カルカロフは目を丸くした。

「そ——それは喜ばしい！」

言葉どおりには見えなかった。カルカロフにとって、これは大きな痛手だったと、ハリーにはわかった。せっかくの名前が一つむだになったのだ。

「ほかには？」クラウチが冷たく言った。

「も、もちろん……ロジエール」カルカロフがあわてて言った。「エバン・ロジエール」

「ロジエールは死んだ」クラウチが言った。

「彼もおまえの直後に捕まった。おめおめ捕まるより戦うことを選び、抵抗して殺された」

「わしの一部を奪いおったがな」

ムーディがハリーの右隣のダンブルドアにささやいた。ハリーはもう一度振り返ってムーディを見た。ムーディが、大きく欠けた鼻を指し示しているのが見えた。

「それは——それは当然の報いで！」

カルカロフの声が、今度は明らかにあわてふためいていた。自分の情報が魔法省にとってなんの役にも立たないのではと心配になりはじめたことが、ハリーにもわかった。カルカロフの目が、サッと部屋の隅のドアに走った。そのむこう側に、まちがいなく吸魂鬼が待ちかまえている。

「ほかには？」クラウチが言った。

「あります！」カルカロフが答えた。

「トラバース——マッキノン一家の殺害に手を貸しました！　マルシベール——『服従の呪文』を得意とし、数えきれないほどの者に恐ろしいことをさせました！　ルックウッドはスパイです。魔法省の内部から、『名前を言ってはいけないあの人』に有用な情報を流しました！」

カルカロフは今度こそ金脈を当てた、とハリーは思った。見ている魔法使いたちが、いっせいに何かつぶやいたからだ。

「ルックウッド？」

クラウチは前に座っている魔女にうなずいて合図し、魔女は羊皮紙に何かを走り書きした。

「神秘部のオーガスタス・ルックウッドか？」

「その者です」カルカロフが熱っぽく言った。

「ルックウッドは魔法省の内にも外にも、うまい場所に魔法使いを配し、そのネットワークを使って情報を集めたものと思います――」

「しかし、トラバースやマルシベールはもう我々が握っている」

クラウチが言った。

「よかろう。カルカロフ、これで全部なら、おまえはアズカバンに逆戻りしてもらう。我々が決定を――」

「まだ終わっていません！」カルカロフは必死の面持ちだ。「待ってください。まだあります！」

ハリーの目に、松明の明かりでカルカロフの脂汗が見えた。血の気のない顔が、黒い髪やひげとくっきり対照的だ。

「スネイプ！」カルカロフが叫んだ。「セブルス・スネイプ！」

「この評議会はスネイプを無罪とした」

クラウチがさげすむように言った。

「アルバス・ダンブルドアが保証人になっている」

「ちがう！」

自分を椅子に縛りつけている鎖を引っ張るようにもがきながら、カルカロフは叫んだ。

「誓ってもいい！　セブルス・スネイプは死喰い人だ！」

ダンブルドアが立ち上がった。

「この件に関しては、わしがすでに証明しておる」静かな口調だ。

「セブルス・スネイプは確かに死喰い人ではあったが、ヴォルデモートの失脚より前に我らの側に戻り、自ら大きな危険をおかして我々の密偵になってくれたのじゃ。わしが死喰い人ではないのと同じように、いまやスネイプも死喰い人ではないぞ」

ハリーはマッド-アイ・ムーディを振り返った。ムーディはダンブルドアの背後で、はなはだしく疑わしいという顔をしている。

「よろしい、カルカロフ」クラウチが冷たく言った。「おまえは役に立ってくれた。おまえの件は検討しておこう。その間、アズカバンに戻っておれ……」

クラウチの声がだんだん遠ざかっていった。ハリーは周りを見回した。地下牢が、煙でできているかのように消えかかっていた。すべてがぼんやりしてきて、自分の体しか見えなかった。あたりは渦巻く暗闇……。

そして、地下牢がまた戻ってきた。ハリーは別の席に座っていた。やはり一番上のベンチだが、今度はクラウチ氏の左隣だった。雰囲気ががらりと変わり、リラックスして、楽しげでさえあった。壁に沿ってぐるりと座っている魔法使いたちは、何かスポーツの観戦でもするように、ペチャクチャしゃべっている。ハリーのむかい側のベンチで、ちょうど中間くらいの高さの所にいる魔女が、ハリーの目をとらえた。短い金髪に、赤紫色のローブを着て、黄緑色の羽根ペンの先をなめている。まちがいなく、若いころのリータ・スキーターだ。ハリーは周りを見回した。ダンブルドアが、前とはちがうローブを着て、また隣に座っていた。クラウチ氏は前よりつかれて見え、なぜか前よりやつれ、より厳しい顔つきに見える……。そうか、これはちがう記憶なんだ。ちがう日の……ちがう裁判だ。

部屋の隅のドアが開き、ルード・バグマンが入ってきた。

しかし、このバグマンは、盛りを過ぎた姿ではなかった。クィディッチの選手として最高潮のときにちがいない。まだ鼻は折れていない。背が高く、筋肉質の引きしまった体だ。バグマンはおどおどしながら、鎖のついた椅子に腰かけたが、カルカロフのときのように鎖が巻きついて縛り上げたりはしなかった。それで元気を取り戻したのか、バグマンは傍聴席をざっと眺め、何人かに手を振り、ちょっと笑顔さえ見せた。

「ルード・バグマン。おまえは、『死喰い人』の活動にかかわる罪状で、答弁するため、魔法法律評議会に出頭したのだ」クラウチが言った。

「すでに、おまえに不利な証拠を聴取している。まもなく我々の評決が出る。評決を言い渡す前に、何か自分の証言につけ加えることはないか？」

ハリーは耳を疑った。**ルード・バグマンが「死喰い人」**？

「ただ」バグマンはバツが悪そうに笑いながら言った。

「あの——私はちょっとバカでした——」

近くの席にいた魔法使いたちが、一人、二人、寛大にほほえんだ。クラウチは同調する気にはなれないらしかった。厳格そのもの、嫌悪感むき出しの表情で、ルード・バグマンをぐいと見下ろしている。

「若僧め、ほんとうのことを言いおったわい」

ハリーの背後から、誰かがダンブルドアに辛辣な口調でささやいた。ハリーが振り向くと、またそこにムーディが座っていた。

「あいつがもともとトロいやつだということを知らなければ、ブラッジャーを食らって、永久的に脳みそをやられたと言うところだがな……」

「ルドビッチ・バグマン。おまえはヴォルデモート卿の支持者たちに情報を渡したとして逮捕された」

クラウチが言った。

「この咎により、アズカバンに収監するのが適当である。期間は最低でも――」

しかし、周りのベンチから怒号が飛んだ。魔法使いや魔女が壁を背に数人立ち上がり、クラウチに対して首を振ったり、拳を振り上げたりしている。

「しかし、申し上げたとおり、私は知らなかったのです！」

傍聴席のざわめきに消されないように声を張り上げ、バグマンが丸いブルーの目をまん丸にして、熱っぽく言った。

「まったく知らなかった！　ルックウッドは私の父親の古い友人で……『例のあの人』の一味とは、考えたこともなかった！　私は味方のために情報を集めてるのだとばっかり思っていた！　それに、ルックウッドは、将来私に魔法省の仕事を世話してやると、いつもそう言っていたのです……クィディッチの選手生命が終わったら、ですがね……そりゃ、死ぬまでブラッジャーにたたかれ続けているわけにはいかないでしょう？」

傍聴席から忍び笑いが上がった。

「評決を取る」クラウチが冷たく言った。

地下牢の右手に向かって、クラウチ氏が呼びかけた。

「陪審は挙手願いたい……禁固刑に賛成の者……」

ハリーは地下牢の右手を見た。誰も手を挙げていない。壁を囲む席で、多くの魔法使いたちが拍手しはじめた。陪審席の魔女が一人立ち上がった。

「何かね？」クラウチが声を張り上げた。

「先週の土曜に行われたクィディッチのイングランド対トルコ戦で、バグマンさんがすばらしい活躍をなさいましたことに、お祝いを申し上げたいと思いますわ」

魔女が一気に言った。

クラウチはカンカンに怒っているようだ。地下牢は、いまや拍手喝采だった。バグマンは、立ち上がり、ニッコリ笑っておじぎした。

「情けない」

バグマンが地下牢から出ていくと、クラウチが席に着き、吐きすてるようにダンブルドアに言った。

「ルックウッドが仕事を世話すると？　……ルード・バグマンが入省する日は、魔法省にとって悲しむべき日になるだろう……」

地下牢がまたぼやけてきた。三度はっきりしてきたとき、ハリーはあたりを見回した。ハリーとダンブルドアはまたクラウチ氏の隣に座っていたが、あたりの様子は、これほどちがうかと思うほど様変わりしていた。しんと静まりかえり、クラウチ氏の隣の席にいる、弱々しい、はかなげな魔女の、涙も枯れはてたすすり泣きが時折聞こえるだけだ。魔女は両手で口にハンカチを押し当て、その手が細かく震えている。ハリーはクラウチ氏を見上げた。いっそうやつれ、白髪がぐっと増えたように見えた。こめかみがピクピク引きつっている。

「連れてこい」

クラウチ氏の声が地下牢の静寂に響き渡った。

隅のドアが、三度開いた。今度は四人の被告を、六人の吸魂鬼が連行している。傍聴席の目がいっせいにクラウチ氏に注がれるのを、ハリーは見た。ヒソヒソささやき合っている者も何人かいる。

地下牢の床に、今度は鎖つきの椅子が四脚並び、吸魂鬼は四人を別々に座らせた。がっしりした体つきの男は、うつろな目でクラウチを見つめ、それより少しやせて、より神経質そうな感じの男は、傍聴席のあちこちにすばやく目を走らせている。豊かなつやのある黒髪の魔女は、鎖つきの椅子が王座でもあるかのようにふんぞり返り、目を半眼に開いていた。最後は十八、九の少年で、恐怖に凍りついている。ブルブル震え、薄茶色の髪が乱れて顔にかかり、そばかすだらけの肌がろうのように白くなっていた。クラウチの脇のか細い小柄な女性は、ハンカチにおえつをもらし、椅子に座ったまま、体をわななかせて泣きはじめた。

クラウチが立ち上がった。目の前の四人を見下ろすクラウチの顔には、まじりけなしの憎しみが表れていた。

「おまえたちは魔法法律評議会に出頭している」クラウチが明確に言った。

「この評議会は、おまえたちに評決を申し渡す。罪状は極悪非道の――」

「お父さん」薄茶色の髪の少年が呼びかけた。「お父さん……お願い……」

「――この評議会でも類のないほどの犯罪である」

クラウチはいっそう声を張り上げ、息子の声を押しつぶした。

「四人の罪に対する証拠の陳述はすでに終わっている。おまえたちは一人の闇祓い（やみばらい）――フランク・ロングボトム――を捕らえ、『磔（はりつけ）の呪い』にかけた咎で訴追されている。ロングボトムが、逃亡中のおまえたちの主人である『名前を言ってはいけないあの人』の消息を知っていると思い込み、この者に呪いをかけた咎である――」

「お父さん、僕はやっていません！」

鎖につながれたまま、少年は上に向かって声を振りしぼった。

「お父さん、僕は、誓って、やっていません。吸魂鬼の所へ送り返さないで――」

「さらなる罪状は」クラウチが大声を出した。

「フランク・ロングボトムが情報を吐こうとしなかったとき、その妻に対して『磔の呪い』をかけた咎である。おまえたちは『名前を言ってはいけないあの人』の権力を回復せしめんとし、その者が強力だった時代を、おまえたちの暴力の日々を、復活せしめんとした。ここで陪審の評決を――」

「お母さん！」

上を振り仰ぎ少年が叫んだ。クラウチの脇のか細い小柄な魔女が、体を揺すりながらすすり泣きはじめた。

「お母さん、お父さんを止めてください。お母さん。僕はやっていない。あれは僕じゃなかったんだ！」

「ここで陪審の評決を」クラウチが叫んだ。

「これらの罪は、アズカバンでの終身刑に値すると、私はそう信ずるが、それに賛成の陪審員は挙手願いたい」

地下牢の右手に並んだ魔法使いや魔女たちが、いっせいに手を挙げた。バグマンのときと同じように、壁に沿って並ぶ傍聴席から拍手が沸き起こった。どの顔も、勝ち誇った残忍さに満ちている。少年が泣き叫んだ。

「いやだ！　お母さん、いやだ！　僕、やっていない。やっていない。知らなかったんだ！　あそこに送らないで。お父さんを止めて！」

吸魂鬼がするすると部屋に戻ってきた。少年の三人の仲間は、だまって椅子から立ち上がった。半眼の魔女が、クラウチを見上げて叫んだ。

「クラウチ、闇の帝王は再び立ち上がるぞ！　我々をアズカバンに放り込むがよい。我々は待つのみ！　あの方はよみがえり、我々を迎えにおいでになる。ほかの従者の誰よりも、我々をおほめくださるであろう！　我々のみが忠実であった！　我々だけがあの方をお探し申し上げた！」

しかし、少年はもがいていた。ハリーには、吸魂鬼の冷たい、心をなえさせる力が、すでに少年を襲っているのがわかったが、それでも少年は、吸魂鬼を追い払おうとしていた。魔女が堂々と地下牢から出ていき、少年が抵抗し続けるのを、聴衆はあざけり笑い、立ち上がって見物している者もいた。

「僕はあなたの息子だ！」少年がクラウチに向かって叫んだ。

「あなたの息子なのに！」

「おまえは私の息子などではない！」

クラウチがどなった。突然、目が飛び出した。

「私には息子はいない！」

クラウチの隣のはかなげな魔女が、大きく息をのみ、椅子にくずおれた。気絶していた。クラウチは気づくそぶりも見せない。

「連れていけ！」

クラウチが、吸魂鬼に向かって口角泡を飛ばしながら叫んだ。

「連れていくのだ。そいつらはあそこでくさりはてるがいい！」

「お父さん　お父さん、僕は仲間じゃない！　いや！　いやだ！　お父さん、助けて！」

「ハリー、そろそろわしの部屋に戻る時間じゃろう」

ハリーの耳に静かな声が聞こえた。

ハリーは目を見張った。周りを見回した。それから自分の隣を見た。

ハリーの右手に座ったアルバス・ダンブルドアは、クラウチの息子が吸魂鬼に引きずられていくのをじっと見ている――そして、ハリーの左手には、ハリーをじっと見つめるアルバス・ダンブルドアがいた。

「おいで」

左手のダンブルドアが言った。そして、ハリーのひじを抱え上げた。ハリーは体が空中を昇っていくのを感じた。地下牢が自分の周りでぼやけていく。一瞬、すべてが真っ暗になり、それから、まるでゆっくりと宙返りを打ったような気分がして、突然どこかにぴたりと着地した。どうやら、陽射し（ひざし）のあふれるダンブルドアの部屋のまばゆい光の中だ。目の前の戸棚の中で、石の水盆がチラチラと淡い光を放っている。アルバス・ダンブルドアがハリーのかたわらに立っていた。

「校長先生」ハリーは息をのんだ。

「いけないことをしたのはわかっています――そのつもりはなかったのです――戸棚の戸がちょっと開いていて、それで――」

「わかっておる」

ダンブルドアは水盆を持ち上げ、自分の机まで運び、ピカピカの机の上にのせた。そして、椅子に腰かけ、ハリーにむかい側に座るようにと合図した。

ハリーは言われるままに、石の水盆を見つめながら座った。中身は白っぽい銀色の物質に戻り、目を凝らして見ている間にも、渦巻いたり、波立ったりしている。

「これはなんですか？」ハリーは恐る恐る聞いた。

「これか？　これはの、ペンシーブ、『憂いの篩（ふるい）』じゃ」

ダンブルドアが答えた。

「ときどき感じるのじゃが、この気持ちは君にもわかると思うがの、考えることや思い出があまりにもいろいろあって、頭の中がいっぱいになってしまったような気がするのじゃ」

「あの」ハリーは正直に言って、そんな気持ちになったことがあるとは言えなかった。

「そんなときにはの」

ダンブルドアが石の水盆を指差した。

「この篩を使うのじゃ。あふれた想いを、頭の中からこの中に注ぎ込んで、時間のあるときにゆっくり吟味するのじゃよ。このような形にしておくとな、わかると思うが、物事のパターンや関連性がわかりやすくなるのじゃ」

「それじゃ……この中身は、先生の『**憂い**』なのですか？」

ハリーは水盆に渦巻く白い物質を改めて見つめた。

「そのとおりじゃ」ダンブルドアが言った。

「見せてあげよう」

ダンブルドアはローブから杖を取り出し、その先端を、こめかみのあたりの銀色の髪に当てた。杖をそこから離すと、髪の毛がくっついているように見えた——しかし、よく見ると、それは、「憂いの篩」を満たしているのと同じ白っぽい銀色の不思議な物質が、糸状になって光っているのだった。ダンブルドアは、水盆に新しい「憂い」を加えたのだ。驚いたことに、ハリーの顔が水盆の表面に浮かんでいた。

ダンブルドアは、長い両手でペンシーブの両端を持ち、篩(ふる)った。ちょうど、砂金掘りが砂金を篩い分けるようなしぐさだ……ハリーの顔が、いつの間にかスネイプの顔になり、口を開いて、天井に向かって話しだした。声が少し反響している。

「あれが戻ってきています……カルカロフのもです……これまでよりずっと強く、はっきりと……」

「篩の力を借りずとも、わしが自分で結びつけられたじゃろう」

ダンブルドアがため息をついた。

「しかし、それはそれでよい」

ダンブルドアは半月めがねの上から、ハリーをじっと見た。ハリーは口をあんぐり開けて、水盆の中で回り続けるスネイプの顔を見ていた。

「ファッジ大臣が会合に見えられたとき、ちょうどペンシーブを使っておっての。急いで片づけたのじゃ。どうも戸棚の戸をしっかり閉めなかったようじゃ。当然、君の注意を引いてしまったことじゃろう」

「ごめんなさい」ハリーが口ごもった。

ダンブルドアは首を振った。

「好奇心は罪ではない。しかし好奇心は慎重に扱わんとな……まことに、そうなのじゃよ……」

ダンブルドアは少し眉をひそめ、杖の先で水盆の中の「憂い」をつついた。すると、たちまち、十六歳くらいの小太りの女の子が、怒った顔をして現れた。両足を水盆に入れたまま、女の子はゆっくり回転しはじめた。ハリーにもダンブルドアにも無頓着だ。話しはじめると、その声はスネイプの声と同じように反響した。まるで、石の水盆の奥底から聞こえてくるようだ。

「ダンブルドア先生、あいつ、私に呪いをかけたんです。私、ただちょっとあいつをからかっただけなのに。先週の木曜に、温室の陰でフローレンスにキスしてたのを見たわよって言っただけなのに……」

「じゃが、バーサ、君はどうして」

ダンブルドアが女の子を見ながら、悲しそうにひとり言を言った。女の子は、すでにだまり込んで回転し続けている。

「どうして、そもそもあの子のあとをつけたりしたのじゃ？」

「バーサ？」ハリーが女の子を見てつぶやいた。

「この子がバーサ？——昔のバーサ・ジョーキンズ？」

「そうじゃ」

ダンブルドアはそう言うと、再び水盆の「憂い」をつついた。バーサの姿はその中に沈み込み、水盆の「憂い」はまた不透明の銀色の物質に戻った。

「わしが覚えておるバーサの学生時代の姿じゃ」

「憂いの篩」から出る銀色の光が、ダンブルドアの顔を照らした。その顔があまりに老け込んで見えるのに、ハリーは突然気づいた。もちろん、頭では、ダンブルドアが相当の年だとはわかっていたが、なぜかこれまでただの一度も、老人だとは思わなかった。

「さて、ハリー」ダンブルドアが静かに言った。

「君がわしの『憂い』にとらわれてしまわないうちに、何か言いたいことがあったはずじゃな」

「はい。先生——ついさっき占い学の授業にいて——そして——あの——居眠りしました」

ハリーは叱られるのではないかと思い、ちょっと口ごもった。が、ダンブルドアは「ようわかるぞ。続けるがよい」とだけ言った。

「それで、夢を見ました」ハリーが続けた。

「ヴォルデモート卿の夢です。ワームテールを……先生はワームテールが誰か、ご存じですよね……拷問していました——」

「知っておるとも」ダンブルドアはすぐに答えた。「さあ、お続け」

「ヴォルデモートはふくろうから手紙を受け取りました。確か、ワームテールの失態はつぐなわれた、とか言いました。誰かが死んだと言いました。それから、ワームテールは蛇の餌食にはしないと——ヴォルデモートの椅子のそばに蛇がいました。それから——それから、こう言いました。そのかわりに僕を餌食にするって。そして、ワームテールに『磔の呪い』をかけました――僕の傷痕が痛みました」

ハリーは一気に言った。「それで目が覚めたのです。とても痛くて」

ダンブルドアはただハリーを見ていた。

「あの――それでおしまいです」ハリーが言った。

「なるほど」ダンブルドアが静かに言った。

「なるほど。さて、今年になって、ほかに傷痕が痛んだことがあるかの？　夏休みに、君の目を覚まさせたとき以外にじゃが？」

「いいえ、僕――夏休みに、それで目が覚めたことを、どうしてご存じなのですか？」

ハリーは驚愕した。

「シリウスと連絡を取り合っているのは、君だけではない」ダンブルドアが言った。

「わしも、昨年、シリウスがホグワーツを離れて以来、ずっと接触を続けてきたのじゃ。一番安全な隠れ場所として、あの山中の洞穴を勧めたのはわしじゃ」

ダンブルドアは立ち上がり、机のむこうで往ったり来たり歩きはじめた。ときどきこめかみに杖先を当て、キラキラ光る銀色の想いを取り出しては、「憂いの篩」に入れた。中の「憂い」が急速に渦巻きはじめ、ハリーにはもう何もはっきりしたものが見えなくなった。それはただ、ぼやけた色の渦になっていた。

「校長先生？」数分後、ハリーが静かに問いかけた。

ダンブルドアは歩き回るのをやめ、ハリーを見た。

「すまなかったのう」ダンブルドアは静かにそう言うと、再び机の前に座った。

「あの――あの、どうして僕の傷痕が痛んだのでしょう？」

ダンブルドアは一瞬、じっとハリーを見つめ、それから口を開いた。

「一つの仮説じゃが、仮説にすぎんが……わしの考えでは、君の傷痕が痛むのは、ヴォルデモート卿が君の近くにいるとき、もしくは、極めて強烈な憎しみにかられているときじゃろう」

「でも……どうして？」

「それは、君とヴォルデモートが、かけそこねた呪いを通してつながっているからじゃ」

ダンブルドアが答えた。

「その傷痕は、ただの傷痕ではない」

「では先生は……あの夢が……ほんとうに起こったことだと？」

「その可能性はある」ダンブルドアが言った。

「むしろ――その可能性が高い。ハリー――ヴォルデモートを見たかの？」

「いいえ。椅子の背中だけです。でも――何も見えるものはなかったのではないでしょうか？　あの、身体(からだ)がないのでしょう？　でも……でも、それならどうやって杖を持ったんだろう？」

ハリーは考え込んだ。

「まさに、どうやって？」ダンブルドアがつぶやいた。「まさに、どうやって……」

ダンブルドアもハリーもしばらくだまり込んだ。ダンブルドアは部屋の隅を見つめ、ときどきこめかみに杖先を当て、またしても銀色に輝く想いをザワザワと波立つ「憂いの篩」に加えていった。

「先生」しばらくして、ハリーが言った。

「あの人が強くなってきたとお考えですか？」

「ヴォルデモートがかね？」

ダンブルドアが「憂いの篩」のむこうから、ハリーを見つめた。以前にも何度か、ダンブルドアはこういう独特の鋭いまなざしでハリーを見つめたことがある。ハリーはいつも、心の奥底まで見透かされているような気になるのだ。ムーディの「魔法の目」でさえ、これはできないことだと思えた。

「これもまた、ハリー、わしの仮説にすぎんが」

ダンブルドアは大きなため息をついた。その顔は、いままでになく年老いて、つかれて見えた。

「ヴォルデモートが権力の座に上り詰めていたあの時代」ダンブルドアが話しはじめた。

「いろいろな者が姿を消した。それが、一つの特徴じゃった。バーサ・ジョーキンズは、ヴォルデモートが確かに最後にいたと思われる場所で、跡形もなく消えた。クラウチ氏もまた、姿を消した……しかもこの学校の敷地内で。それに、第三の行方不明者がいるのじゃ。残念ながら、これはマグルのことなので、魔法省は重要視しておらぬ。フランク・ブライスという名の男で、ヴォルデモートの父親が育った村に住んでおった。八月以来、この男の姿を見た者がない。わしは、魔法省の友人たちとちがい、のう、マグルの新聞を読むのじゃよ」

ダンブルドアは真剣な目でハリーを見た。

「これらの失踪事件は、わしには関連性があるように思えるのじゃ。魔法省は賛成せんが――君は部屋の外で待っているときに聞いたかもしれぬがの」

ハリーはうなずいた。二人はまただまり込んだ。ダンブルドアは時折想いを引き抜いていた。ハリーはもう出ていかなければと思いながら、好奇心で椅子から離れられなかった。

「先生?」ハリーがまた呼びかけた。

「なんじゃね、ハリー」ダンブルドアが答えた。

「あの……お聞きしてもよろしいでしょうか……僕が入り込んだ、あの法廷のような……あの『憂いの篩』の中のことで?」

「よかろう」ダンブルドアの声は重かった。

「わしは何度も裁判に出席しておるが、その中でも、ことさら鮮明によみがえってくるのがいくつかある……特にいまになってのう……」

「あの――先生が僕を見つけた、あの裁判のことですが。クラウチ氏の息子の。おわかりですよね？ あの……ネビルのご両親のことを話していたのでしょうか？」

ダンブルドアは鋭い視線でハリーを見た。

「ネビルは、なぜおばあさんに育てられたのかを、君に一度も話してないのかね？」

ハリーは首を横に振った。もう知り合って四年にもなるのに、どうしてこのことを、ネビルに聞いてみようとしなかったのかと、ハリーは首を振りながらいぶかしく思った。

「そうじゃ。あそこでは、ネビルの両親のことを話しておったのじゃ」

ダンブルドアが答えた。

「父親のフランクは、ムーディ先生と同じように、闇祓いじゃった。君が聞いたとおり、ヴォルデモートの失脚のあと、その消息を吐けと、母親ともども拷問されたのじゃ」

「それで、二人は死んでしまったのですか？」ハリーは小さな声で聞いた。

「いや」

ダンブルドアの声は苦々しさに満ちていた。ハリーはそんなダンブルドアの声を一度も聞いたことがなかった。

「正気を失ったのじゃ。二人とも、聖マンゴ魔法疾患傷害病院に入っておる。ネビルは休暇になると、おばあさんに連れられて見舞いに行っているはずじゃ。二人には息子だということもわからんのじゃが」

ハリーは恐怖に打ちのめされ、その場にただ座っていた。知らなかった……この四年間、知ろうともしなかった……。

「ロングボトム夫妻は、人望があった」

ダンブルドアの話が続いた。

「ヴォルデモートの失脚後、みんながもう安全だと思ったときに、二人が襲われたのじゃ。この事件に関しては、わしがそれまで知らなかったような、激しい怒りの波が巻き起こった。魔法省には、二人を襲った者たちを是が非でも逮捕しなければならないというプレッシャーがかかっておった。残念ながら、ロングボトム夫妻の証言は——二人があいう状態じゃったから——ほとんど信憑性がなかった」

「それじゃ、クラウチさんの息子は、関係してなかったかもしれないのですか？」

ハリーは言葉をかみしめながら聞いた。

ダンブルドアが首を振った。

「それについては、わしにはなんとも言えん」

ハリーは再びだまって「憂いの篩」を見つめたまま座っていた。どうしても聞きたい質問が、あと二つあった……しかし、それは、まだ生きている人たちの罪に関する疑問だった……。

「あの」ハリーが言った。「バグマンさんは……」

「……あれ以来、一度も闇の活動で罪に問われたことはない」

ダンブルドアは落ち着いた声で答えた。

「そうですね」

ハリーは急いでそう言うと、また「憂いの篩」の中身を見つめた。ダンブルドアが想いを入れるのをやめたので、いまは渦がゆっくりと動いていた。

「それから……あの……」

「憂いの篩」がハリーのかわりに質問しているかのように、スネイプの顔が再び浮かんで揺れた。ダンブルドアはそれを見下ろし、それから目を上げてハリーを見た。

「スネイプ先生も同じことじゃ」ダンブルドアが言った。

ハリーはダンブルドアの明るいブルーの瞳を見つめた。そして、ほんとうに知りたかった疑問が、思わず口をついて出てしまった。

「校長先生？　先生はどうして、スネイプ先生がほんとうにヴォルデモートに従うのをやめたのだと思われたのですか？」

ダンブルドアは、ハリーの食い入るようなまなざしを、数秒間じっと受け止めていた。そしてこう言った。

「それはの、ハリー、スネイプ先生とわしとの問題じゃ」

ハリーはこれでダンブルドアとの話は終わりだと悟った。ダンブルドアは怒っているようには見えなかったが、そのきっぱりとした口調が、ハリーに、もう帰りなさいと言っていた。ハリーは立ち上がった。ダンブルドアも立ち上がった。

「ハリー」

ハリーが扉の所まで行くと、ダンブルドアが呼びかけた。

「ネビルの両親のことは、誰にも明かすではないぞ。みんなにいつ話すかは、あの子が決めることじゃ。その時が来ればの」

「わかりました、先生」ハリーは立ち去ろうとした。

「それと――」

ハリーは振り返った。

ダンブルドアは「憂いの篩」をのぞき込むように立っていた。銀色の丸い光が下からダンブルドアの顔を照らし、これまでになく老け込んで見えた。ダンブルドアは一瞬ハリーを見つめ、それからおもむろに言った。

「第三の課題じゃが、幸運を祈っておるぞ」

第31章　第三の課題

「ダンブルドアも、『例のあの人』が強大になりつつあるって、そう考えてるのかい？」

ロンがささやくように言った。

「憂いの篩」で見てきたことの全部と、ダンブルドアがそのあとでハリーに話したり、見せたりしてくれたことのほとんどすべてを、ハリーはもう、ロンとハーマイオニーに話し終わっていた――もちろん、シリウスにも教えた。ダンブルドアの部屋を出るとすぐに、ハリーはシリウスにふくろう便を送っていた。ハリー、ロン、ハーマイオニーは、その夜、またしても遅くまで談話室に残り、納得のいくまで同じ話をくり返した。最後にはハリーは頭がぐらぐらしてきた。ダンブルドアが、いろいろな想いで頭がいっぱいになり、あふれた分を取り出すとホッとする、と言った気持ちがハリーにもよくわかった。

ロンは談話室の暖炉の火をじっと見つめていた。それほど寒い夜でもないのに、ロンがブルッと震えるのを、ハリーは見たような気がした。

「それに、スネイプを信用してるのか？」ロンが言った。

「死喰い人だったって知ってても、ほんとにスネイプを信用してるのかい？」

「うん」ハリーが言った。

ハーマイオニーはもう十分間もだまり込んだままだった。額を両手で押さえ、自分のひざを見つめたまま座っている。ハリーは、ハーマイオニーも「憂いの篩」が必要みたいだと思った。

「リータ・スキーター」

やっと、ハーマイオニーがつぶやいた。

「なんでいまのいま、あんな女のことを心配してられるんだ？」ロンはあきれたという口調だ。

「あの女のことで心配してるんじゃないの」

ハーマイオニーは自分のひざに向かって言った。

「ただ、ちょっと思いついたのよ……『三本の箒（ほうき）』であの女が私に言ったこと、覚えてる？『ルード・バグマンについちゃ、あんたの髪の毛が縮み上がるようなことをつかんでいるんだ』って。今回のことがあの女の言ってた意味じゃないかしら？　スキーターはバグマンの裁判の記事を書いたし、死喰い人にバグマンが情報を流したって、知ってた。それに、ウィンキーもよ。覚えてるでしょ……『バグマンさんは悪い魔法使い』って。クラウチさんはバグマンが刑を逃れたことでカンカンだったでしょうし、そのことを家で話したはずよ」

「うん。だけど、バグマンはわざと情報を流したわけじゃないだろ？」

ハーマイオニーは「わからないわ」とばかりに肩をすくめた。

「それに、ファッジは**マダム・マクシームが**クラウチを襲ったと考えたのかい？」

ロンがハリーのほうを向いた。

「うん。だけど、それはクラウチがボーバトンの馬車のそばで消えたから、そう言っただけだよ」

「僕たちはマダムのことなんて、考えもしなかったよな？」

ロンが考え込むように言った。

「ただし、マダムは絶対に巨人の血が入ってる。あの人は認めたがらないけど——」

「そりゃそうよ」

ハーマイオニーが目を上げて、きっぱり言った。

「リータがハグリッドのお母さんのことを書いたとき、どうなったか知ってるでしょ。ファッジを見てよ。マダムが半巨人だからって、すぐにそんな結論に飛びつくなんて。偏見もいいとこじゃない？　ほんとうのことを言った結果そんなことになるなら、私だってきっと『骨が太いだけだ』って言うわよ」

ハーマイオニーが腕時計を見た。

「まだなんにも練習してないわ！」

ハーマイオニーは「ショック！」という顔をした。

「『妨害の呪い』を練習するつもりだったのに！　あしたは絶対にやるわよ！　さあ、ハリー、少し寝ておかなきゃ」

ハリーとロンはのろのろと寝室への階段を上がった。パジャマに着替えながら、ハリーはネビルのベッドのほうを見た。ダンブルドアとの約束どおり、ハリーはロンにもハーマイオニーにもネビルの両親のことを話さなかった。めがねをはずし、四本柱のベッドに這い上がりながら、ハリーは、両親が生きていても、子供である自分をわかってもらえなかったら、どんな気持ちだろうと思いやった。ハリーは知らない人から、孤児でかわいそうだと同情されることがしばしばあるが、ネビルのほうがもっと同情されてもいいんだ。ネビルのいびきを聞きながら、ハリーはそう思った。ベッドに横になり、暗闇の中で、ハリーはロングボトム夫妻を拷問した連中への怒りと憎しみがどっと押し寄せてくるのを感じた……法廷からクラウチの息子が、仲間と一緒に吸魂鬼に引きずられていくときに、聴衆が罵倒する声を、ハリーは思い出していた……その気持ちがわかった……そして、蒼白になって泣き叫んでいた少年の顔を思い出した。あの少年が、あれから一年後には死んだのだと気づいて、ハリーはどきりとした……。

ヴォルデモートだ。暗闇の中で、ベッドの天蓋を見つめながら、ハリーは思った。すべてヴォルデモートのせいなのだ……家族をバラバラにし、いろいろな人生をめちゃめちゃにしたのは、ヴォルデモートなのだ……。

ロンとハーマイオニーは、期末試験の勉強をしなければならないはずだ。第三の課題が行われる日に試験が終わる予定だ。にもかかわらず、二人はハリーの準備を手伝うほうにほとんどの時間を費やしていた。

「心配しないで」

ハリーがそのことを指摘し、しばらくは自分一人で練習するから、と言うと、ハーマイオニーはそう答えた。

「少なくとも、『闇の魔術に対する防衛術』では、私たち、きっと最高点を取るわよ。授業じゃ、こんなにいろいろな呪文は絶対勉強できなかったわ」

「僕たち全員が闇祓い（やみばらい）になるときのための、いい訓練さ」

ロンは教室にブンブン迷い込んだスズメバチに「妨害の呪い」をかけ、空中でぴたりと動きを止めながら、興奮したように言った。

六月に入ると、ホグワーツ城にまたしても興奮と緊張がみなぎった。学期が終わる一週間前に行われる第三の課題を、誰もが心待ちにしていた。ハリーは機会あるごとに「呪い」を練習していた。これまでの課題より、今度の課題には自信があった。もちろん、今度も危険で難しいにはちがいないが、ムーディの言うとおり、ハリーにはこれまでの実績がある。いままでもハリーは、怪物や魔法の障害物をなんとか乗り越えてきた。今度は前もって知らされている分だけ、準備するチャンスがある。

学校中いたる所で、ハリーたち三人にばったりでくわすのにうんざりしたマクゴナガル先生が、空いている変身術の教室を昼休みに使ってよろしいと、ハリーに許可を与えた。ハリーはまもなくいろいろな呪文を習得した。「妨害の呪い」は、攻撃してくる者の動きを鈍らせて妨害する術。「粉々呪文」は、硬いものを吹き飛ばして通り道をあける術。「四方位呪文」はハーマイオニーが見つけてきた便利な術で、杖で北の方角を指させ、迷路の中で正しい方向に進んでいるかどうかをチェックすることができる。しかし、「盾の呪文」はうまくできなかった。一時的に自分の周りに見えない壁を築き、弱い呪いなら跳ね返すことができるはずの呪文だが、ハーマイオニーは、ねらい定めた「くらげ足の呪い」で、見事に見えない壁を粉々にした。ハーマイオニーが反対呪文を探している十分ぐらいの間、ハリーはクニャクニャする足で教室を歩き回るはめになった。

「でも、なかなかいい線行ってるわよ」

ハーマイオニーはリストを見て、習得した呪文を×印で消しながら励ました。

「このうちのどれかは必ず役に立つはずよ」

「あれ見ろよ」

ロンが窓際に立って呼んだ。校庭を見下ろしている。

「マルフォイのやつ、何やってるんだ?」

ハリーとハーマイオニーが見にいった。マルフォイ、クラッブ、ゴイルが校庭の木陰に立っていた。クラッブとゴイルは見張りに立っているようだ。二人ともニヤニヤしている。マルフォイは口の所に手をかざして、その手に向かって何かしゃべっていた。

「トランシーバーで話してるみたいだな」ハリーが変だなあという顔をした。

「そんなはずないわ」ハーマイオニーが言った。

「言ったでしょ。そんなものはホグワーツの中では通じないのよ。さあ、ハリー」

ハーマイオニーはきびきびとそう言い、窓から離れて教室の中央に戻った。

「もう一度やりましょ。『盾の呪文』」

シリウスはいまや毎日のようにふくろう便をよこした。ハーマイオニーと同じように、ハリーはまず最後の課題をパスすることに集中し、それ以外は後回しにするように、という考えらしい。ハリーへの手紙に、ホグワーツの敷地外で起こっていることは、なんであれ、ハリーの責任ではないし、ハリーの力ではどうすることもできないのだからと、毎回書いてよこした。

ヴォルデモートがほんとうに再び力をつけてきているにせよ、私にとっては、君の安全を確保するのが第一だ。ダンブルドアの保護の下にあるかぎり、やつはとうてい君に手出しはできない。しかし、いずれにしても危険をおかさないように。迷路を安全に通過することだけに集中すること。ほかのことは、そのあとで気にすればよい。

六月二十四日が近づくにつれ、ハリーは神経がたかぶってきた。しかし、第一と第二の課題のときほどひどくはなかった。一つには、今度はできるかぎりの準備はした、という自信があった。もう一つには、これが最後のハードルだからだ。うまくいこうがいくまいが、ようやく試合は終わる。そうしたらどんなにホッとすることか。

第三の課題が行われる日の朝、グリフィンドールの朝食のテーブルは大にぎわいだった。伝書ふくろうが飛んできて、ハリーにシリウスからの「がんばれ」カードを渡した。羊皮紙一枚を折りたたみ、中に泥んこの犬の足型が押してあるだけだったが、ハリーにとってはとてもうれしいカードだった。コノハズクが、いつものように「日刊予言者新聞」の朝刊を持って、ハーマイオニーの所にやってきた。新聞を広げて一面に目を通したハーマイオニーが、口いっぱいにふくんだかぼちゃジュースを新聞に吐きかけた。

「どうしたの？」

ハリーとロンがハーマイオニーを見つめて、同時に言った。

「なんでもないわ」

ハーマイオニーはあわててそう言うと、新聞を隠そうとした。が、ロンが引ったくった。

見出しを見たロンが目を丸くした。

「なんてこった。よりによって今日かよ。あの**ばばぁ**」

「なんだい？」ハリーが聞いた。「またリータ・スキーター？」

「いいや」ロンもハーマイオニーと同じように、新聞を隠そうとした。

「僕のことなんだね？」ハリーが言った。

「ちがうよ」ロンのうそは見え見えだった。

ハリーが新聞を見せてと言う前に、ドラコ・マルフォイが、大広間のむこうのスリザリンのテーブルから大声で呼びかけた。

「おーい、ポッター！　**ポッター！**　頭は大丈夫か？　気分は悪くないか？　まさか暴れだして僕たちを襲ったりしないだろうね？」

マルフォイも「日刊予言者新聞」を手にしていた。スリザリンのテーブルは、端から端までクスクス笑いながら、座ったままで身をひねり、ハリーの反応を見ようとしている。

「見せてよ」ハリーがロンに言った。

ロンはしぶしぶ新聞を渡した。ハリーが開いてみると、大見出しの下で、自分の写真がこっちを見つめていた。

「貸して」

ハリー・ポッターの「危険な奇行」

「名前を言ってはいけないあの人」を破ったあの少年が、情緒不安定、もしくは危険な状態にある。と、本紙の特派員、リータ・スキーターが書いている。

ハリー・ポッターの奇行に関する驚くべき証拠が最近明るみに出た。三校対抗試合のような過酷な試合に出ることの是非が問われるばかりか、ホグワーツに在籍すること自体が疑問視されている。

本紙の独占情報によれば、ポッターは学校でひんぱんに失神し、額の傷痕（「例のあの人」がハリー・ポッターを殺そうとした呪いの遺物）の痛みを訴えることもしばしばだという。去る月曜日、「占い学」の授業中、ポッターが、傷痕の痛みがたえがたく授業を続けることができないと言って、教室から飛び出していくのを本紙記者が目撃した。

聖マンゴ魔法疾患傷害病院の最高権威の専門医たちによれば、「例のあの人」に襲われた傷が、ポッターの脳に影響を与えている可能性があるという。また、傷がまだ痛むというポッターの主張は、根深い錯乱状態の表れである可能性があるという。

「痛いふりをしているかもしれませんね」専門医の一人が語った。「気を引きたいという願望の表れであるかもしれません」

日刊予言者新聞は、ホグワーツ校の校長、アルバス・ダンブルドアが魔法社会からひた隠しにしてきた、ハリー・ポッターに関する憂慮すべき事実をつかんだ。ドラコ・マルフォイが明かした。「二、三年前、生徒が大勢襲われました。『決闘クラブ』で、ポッターがかんしゃくを起こし、ほかの男子学生に蛇をけしかけてからは、ほとんどみんなが、事件の裏にポッターがいると考えていました。でも、すべてはもみ消されたのです。しかし、ポッターは狼人間や巨人とも友達です。少しでも権力を得るためには、あいつはなんでもやると思います」

蛇語とは、蛇と話す能力のことで、これまでずっと、闇の魔術の一つと考えられてきた。現代の最も有名な蛇語使いは、誰あろう、「例のあの人」その人である。匿名希望の「闇の魔術に対する防衛術連盟」の会員は、蛇語を話す者は、誰であれ「尋問する価値がある」と語った。「個人的には、蛇と会話することができるような者は、みんな非常に怪しいと思いますね。何しろ、蛇というのは、闇の魔術の中でも最悪の術に使われることが多いですし、歴史的にも邪悪な者たちとの関連性がありますからね」。また、「狼人間や巨人など、邪悪な生き物との親交を求めるようなやつは、暴力を好む傾向があるように思えますね」とも語った。

アルバス・ダンブルドアはこのような少年に三校対抗試合への出場を許すべきかどうか、当然考慮すべきであろう。試合に是が非でも勝ちたいばかりに、ポッターが闇の魔術を使うのではないかと恐れる者もいる。その試合の第三の課題は今夕行われる。

「僕にちょっと愛想が尽きたみたいだね」

ハリーは新聞をたたみながら、気軽に言った。

むこうのスリザリンのテーブルでは、マルフォイ、クラッブ、ゴイルがハリーに向かって、ゲラゲラ笑い、頭を指でたたいたり、気味の悪いバカ顔をして見せたり、舌を蛇のようにチラチラ震わせたりしていた。

「あの女、占い学で傷痕が痛んだこと、どうして知ってたのかなぁ？」ロンが言った。

「どうやったって、あそこにはいたはずないし、絶対あいつに聞こえたはずないよ――」

「窓が開いてた」ハリーが言った。

「息がつけなかったから、開けたんだ」

「あなた、北塔のてっぺんにいたのよ！」ハーマイオニーが言った。

「あなたの声がずーっと下の校庭に届くはずないわ！」

「まあね。魔法で盗聴する方法は、君が見つけるはずだったよ！」ハリーが言った。

「あいつがどうやったか、君が教えてくれよ！」

「ずっと調べてるわ！」ハーマイオニーが言った。

「でも私……でもね……」

ハーマイオニーの顔に、夢見るような不思議な表情が浮かんだ。ゆっくりと片手を上げ、指で髪をくしけずった。

「大丈夫か？」ロンが顔をしかめてハーマイオニーを見た。

「ええ」ハーマイオニーがひっそりと言った。もう一度指で髪をすくようになで、それからその手を、見えないトランシーバーに話しているかのように口元に持っていった。ハリーとロンは顔を見合わせた。

「もしかしたら」

ハーマイオニーが宙を見つめて言った。

「たぶんそうだわ……。それだったら誰にも見えないし……ムーディだって見えない……。それに、窓の桟にだって乗れる……。でもあの女は許されてない……**絶対に**許可されていない……まちがいない。あの女を追い詰めたわよ！　ちょっと図書館に行かせて——確かめるわ！」

そう言うと、ハーマイオニーは鞄をつかみ、大広間を飛び出していった。

「おい！」後ろからロンが呼びかけた。「あと十分で魔法史の試験だぞ！　おったまげー」

ロンがハリーを振り返った。

「試験に遅れるかもしれないのに、それでも行くなんて、よっぽどあのスキーターのやつを嫌ってるんだな。君、ビンズのクラスでどうやって時間をつぶすつもりだ？——また本を読むか？」

対抗試合の代表選手は期末試験を免除されていたので、ハリーはこれまで、試験の時間には教室の一番後ろに座り、第三の課題のために新しい呪文を探していた。

「だろうな」

ハリーが答えた。ちょうどその時、マクゴナガル先生がグリフィンドールのテーブル沿いに、ハリーに近づいてきた。

「ポッター、代表選手は朝食後に大広間の脇の小部屋に集合です」先生が言った。

「でも、競技は今夜です！」

時間をまちがえたのではないかと不安になり、ハリーは炒り卵をうっかりローブにこぼしてしまった。

「それはわかっています、ポッター」マクゴナガル先生が言った。

「いいですか、代表選手の家族が招待されて最終課題の観戦に来ています。みなさんにご挨拶する機会だというだけです」

マクゴナガル先生が立ち去り、ハリーはその後ろであぜんとしていた。

「まさか、マクゴナガル先生、ダーズリーたちが来ると思っているんじゃないだろうな？」

ハリーがロンに向かってぼうぜんと問いかけた。

「さあ」ロンが言った。

「ハリー、僕、急がなくちゃ。ビンズのに遅れちゃう。あとでな」

ほとんど人がいなくなった大広間で、ハリーは朝食をすました。フラー・デラクールがレイブンクローのテーブルから立ち上がり、大広間から脇の小部屋に向かっているセドリックと一緒に部屋に入った。クラムもすぐあとに前かがみになって入っていった。ハリーは動かなかった。やはり小部屋に入りたくなかった。家族なんていない──少なくとも、ハリーが命を危険にさらして戦うのを見にきてくれる家族はいない。しかし、図書館にでも行ってもうちょっと呪文の復習をしようかと、立ち上がりかけたその時、小部屋のドアが開いて、セドリックが顔を突き出した。

「ハリー、来いよ。みんな君を待ってるよ！」

ハリーはまったく当惑しながら立ち上がった。ダーズリーたちが来るなんて、ありうるだろうか？大広間を横切り、ハリーは小部屋のドアを開けた。

ドアのすぐ内側にセドリックと両親がいた。ビクトール・クラムは、隅のほうで黒い髪の父親、母親とブルガリア語で早口に話している。クラムの鉤鼻（かぎ）は父親ゆずりだ。部屋の反対側で、フラーが母親とフランス語でペチャクチャしゃべっている。フラーの妹のガブリエルが母親と手をつないでいた。ハリーを見て手を振ったので、ハリーも手を振った。それから、暖炉の前でハリーにニッコリ笑いかけているウィーズリーおばさんとビルが目に入った。

「びっくりでしょ！」

ハリーがニコニコしながら近づいていくと、ウィーズリーおばさんが興奮しながら言った。

「あなたを見にきたかったのよ、ハリー！」

おばさんはかがんでハリーのほおにキスした。

「元気かい？」

ビルがハリーに笑いかけながら握手した。

「チャーリーも来たかったんだけど、休みが取れなくてね。ホーンテールとの対戦のときの君はすごかったって言ってたよ」

フラー・デラクールが、相当関心がありそうな目で、母親の肩越しに、ビルをちらちら見ているのにハリーは気がついた。フラーにとっては、長髪も牙のイヤリングもまったく問題ではないのだと、ハリーにもわかった。

「ほんとうにうれしいです」

ハリーは口ごもりながらウィーズリーおばさんに言った。

「僕、一瞬、考えちゃった――ダーズリー一家かと――」

「ンンン」

ウィーズリーおばさんが口をキュッと結んだ。おばさんはいつも、ハリーの前でダーズリー一家を批判するのはひかえていたが、その名前を聞くたびに目がピカッと光るのだった。

「学校はなつかしいよ」

ビルが小部屋の中を見回した（「太った婦人（レディ）」の友達のバイオレットが、絵の中からビルにウィンクした）。

「もう五年も来てないな。あのいかれた騎士の絵、まだあるかい？　カドガン卿（きょう）の？」

「ある、ある」ハリーが答えた。ハリーは去年カドガン卿に会っていた。

「『太った婦人』は？」ビルが聞いた。

「あの婦人は母さんの時代からいるわ」おばさんが言った。

「ある晩、朝の四時に寮に戻ったら、こっぴどく叱られたわ――」

「朝の四時まで、母さん、寮の外で何してたの？」ビルが驚いて母親を探るような目で見た。

ウィーズリーおばさんは目をキラキラさせてふくみ笑いをした。

「あなたのお父さんと二人で夜の散歩をしてたのよ」おばさんが答えた。

「そしたら、お父さん、アポリオン・プリングルに捕まってね――あのころの管理人よ――お父さんはいまでもおしおきの痕が残ってるわ」

「案内してくれるか、ハリー？」ビルが言った。

「ああ、いいよ」三人は大広間に出るドアのほうに歩いていった。

エイモス・ディゴリーのそばを通り過ぎようとすると、ディゴリーが振り向いた。

「よう、よう、いたな」

ディゴリーはハリーを上から下までじろじろ見た。

「セドリックが同点に追いついたので、そうそういい気にもなっていられないだろう？」

「なんのこと？」ハリーが聞いた。

「気にするな」

セドリックが父親の背後で顔をしかめながらハリーにささやいた。

「リータ・スキーターの三大魔法学校対抗試合の記事以来、ずっと腹を立てているんだ――ほら、君がホグワーツでただ一人の代表選手みたいな書き方をしたから」

「訂正しようともしなかっただろうが？」

エイモス・ディゴリーが、ウィーズリーおばさんやビルと一緒にドアから出ながら、ハリーに聞こえるように大声で言った。

「しかし……セド、目に物見せてやれ。一度あの子を負かしたろうが？」

「エイモス！　リータ・スキーターは、ごたごたを引き起こすためにはなんでもやるのよ」

ウィーズリーおばさんが腹立たしげに言った。

「そのぐらいのこと、あなた、魔法省に勤めてたらおわかりのはずでしょう！」

ディゴリー氏は怒って何か言いたそうな顔をしたが、奥さんがその腕を押さえるように手を置くと、ちょっと肩をすくめただけで顔をそむけた。

陽光がいっぱいの校庭を、ビルやウィーズリーおばさんを案内して回り、ボーバトンの馬車やダームストラングの船を見せたりして、ハリーはとても楽しく午前中を過ごした。おばさんは、卒業後に植えられた「暴れ柳」にとても興味を持ったし、ハグリッドの前の森番、オッグの思い出を長々と話してくれた。

「パーシーは元気？」

温室の周りを散歩しながら、ハリーが聞いた。

「よくないね」ビルが言った。

「とってもうろたえてるの」おばさんはあたりを見回しながら声を低めて言った。

「魔法省は、クラウチさんが消えたことを伏せておきたいわけ。でも、パーシーは、クラウチさんの送ってきていた指令についての尋問に呼び出されてね。本人が書いたものではない可能性があるって、魔法省はそう思っているらしいの。パーシーはストレス状態だわ。魔法省では、今夜の試合の五番目の審査員として、パーシーにクラウチさんの代理を務めさせてくれないの。コーネリウス・ファッジが審査員になるわ」

三人は昼食をとりに城に戻った。

「ママ――ビル！」

グリフィンドールのテーブルに着いたロンが驚いて言った。

「こんな所で、どうしたの？」

「ハリーの最後の競技を見にきたのよ！」

ウィーズリーおばさんが楽しそうに言った。

「お料理をしなくていいってのは、ほんと、たまにはいいものね。試験はどうだったの？」

「あ……大丈夫さ」ロンが言った。「小鬼（ゴブリン）の反逆者の名前を全部は思い出せなかったから、いくつかでっち上げたけど、問題ないよ」

ウィーズリーおばさんの厳しい顔をよそに、ロンはミートパイを皿に取った。

「みんなおんなじような名前だから。ボロひげのボドロッドとか、薄汚いウルグだとかさ。難しくなかったよ」

フレッド、ジョージ、ジニーもやってきて、隣に座った。ハリーはまるで「隠れ穴」に戻ったかのような楽しい気分だった。夕方の試合を心配することさえ忘れていたが、昼食も半ばを過ぎたころ、ハーマイオニーが現れて、ハッと思い出した。リータ・スキーターのことで、ハーマイオニーが何かひらめいたことがあったはずだ。

「何かわかった？　例の――」

ハーマイオニーは、ウィーズリーおばさんのほうをちらりと見て、「言っちゃダメよ」というふうに首を振った。

「こんにちは、ハーマイオニー」

ウィーズリーおばさんの言い方がいつもとちがって堅かった。

「こんにちは」

ウィーズリーおばさんの冷たい表情を見て、ハーマイオニーの笑顔がこわばった。

ハリーは二人を見比べた。

「ウィーズリーおばさん、リータ・スキーターが『週刊魔女』に書いたあのバカな記事を本気にしたりしてませんよね？　だって、ハーマイオニーは僕のガールフレンドじゃないもの」

「あら！」おばさんが言った。「ええ――もちろん本気にしてませんよ！」

しかし、そのあとは、おばさんのハーマイオニーに対する態度がずっと温かくなった。

ハリー、ビル、ウィーズリーおばさんの三人は、城の周りをぶらぶら散歩して午後を過ごし、晩餐会に大広間に戻った。今度はルード・バグマンとコーネリウス・ファッジが教職員テーブルに着いていた。バグマンはうきうきしているようだったが、コーネリウス・ファッジは、マダム・マクシームの隣で、厳しい表情でだまりこくっていた。マダム・マクシームは食事に没頭していたが、ハリーはマダムの目が赤いように思った。ハグリッドが同じテーブルの端からしょっちゅうマダムのほうに目を走らせていた。

食事はいつもより品数が多かったが、ハリーはいまや本格的に気がたかぶりはじめ、あまり食べられなかった。魔法をかけられた天井が、ブルーから日暮れの紫に変わりはじめたとき、ダンブルドアが教職員テーブルで立ち上がった。大広間がシーンとなった。

「紳士、淑女のみなさん。あと五分たつと、みなさんにクィディッチ競技場に行くように、わしからお願いすることになる。三大魔法学校対抗試合、最後の課題が行われる。代表選手は、バグマン氏に従って、いますぐ競技場に行くのじゃ」

ハリーは立ち上がった。グリフィンドールのテーブルからいっせいに拍手が起こった。ウィーズリー一家とハーマイオニーに激励され、ハリーはセドリック、フラー、クラムと一緒に大広間を出た。

「ハリー、落ち着いてるか？」

校庭に下りる石段の所で、バグマンが話しかけた。

「自信があるかね？」

「大丈夫です」

ハリーが答えた。ある程度ほんとうだった。神経はとがっていたが、こうして歩きながらも頭の中で、これまで練習してきた呪いや呪文を何度もくり返していたし、全部思い出すことができるので、気分が楽になっていた。

全員でクィディッチ競技場へと歩いたが、いまはとても競技場には見えなかった。六メートルほどの高さの生け垣が周りをぐるりと囲み、正面にすきまが空いている。巨大な迷路への入口だ。中の通路は、暗く、薄気味悪かった。

五分後に、スタンドに人が入りはじめた。何百人という生徒が次々に着席し、あたりは興奮した声と、ドヤドヤと大勢の足音で満たされた。空はいまや澄んだ濃紺に変わり、一番星が瞬きはじめた。ハグリッド、ムーディ先生、マクゴナガル先生、フリットウィック先生が競技場に入場し、バグマンと選手の所へやってきた。全員、大きな赤く光る星を帽子につけていたが、ハグリッドだけは、モールスキンのチョッキの背につけていた。

「私たちが迷路の外側を巡回しています」

マクゴナガル先生が代表選手に言った。

「何か危険に巻き込まれて、助けを求めたいときには、空中に赤い火花を打ち上げなさい。私たちのうち誰かが救出します。おわかりですか？」

代表選手たちがうなずいた。

「では、持ち場についてください！」

バグマンが元気よく四人の巡回者に号令した。

「がんばれよ、ハリー」

ハグリッドがささやいた。そして四人は、迷路のどこかの持ち場につくため、バラバラな方向へと歩きだした。バグマンが杖をのど元に当て、「**ソノーラス！　響け！**」と唱えると、魔法で拡大された声がスタンドに響き渡った。

「紳士、淑女のみなさん。第三の課題、そして、三大魔法学校対抗試合最後の課題がまもなく始まります！　現在の得点状況をもう一度お知らせしましょう。同点一位、得点八五点――セドリック・ディゴリー君とハリー・ポッター君。両名ともホグワーツ校！」

大歓声と拍手に驚き、禁じられた森の鳥たちが、暮れかかった空にバタバタと飛び上がった。

「三位、八〇点――ビクトール・クラム君。ダームストラング専門学校！」

また拍手が沸いた。

「そして、四位――フラー・デラクール嬢、ボーバトン・アカデミー！」

ウィーズリーおばさんとビル、ロン、ハーマイオニーが、観客席の中ほどの段でフラーに礼儀正しく拍手を送っているのが、かろうじて見えた。ハリーが手を振ると、四人がニッコリと手を振り返した。

「では……ホイッスルが鳴ったら、ハリーとセドリック！」バグマンが言った。

「三――二――一――」

バグマンがピッと笛を鳴らした。ハリーとセドリックが急いで迷路に入った。

そびえるような生け垣が、通路に黒い影を落としていた。高く分厚い生け垣のせいか、魔法がかけられているからなのか、いったん迷路に入ると、周りの観衆の音はまったく聞こえなくなった。ハリーはまた水の中にいるような気がしたほどだ。杖を取り出し、「**ルーモス、光よ**」とつぶやくと、セドリックもハリーの後ろで同じことをつぶやいているのが聞こえてきた。

五十メートルも進むと、分かれ道に出た。二人は顔を見合わせた。

「じゃあね」

ハリーはそう言うと左の道に入った。セドリックは右をとった。

ハリーは、バグマンが二度目のホイッスルを鳴らす音を聞いた。クラムが迷路に入ったのだ。ハリーは速度を上げた。ハリーの選んだ道は、まったく何もいないようだった。右に曲がり、急ぎ足で、杖を頭上に高くかかげ、なるべく先のほうが見えるようにして歩いた。しかし、見えるものは何もない。

遠くで、バグマンのホイッスルが鳴った。これで代表選手全員が迷路に入ったことになる。

ハリーはしょっちゅう後ろを振り返った。またしても誰かに見られているような、あの感覚に襲われていた。空がだんだん群青色になり、迷路は刻一刻と暗くなってきた。ハリーは二つ目の分かれ道に出た。

「**方角示せ**」

ハリーは杖を手のひらに平らにのせてつぶやいた。

杖はくるりと一回転し、右を示した。そこは生け垣が密生している。そっちが北だ。迷路の中心に行くには、北西の方角に進む必要があるということはわかっている。一番よいのは、ここで左の道を行き、なるべく早く右に折れることだ。

左の道もがらんとしていた。ハリーは右折する道を見つけて曲がった。ここでも何も障害物がない。

しかし、何も障害がないことが、なぜか、かえって不安な気持ちにさせた。これまでに絶対何かに出会っているはずではないのか？　迷路が、まやかしの安心感でハリーを誘い込んでいるかのようだ。その時、ハリーはすぐ後ろで何かが動く気配を感じ、杖を突き出し、攻撃の体勢を取った。しかし、杖灯りの先にいたのは、セドリックだった。右側の道から急いで現れたところだった。ひどくショックを受けている様子で、ローブのそでがくすぶっている。

「ハグリッドの尻尾爆発スクリュートだ！」

セドリックが歯を食いしばって言った。

「ものすごく大きいやつらだ――やっと振り切った！」

セドリックは頭を振り、たちまち別の道へと飛び込み、姿を消した。スクリュートとの距離を充分に取らなければと、ハリーは再び急いだ。そして、角を曲がったとたん、目に入ったのは――。

吸魂鬼がするすると近づいてくる。身の丈四メートル、顔はフードで隠れ、くさったかさぶただらけの両手を伸ばし、見えない目で、ハリーのほうを探るような手つきで近づいてくる。ゴロゴロと末期の息のような息づかいが聞こえる。じとっと冷や汗が流れる気持ちの悪さがハリーを襲った。しかし、どうすればよいか、ハリーにはわかっていた……。

ハリーはできるだけ幸福な瞬間を思い浮かべた。迷路から抜け出し、ロンやハーマイオニーと喜び合っている自分の姿に全神経を集中した。そして杖を上げ、叫んだ。

「**エクスペクト　パトローナム！　守護霊よ来たれ！**」

銀色の牡鹿がハリーの杖先から噴き出し、吸魂鬼めがけてかけていった。吸魂鬼はあとずさりし、ローブのすそを踏んづけてよろめいた……ハリーは吸魂鬼が転びかける姿を初めて見た。

「待て！」

銀の守護霊のあとから前進しながら、ハリーが叫んだ。

「おまえはまね妖怪だ！　**リディクラス！　ばかばかしい！**」

ポンと大きな音がして、形態模写をする妖怪は爆発し、あとには霞（かすみ）が残った。銀色の牡鹿も霞んで見えなくなった。一緒にいてほしかった……道連れができたのに……。しかし、ハリーは進んだ。できるだけ早く、静かに、耳を澄まし、再び杖を高く掲げて進んだ。

左……右……また左……袋小路に二度突き当たった。また「四方位呪文」を使い、東に寄りすぎていることがわかった。引き返してまた右に曲がると、前方に奇妙な金色の霧が漂っているのが見えた。

ハリーは杖灯りをそれに当てながら、慎重に近づいた。魔性の誘いのように見える。霧を吹き飛ばして道をあけることができるものかどうか、ハリーは迷った。

「**レダクト！　粉々！**」ハリーが唱えた。

呪文は霧の真ん中を突き抜けて、なんの変化もなかった。それもそのはずだ、とハリーは気づいた。「粉々呪文」は固体に効くものだ。霧の中を歩いて抜けたらどうなるだろう？　試してみる価値があるだろうか？　それとも引き返そうか？

迷っていると、静けさを破って悲鳴が聞こえた。

「フラー？」ハリーが叫んだ。

深閑としている。ハリーは周りをぐるりと見回した。フラーの身に何が起こったのだろう？　悲鳴は前方のどこからか聞こえてきたようだ。ハリーは息を深く吸い込み、魔の霧の中に走り込んだ。

天地が逆さまになった。ハリーは地面からぶら下がり、髪は垂れ、めがねは鼻からずり落ち、底なしの空に落ちていきそうだった。めがねを鼻先に押しつけ、逆さまにぶら下がったまま、ハリーは恐怖におちいっていた。芝生がいまや天井になり、両足が芝生に貼りつけられているかのようだった。頭の下には星の散りばめられた暗い空がはてしなく広がっていた。片足を動かそうとすれば、完全に地上から落ちてしまうような感じがした。

「**考えろ**」

体中の血が頭に逆流してくる中で、ハリーは自分に言い聞かせた。

「**考えるんだ……**」

しかし、練習した呪文の中には、天と地が急に逆転する現象と戦うためのものは一つもなかった。思いきって足を動かしてみようか？　耳の中で、血液がドクンドクンと脈打つ音が聞こえた。道は二つに一つ――試しに動いてみること。さもなければ赤い火花を打ち上げて救出してもらい、失格すること。ハリーは目を閉じて、下に広がる無限の虚空が見えないようにした。そして、力いっぱい芝生の天井から右足を引き抜いた。

とたんに、世界は元に戻った。ハリーは前かがみにのめり、すばらしく硬い地面の上に両ひざをついていた。ショックで、ハリーは一時的に足がなえたように感じた。気を落ち着かせるため、ハリーは深く息を吸い込み、再び立ち上がり、前方へと急いだ。駆けだしながら肩越しに振り返ると、金色の霧は何事もなかったかのように、月明かりを受けてキラキラとハリーに向かってきらめいていた。

道が二股に分かれている場所でハリーは立ち止まり、どこかにフラーがいないかと見回した。叫んだのはフラーにちがいなかった。フラーは何に出会ったのだろう？　大丈夫だろうか？　赤い火花が上がった気配はない――フラーが自分で切り抜けたということだろうか？　それとも、杖を取ることができないほどたいへんな目にあっているのだろうか？　だんだん不安をつのらせながら、ハリーは二股の道を右にとった……しかし、同時にハリーは、ある思いを振り切ることができなかった。**代表選手が一人落伍（らくご）した……**。

優勝杯はどこか近くにある。フラーはもう落伍してしまったようだ。僕はここまで来たんだ。ほんとうに優勝したら？　ほんの一瞬——期せずして代表選手になってしまってから初めてだったが——全校の前で三校対抗試合の優勝杯を差し上げている自分の姿が再び目に浮かんだ……。

それから十分間、ハリーは、袋小路以外はなんの障害にもあわなかった。同じ場所で、二度同じように曲がり方をまちがえたが、やっと新しいルートを見つけ、その道を駆け足で進んだ。杖灯りが波打ち、生け垣に映った自分の影が、チラチラ揺れ、ゆがんだ。一つ角を曲がった所で、ハリーはとうとう一匹の尻尾爆発スクリュートに出くわしてしまった。

セドリックの言うとおりだった——**ものすごく**大きい。長さ三メートルはある。むしろ巨大なサソリにそっくりだった。長いとげを背中のほうに丸め込んでいる。ハリーが杖灯りを向けると、その光で分厚い甲殻がギラリと光った。

「**ステューピファイ！　まひせよ！**」

呪文はスクリュートの殻に当たって跳ね返った。ハリーは間一髪でそれをかわしたが、髪が焦げるにおいがした。呪文が頭のてっぺんの毛を焦がしたのだ。スクリュートがしっぽから火を噴き、ハリーめがけて飛びかかってきた。

「**インペディメンタ！　妨害せよ！**」ハリーが叫んだ。

呪文はまたスクリュートの殻に当たって、跳ね返った。ハリーは数歩よろけて倒れた。

「**インペディメンタ！**」

スクリュートはハリーからほんの数センチの所で動かなくなった——かろうじて殻のない下腹部の肉の部分に呪文を当てたのだ。ハリーはハァハァと息を切らしてスクリュートから離れ、必死で逆方向へと走った——妨害呪文は一時的なもので、スクリュートはすぐにも肢（あし）が動くようになるはずだ。

ハリーは左の道をとった。行き止まりだった。右の道もまたそうだった。心臓をドキドキさせながら、ハリーはその場に踏みとどまり、もう一度「四方位呪文」を使った。そしてもと来た道を戻り、北西に向かう道を選んだ。

新しい道を急ぎ足で数分歩いたとき、その道と平行に走る道で何かが聞こえ、ハリーはぴたりと足を止めた。

「何をする気だ?」セドリックが叫んでいる。「いったい何をする気なんだ?」

それからクラムの声が聞こえた。

「**クルーシオ! 苦しめ!**」

突然、セドリックの悲鳴があたりに響き渡った。ハリーはぞっとした。なんとかセドリックのほうに行く道を見つけようと、前方に向かって走った。しかし、見つからない。ハリーはもう一度「粉々呪文」を使った。あまり効き目はなかったが、それでも生け垣に小さな焼け焦げ穴が開いた。ハリーはそこに足を突っ込み、うっそうとからみ合った茨や小枝を蹴って、その穴を大きくした。ローブが破れたが、無理やりその穴を通り抜け、右側を見ると、セドリックが地面でのた打ち回っていた。クラムが覆いかぶさるように立っている。

ハリーは体勢を立てなおし、クラムに杖を向けた。その時クラムが目を上げ、背を向けて走りだした。

「**ステューピファイ! まひせよ!**」ハリーが叫んだ。

呪文はクラムの背中に当たった。クラムはその場でぴたりと止まり、芝生の上にうつ伏せに倒れ、ピクリとも動かなくなった。ハリーはセドリックの所へ駆けつけた。もうけいれんは止まっていたが、両手で顔を覆い、ハァハァ息をはずませながら横たわっていた。

「大丈夫か?」ハリーはセドリックの腕をつかみ、大声で聞いた。

「ああ」セドリックがあえぎながら言った。

「ああ……信じられないよ……クラムが後ろから忍び寄って……音に気づいて振り返ったんだ。そしたら、クラムが僕に杖を向けて……」

セドリックが立ち上がった。まだ震えている。セドリックとハリーはクラムを見下ろした。

「信じられない……クラムは大丈夫だと思ったのに」

クラムを見つめながら、ハリーが言った。

「僕もだ」セドリックが言った。

「さっき、フラーの悲鳴が聞こえた？」ハリーが聞いた。

「ああ」セドリックが言った。

「クラムがフラーもやったと思うかい？」

「わからない」ハリーは考え込んだ。

「このままここに残して行こうか？」セドリックがつぶやいた。

「だめだ」ハリーが言った。

「赤い火花を上げるべきだと思う。誰かが来てクラムを拾ってくれる……じゃないと、たぶんスクリュートに食われちゃう」

「当然の報いだ」

セドリックがつぶやいた。しかし、それでも自分の杖を上げ、空中に赤い火花を打ち上げた。火花は空高く漂い、クラムの倒れている場所を知らせた。

ハリーとセドリックは暗い中であたりを見回しながら、しばらくたたずんでいた。それからセドリックが口を開いた。

「さあ……そろそろ行こうか……」

「えっ？　ああ……うん……そうだね……」

奇妙な瞬間だった。ハリーとセドリックは、ほんのしばらくだったが、クラムに対抗することで手を組んでいた——いま、互いに競争相手だという事実がよみがえってきた。二人とも無言で暗い道を歩いた。そしてハリーは左へ、セドリックは右へと分かれた。セドリックの足音はまもなく消えていった。

ハリーは「四方位呪文」を使って、正しい方向を確かめながら進んだ。勝負はハリーかセドリックにしぼられた。優勝杯に先にたどり着きたいという思いが、いままでになく強く燃え上がった。しかし、ハリーはたったいま目撃した、クラムの行動が信じられなかった。「許されざる呪文」を同類であるヒトに使うことは、アズカバンでの終身刑に値すると、ムーディに教わった。クラムはそこまでして三校対抗優勝杯が欲しいと思うはずがない……ハリーは足を速めた。

ときどき袋小路にぶつかったが、だんだん闇が濃くなることから、ハリーは迷路の中心に近づいているとはっきり感じた。長いまっすぐな道を、ハリーは勢いよくずんずん歩いた。すると、また何かうごめくものが見えた。杖灯りに照らし出されたのは、とてつもない生き物だった。『怪物的な怪物の本』で、絵だけでしか見たことのない生き物だ。

スフィンクスだ。巨大なライオンの胴体、見事な爪を持つ四肢、長い黄色味を帯びた尾の先は茶色の房になっている。しかし、その頭部は女性だった。ハリーが近づくと、スフィンクスは切れ長のアーモンド形の目を向けた。ハリーは戸惑いながら杖を上げた。スフィンクスは伏せて飛びかかろうという姿勢ではなく、左右に往ったり来たりしてハリーの行く手をふさいでいた。

スフィンクスが、深いしわがれた声で話しかけた。

「おまえはゴールのすぐ近くにいる。一番の近道はわたしを通り越していく道だ」

「それじゃ……それじゃ、どうか、道をあけてくれませんか？」

答えはわかっていたが、それでもハリーは言ってみた。

「だめだ」

スフィンクスは往ったり来たりをやめない。

「通りたければ、わたしのなぞなぞに答えるのだ。一度で正しく答えれば――通してあげよう。答えをまちがえば――おまえを襲う。黙して答えなければ――わたしの所から返してあげよう。無傷で」

ハリーは胃袋がガクガクと数段落ち込むような気がした。こういうのが得意なのはハーマイオニーだ。僕じゃない。ハリーは勝算を計った。謎が難しければだまっていよう。無傷で帰れる。そして、中心部への別なルートを探そう。

「了解」ハリーが言った。「なぞなぞを出してくれますか？」

スフィンクスは道の真ん中で、後脚を折って座り、謎をかけた。

最初のヒント。変装して生きるひと誰だ
秘密の取引、うそばかりつくひと誰だ

二つ目のヒント。誰でもはじめに持っていて
途中にまだまだ持っていて、なんだのさいごはなんだ？

最後のヒントはただの音。言葉探しに苦労して
よく出す音はなんの音

つないでごらん。答えてごらん。
キスしたくない生き物はなんだ？

ハリーは、口をあんぐり開けてスフィンクスを見た。

「もう一度言ってくれる？　……もっとゆっくり」ハリーはおずおずと頼んだ。

スフィンクスはハリーを見て瞬（まばた）きし、ほほえんで、なぞなぞをくり返した。

「全部のヒントを集めると、キスしたくない生き物の名前になるんだね？」ハリーが聞いた。

スフィンクスはただ謎めいたほほえみを見せただけだった。ハリーはそれを「イエス」だと取った。

ハリーは知恵をしぼった。キスしたくない動物ならたくさんいる。すぐに尻尾爆発スクリュートを思いついたが、これが答えではないと、なんとなくわかった。ヒントを解かなければならないはずだ……。

「変装した人」

ハリーはスフィンクスを見つめながらつぶやいた。

「うそをつく人……アー……それは――ペテン師。ちがうよ、まだこれが答えじゃないよ！　アー――スパイ？　あとでもう一回考えよう……二つ目のヒントをもう一回言ってもらえますか？」

スフィンクスはなぞなぞの二つ目のヒントをくり返した。

「誰でもはじめに持っていて」ハリーはくり返した。

「アー……わかんない……途中にまだまだ持っていて……最後のヒントをもう一度？」

スフィンクスが最後の四行をくり返した。

「ただの音。言葉探しに苦労して」ハリーはくり返した。

「アー……それは……アー……待てよ――『アー』！　『アー』っていう音だ！」

スフィンクスはハリーにほほえんだ。

「スパイ……アー……スパイ……アー……」

ハリーも左右に往ったり来たりしていた。

「キスしたくない生き物……スパイダァー！　**クモだ！**」

スフィンクスは前よりもっとニッコリして、立ち上がり、前脚をぐんと伸ばし、脇によけてハリーに道をあけた。

「ありがとう！」

ハリーは自分の頭がさえているのに感心しながら全速力で先に進んだ。

もうすぐそこにちがいない。そうにちがいない……杖の方位が、この道はぴったり合っていることを示している。何か恐ろしいものにさえ出合わなければ、勝つチャンスはある……。

分かれ道に出た。道を選ばなければならない。

「**方角示せ！**」

ハリーがまた杖にささやくと、杖はくるりと回って右手の道を示した。ハリーがその道を大急ぎで進むと、前方に明かりが見えた。

三校対抗試合優勝杯が百メートルほど先の台座で輝いている。ハリーが駆けだしたその時、黒い影がハリーの行く手に飛び出した。セドリックが、優勝杯目指して全速力で走っていた。セドリックが先にあそこに着くだろう。ハリーは絶対に追いつけるはずがない。セドリックのほうがずっと背が高いし、足も長い――。

その時ハリーは、何か巨大なものが、左手の生け垣のむこう側にいるのを見つけた。ハリーの行く手と交差する道に沿って、急速に動いている。あまりにも速い。このままではセドリックが衝突する。セドリックは優勝杯だけを見ているので、それに気づいていない――。

「セドリック！」ハリーが叫んだ。「左を見て！」

セドリックが左のほうを見て、間一髪で身をひるがえし、衝突をさけた。しかし、あわてて足がもつれ、転んだ。ハリーはセドリックの杖が手を離れて飛ぶのを見た。同時に、巨大な蜘蛛が行く手の道に現れ、セドリックにのしかかろうとした。

「**ステューピファイ！　まひせよ！**」

ハリーが叫んだ。呪文は毛むくじゃらの黒い巨体を直撃したが、せいぜい小石を投げつけたくらいの効果しかなかった。蜘蛛はぐいと身を引き、ガサガサと向きを変えて、今度はハリーに向かってきた。

「**まひせよ！　妨害せよ！　まひせよ！**」

なんの効き目もない――蜘蛛が大きすぎるせいか、魔力が強いせいか、呪文をかけても蜘蛛を怒らせるばかりだ――。ギラギラした恐ろしい八つの黒い目と、かみそりのような鋏がちらりと見えた次の瞬間、蜘蛛はハリーに覆いかぶさっていた。

ハリーは蜘蛛の前肢にはさまれ、宙吊りになってもがいていた。蜘蛛を蹴飛ばそうとして片足が鋏に触れた瞬間、ハリーは激痛に襲われた――セドリックが「**まひせよ！**」と叫んでいるのが聞こえたが、ハリーの呪文と同じく、効き目はなかった――蜘蛛が鋏をもう一度開いたとき、ハリーは杖を上げて叫んだ。

「**エクスペリアームス！　武器よ去れ！**」

効いた――「武装解除呪文」で蜘蛛はハリーを取り落とした。そのかわり、ハリーは四メートルの高みから、足から先に落下した。すでに傷ついていた脚が、ぐにゃりとつぶれた。考える間もなく、ハリーは、スクリュートのときと同じように、蜘蛛の下腹部めがけて杖を高くかまえ、叫んだ。

「**ステューピファイ！　まひせよ！**」同時にセドリックも同じ呪文を叫んだ。

一つの呪文ではできなかったことが、二つ呪文が重なることで効果を上げた――蜘蛛はごろんと横倒しになり、そばの生け垣を押しつぶし、もつれた毛むくじゃらの肢を道に投げ出していた。

「ハリー！」

セドリックの叫ぶ声が聞こえた。

「大丈夫か？　蜘蛛の下敷きか？」

「いいや」

ハリーがあえぎながら答えた。脚を見ると、おびただしい出血だ。破れたローブに、蜘蛛の鋏のべっとりとした糊のような分泌物がこびりついているのが見えた。立とうとしたが、片足がぐらぐらして、体の重みを支えきれなかった。ハリーは生け垣に寄りかかって、あえぎながら周りを見た。

セドリックが三校対抗優勝杯のすぐそばに立っていた。優勝杯はその背後で輝いている。

「さあ、それを取れよ」

ハリーが息を切らしながらセドリックに言った。

「さあ、取れよ。君が先に着いたんだから」

しかし、セドリックは動かなかった。ただそこに立ってハリーを見ている。それから振り返って優勝杯を見た。金色の光に浮かんだセドリックの顔が、どんなに欲しいかを語っている。セドリックはもう一度こちらを振り向き、生け垣で体を支えているハリーを見た。

セドリックは深く息を吸った。

「君が取れよ。君が優勝するべきだ。迷路の中で、君は僕を二度も救ってくれた」

「そういうルールじゃない」

ハリーはそう言いながら腹が立った。脚がひどく痛む。蜘蛛を振り払おうと戦って、体中がずきずきする。こんなに努力したのに、セドリックが僕よりひと足早かった。チョウをダンスパーティに誘ったときにハリーを出し抜いたのと同じだ。

「優勝杯に先に到着した者が得点するんだ。君だ。僕、こんな足じゃ、どんなに走ったって勝てっこない」

セドリックは首を振りながら、優勝杯から離れ、「失神」させられている大蜘蛛のほうに二、三歩近づいた。

「できない」

「かっこつけるな」ハリーはじれったそうに言った。

「取れよ。そして二人ともここから出るんだ」

セドリックは生け垣にしがみついてやっと体を支えているハリーをじっと見た。

「君はドラゴンのことを教えてくれた」セドリックが言った。

「あの時前もって知らなかったら、僕は第一の課題でもう落伍していたろう」

「あれは、僕も人に助けてもらったんだ」

ハリーは血だらけの脚をローブでぬぐおうとしながら、そっけなく言った。

「君も卵のことで助けてくれた――あいこだよ」

「卵のことは、僕もはじめから人に助けてもらったんだ」

「それでもあいこだ」

ハリーはそっと足を試しながら言った。体重をその足にかけると、ぐらぐらした。蜘蛛がハリーを取り落としたとき、くじいてしまったのだ。

「第二の課題のとき、君はもっと高い得点を取るべきだった」セドリックは頑固だった。

「君は人質全員が助かるようにあとに残った。僕もそうするべきだった」

「僕だけがバカだから、あの歌を本気にしたんだ！」ハリーは苦々しげに言った。

「いいから優勝杯を取れよ！」

「できない」セドリックが言った。

セドリックはもつれた蜘蛛の肢をまたいでハリーの所にやってきた。ハリーはまじまじとセドリックを見つめた。セドリックは本気なんだ。ハッフルパフがこの何百年間も手にしたことのないような栄光から身を引こうとしている。

「さあ、行くんだ」

セドリックが言った。ありったけの意志を最後の一滴まで振りしぼって言った言葉のようだった。しかし、断固とした表情で腕組みし、セドリックの決心は揺るがないようだ。

ハリーはセドリックを見て、優勝杯を見た。一瞬、まばゆいばかりの一瞬、ハリーは優勝杯を持って迷路から出ていく自分の姿を思い浮かべた。高々と優勝杯を掲げ、観衆の歓声が聞こえ、チョウの顔が称賛で輝く。光景がこれまでよりはっきりと目に浮かんだ……そして、すぐにその光景は消え去り、ハリーは影の中に浮かぶセドリックのかたくなな顔を見つめていた。

「二人ともだ」ハリーが言った。

「えっ？」

「二人一緒に取ろう。ホグワーツの優勝に変わりはない。二人引き分けだ」

セドリックはハリーをじっと見た。組んでいた腕を解いた。

「君――君、それでいいのか？」

「ああ」ハリーが答えた。

「ああ……僕たち助け合ったよね？　二人ともここにたどり着いた。一緒に取ろう」

一瞬、セドリックは耳を疑うような顔をした。それからニッコリ笑った。

「話は決まった」セドリックが言った。

「さあここへ」

セドリックはハリーの肩を抱くように抱え、優勝杯ののった台まで足を引きずって歩くのを支えた。たどり着くと、優勝杯の輝く取っ手にそれぞれ片手を伸ばした。

「三つ数えて、いいね？」ハリーが言った。

「一——二——三——」

ハリーとセドリックが同時に取っ手をつかんだ。

とたんに、ハリーはへその裏側のあたりがぐいと引っ張られるように感じた。両足が地面を離れた。優勝杯の取っ手から手がはずれない。風の唸り、色の渦の中を、優勝杯はハリーを引っ張っていく。セドリックも一緒に。

第32章　骨肉そして血

ハリーは足が地面を打つのを感じた。けがした片足がくずおれ、前のめりに倒れた。優勝杯からやっと手が離れた。ハリーは顔を上げた。

「ここはどこだろう？」ハリーが言った。

セドリックは首を横に振り、立ち上がってハリーを助け起こした。二人はあたりを見回した。

ホグワーツからは完全に離れていた。何キロも――いや、もしかしたら何百キロも――遠くまで来てしまったのは確かだ。城を取り囲む山々さえ見えなかった。二人は、暗い、草ぼうぼうの墓場に立っていた。右手にイチイの大木があり、そのむこうに小さな教会の黒い輪郭が見えた。左手には丘がそびえ、その斜面に堂々とした古い館が立っている。ハリーには、かろうじて館の輪郭だけが見えた。

セドリックは三校対抗優勝杯を見下ろし、それからハリーを見た。

「優勝杯が『移動キー（ポートキー）』になっているって、**君は**誰かから聞いていたか？」

「全然」ハリーが墓場を見回しながら言った。深閑と静まり返り、薄気味が悪い。

「これも課題の続きなのかな？」

「わからない」セドリックは少し不安げな声で言った。

「杖（つえ）を出しておいたほうがいいだろうな？」

「ああ」ハリーが言った。

セドリックのほうが先に杖のことを言ったのが、ハリーにはうれしかった。

二人は杖を取り出した。ハリーはずっとあたりを見回し続けていた。またしても、誰かに見られているという、奇妙な感じがしていた。

「誰か来る」ハリーが突然言った。

暗がりでじっと目を凝らすと、墓石の間を、まちがいなくこちらに近づいてくる人影がある。顔までは見分けられなかったが、歩き方や腕の組み方から、何かを抱えていることだけはわかった。誰かはわからないが、小柄で、フードつきのマントをすっぽりかぶって顔を隠している。そして——その姿がさらに数歩近づき、二人との距離が一段と狭まってきたとき——ハリーはその影が抱えているものが、赤ん坊のように見えた……それとも単にローブを丸めただけのものだろうか？

ハリーは杖を少し下ろし、横目でセドリックをちらりと見た。セドリックもハリーにいぶかしげな視線を返した。そして二人とも近づく影に目を戻した。

その影は、二人からわずか二メートルほど先の、丈高の大理石の墓石のそばで止まった。一瞬、ハリー、セドリック、そしてその小柄な姿が互いに見つめ合った。

その時、なんの前触れもなしに、ハリーの傷痕に激痛が走った。これまで一度も感じたことがないような苦痛だった。両手で顔を覆ったハリーの指の間から、杖がすべり落ち、ハリーはがっくりひざを折った。地面に座り込み、痛みでまったく何も見えず、いまにも頭が割れそうだった。

ハリーの頭の上で、どこか遠くのほうから聞こえるようなかん高い冷たい声がした。

「**よけいなやつは殺せ！**」

シュッという音とともに、もう一つ別のかん高い声が夜の闇をつんざいた。

「**アバダ　ケダブラ！**」

緑の閃光（せんこう）がハリーの閉じたまぶたの裏で光った。何か重いものがハリーの脇の地面に倒れる音がした。

あまりの傷痕の痛さに吐き気がした。その時、ふと痛みが薄らいだ。何が見えるかと思うと、目を開けることさえ恐ろしかったが、ハリーはじんじん痛む目を開けた。

セドリックがハリーの足元に大の字に倒れていた。死んでいる。

一瞬が永遠に感じられた。ハリーはセドリックの顔を見つめた。うつろに見開かれた、廃屋の窓ガラスのように無表情なセドリックの灰色の目を。少し驚いたように半開きになったセドリックの口元を。信じられなかった。受け入れられなかった。信じられないという思いのほかは、感覚がまひしていた。誰かが自分を引きずっていく。

フードをかぶった小柄な男が、手にした包みを下に置き、杖灯り(つえあか)をつけ、ハリーを大理石の墓石のほうに引きずっていった。

杖灯りにちらりと照らし出された墓碑銘を目にした。そのとたん、ハリーは無理やり後ろ向きにされ、背中をその墓石に押しつけられた。

トム・リドル

フードの男は、今度は杖から頑丈な縄を出し、ハリーを首から足首まで墓石にぐるぐる巻きに縛りつけはじめた。ハッハッと、浅く荒い息づかいがフードの奥から聞こえた。抵抗するハリーを、男がなぐった――男の手は指が一本欠けている。ハリーはフードの下の男が誰なのかがわかった。ワームテールだ。

「おまえだったのか！」ハリーは絶句した。

しかし、ワームテールは答えなかった。縄を巻きつけ終わると、縄目の固さを確かめるのに余念がなかった。結び目をあちこち不器用にさわりながら、ワームテールの指が、止めようもなく小刻みに震えていた。ハリーが墓石にしっかり縛りつけられ、びくともできない状態だと確かめると、ワームテールはマントから黒い布をひと握り取り出し、乱暴にハリーの口に押し込んだ。それから、一言も言わず、ハリーに背を向け、急いで立ち去った。ハリーは声も出せず、ワームテールがどこへ行ったのかを見ることもできなかった。墓石の裏を見ようとしても、首が回せない。ハリーは真正面しか見ることができなかった。

セドリックのなきがらが五、六メートルほど先に横たわっている。そこから少し離れた所に、優勝杯が星明かりを受けて冷たく光りながら転がっていた。ハリーの杖はセドリックの足元に落ちている。ハリーが赤ん坊だと思ったローブの包みは、墓のすぐ前にあった。包みはじれったそうに動いているようだ。包みを見つめると、ハリーの傷痕が再び焼けるように痛んだ……その時、ハリーはハッと気づいた。ローブの包みの中身は見たくない……包みは開けないでくれ。

足元で音がした。見下ろすと、ハリーが縛りつけられている墓石を包囲するように、巨大な蛇が草むらを這いずり回っている。ワームテールのゼイゼイという荒い息づかいがまた一段と大きくなってきた。何か重いものを押し動かしているようだ。やがてワームテールがハリーの視野の中に入ってきた。石の大鍋を押して、墓の前まで運んでいた。何か水のようなものでなみなみと満たされている――ピシャピシャとはねる音が聞こえた――ハリーがこれまで使ったどの鍋よりも大きい。巨大な石鍋の胴は大人一人が充分、中に座れるほどの大きさだ。

地上に置かれた包みは、何かが中から出たがっているように、ますます絶え間なくもぞもぞと動いていた。ワームテールは、今度は鍋の底の所で杖を使い、忙しく動いていた。突然パチパチと鍋底に火が燃え上がった。大蛇はずるずると暗闇に消えていった。

鍋の中の液体はすぐに熱くなった。表面がボコボコ沸騰しはじめたばかりでなく、それ自身が燃えているかのように火の粉が散りはじめた。湯気が濃くなり、火かげんを見るワームテールの輪郭がぼやけた。包みの中の動きがますます激しくなった。ハリーの耳に、再びあのかん高い冷たい声が聞こえた。

「急げ！」

いまや液面全体が火花でまばゆいばかりだった。ダイヤモンドを散りばめてあるかのようだ。

「準備ができました。ご主人様」

「さぁ……」冷たい声が言った。

ワームテールが地上に置かれた包みを開き、中にあるものがあらわになった。ハリーは絶叫したが、口の詰め物が声を押し殺した。

まるでワームテールが地面の石をひっくり返し、その下から、醜い、べっとりした、目の見えない何かをむき出しにしたようだった——いや、その百倍も悪い。ワームテールが抱えていたものは、縮こまった人間の子供のようだった。ただし、こんなに子供らしくないものは見たことがない。髪の毛はなく、うろこに覆われたような、赤むけのどす黒いものだ。手足は細く弱々しく、その顔は——この世にこんな顔をした子供がいるはずがない——のっぺりと蛇のような顔で、赤い目がギラギラしている。

そのものは、ほとんど無力に見えた。細い両手を上げ、ワームテールの首に巻きつけると、ワームテールがそれを持ち上げた。その時フードが頭からずれ落ち、ワームテールの弱々しい青白い顔が火に照らされた。その生き物を大鍋の縁まで運ぶとき、ワームテールの顔に激しい嫌悪感が浮かんだのをハリーは見た。一瞬、液体の表面に踊る火花が、生き物の邪悪なのっぺりした顔を照らし出すのを見た。それから、ワームテールはその生き物を大鍋に入れた。ジュッという音とともに、その姿は液面から見えなくなった。弱々しい体がコツンと小さな音を立てて、鍋底に落ちたのをハリーは聞いた。

おぼれてしまいますように――ハリーは願った。傷痕の焼けるような痛みはほとんど限界を超えていた。おぼれてしまえ……お願いだ……。

ワームテールが何か言葉を発している。声は震え、恐怖で分別もつかないかのように見えた。杖を上げ、両目を閉じ、ワームテールは夜の闇に向かって唱えた。

「**父親の骨、知らぬ間に与えられん。父親は息子をよみがえらせん！**」

ハリーの足元の墓の表面がパックリ割れた。ワームテールの命ずるままに、細かい塵（ちり）、芥（あくた）が宙を飛び、静かに鍋の中に降り注ぐのを、ハリーは恐怖にかられながら見ていた。ダイヤモンドのような液面が割れ、シュウシュウと音がした。四方八方に火花を散らし、液体は鮮やかな毒々しい青に変わった。

ワームテールは、今度はヒイヒイ泣きながら、マントから細長い銀色に光る短剣を取り出した。ワームテールの声が恐怖に凍りついたようなすすり泣きに変わった。

「**下僕（しもべ）の――肉、よ、喜んで差し出されん。――下僕は――ご主人様を――よみがえらせん**」

ワームテールは右手を前に出した――指が欠けた手だ。左手にしっかり短剣を握り――振り上げた。

ハリーはワームテールが何をしようとしているかを、事の直前に悟った――ハリーは両目をできるだけ固く閉じた。が、夜をつんざく悲鳴に耳をふさぐことができなかった。まるでハリー自身が短剣に刺されたかのように、ワームテールの絶叫がハリーを貫いた。何かが地面に倒れる音、ワームテールの苦しみあえぐ声、何かが大鍋に落ちるバシャッといういやな音が聞こえた。ハリーは目を開ける気になれなかった……しかし液体はその間に燃えるような赤になり、その明かりが、ハリーの閉じたまぶたを通して入ってきた。

ワームテールは苦痛にあえぎ、うめき続けていた。その苦しそうな息がハリーの顔にかかって、初めてハリーは、ワームテールがすぐ目の前にいることに気づいた。

「敵の血、……力ずくで奪われん。……汝は……敵をよみがえらせん」

ハリーにはどうすることもできない。あまりにもきつく縛りつけられていた……。目を細め、縄目がどうにもならないと知りながらも、もがき、ハリーは銀色に光る短剣が、ワームテールの残った一本の手の中で震えているのを見た。そして、その切っ先が、右腕のひじの内側を貫くのを感じた。鮮血が切れたローブのそでににじみ、滴り落ちた。ワームテールは痛みにあえぎ続けながら、ポケットからガラスの薬瓶を取り出し、ハリーの傷口に押し当て、滴る血を受けた。

ハリーの血を持ち、ワームテールはよろめきながら大鍋に戻り、その中に血を注いだ。鍋の液体はたちまち目もくらむような白に変わった。任務を終えたワームテールは、がっくりと鍋のそばにひざをつき、くずおれるように横ざまに倒れた。手首を切り落とされて血を流している腕を抱えて地面に転がり、ワームテールはあえぎ、すすり泣いていた。

大鍋はぐつぐつと煮え立ち、四方八方にダイヤモンドのような閃光を放っている。その目もくらむような明るさに、周りのものすべてが真っ黒なビロードで覆われてしまったように見えた。何事も起こらない……。

おぼれてしまえ。ハリーはそう願った。失敗しますように……。

突然、大鍋から出ていた火花が消えた。そのかわり、濛々たる白い蒸気がうねりながら立ち昇ってきた。濃い蒸気がハリーの目の前のすべてのものを隠した。立ち込める蒸気で、ワームテールも、セドリックも、何も見えない……失敗だ。ハリーは思った……おぼれたんだ……どうか……どうかあれを死なせて……。

しかし、その時、目の前の靄の中にハリーが見たものは、氷のような恐怖をかき立てた。大鍋の中から、ゆっくりと立ち上がったのは、骸骨のようにやせ細った、背の高い男の黒い影だった。

「ローブを着せろ」

蒸気のむこうから、かん高い冷たい声がした。ワームテールは、すすり泣き、うめき、手首のなくなった腕をかばいながらも、あわてて地面に置いてあった黒いローブを拾い、立ち上がって片手でローブを持ち上げ、ご主人様の頭からかぶせた。

やせた男は、ハリーをじっと見ながら大鍋をまたいだ……ハリーも見つめ返した。その顔は、この三年間ハリーを悪夢で悩ませ続けた顔だった。骸骨よりも白い顔、細長い、真っ赤な不気味な目、蛇のように平らな鼻、切れ込みを入れたような鼻の穴……。

ヴォルデモート卿（きょう）は復活した。

第33章　死喰い人（デス・イーター）

ヴォルデモートはハリーから目をそらし、自分の身体（からだ）を調べはじめた。手はまるで大きな蒼（あお）ざめた蜘蛛（くも）のようだ。ヴォルデモートは蒼白い長い指で自分の胸を、腕を、顔をいとおしむようになでた。赤い目の瞳孔は、猫の目のように縦に細く切れ、暗闇でさらに明るくギラギラしていた。両手を上げて指を折り曲げるヴォルデモートの顔は、うっとりと勝ち誇っていた。地面に横たわり、ピクピクけいれんしながら血を流しているワームテールのことも、いつの間にか戻ってきて、シャーッ、シャーッと音を立てながらハリーの周りを這（は）い回っている大蛇のことも、まるで気にとめていない。ヴォルデモートは、不自然に長い指のついた手をポケットの奥に突っ込み、杖（つえ）を取り出した。いつくしむようにやさしく杖をなで、それから杖を上げてワームテールに向けた。ワームテールは地上から浮き上がり、ハリーが縛りつけられている墓石にたたきつけられ、その足元にくしゃくしゃになって泣きわめきながら転がった。ヴォルデモートは冷たい、無慈悲な高笑いを上げ、真っ赤な目をハリーに向けた。

ワームテールのローブはいまや血糊（ちのり）でテカテカ光っていた。手を切り落とした腕をローブで覆っている。

「ご主人様……」ワームテールは声を詰まらせた。

「ご主人様……あなた様はお約束なさった……確かにお約束なさいました……」

「腕を伸ばせ」ヴォルデモートが物憂げに言った。

「おお、ご主人様……ありがとうございます、ご主人様……」

ワームテールは血の滴る腕を突き出した。しかし、ヴォルデモートはまたしても笑った。

「ワームテールよ。別なほうの腕だ」

「ご主人様、どうか……**それだけは……**」

ヴォルデモートはかがみ込んでワームテールの左手を引っ張り、ワームテールのローブのそでを、ぐいとひじの上までめくり上げた。その肌に、生々しい赤い入れ墨のようなものをハリーは見た――どくろだ。口から蛇が飛び出している――クィディッチ・ワールドカップで空に現れたあの形と同じだ。闇の印。ヴォルデモートはワームテールが止めどなく泣き続けるのを無視して、その印をていねいに調べた。

「戻っているな」ヴォルデモートが低く言った。

「全員が、これに気づいたはずだ……そして、いまこそ、わかるのだ……いまこそ、はっきりするのだ……」

ヴォルデモートは長い蒼白い人差し指を、ワームテールの腕の印に押し当てた。

ハリーの額の傷痕がまたしても焼けるように鋭く痛んだ。ワームテールがまた新たに叫び声を上げた。ヴォルデモートがワームテールの腕の印から指を離すと、その印が真っ黒に変わっているのをハリーは見た。

ヴォルデモートは残忍な満足の表情を浮かべて立ち上がり、頭をぐいとのけぞらせると、暗い墓場をひとわたり眺め回した。

「それを感じたとき、戻る勇気のある者が何人いるか」

ヴォルデモートは赤い目をギラつかせて星を見すえながらつぶやいた。

「そして、離れようとする愚か者が何人いるか」

ヴォルデモートはハリーとワームテールの前を、往ったり来たりしはじめた。その目はずっと墓場を見渡し続けている。一、二分たったころ、ヴォルデモートは再びハリーを見下ろした。蛇のような顔が残忍な笑いにゆがんだ。

「ハリー・ポッター、おまえは、俺様の父の遺骸の上におるのだ」

ヴォルデモートが歯を食いしばったまま、低い声で言った。

「マグルの愚か者よ……ちょうどおまえの母親のように。しかし、どちらも使い道はあったわけだな？おまえの母親は子供を護って死んだ……俺様は父親を殺した。死んだ父親がどんなに役立ったか、見てのとおりだ……」

ヴォルデモートがまた笑った。往ったり来たりしながら、ヴォルデモートはあたりを見回し、蛇は相変わらず草地に円を描いて這いずっていた。

「丘の上の館が見えるか、ポッター？　俺様の父親はあそこに住んでいた。母親はこの村に住む魔女で、父親と恋に落ちた。しかし、正体を打ち明けたとき、父は母を捨てた……父は、俺様の父親は、魔法を嫌っていた……」

「やつは母を捨て、マグルの両親の元に戻った。俺様が生まれる前のことだ、ポッター。そして母は、俺様を産むと死んだ。残された俺様は、マグルの孤児院で育った……しかし、俺様はやつを見つけると誓った……復讐してやった。俺様に自分の名前をつけた、あの愚か者に……**トム・リドル**……」

ヴォルデモートは、墓から墓へとすばやく目を走らせながら、歩き回り続けていた。

「俺様が自分の家族の歴史を物語るとは……」ヴォルデモートが低い声で言った。

「なんと、俺様も感傷的になったものよ……しかし、見ろ、ハリー！　俺様の**真**の家族が戻ってきた……」

マントをひるがえす音があたりにみなぎった。墓と墓の間から、イチイの木の陰から、暗がりという暗がりから、魔法使いが「姿あらわし」していた。全員がフードをかぶり、仮面をつけている。そして、一人また一人と、全員が近づいてきた……ゆっくりと、慎重に、まるでわが目を疑うというふうに……。ヴォルデモートはだまってそこに立ち、全員を待った。その時、死喰い人の一人が、ひざまずき、ヴォルデモートに這い寄ってその黒いローブのすそにキスした。

「ご主人様……ご主人様……」その死喰い人がつぶやいた。

その後ろにいた死喰い人たちが、同じようにひざまずいてヴォルデモートの前に這い寄り、ローブにキスした。それから後ろに退き、無言のまま全員が輪になって立った。その輪は、トム・リドルの墓を囲み、ハリー、ヴォルデモート、そしてすすり泣き、ピクピクけいれんしている塊――ワームテールを取り囲んだ。しかし、輪には切れ目があった。まるであとから来る者を待つかのようだった。ヴォルデモートはしかし、これ以上来るとは思っていないようだ。ヴォルデモートがフードをかぶった顔をぐるりと見渡した。すると、風もないのに、輪がガサガサと震えた。

「よう来た。死喰い人たちよ」

ヴォルデモートが静かに言った。

「十三年……最後に我々が会ってから十三年だ。しかしおまえたちは、それがきのうのことであったかのように、俺様の呼びかけに応えた……さすれば、我々はいまだに『闇の印』の下に結ばれている！**それにちがいないか？**」

ヴォルデモートは恐ろしい顔をのけぞらせ、切れ込みを入れたような鼻腔をふくらませた。

「罪のにおいがする」ヴォルデモートが言った。

「あたりに罪のにおいが流れているぞ」

輪の中に、二度目の震えが走った。誰もがヴォルデモートからあとずさりしたくてたまらないのに、どうしてもそれができない、という震えだった。

「おまえたち全員が、無傷で健やかだ。魔力も失われていない——こんなにすばやく現れるとは！——そこで俺様は自問する……この魔法使いの一団は、ご主人様に永遠の忠誠を誓ったのに、なぜ、そのご主人様を助けに来なかったのか？」

誰も口をきかなかった。地上に転がり、腕から血を流しながら、まだすすり泣いているワームテール以外は、動く者もない。

「そして、自答するのだ」

ヴォルデモートがささやくように言った。

「やつらは俺様が敗れたと信じたのにちがいない。いなくなったと思ったのだろう。やつらは俺様の敵の間にスルリと立ち戻り、無罪を、無知を、そして呪縛されていたことを申し立てたのだ……」

「それなれば、と俺様は自問する。なぜやつらは、俺様が再び立つとは思わなかったのか？　俺様がとっくの昔に、死から身を護る手段を講じていたと知っているおまえたちが、なぜ？　生ける魔法使いの誰よりも、俺様の力が強かったとき、その絶大なる力の証(あかし)を見てきたおまえたちが、なぜ？」

「そして俺様は自ら答える。たぶんやつらは、より偉大な力が——ヴォルデモート卿(きょう)をさえ打ち負かす力が存在するのではないかと、信じたのであろう……たぶんやつらは、いまや、ほかの者に忠誠を尽くしているのだろう……たぶんあの凡人の、穢(けが)れた血の、そしてマグルの味方、アルバス・ダンブルドアにか？」

ダンブルドアの名が出ると、輪になった死喰い人たちが動揺し、あるものは頭を振り、ブツブツつぶやいた。

ヴォルデモートは無視した。

「俺様は失望した……失望させられたと告白する……」

一人の死喰い人が突然、輪を崩して前に飛び出した。頭からつま先まで震えながら、その死喰い人はヴォルデモートの足元にひれ伏した。

「ご主人様！」死喰い人が悲鳴のような声を上げた。「ご主人様、お許しを！　我々全員をお許しください！」

ヴォルデモートが笑いだした。そして杖を上げた。

「クルーシオ！　苦しめ！」

その死喰い人は地面をのたうって悲鳴を上げた。ハリーはその声が周囲の家まで聞こえるにちがいないと思った……警察が来るといい。ハリーは必死に願った……誰でもいい……なんでもいいから……。

ヴォルデモートは杖を下げた。拷問された死喰い人は、息も絶え絶えに地面に横たわっていた。

「起きろ、エイブリー」

ヴォルデモートが低い声で言った。

「立て。許しを請うだと？　俺様は許さぬ。俺様は忘れぬ。十三年もの長い間だ……おまえを許す前に十三年分のつけを払ってもらうぞ。ワームテールはすでに借りの一部を返した。ワームテール、そうだな？」

ヴォルデモートは泣き続けているワームテールを見下ろした。

「貴様が俺様の下に戻ったのは、忠誠心からではなく、かつての仲間たちを恐れたからだ。ワームテールよ、この苦痛は当然の報いだ。わかっているな？」

「はい、ご主人様」ワームテールがうめいた。

「どうか、ご主人様……お願いです……」

「しかし、貴様は俺様が身体を取り戻すのを助けた」

ヴォルデモートは地べたですすり泣くワームテールを眺めながら、冷たく言った。

「虫けらのような裏切り者だが、貴様は俺様を助けた……ヴォルデモート卿は助ける者にはほうびを与える……」

ヴォルデモートは再び杖を上げ、空中でくるくる回した。回した跡に、溶けた銀のようなものがひと筋、輝きながら宙に浮いていた。一瞬、なんの形もなくよじれるように動いていたが、やがてそれは、人の手の形になり、月光のように明るく輝きながら舞い下りて、血を流しているワームテールの手首にはまった。

ワームテールは急に泣きやんだ。息づかいは荒く、とぎれがちだったが、ワームテールは顔を上げ、信じられないという面持ちで、銀の手を見つめた。まるで輝く銀の手袋をはめたように、その手は継ぎ目なく腕についていた。ワームテールは輝く指を曲げ伸ばしした。それから、震えながら地面の小枝をつまみ上げ、もみ砕いて粉々にした。

「わが君」ワームテールがささやいた。

「ご主人様……すばらしい……ありがとうございます……**ありがとうございます**……」

ワームテールはひざまずいたまま、急いでヴォルデモートのそばににじり寄り、ローブのすそにキスした。

「ワームテールよ、貴様の忠誠心が二度と揺るがぬよう」

「わが君、けっして……けっしてそんなことは……」

ワームテールは立ち上がり、顔に涙の跡を光らせ、新しい力強い手を見つめながら輪の中に入った。

ヴォルデモートは、今度はワームテールの右側の男に近づいた。

「ルシウス、抜け目のない友よ」

男の前で立ち止まったヴォルデモートがささやいた。

「世間的には立派な体面を保ちながら、おまえは昔のやり方を捨ててはいないと聞きおよぶ。いまでも先頭に立って、マグルいじめを楽しんでいるようだが？　しかし、ルシウス、おまえは一度たりとも俺様を探そうとはしなかった……クィディッチ・ワールドカップでのおまえのたくらみは、さぞかしおもしろかっただろうな……しかし、そのエネルギーを、おまえのご主人様を探し、助けるほうに向けたほうがよかったのではないのか？」

「わが君、私は常に準備しておりました」

フードの下から、ルシウス・マルフォイの声が、すばやく答えた。

「あなた様のなんらかの印があれば、あなた様のご消息がちらとでも耳に入れば、私はすぐにおそばに馳せ参じるつもりでございました。何物も、私を止めることはできなかったでしょう――」

「それなのに、おまえは、この夏、忠実なる死喰い人が空に打ち上げた俺様の印を見て、逃げたというのか？」

ヴォルデモートはけだるそうに言った。マルフォイ氏は突然口をつぐんだ。

「そうだ。ルシウスよ、俺様はすべてを知っているぞ……おまえには失望した……これからはもっと忠実に仕えてもらうぞ」

「もちろんでございます、わが君、もちろんですとも……お慈悲を感謝いたします……」

ヴォルデモートは先へと進み、マルフォイの隣に空いている空間を――ゆうに二人分の大きな空間を――立ち止まってじっと見つめた。

「レストレンジたちがここに立つはずだった」ヴォルデモートが静かに言った。

「しかし、あの二人はアズカバンに葬られている。忠実な者たちだった。俺様を見捨てるよりはアズカバン行きを選んだ……アズカバンが開放されたときには、レストレンジたちは最高の栄誉を受けるであろう。吸魂鬼も我々に味方するであろう……あの者たちは、生来我らが仲間なのだ……追放された巨人たちも呼び戻そう……忠実なる下僕たちのすべてを、そして、誰もが震撼する生き物たちの群れを、俺様の下に帰らせようぞ……」

ヴォルデモートはさらに歩を進めた。何人かの死喰い人の前をだまって通り過ぎ、何人かの前では立ち止まって話しかけた。

「マクネア……いまでは魔法省で危険生物の処分をしておるとワームテールが話していたが？　マクネアよ、ヴォルデモート卿が、まもなくもっといい犠牲者を与えてつかわす……」

「ご主人様、ありがたき幸せ……ありがたき幸せ」マクネアがつぶやくように言った。

「そしておまえたち」

ヴォルデモートはフードをかぶった一番大きい二人の前に移動した。

「クラッブだな……今度はましなことをしてくれるのだろうな？　クラッブ？　そして、おまえ、ゴイル？」

二人はぎこちなく頭を下げ、のろのろとつぶやいた。

「はい、ご主人様……」

「そういたします。ご主人様……」

「おまえもそうだ、ノットよ」

ゴイル氏の影の中で前かがみになっている姿の前を通り過ぎながら、ヴォルデモートが言った。

「わが君、私はあなた様の前にひれ伏します。私めは最も忠実なる――」

「もうよい」ヴォルデモートが言った。

ヴォルデモートは輪の一番大きく空いている所に立ち、まるでそこに立つ死喰い人が見えるかのように、うつろな赤い目でその空間を見回した。

「そしてここには、六人の死喰い人が欠けている……三人は俺様の任務で死んだ。一人は臆病風に吹かれて戻らぬ……思い知ることになるだろう。一人は永遠に俺様の下を去った……もちろん、死あるのみ……そして、もう一人、最も忠実なる下僕であり続けた者は、すでに任務に就いている」

死喰い人たちがざわめいた。仮面の下から、横目づかいで互いにすばやく目を見交わしているのを、ハリーは見た。

「その忠実なる下僕はホグワーツにあり、その者の尽力により今夜は我らが若き友人をお迎えした……」

「そうれ」ヴォルデモートの唇のない口がニヤリと笑い、死喰い人の目がハリーのほうにサッと飛んだ。「ハリー・ポッターが、俺様のよみがえりのパーティにわざわざご参加くださった。俺様の賓客と言いきってもよかろう」

沈黙が流れた。そしてワームテールの右側の死喰い人が前に進み出た。ルシウス・マルフォイの声が、仮面の下から聞こえた。

「ご主人様、我々は知りたくてなりません……どうぞお教えください……どのようにして成しとげられたのでございましょう……この奇跡を……どのようにして、あなた様は我々のもとにお戻りになられたのでございましょう……」

「ああ、それは、ルシウス、長い話だ」ヴォルデモートが言った。

「その始まりは――そしてその終わりは――ここにおられる若き友人なのだ」

ヴォルデモートは悠々とハリーの隣に来て立ち、輪の全員の目が自分とハリーの二人に注がれるようにした。大蛇は相変わらずぐるぐると円を描いていた。

「おまえたちも知ってのとおり、世間はこの小僧が俺様の凋落（ちょうらく）の原因だと言ったな？」

ヴォルデモートが赤い目をハリーに向け、低い声で言った。ハリーの傷痕が焼けるように痛みはじめ、あまりの激痛にハリーは悲鳴を上げそうになった。

「おまえたち全員が知ってのとおり、俺様が力と身体を失ったあの夜、俺様はこの小僧を殺そうとした。母親が、この小僧を救おうとして死んだ――そして、母親は、自分でも知らずに、こやつを、この俺様にも予想だにつかなかったやり方で護った……俺様はこやつに触れることができなかった」

ヴォルデモートは、蒼白い長い指の一本を、ハリーのほおに近づけた。

「この小僧の母親は、自らの犠牲の印をこやつに残した……昔からある魔法だ。俺様はそれに気づくべきだった。見逃したのは不覚だった……しかし、それはもういい。いまはこの小僧に触れることができるのだ」

ハリーは冷やりとした蒼白い長い指の先が触れるのを感じ、傷痕の痛みで頭が割れるかと思うほどだった。

ヴォルデモートはハリーの耳元で低く笑い、指を離した。そして死喰い人に向かって話し続けた。

「わが朋輩よ、俺様の誤算だった。認めよう。俺様の呪いは、あの女の愚かな犠牲のおかげで跳ね返り、わが身を襲った。あぁぁー……痛みを超えた痛み、朋輩よ、これほどの苦しみとは思わなかった。俺様は肉体から引き裂かれ、霊魂にも満たない、ゴーストの端くれにも劣るものになった……しかし、俺様はまだ生きていた。それをなんと呼ぶか、俺様にもわからぬ……誰よりも深く不死の道へと入り込んでいたこの俺様が、そういう状態になったのだ。おまえたちは、俺様の目指すものを知っておろう——死の克服だ。そしていま、俺様は証明した。俺様の実験のどれかが効を奏したらしい……あの呪いは俺様を殺していたはずなのだが、俺様は死ななかったのだ。しかしながら、俺様は最も弱い生き物よりも力なく、自らを救う術もなかった……肉体を持たない身だからだ。自らを救うに役立つかもしれぬ呪文のすべては、杖を使う必要があったのだ……」

「あのころ、俺様は、眠ることもなく、一秒一秒を、はてしなく、ただ存在し続けることに力を尽くした……遠く離れた地で、森の中に住みつき、俺様は待った……誰か忠実な死喰い人が、俺様を見つけようとするにちがいない……誰かがやってきて、俺様自身ではできない魔法を使い、俺様の身体を復活させるにちがいない……しかし、待つだけむだだった……」

聞き入る死喰い人の中に、またしても震えが走った。ヴォルデモートは、その恐怖の沈黙がうねり高まるのを待って話を続けた。

「俺様に残されたただ一つの力があった。誰かの肉体に取り憑(つ)くことだ。しかし、ヒトどもがうじゃうじゃしている所はさすがに避けた。『闇祓(やみばら)い』どもがまだあちこちで俺様を探していることを知っていたからな。時には動物に取り憑いた——もちろん、蛇が俺様の好みだが——しかし、動物の体内にいても、霊魂だけで過ごすのとあまり変わりはなかった。あいつらの体は、魔法を行うのには向いていない……それに、俺様が取り憑くと、あいつらの命を縮めた。どれも長続きしなかった……」

「そして……四年前のことだ……俺様のよみがえりが確実になったかに見えた。ある魔法使いが——若造で、愚かな、だまされやすいやつだったが——わが住処(すみか)としていた森に迷い込んできて、俺様に出会った。ああ、あの男こそ、夢にまで見た千載一遇の機会に見えた……何しろ、その魔法使いはダンブルドアの学校の教師だった……その男は、やすやすと俺様の思いのままになった……その男が俺様をこの国に連れ戻り、やがて俺様はその男の肉体に取り憑いた。そして、わが命令をその男が実行するのを、身近で監視した。しかしわが計画はついえた。賢者の石を奪うことができなかったのだ。永遠の命を確保することができなかった。邪魔が入った……またしてもくじかれた。ハリー・ポッターに……」

再び沈黙が訪れた。動くものは何一つない。イチイの木の葉さえ動かない。死喰い人たちは、仮面の中からギラギラした視線をヴォルデモートとハリーに注ぎ、じっと動かなかった。

「下僕は、俺様がその体を離れたときに死んだ。そして俺様は、またしても元のように弱くなった」

ヴォルデモートは語り続けた。

「俺様は、元の隠れ家に戻った。二度と力を取り戻せないのではないかと恐れたことを隠しはすまい……そうだ。あれは俺様の最悪のときであったかもしれぬ……もはや取り憑くべき魔法使いが都合よく現れるとは思えなかった……わが死喰い人たちの誰かが、俺様の消息を気にかけるであろうという望みを、その時、俺様はもう捨てていた……」

輪の中の仮面の魔法使いが、一人二人、バツが悪そうにもぞもぞしたが、ヴォルデモートは気にもとめない。

「そして、ほとんど望みを失いかけたとき、ついに事は起こった。その時からまだ一年とたっていないのだが……一人の下僕が戻ってきた。ここにいるワームテールだ。この男は、法の裁きを逃れるため、自らの死を偽装したが、かつては友として親しんだ者たちから隠れ家を追われ、ご主人様の下に帰ろうと決心したのだ。俺様が隠れていると長年うわさされていた国で、ワームテールは俺様を探した……もちろん途中で出会ったネズミに助けられたのだ。ワームテールよ、貴様はネズミと妙に親密なのだな？こやつの薄汚い友人たちが、アルバニアの森の奥深くに、ネズミもさける場所があると、こやつに教えたのだ。やつらのような小動物が暗い影に取り憑かれて死んでゆく場所があるとな……」

「しかし、こやつが俺様の下に戻る旅は、たやすいものではなかった。そうだな？　ワームテールよ。ある晩、俺様を見つけられるかと期待していた森のはずれで、腹を空かせ、こやつは愚かにも、食べ物欲しさにある旅籠に立ち寄った……そこで出会ったのは、こともあろうに、魔法省の魔女、バーサ・ジョーキンズだ。そうだったな？」

「さて、運命が、ヴォルデモート卿にどのように幸いしたかだ。ワームテールにとっては、ここで見つかったのは運の尽き、そして俺様にとっては、よみがえりの最後の望みを断たれるところだった。しかし、ワームテールは、こやつにそんな才覚があったかと思わせるような機転を働かせた――こやつはバーサ・ジョーキンズを丸め込んで、夜の散歩に誘い出した。こやつはバーサをねじ伏せた……その女を俺様のもとへ連れてきたのだ。そして、すべてを破滅させるかもしれなかったバーサ・ジョーキンズが、逆に俺様にとって、思いもかけない贈り物となってくれた……というのは――ほんのわずか説得しただけで――この女はまさに情報の宝庫になってくれた」

「この女は、三校対抗試合が今年ホグワーツで行われると話してくれた。俺様が連絡を取りさえすれば、喜んで俺様を助けるであろう一人の忠実な死喰い人を知っているとも言った。いろいろ教えてくれたものだ……しかし、この女にかけられていた『忘却術』を破るのに俺様が使った方法は強力だった。そこで、有益な情報を引き出してしまったあとは、この女の心も体も、修復不能なまでに破壊されてしまっていた。この女はもう用済みだった。俺様が取り憑くこともできなかった。俺様はこの女を処分した」

ヴォルデモートはゾクッとするような笑みを浮かべた。その赤い目はうつろで残虐だった。

「ワームテールの体は、言うまでもなく、取り憑くのには適していなかった。こやつは死んだことになっているので、顔を見られたら、あまりに注意を引きすぎる。しかし、こやつは肉体を使う能力があった。俺様の召使いにはそれが必要だったのだ。魔法使いとしてはお粗末なやつだが、ワームテールは俺様の指示に従う能力はあった。俺様は、未発達で虚弱な者であれ、まがりなりにも自分自身の身体を得るための指示をこやつに与えた。真の再生に不可欠な材料がそろうまで仮の住処にする身体だ……俺様が発明した呪いを一つ、二つ……それと、かわいいナギニの助けを少し借り」――ヴォルデモートの赤い目があたりをぐるぐる回り続けている蛇をとらえた――「一角獣(ユニコーン)の血と、ナギニから絞った蛇の毒から作り上げた魔法薬……俺様はまもなくほとんど人の形にまで戻り、旅ができるまで力を取り戻した」

「もはや賢者の石を奪うことはかなわぬ。ダンブルドアが石を破壊するように取り計らったことを俺様は知っていたからだ。しかし俺様は不死を求める前に、滅する命をもう一度受け入れるつもりだった。目標を低くしたのだ……昔の身体と昔の力で妥協してもよいと」

「それを達成するには――古い闇の魔術だが、今宵俺様をよみがえらせた魔法薬には――強力な材料が三つ必要だということはわかっていた。さて、その一つはすでに手の内にあった。ワームテール、そうだな？　下僕の与える肉だ……」

「わが父の骨。当然それは、ここに来ることを意味した。父親の骨が埋まっている所だ。しかし、敵(かたき)の血は……ワームテールは適当な魔法使いを使わせようとした。そうだな？　ワームテールよ。俺様を憎んでいた魔法使いなら誰でもいい……憎んでいる者はまだ大勢いるからな。しかし、失脚のときより強力になってよみがえるには、俺様が使わなければならないのはただ一人だと、俺様は知っていた。ハリー・ポッターの血が欲しかったのだ。十三年前、わが力を奪い去った者の血が欲しかった。さすれば、母親がかつてこの小僧に与えた護りの力の名残が、俺様の血管にも流れることになるだろう……」

「しかし、どうやってハリー・ポッターを手に入れるか？　ハリー・ポッター自身でさえ気づかないほど、この小僧はしっかり護られている。その昔、ダンブルドアが、この小僧の将来に備える措置を任されたときに、ダンブルドア自身が工夫したある方法で護られている。ダンブルドアは古い魔法を使った。

親戚の庇護(ひご)の下にあるかぎり、この小僧は確実に保護される。こやつがあそこにいれば、この俺様でさえ手出しができない……しかし、クィディッチ・ワールドカップがあるではないか……そこでは親戚からも、ダンブルドアからも離れ、保護は弱まると、俺様は考えた。しかし、魔法省の魔法使いたちが集結しているただ中で誘拐を試みるほど、俺様の力はまだ回復していなかった。そのあとになると、この小僧はホグワーツに帰ってしまう。そこでは、朝から晩まで、あの鼻曲がりの、マグルびいきのばか者の庇護の下だ。それではどうやってハリー・ポッターを手に入れるか？」

「そうだ……もちろん、バーサ・ジョーキンズの情報を使う。ホグワーツに送り込んだ、わが忠実な死喰い人を使うのだ。この小僧の名前が『炎のゴブレット』に入るように取り計らうのだ。わが死喰い人を使い、ハリーが試合に必ず勝つようにする――ハリー・ポッターが最初に優勝杯に触れるようにする――優勝杯はわが死喰い人が『移動キー(ポートキー)』に変えておき、それがこやつをここまで連れてくる。ダンブルドアの助けも保護も届かない所へ、そして待ち受ける俺様の両腕の中に連れてくるのだ。このとおり、小僧はここにいる……俺様の凋落の元になったと信じられている、その小僧が……」

ヴォルデモートはゆっくり進み出て、ハリーのほうに向きなおった。杖を上げた。

「**クルーシオ！　苦しめ！**」

これまで経験したどんな痛みをも超える痛みだった。自分の骨が燃えている。額の傷痕に沿って頭が割れているにちがいない。両目が頭の中でぐるぐる狂ったように回っている。終わってほしい……気を失ってしまいたい……死んだほうがましだ……。

するとそれは過ぎ去った。ハリーはヴォルデモートの父親の墓石に縛りつけられたまま、ぐったりと縄目にもたれ、霧のかかったような視界の中で、ギラギラ輝く赤い目を見上げていた。死喰い人の笑い声が夜の闇を満たして響いている。

「見たか。この小僧がただの一度でも俺様より強かったなどと考えるのは、なんと愚かしいことだったか」ヴォルデモートが言った。

「しかし、誰の心にも絶対にまちがいがないようにしておきたい。ハリー・ポッターがわが手を逃れたのは、単なる幸運だったのだ。いま、ここで、おまえたち全員の前でこやつを殺すことで、俺様の力を示そう。ダンブルドアの助けもなく、この小僧のために死んでゆく母親もない。だが、俺様はこやつにチャンスをやろう。戦うことを許そう。そうすれば、どちらが強いのか、おまえたちの心に一点の疑いも残るまい。もう少し待て、ナギニ」

ヴォルデモートがささやくと、蛇はするすると、死喰い人が立ち並んで見つめている草むらのあたりに消えた。

「さあ、縄目を解け、ワームテール。そして、こやつの杖を返してやれ」

第34章 直前呪文

ワームテールがハリーに近づいた。縄目が解かれる前になんとか自分の体を支えようと、ハリーは足を踏ん張った。ワームテールはできたばかりの銀の手を上げ、ハリーの口をふさいでいた布を引っ張り出し、ハリーを墓石に縛りつけていた縄目を、手のひと振りで切り離した。

ほんの一瞬のすきがあった。そのすきにハリーは逃げることを考えられたかもしれない。しかし、草ぼうぼうの墓場に立ち上がったとき、ハリーの傷ついた足がぐらついた。死喰い人の輪が、ハリーとヴォルデモートを囲んで小さくなり、現れなかった死喰い人の空間も埋まってしまった。

ワームテールが輪の外に出て、セドリックのなきがらが横たわっている所まで行き、ハリーの杖を持って戻ってきた。ワームテールは、ハリーの目をさけるようにして、杖をハリーの手に乱暴に押しつけ、それから見物している死喰い人の輪に戻った。

「ハリー・ポッター、決闘のやり方は学んでいるな?」

闇の中で赤い目をギラギラさせながら、ヴォルデモートが低い声で言った。

その言葉で、ハリーは、二年前にほんの少し参加したホグワーツの決闘クラブのことを、まるで前世の出来事のように思い出した。……ハリーがそこで学んだのは、「エクスペリアームス、武器よ去れ」という武装解除の呪文だけだった。……それがなんになるというのか? たとえヴォルデモートから杖を奪ったとしても、死喰い人に取り囲まれて、少なく見ても三十対一の多勢に無勢だ。こんな場面に対処できるようなものは、いっさい何も習っていない。

これこそムーディが常に警告していた場面なのだと、ハリーにはわかった……防ぎようのない「アバダ　ケダブラ」の呪文だ――それに、ヴォルデモートの言うとおりだ――今度は、僕のために死んでくれる母さんはいない……僕は無防備だ……。

「ハリー、互いにおじぎをするのだ」

ヴォルデモートは軽く腰を折ったが、蛇のような顔をまっすぐハリーに向けたままだった。

「さあ、儀式の詳細には従わねばならぬ……ダンブルドアはおまえに礼儀を守ってほしかろう……死におじぎをするのだ、ハリー」

死喰い人たちはまた笑っていた。ヴォルデモートの唇のない口がほくそ笑んでいた。ハリーはおじぎをしなかった。殺される前にヴォルデモートにもてあそばれてなるものか……そんな楽しみを与えてやるものか……。

「**おじぎをしろ**と言ったはずだ」

ヴォルデモートが杖を上げた――すると、巨大な見えない手がハリーを容赦なく前に曲げているかのように、背骨が丸まるのを感じた。死喰い人がいっそう大笑いした。

「よろしい」

ヴォルデモートがまた杖を上げながら、低い声で言った。ハリーの背を押していた力もなくなった。

「さあ、今度は、男らしく俺様のほうを向け……背筋を伸ばし、誇り高く、おまえの父親が死んだときのように……」

「さあ――決闘だ」

ヴォルデモートが杖を上げると、ハリーがなんら身を護(まも)る手段を取る間もなく、身動きすらできないうちに、またしても「磔(はりつけ)の呪い」がハリーを襲った。あまりに激しい、全身を消耗させる痛みに、ハリーはもはや自分がどこにいるのかもわからなかった……白熱したナイフが全身の皮膚を一寸刻みにした。頭が激痛で爆発しそうだ。ハリーはこれまでの生涯でこんな大声で叫んだことがないというほど、大きな悲鳴を上げていた——。

そして、痛みが止まった。ハリーは地面を転がり、よろよろと立ち上がった。自分の手を切り落としたあの時のワームテールと同じように、ハリーはどうしようもなく体が震えていた。見物している死喰い人の輪に、ハリーはふらふらと横ざまに倒れ込んだが、死喰い人はハリーをヴォルデモートのほうへ押し戻した。

「ひと休みだ」

ヴォルデモートの切れ込みのような鼻の穴が、興奮でふくらんでいた。

「ほんのひと休みだ……ハリー、痛かったろう？　もう二度としてほしくないだろう？」

ハリーは答えなかった。僕はセドリックと同じように死ぬのだ。情け容赦のない赤い目がそう語っていた……僕は死ぬんだ。しかも、何もできずに……しかし、もてあそばせはしない。ヴォルデモートの言いなりになどなるものか……命乞いなどしない……。

「もう一度やってほしいかどうか聞いているのだが？」ヴォルデモートが静かに言った。

「答えるのだ！　**インペリオ！　服従せよ！**」

そしてハリーは、生涯で三度目のあの状態を感じた。すべての思考が停止し、頭がからっぽになるあの感覚だ……ああ、考えないのは、なんという至福。ふわふわと浮かび、夢を見ているようだ……。

「**いやだ**」**と答えればいいのだ……**「**いやだ**」**と言え……**「**いやだ**」**と言いさえすればいいのだ……**。

「僕は言わないぞ」ハリーの頭の片隅で、強い声がした。

「答えるものか……」

「いやだ」と言えばいいのだ……。

答えない。答えないぞ……。

「いやだ」と言えばいいのだ……。

「僕は言わないぞ！」

言葉がハリーの口から飛び出し、墓場中に響き渡った。そして冷水を浴びせられたかのように、突然夢見心地が消え去った——同時に、体中に残っていた「磔の呪い」の痛みがどっと戻ってきた——そして、自分がどこにいるのか、何が自分を待ちかまえているのかも……。

「言わないだと？」

ヴォルデモートが静かに言った。死喰い人はもう笑ってはいなかった。

『いやだ』と言わないのか？　ハリー、従順さは徳だと、死ぬ前に教える必要があるな……もう一度痛い薬をやったらどうかな？」

ヴォルデモートが杖を上げた。しかし、今度はハリーも用意ができていた。クィディッチできたえた反射神経で、ハリーは横っ飛びに地上に伏せた。ヴォルデモートの父親の大理石の墓石の裏側に転がり込むと、ハリーを捕らえそこねた呪文が墓石をバリッと割る音が聞こえた。

「隠れんぼじゃないぞ、ハリー」

ヴォルデモートの冷たい猫なで声がだんだん近づいてきた。死喰い人が笑っている。

「俺様から隠れられるものか。もう決闘はあきたのか？　ハリー、いますぐ息の根を止めてほしいのか？　出てこい、ハリー……出てきて遊ぼうじゃないか……あっという間だ……痛みもないかもしれぬ……俺様にはわかるはずもないが……死んだことがないからな……」

ハリーは墓石の陰でうずくまり、最期が来たことを悟った。望みはない……助けは来ない。ヴォルデモートがさらに近づく気配を感じながら、ハリーはただ一つのことを思いつめていた。恐れをも、理性をも超えた一つのことを――子供の隠れんぼのようにここにうずくまったまま死ぬものか。ヴォルデモートの足元にひざまずいて死ぬものか……父さんのように、堂々と立ち上がって死ぬのだ。たとえ防衛が不可能でも、僕は身を護るために戦って死ぬのだ……。

ヴォルデモートの、蛇のような顔が墓石のむこうからのぞき込む前に、ハリーは立ち上がった……杖をしっかり握りしめ、体の前にすっとかまえ、ハリーは墓石をくるりと回り込んで、ヴォルデモートと向き合った。

ヴォルデモートも用意ができていた。ハリーが「**エクスペリアームス！**」と叫ぶと同時に、ヴォルデモートが「**アバダ　ケダブラ！**」と叫んだ。

ヴォルデモートの杖から緑の閃光(せんこう)が走ったのと、ハリーの杖から赤い閃光が飛び出したのと、同時だった――二つの閃光が空中でぶつかった――そして、突然、ハリーの杖が、電流が貫いたかのように振動しはじめた。ハリーの手は杖を握ったまま動かなかった。いや、手を離したくても離せなかった――そして、細いひと筋の光が、もはや赤でもなく、緑でもなく、まばゆい濃い金色の糸のように、二つの杖を結んだ――驚いてその光を目で追ったハリーは、その先にヴォルデモートの蒼白(あおじろ)い長い指を見た。同じように震え、振動している杖を握りしめたままだ。

そして――ハリーの予想もしていなかったことが起きた――足が地上を離れるのを感じたのだ。杖同士が金色に輝く糸に結ばれたまま、ハリーとヴォルデモートの二人は、空中に浮き上がっていった。二人はヴォルデモートの父親の墓石から離れて、すべるように飛び、墓石も何もない場所に着地した……。死喰い人は口々に叫び、ヴォルデモートに指示を仰いでいた。死喰い人がまた近づいてきて、ハリーとヴォルデモートの周りに輪を作りなおした。そのすぐあとを蛇がするすると這(は)ってきた。何人かの死喰い人が杖を取り出した――。

ハリーとヴォルデモートをつないでいた金色の糸が裂けた。杖同士をつないだまま、光が一千本あまりに分かれ、ハリーとヴォルデモートの上に高々と弧を描き、二人の周りを縦横に交差し、やがて二人は、金色のドーム形の網、光のかごですっぽり覆われた。その外側を死喰い人がジャッカルのように取り巻いていたが、その叫び声は、いまは不思議に遠くに聞こえた……。

「手を出すな！」

ヴォルデモートが死喰い人に向かって叫んだ。その赤い目が、いままさに起こっていることに驚愕してカッと見開かれ、二人の杖をいまだにつないだままの光の糸を断ち切ろうともがいている。ハリーはますます強く、両手で杖にしがみついた。そして、金色の糸は切れることなくつながっていた。

「命令するまで何もするな！」

ヴォルデモートが死喰い人に向かって叫んだ。

その時、この世のものとも思えない美しい調べがあたりを満たした……その調べは、ハリーとヴォルデモートを包んで振動している、光が織りなす網の、一本一本の糸から聞こえてくる。ハリーはそれが何の調べかわかっていた。これまで生涯で一度しか聞いたことはなかったが……不死鳥の歌だ……。

ハリーにとって、それは希望の調べだった……これまでの生涯に聞いた中で、最も美しく、最もうれしい響きだった……その歌が、ハリーの周囲にだけではなく、体の中に響くように感じられた……ハリーにダンブルドアを思い出させる調べだった。そして、その音は、まるで友人がハリーの耳元に話しかけているようだった……。

糸を切るでないぞ。

わかっています。ハリーはその調べに語りかけた。切ってはいけないことは……。しかし、そう思ったとたん、切らないということが難しくなった。ハリーの杖がこれまでよりずっと激しく振動しはじめた……。そして、ハリーとヴォルデモートをつなぐ光の糸も、いまや変化していた……。それは、まるで、いくつもの大きな光の玉が、二本の杖の間をすべって、往ったり来たりしているようだった――光の玉がゆっくり、着実にハリーの杖のほうにすべってくると、ハリーの手の中で杖が身震いするのが感じられた。光線はいま、ヴォルデモートからハリーに向かって動いている。そして、杖が怒りに震えている。ハリーはそんな気がした……。

一番近くの光の玉がハリーの杖先にさらに近づくと、指の下で、杖の柄が熱くなり、そのあまりの熱さに、火を噴いて燃えるのではないかと思った。その玉が近づけば近づくほど、ハリーの杖は激しく震えた。その玉に触れたら、杖はそれ以上たえられないにちがいないとハリーは思った。ハリーの手の中で、杖はいまにも砕けそうだった――。

ハリーはその玉をヴォルデモートのほうに押し返そうと、気力を最後の一滴まで振りしぼった。耳には不死鳥の歌をいっぱいに響かせ、目は激しく、しっかり玉を凝視して……すると、ゆっくりと、非常にゆっくりと、光の玉の列が震えて止まった。そして、また同じようにゆっくりと、反対の方向へ動きだした……今度はヴォルデモートの杖が異常に激しく震える番だった……ヴォルデモートは驚き、そして恐怖の色さえ見せた……。

光の玉の一つがヴォルデモートの杖先からほんの数センチの所でヒクヒク震えていた。ハリーは自分でもなぜそんなことをするのかわからず、それがどんな結果をもたらすのかも知らなかった……しかし、ハリーはいま、これまでに一度もやったことがないくらい神経を集中し、その光の玉を、ヴォルデモートの杖に押し込もうとしていた……そして、ゆっくりと……非常にゆっくりと……その玉は金の糸に沿って動いた……一瞬、玉が震えた……そして、その玉が杖先に触れた……。

たちまち、ヴォルデモートの杖が、あたりに響き渡る苦痛の叫びを上げはじめた……そして――ヴォルデモートはぎょっとして、赤い目をカッと見開いた――濃い煙のような手が杖先から飛び出し、消えた……ヴォルデモートがワームテールに与えた手のゴースト……さらに苦痛の悲鳴……そして、ずっと大きい何かがヴォルデモートの杖先から、花が開くように出てきた。何か灰色がかった大きなもの、濃い煙の塊のようなものだ……それは頭部だった……次は胴体、腕……セドリックの上半身だ。

ハリーがショックで杖を取り落とすとしたら、きっとこの時だったろう。しかし、ハリーは、金色の光の糸がつながり続けるよう、本能的にしっかり杖を握りしめていた。ヴォルデモートの杖先から、セドリック・ディゴリーの濃い灰色のゴーストが（**ほんとうに**ゴーストだったろうか？　あまりにしっかりした体だ）、まるで狭いトンネルを無理やり抜け出してきたように、その全身を現したときも、ハリーは杖を離さなかった……セドリックの影はその場に立ち、金色の光の糸を端から端まで眺め、口を開いた。

「ハリー、がんばれ」

その声は遠くから聞こえ、反響していた。ハリーはヴォルデモートを見た……大きく見開いた赤い目はまだ驚愕していた……ハリーと同じように、ヴォルデモートにもこれは予想外だったのだ……そして、ハリーは、金色のドームの外側をうろうろしている死喰い人たちの恐れおののく叫びをかすかに聞いた……。

杖がまたしても苦痛の叫びを上げた……すると杖先から、また何かが現れた……またしても濃い影のような頭部だった。そのすぐあとに腕と胴体が続いた……ハリーが夢で見たあの年老いた男が、セドリックと同じように、杖先から自分をしぼり出すようにして出てきた……そのゴーストは、いやその影は、いやそのなんだかわからないものは、セドリックの隣に落ち、ステッキに寄りかかって、ちょっと驚いたように、ハリーとヴォルデモートを、金色の網を、そして二本の結ばれた杖をじろじろ眺めた。

「そんじゃ、あいつはほんとの魔法使いだったのか？」

老人はヴォルデモートを見ながらそう言った。

「俺を殺しやがった。あいつが……。やっつけろ、坊や……」

その時すでに、もう一つの頭が現れていた……灰色の煙の像のような頭部は、今度は女性のものだ……杖が動かないようにしっかり押さえて、両腕をぶるぶる震わせながら、ハリーはその女性が地上に落ちるのを見ていた。女性はほかの影たちと同じように立ち上がり、目を見張った……。

バーサ・ジョーキンズの影は、目の前の戦いを、目を丸くして眺めた。

「離すんじゃないよ。絶対！」

その声も、セドリックのと同じように、遠くから聞こえてくるように反響した。

「あいつにやられるんじゃないよ、ハリー――杖を離すんじゃないよ！」

バーサも、ほかの二つの影のような姿も、金色の網の内側に沿って歩きはじめた。死喰い人が外側を右往左往している……ヴォルデモートに殺された犠牲者たちは、二人の決闘者の周りを回りながら、ささやいた。ハリーには激励の言葉をささやき、ハリーの所までは届かない低い声で、ヴォルデモートをののしっていた。

そしてまた、別の頭がヴォルデモートの杖先から現れた……一目見て、ハリーにはそれが誰なのかがわかった……セドリックが杖から現れた瞬間からずっとそれを待っていたかのように、ハリーにはわかっていた……この夜ハリーが、ほかの誰よりも強く心に思っていた女性なのだから……。

髪の長い若い女性の煙のような影が、バーサと同じように地上に落ち、すっと立ってハリーを見つめた……。ハリーの腕はいまやどうにもならないほど激しく震えていたが、ハリーも母親のゴーストを見つめ返した。

「お父さんが来ますよ……」女性が静かに言った。

「あなたに会いに……大丈夫……がんばって……」

そして、父親がやってきた……。最初は頭が、それから体が……背の高い、ハリーと同じくしゃくしゃな髪。ジェームズ・ポッターの煙のような姿が、ヴォルデモートの杖先から花開くように現れた。その姿は地上に落ち、妻と同じようにすっくと立った。そしてハリーのほうに近づき、ハリーを見下ろして、ほかの影と同じように遠くから響くような声で、静かに話しかけた。殺戮の犠牲者に周りを徘徊され、恐怖で鉛色の顔をしたヴォルデモートに聞こえないよう、低い声だった……。

「つながりが切れると、私たちはほんの少しの間しかとどまっていられない……それでもおまえのために時間をかせいであげよう……移動キーの所まで行きなさい。それがおまえをホグワーツに連れ帰ってくれる……ハリー、わかったね？」

「はい」

手の中ですべり、抜け落ちそうになる杖を必死でつかみながら、ハリーはあえぎあえぎ答えた。

「ハリー……」セドリックの影がささやいた。

「僕の体を連れて帰ってくれないか？　僕の両親の所へ……」

「わかった」ハリーは杖を離さないために、顔がゆがむほど力を込めていた。

「さあ、やりなさい」父親の声がささやいた。

「走る準備をして……さあ、いまだ……」

「**行くぞ！**」

ハリーが叫んだ。どっちにせよ、もう一刻も杖をつかんでいることはできないと思った――ハリーは渾身の力で杖を上にねじ上げた。すると金色の糸が切れた。光のかごが消え去り、不死鳥の歌がふっつりとやんだ——しかし、ヴォルデモートの犠牲者の影は消えていなかった——ハリーの姿をヴォルデモートの目から隠すように、ヴォルデモートに迫っていった。

ハリーは走った。こんなに走ったことはないと思えるほど走った。途中であっけにとられている死喰い人を二人跳ね飛ばした。墓石で身をかばいながら、ジグザグと走った。死喰い人の呪いが追いかけてくるのを感じながら、呪いが墓石に当たる音を聞きながら走った——呪いと墓石をかわしながら、ハリーはセドリックのなきがらに向かって飛ぶように走った。足の痛みももはや感じない。やらなければならないことに、全身全霊を傾けて走った——。

「**やつを『失神』させろ！**」ヴォルデモートの叫びが聞こえた。

セドリックまであと三メートル。ハリーは赤い閃光をよけて大理石の天使の像の陰に飛び込んだ。呪文が像に当たり、天使の片翼の先が粉々になった。杖をいっそう固く握りしめ、ハリーは天使の陰から飛び出した——。

「**インペディメンタ！　妨害せよ！**」

杖を肩に担ぎ、追いかけてくる死喰い人に、当てずっぽうに杖先を向けながら、ハリーが叫んだ。

わめき声がくぐもったので、少なくとも一人は阻止できたと思ったが、振り返って確かめているひまはない。ハリーは優勝杯を飛び越え、後ろでいよいよ盛んに杖が炸裂するのを聞きながら、身を伏せた。倒れ込むと同時に、ますます多くの閃光が頭上を飛び越していった。ハリーはセドリックの腕をつかもうと手を伸ばした——。

「どけ！　俺様が殺してやる！　やつは俺様のものだ！」ヴォルデモートがかん高く叫んだ。

ハリーの手がセドリックの手首をつかんだ。ハリーとヴォルデモートとの間には墓石一つしかない。

しかし、セドリックは重すぎて、運べない。優勝杯に手が届かない――。

暗闇の中で、ヴォルデモートの真っ赤な目がメラメラと燃えた。ハリーに向けて杖をかまえ、口元がニヤリとゆがむのを、ハリーは見た。

「**アクシオ！　来い！**」ハリーは優勝杯に杖を向けて叫んだ。

優勝杯がすっと浮き上がり、ハリーに向かって飛んできた――ハリーは、その取っ手をつかんだ――。

ヴォルデモートの怒りの叫びが聞こえたと同時に、ハリーはへその裏側がぐいと引っ張られるのを感じた。「移動キー」が作動したのだ――風と色の渦の中を、移動キーはぐんぐんハリーを連れ去った。セドリックも一緒に……二人は、帰っていく……。

第35章　真実薬(ベリタセラム)

　ハリーは地面にたたきつけられるのを感じた。顔が芝生に押しつけられ、草いきれが鼻腔(びくう)を満たした。「移動(ポート)キー」に運ばれている間、ハリーは目を閉じていた。そしていまも、そのまま目を閉じていた。ハリーは動かなかった。体中の力が抜けてしまったようだった。頭がひどくくらくらして、体の下で地面が、船のデッキのように揺れているような感じがした。体を安定させるため、ハリーはそれまでしっかりつかんでいた二つのものを、いっそう強く握りしめた——なめらかな冷たい優勝杯の取っ手と、セドリックのなきがらだ。どちらかを離せば、脳みその端に広がってきた真っ暗闇の中にすべり込んでいきそうな気がした。ショックと疲労で、ハリーは地面に横たわったまま、草の香りを吸い込んで、待った……誰かが何かをするのを待った……何かが起こるのを待った……その間、額の傷痕が鈍く痛んだ……。

　突然耳を聾(ろう)するばかりの音の洪水で、頭が混乱した。四方八方から声がする。足音が、叫び声がする……ハリーは騒音に顔をしかめながらじっとしていた。悪夢が過ぎ去るのを待つかのように……。

　二本の手が乱暴にハリーをつかみ、仰向けにした。

「ハリー！　**ハリー！**」

　ハリーは目を開けた。

　見上げる空に星が瞬き、アルバス・ダンブルドアがかがんでハリーをのぞき込んでいた。大勢の黒い影が、二人の周りを取り囲み、だんだん近づいてきた。みんなの足音で、頭の下の地面が振動しているような気がした。

　ハリーは迷路の入口に戻ってきていた。スタンドが上のほうに見え、そこにうごめく人影が見え、その上に星が見えた。

　ハリーは優勝杯を離したが、セドリックはますますしっかりと引き寄せた。空いたほうの手を上げ、ハリーはダンブルドアの手首をとらえた。ダンブルドアの顔がときどきぼうっと霞んだ。

「あの人が戻ってきました」ハリーがささやいた。

「戻ったんです。ヴォルデモートが」

「何事かね？　何が起こったのかね？」

　コーネリウス・ファッジの顔が逆さまになって、ハリーの上に現れた。愕然として蒼白だった。

「なんたることだ――ディゴリー！」ファッジの顔がささやいた。

「ダンブルドア――死んでいるぞ！」

　同じ言葉がくり返された。周りに集まってきた人々の影が、息をのみ、自分の周りに同じ言葉を伝えた……叫ぶように伝える者――金切り声で伝える者――言葉が夜の闇に伝播した――「死んでいる！」**「死んでいる！」**「セドリック・ディゴリーが！　**死んでいる！**」

「ハリー、手を離しなさい」

　ファッジの言う声が聞こえ、ぐったりしたセドリックの体から、ハリーの手を指で引きはがそうとしているのを感じた。しかし、ハリーはセドリックを離さなかった。

　すると、ダンブルドアの顔が――まだぼやけ、霧がかかっているような顔が近づいてきた。

「ハリー、もう助けることはできんのじゃ。終わったのじゃよ。放しなさい」

「セドリックは、僕に連れて帰ってくれと言いました」

ハリーがつぶやいた——大切なことなんだ。説明しなければと思った。

「セドリックは僕に、ご両親の所に連れて帰ってくれと言いました……」

「もうよい、ハリー……さあ、離しなさい……」

ダンブルドアはかがみ込んで、やせた老人とは思えない力でハリーを抱き起こし、立たせた。ハリーはよろめいた。頭がずきずきした。傷んだ足は、もはや体を支えることができなかった。周りの群集がもっと近づこうと、押し合いへし合いしながら、暗い顔でハリーを取り囲んだ。「どうしたんだ？」「どこか悪いのか？」「**ディゴリーが死んでる！**」

「医務室に連れていかなければ！」ファッジが大声で言った。

「この子は病気だ。けがしている——ダンブルドア、ディゴリーの両親を。二人ともここに来ている。スタンドに……」

「ダンブルドア、私がハリーを医務室に連れていこう。私が連れていく——」

「いや、むしろここに——」

「ダンブルドア、エイモス・ディゴリーが走ってくるぞ……こちらに来る……話したほうがいいのじゃないかね——ディゴリーの目に入る前に——？」

「ハリー、ここにじっとしているのじゃ——」

女の子たちが泣きわめき、ヒステリー気味にしゃくり上げていた……。ハリーの目にその光景が、奇妙に映ったり消えたりしている……。

「大丈夫だ、ハリー。わしがついているぞ……行くのだ……医務室へ……」

「ダンブルドアがここを動くなって言った」

ハリーは頑固に言い張った。傷痕がずきずきして、いまにも吐きそうだった。目の前がますますぼんやりしてきた。

「おまえは横になっていなければ……さあ、行くのだ……」

ハリーより大きくて強い誰かが、ハリーを半ば引きずるようにして、半ば抱えるようにして、おびえる群集の中を進んだ。その誰かがハリーを支え、人垣を押しのけるようにして城に向かう途中、周囲から息をのむ声、悲鳴、叫び声がハリーの耳に入ってきた。芝生を横切り、湖やダームストラングの船を通り過ぎた。ハリーには、自分を支えて歩かせているその男の荒い息づかい以外は何も聞こえなかった。

「ハリー、何があったのだ？」

しばらくして、ハリーを抱え上げて石段を上りながら、その男が聞いた。**コツッ、コツッ、コツッ**。マッド-アイ・ムーディだ。

「優勝杯は『移動キー』でした」

玄関ホールを横切りながら、ハリーが言った。

「僕とセドリックを墓場に連れていって……そして、そこにヴォルデモートがいた……ヴォルデモート卿が……」

「セドリックを殺して……あの連中がセドリックを殺したんだ……」

「闇の帝王がそこにいたと？　それからどうした？」

コツッ、コツッ、コツッ。大理石の階段を上がって……。

「それで？」

コツッ、コツッ、コツッ。廊下を渡って……。

「薬を作って……身体を取り戻した……」

「闇の帝王が身体を取り戻したと？　あの人が戻ってきたと？」

「それに、死喰い人たちも来た……。そして僕、決闘をして……」

「おまえが、闇の帝王と決闘した？」

「逃れた……。僕の杖が……何か不思議なことをして……。僕、父さんと母さんを見た……ヴォルデモートの杖から出てきたんだ……」

「さあ、ハリー、ここに……。ここに来て、座って……もう大丈夫だ……。これを飲め……」

ハリーは鍵がカチャリとかかる音を聞き、コップが手に押しつけられるのを感じた。

「飲むんだ……。気分がよくなるから……。さあ、ハリー、いったい何が起こったのか、わしは正確に知っておきたい……」

ムーディはハリーが薬を飲み干すのを手伝った。のどが焼けるような胡椒味で、ハリーは咳き込んだ。ムーディの部屋が、そしてムーディ自身が少しはっきり見えてきた……ムーディはファッジと同じくらい蒼白に見え、両眼が瞬きもせずしっかりとハリーを見すえていた。

「ヴォルデモートが戻ったのか？　ハリー？　それは確かか？　どうやって戻ったのだ？」

「あいつは父親の墓からと、ワームテールと僕から材料を取った」

ハリーが言った。頭はだんだんはっきりしてきたし、傷痕の痛みもそうひどくはなかった。ムーディの部屋が暗かったにもかかわらず、いまはその顔がはっきりと見えた。遠くのクィディッチ競技場から、まだ悲鳴や叫び声が聞こえてきた。

「闇の帝王はおまえから何を取ったのだ？」ムーディが聞いた。

「血を」

ハリーは腕を上げた。ワームテールが短剣で切り裂いたそでが破れていた。

ムーディはシューッと長い息をもらした。

「それで、死喰い人は？　やつらは戻ってきたのか？」

「はい」ハリーが答えた。「大勢……」

「あの人は死喰い人をどんなふうに扱ったかね？」ムーディが静かに聞いた。

「許したか？」

しかし、ハリーはハッと気づいた。ダンブルドアに話すべきだった。あの時、すぐに話すべきだった――「ホグワーツに死喰い人がいるんです！　ここに、死喰い人がいる――そいつが僕の名前を『炎のゴブレット』に入れて、僕に最後までやりとげさせたんだ――」

ハリーは起き上がろうとした。しかし、ムーディが押し戻した。

「誰が死喰い人か、わしは知っている」ムーディが落ち着いて言った。

「カルカロフ？」ハリーが興奮して言った。「どこにいるんです？　もう捕まえたんですか？　閉じ込めてあるんですか？」

「カルカロフ？」

ムーディは奇妙な笑い声を上げた。

「カルカロフは今夜逃げ出したわ。腕についた闇の印が焼けるのを感じてな。闇の帝王の忠実なる支持者を、あれだけ多く裏切ったやつだ。連中に会いたくはなかろう……しかし、そう遠くへは逃げられまい。闇の帝王には敵を追跡するやり方がある」

「カルカロフが**いなくなった？**　逃げた？　でも、それじゃ――僕の名前をゴブレットに入れたのは、カルカロフじゃないの？」

「ちがう」

ムーディは言葉をかみしめるように言った。

「ちがう。あいつではない。わしがやったのだ」

ハリーはその言葉を聞いた。しかし、飲み込めなかった。

「まさか、ちがう」ハリーが言った。

「先生じゃない……先生がするはずがない……」

「わしがやった。確かだ」

ムーディの「魔法の目」がぐるりと動き、ぴたっとドアを見すえた。外に誰もいないことを確かめているのだと、ハリーにはわかった。同時にムーディは杖を出してハリーに向けた。

「それでは、あのお方はやつらを許したのだな？　自由の身になっていた死喰い人の連中を？　アズカバンをまぬかれたやつらを？」

「なんですって？」

ハリーはムーディが突きつけている杖の先を見ていた。悪い冗談だ。きっとそうだ。

「聞いているのだ」ムーディが低い声で言った。

「あのお方をお探ししようともしなかったカスどもを、あのお方はお許しになったのかと、聞いているのだ。あのお方のためにアズカバンに入るという勇気もなかった、裏切りの臆病者たちを。クィディッチ・ワールドカップで仮面をかぶってはしゃぐ勇気はあっても、この俺が空に打ち上げた闇の印を見て逃げ出した、不実な、役にも立たないうじ虫どもを」

「**先生が**打ち上げた……いったい何をおっしゃっているのですか……？」

「ハリー、俺は言ったはずだ……言っただろう。俺が何よりも憎むのは、自由の身になった死喰い人だ。一番必要とされていたその時に、ご主人様に背を向けたやつらだ。あのお方がやつらを罰せられることを、俺は期待していた。ご主人様が、あいつらを拷問なさることを期待した。ハリー、あのお方が連中を痛い目にあわせたと言ってくれ……」

ムーディは突然狂気の笑みを浮かべ、顔を輝かせた。

「言ってくれ。あのお方が、俺だけが忠実であり続けたとおっしゃったと……あらゆる危険をおかして、俺は、あのお方が何よりも欲しがっておいでだったものを、御前にお届けしようとした……**おまえをな**」

「ちがう……あ——あなたのはずがない……」

「別な学校の名前を使って、『炎のゴブレット』におまえの名前を入れたのは誰だ？　この俺だ。おまえを傷つけたり、試合でおまえが優勝するのを邪魔するおそれがあれば、そいつらを全員脅しつけたのは誰だ？　この俺だ。ハグリッドをそそのかして、ドラゴンをおまえに見せるように仕向けたのは誰だ？　この俺だ。おまえがドラゴンをやっつけるにはこれしかないという方法を思いつかせたのは誰だ？　**この俺だ**」

ムーディの「魔法の目」がドアから離れ、ハリーを見すえた。ゆがんだ口が、ますます大きくひん曲がった。

「簡単ではなかったぞ、ハリー。怪しまれずに、おまえが課題を成しとげるように誘導するのはな。おまえの成功の陰に俺の手が見えないようにするには、俺の狡猾さを、余すところなく使わなければならなかった。おまえがあまりにやすやすと全部の課題をやってのければ、ダンブルドアは大いに疑っただろう。おまえがいったん迷路に入れば、そして、できればかなりハンディをつけて先発してくれれば——その時は、ほかの代表選手を取り除き、おまえの行く手になんの障害もないようにするチャンスはある。そう思っていた。しかし、俺はおまえのばかさかげんとも戦わなければならなかった。第二の課題……しくじるのではないかと、俺が最も恐れていたときだ。俺はおまえをしっかり見張っていた。おまえが卵の謎を解けないでいたことを、俺は知っていた。そこで、またおまえにヒントをくれてやらねばならなかった――」

「もらわなかった」ハリーはかすれた声で言った。

「セドリックがヒントをくれたんだ――」

「水の中で開けとセドリックに教えたのは誰だ？　それは俺だ。セドリックがおまえにそれを教えるにちがいないと、確信があった。ポッター、誠実な人間は扱いやすい。セドリックが、おまえにドラゴンのことを教えてもらった礼をしたいだろうと、俺はそう考えた。セドリックはそのとおりにした。それでも、ポッター、おまえは失敗しそうだった。俺はいつも見張っていた……図書館にいる間もずっとだ。おまえの必要としていた本が、はじめからおまえの寮にあったことに、気づかなかったのか？　俺はずいぶん前から仕組んでおいたのだ。あのロングボトムの小僧にやった。覚えていないのか？　『地中海の水生魔法植物とその特性』の本を。あの本が、『エラ昆布』について、おまえが必要なことを、全部教えてくれたろうに。おまえは誰にでも聞くだろう、誰にでも助けを求めるだろうと、俺は期待していた。ロングボトムなら、すぐにでもおまえに教えてくれたろうに。しかし、おまえはそうしなかった……聞かなかった……。おまえには、自尊心の強い、なんでも一人でやろうとするところがある。おかげで、何もかもだめになってしまうところだった」

「それでは俺はどうすればよいのか？　どこか疑われない所から、おまえに情報を吹き込むしかない。おまえはクリスマス・ダンスパーティのとき、ドビーという屋敷しもべ妖精がプレゼントをくれたと俺に言った。俺は、洗濯物のローブを取りに来るよう、しもべ妖精を職員室に呼んだ。そして、やつの前でひと芝居打って、マクゴナガル先生と大声で話をした。誰が人質になったかとか、ポッターは『エラ昆布』を使うことを思いつくだろうか、と話した。するとおまえのかわいい妖精の友人は、すぐさまスネイプの研究室の戸棚に飛んでいき、それから急いでおまえを探した……」

ムーディの杖は、依然としてまっすぐにハリーの心臓を指していた。ムーディの肩越しに、壁にかかった「敵鏡」が見え、煙のような影がいくつかうごめいていた。

「ポッター、おまえはあの湖で、ずいぶん長い時間かかっていた。おぼれてしまったのかと思ったぐらいだ。しかし、ダンブルドアは、おまえの愚かさを高潔さだと考え、高い点をつけた。俺はまたホッとした」

ムーディが言った。

「今夜の迷路も、本来なら、おまえはもちろんもっと苦労するはずだった」

「楽だったのは、俺が巡回していて、生け垣の外側から中を見透かし、おまえの行く手の障害物を呪文で取り除くことができたからだ。フラー・デラクールは、通り過ぎたときに呪文で『失神』させた。クラムにはディゴリーをやっつけさせ、おまえの優勝杯への道をすっきりさせようと、『服従の呪文』をかけた」

ハリーはムーディを見つめた。この人が……ダンブルドアの友人で、有名な「闇祓い」のこの人が……多くの死喰い人を捕らえたというこの人が……こんなことを……わけがわからない……つじつまが合わない……。

「敵鏡」に映った煙のような影がしだいにはっきりしてきて、姿が明瞭になってきた。ムーディの肩越しに、三人の輪郭がだんだん近づいてくるのが見えた。しかし、ムーディは見ていない。「魔法の目」はハリーを見すえている。

「闇の帝王は、おまえを殺しそこねた。ポッター、あのお方は、それを強くお望みだった」

ムーディがささやいた。

「かわりに俺がやりとげたら、あのお方がどんなに俺をほめてくださることか。俺はおまえをあのお方に差し上げたのだ――あのお方が、よみがえりのために何よりも必要だったおまえを――そして、あのお方のためにおまえを殺せば、俺は、ほかのどの死喰い人よりも高い名誉を受けるだろう。俺はあのお方の、最もいとしく、最も身近な支持者になるだろう……息子よりも身近な……」

ムーディの普通の目がふくれ上がり、「魔法の目」はハリーをにらみつけていた。ドアはかんぬきがかかっている。自分の杖を取ろうとしても、絶対に間に合わないと、ハリーにはわかっていた……。

「闇の帝王と俺は」

ムーディはしゃべり続けた。いまや、ハリーの前にぬっと立ってハリーを毒々しい目つきで見下ろしているムーディは、まったく正気を失っているように見えた。

「……共通点が多い。二人とも、たとえば、父親に失望していた……まったく幻滅していた。二人とも、父親と同じ名前をつけられるという屈辱を味わった。そして二人とも、同じ楽しみを味わった……まったくのすばらしい楽しみだ……自分の父親を殺し、闇の秩序が確実に隆盛し続けるようにしたのだ！」

「狂ってる」

ハリーが叫んだ――叫ばずにはいられなかった――。

「おまえは狂っている！」

「狂っている？　俺が？」

ムーディの声が止めどなく高くなってきた。

「いまにわかる！　闇の帝王がお戻りになり、俺があのお方のおそばにいるいま、どっちが狂っているか、わかるようになる。あのお方が戻られた。ハリー・ポッター、おまえはあのお方を征服してはいない――そしていま――俺がおまえを征服する！」

ムーディは杖を上げた。口を開いた。ハリーはローブに手を突っ込んだ――。

「**ステューピファイ！　まひせよ！**」

目もくらむような赤い閃光が飛び、バリバリ、メキメキと轟音を上げて、ムーディの部屋の戸が吹っ飛んだ――。

ムーディはのけぞるように吹き飛ばされ、床に投げ出された。ハリーは、ついいましがたまでムーディの顔があった所を見つめた。「敵鏡」の中からハリーを見つめ返している姿があった。アルバス・ダンブルドア、スネイプ先生、マクゴナガル先生の姿だ。振り向くと、三人が戸口に立ち、ダンブルドアが先頭で杖をかまえていた。

その瞬間、ハリーは初めてわかった。ダンブルドアが、ヴォルデモートの恐れる唯一人の魔法使いだという意味が。気を失ったマッド‐アイ・ムーディの姿を見下ろすダンブルドアの形相は、ハリーが想像もしたことがないほどすさまじかった。あの柔和なほほえみは消え、めがねのむこうの目には、踊るようなキラキラした光はない。年を経た顔のしわの一本一本に、冷たい怒りが刻まれていた。体が焼けるような熱を発しているかのように、ダンブルドアの体からエネルギーが周囲に放たれていた。

ダンブルドアは部屋に入り、意識を失ったムーディの体の下に足を入れ、蹴り上げて顔がよく見えるようにした。スネイプがあとから入ってきて、自分の顔がまだ映っている「敵鏡」をのぞき込んだ。鏡の中の顔が、部屋の中をじろりと見た。

マクゴナガル先生はまっすぐハリーの所へやってきた。

「さあ、いらっしゃい。ポッター」

マクゴナガル先生がささやいた。真一文字の薄い唇が、いまにも泣き出しそうにヒクヒクしていた。

「さあ、行きましょう……医務室へ……」

「待て」ダンブルドアが鋭く言った。

「ダンブルドア、この子は行かなければ――ごらんなさい――今夜ひと晩で、もうどんな目にあったか――」

「ミネルバ、その子はここにとどまるのじゃ。ハリーに納得させる必要がある」

ダンブルドアはきっぱり言った。

「納得してこそ初めて受け入れられるのじゃ。受け入れてこそ初めて回復がある。この子は知らねばならん。今夜自分をこのような苦しい目にあわせたのがいったい何者で、なぜなのかを」

「ムーディが」

ハリーが言った。まだまったく信じられない気持ちだった。

「いったいどうしてムーディが？」

「こやつはアラスター・ムーディではない」ダンブルドアが静かに言った。

「ハリー、君はアラスター・ムーディに会ったことがない。本物のムーディなら、今夜のようなことが起こったあとで、わしの目の届く所から君を連れ去るはずがないのじゃ。こやつが君を連れていった瞬間、わしにはわかった――そして、あとを追ったのじゃ」

ダンブルドアはぐったりしたムーディの上にかがみ込み、そのローブの中に手を入れた。そして、ムーディの携帯用酒瓶と鍵束を取り出し、マクゴナガル先生とスネイプのほうを振り向いた。

「セブルス、君の持っている『真実薬』の中で一番強力なのを持ってきてくれぬか。それから厨房に行き、ウィンキーという屋敷妖精を連れてくるよう。ミネルバ、ハグリッドの小屋に行ってくださらんか。大きな黒い犬がかぼちゃ畑にいるはずじゃ。犬をわしの部屋に連れていき、まもなくわしも行くからとその犬に伝え、それからここに戻ってくるのじゃ」

スネイプもマクゴナガルも、奇妙な指示もあるものだと思ったかもしれない。しかし、二人ともそんなそぶりは見せなかった。二人はすぐさまきびすを返し、部屋から出ていった。ダンブルドアは七つの錠前がついたトランクの所へ歩いていき、一本目の鍵を錠前に差し込んでトランクを開けた。中には呪文の本がぎっしり詰まっていた。ダンブルドアはトランクを閉め、二本目の鍵を二つ目の錠前に差し込み、再びトランクを開けた。呪文の本は消えていた。今度は壊れた「かくれん防止器」や、羊皮紙、羽根ペン、銀色の透明マントらしいものが入っていた。ダンブルドアが三つ目、四つ目、五つ目、六つ目と、次々に鍵を合わせ、トランクを開くのを、ハリーは驚いて見つめていた。開くたびに、トランクの中身がちがっていた。七番目の鍵が錠前に差し込まれ、ふたがパッと開いた。ハリーは驚いて叫び声をもらした。

たて穴のような、地下室のようなものが見下ろせた。三メートルほど下の床に横たわり、深々と眠っている、やせおとろえ飢えた姿。それが本物のマッド-アイ・ムーディだった。木製の義足はなく、「魔法の目」が入っているはずの眼窩(がんか)は、閉じたまぶたの下でからっぽのようだった。白髪まじりの髪の一部がなくなっていた。ハリーは雷に打たれたかのように、トランクの中で眠るムーディと、気を失って床に転がっているムーディをまじまじと見比べた。

ダンブルドアはトランクの縁をまたぎ、中に入って、眠っているムーディのかたわらの床に軽々と着地し、ムーディの上に身をかがめた。

「『失神術』じゃ――『服従の呪文』で従わされておるな――非常に弱っておる」

ダンブルドアが言った。

「もちろん、ムーディを生かしておく必要があったじゃろう。ハリー、そのペテン師のマントを投げてよこすのじゃ。ムーディは凍えておる。マダム・ポンフリーに看てもらわねば。しかし急を要するほどではなさそうじゃ」

ハリーは言われたとおりにした。ダンブルドアはムーディにマントをかけ、端を折り込んで包み、再びトランクをまたいで出てきた。それから机の上に立てておいた携帯用酒瓶を取り、ふたを開けてひっくり返した。床にねばねばした濃厚な液体がこぼれ落ちた。

「ポリジュース薬じゃ、ハリー」ダンブルドアが言った。

「単純でしかも見事な手口じゃ。ムーディは、**けっして**、自分の携帯用酒瓶からでないと飲まなかった。そのことはよく知られていた。このペテン師は、当然のことじゃが、ポリジュース薬を作り続けるのに、本物のムーディをそばに置く必要があった。ムーディの髪をごらん……」

ダンブルドアはトランクの中のムーディを見下ろした。

「ペテン師はこの一年間、ムーディの髪を切り取り続けた。髪が不ぞろいになっている所が見えるか？　しかし、偽ムーディは、今夜は興奮のあまり、これまでのようにひんぱんに飲むのを忘れていた可能性がある……一時間ごとに……きっちり毎時間……いまにわかるじゃろう……」

ダンブルドアは机の所にあった椅子を引き、腰かけて、床のムーディをじっと見た。ハリーもじっと見た。何分間かの沈黙が流れた……。

すると、ハリーの目の前で、床の男の顔が変わりはじめた。傷痕は消え、肌がなめらかになり、そがれた鼻はまともになり、小さくなりはじめた。長いたてがみのような白髪まじりの髪は、頭皮の中に引き込まれていき、色が薄茶に変わった。突然**ガタン**と大きな音がして、木製の義足が落ち、足がその場所に生え出てきた。次の瞬間、「魔法の目」が男の顔から飛び出し、そのかわりに本物の目玉が現れた。「魔法の目」は床を転がっていき、くるくるとあらゆる方向に回り続けていた。

目の前に横たわる、少しそばかすのある、色白の、薄茶色の髪をした男を、ハリーは見た。ハリーはこの男が誰かを知っていた。ダンブルドアの「憂いの篩（ふるい）」で見たことがある。クラウチ氏に、無実を訴えながら、吸魂鬼に法廷から連れ出されていった……しかし、いまは目の周りにしわがあり、ずっと老けて見えた。

廊下を急ぎ足でやってくる足音がした。スネイプが足元にウィンキーを従えて戻ってきた。そのすぐ後ろにマクゴナガル先生がいた。

「クラウチ！」スネイプが、戸口で立ちすくんだ。「バーティ・クラウチ！」

「なんてことでしょう」

マクゴナガル先生も、立ちすくんで床の男を見つめた。

汚れきって、よれよれのウィンキーが、スネイプの足元からのぞき込んだ。ウィンキーは口をあんぐり開け、金切り声を上げた。

「バーティさま、バーティさま、こんな所で何を？」

ウィンキーは飛び出して、その若い男の胸にすがった。

「あなたたちはこの人を殺されました、い、い、この人を殺されました！　ご主人さまの坊ちゃまを！」

「『失神術』にかかっているだけじゃ、ウィンキー」

ダンブルドアが言った。

「どいておくれ。セブルス、薬は持っておるか？」

スネイプがダンブルドアに、澄みきった透明な液体の入った小さなガラス瓶を渡した。授業中に、ハリーに飲ませるとスネイプが脅した、ベリタセラム、真実薬だ。ダンブルドアは立ち上がり、床の男の上にかがみ込み、男の上半身を起こして「敵鏡」の下の壁に寄りかからせた。「敵鏡」にはダンブルドア、スネイプ、マクゴナガルの影がまだ映っていて、部屋にいる全員をにらんでいた。ウィンキーはひざまずいたまま、顔を手で覆って震えている。ダンブルドアは男の口をこじ開け、薬を三滴流し込んだ。

それから杖を男の胸に向け、「**リナベイト、蘇生せよ**」と唱えた。

クラウチの息子は目を開けた。顔がゆるみ、焦点の合わない目をしている。ダンブルドアは、顔と顔が同じ高さになるように男の前にひざをついた。

「聞こえるかね？」ダンブルドアが静かに聞いた。

男はまぶたをパチパチさせた。

「はい」男がつぶやいた。

「話してほしいのじゃ」ダンブルドアがやさしく言った。

「どうやってここに来たのかを。どうやってアズカバンを逃れたのじゃ？」

クラウチは深く身を震わせて、深々と息を吸い込み、抑揚のない、感情のない声で話しはじめた。

「母が助けてくれた。母は自分がまもなく死ぬことを知っていたのだ。母の最後の願いとして俺を救出するように父を説き伏せた。俺をけっして愛してくれなかった父だが、母を愛していた。父は承知した。二人が訪ねてきた。俺に、母の髪を一本入れたポリジュース薬をくれた。母は俺の髪を入れたものを飲んだ。俺と母の姿が入れ替わった」

ウィンキーが震えながら頭を振った。

「もう、それ以上言わないで、バーティ坊ちゃま、どうかそれ以上は。お父さまが困らせられます、い、い、いた」

しかし、クラウチはまた深く息を吸い込み、相変わらず一本調子で話し続けた。

「吸魂鬼は目が見えない。健康な者が一名と、死にかけた者が一名、アズカバンに入るのを感じ取っていた。健康な者一名と、死にかけた者一名が出ていくのも感じ取った。父は囚人の誰かが独房の戸のすきまから見ていたりする場合のことを考え、俺に母の姿をさせて、密かに連れ出したのだ」

「母はまもなくアズカバンで死んだ。最後までポリジュース薬を飲み続けるように気をつけていた。母は俺の名前で、俺の姿のまま埋葬された。誰もが母を俺だと思った」

男のまぶたがパチパチした。

「そして、君の父親は、君を家に連れ帰ってから、どうしたのだね？」

ダンブルドアが静かに聞いた。

「母の死を装った。静かな、身内だけの葬式だった。母の墓はからっぽだ。屋敷しもべ妖精の世話で、俺は健康を取り戻した。それから俺は隠され、管理されなければならなかった。俺は、元気を取り戻したとき、ご主人様を探し出すことしか考えなかった……ご主人様の下で仕えることしか考えなかった」

「お父上は君をどうやっておとなしくさせたのじゃ？」ダンブルドアが聞いた。

「『服従の呪文』だ」男が答えた。

「俺は父に管理されていた。昼も夜も無理やり透明マントを着せられた。いつも、俺はしもべ妖精と一緒だった。しもべ妖精が俺を監視し、世話した。妖精は俺を哀れんだ。ときどきは気晴らしさせるようにと、妖精が父を説き伏せた。おとなしくしていたらそのほうびとして」

「バーティ坊ちゃま。バーティ坊ちゃま」

ウィンキーは顔を覆ったまますすり泣いた。

「この人たちにお話ししてはならないでございます。あたしたちは困らせられい、い、い、ます……」

「君がまだ生きていることを、誰かに見つかったことがあるのかね？」

ダンブルドアがやさしく聞いた。

「君のお父上と屋敷妖精以外に、誰か知っていたかね？」

「はい」クラウチが言った。まぶたがまたパチパチした。

「父の役所の魔女で、バーサ・ジョーキンズ。あの女が、父のサインをもらいに書類を持って家に来た。父は不在だった。ウィンキーが中に通して、台所に戻った。俺の所に。しかし、バーサ・ジョーキンズはウィンキーが俺に話をしているのを聞いた。あの女は調べに入ってきた。透明マントに隠れているのが誰なのかを充分想像することができるほどの、話の内容を聞いてしまった。父が帰宅した。あの女が父を問いつめた。父は、あの女が知ってしまったことを忘れさせるのに、強力な『忘却術』をかけた。あまりに強すぎて、あの女の記憶は永久にそこなわれたと父が言った」

「あの女の人はどうしてご主人さまの個人的なことにおせっかいを焼くのでしょう？」

ウィンキーがすすり泣いた。

「どうしてあの女の人は、あたしたちをそっとしておかないのでしょう？」

「クィディッチ・ワールドカップについて話しておくれ」ダンブルドアが言った。

「ウィンキーが父を説き伏せた」クラウチが依然として抑揚のない声で言った。

「何か月もかけて父を説き伏せた。俺は何年も家から出ていなかった。俺はクィディッチが好きだった。ウィンキーが、行かせてやってくれと頼んだ。透明マントを着せるから、観戦できると。もう一度新鮮な空気を吸わせてあげてくれと。ウィンキーは、お母さまもきっとそれをお望みですと言った。母が俺を自由にするために死んだのだと父に言った。お母さまが坊ちゃまを救ったのは、生涯幽閉の身にするためではありませんと、ウィンキーが言った。父はついに折れた」

「計画は慎重だった。父は、俺とウィンキーを、まだ早いうちに貴賓席に連れていった。ウィンキーが父の席を取っているという手はずだった。姿の見えない俺がそこに座った。みんながいなくなってから俺たちが退席すればよい。ウィンキーは一人で座っているように見える。誰も気づかないだろう」

「しかし、ウィンキーは、俺がだんだん強くなっていることを知らなかった。父の『服従の呪文』を、俺は破りはじめていた。ときどきほとんど自分自身に戻ることがあった。短い間だが、父の管理を逃れたと思えるときがあった。それが、ちょうど貴賓席にいるときに起こった。深い眠りから覚めたような感じだ。俺は公衆の中にいた。試合の真っ最中だ。そして、前の男の子のポケットから杖が突き出しているのが見えた。ウィンキーは知らなかった。アズカバンに行く前から、ずっと杖は許されていなかった。俺はその杖を盗んだ。ウィンキーは知らなかった。ウィンキーは高所恐怖症だ。顔を隠していた」

「バーティ坊ちゃま、悪い子です！」

ウィンキーが指の間からボロボロ涙をこぼしながら、小さな声で言った。

「それで、杖を取ったのじゃな」ダンブルドアが言った。

「そして、杖で何をしたのじゃ？」

「俺たちはテントに戻った」クラウチが言った。

「その時やつらの騒ぎを聞いた。死喰い人の騒ぎを。アズカバンに入ったことがない連中だ。あのお方に背を向けたやつらだ。あのお方のために苦しんだことがないやつらだ。あいつらは、俺のようにつながれてはいなかった。やつらは自由にあのお方をお探しできたのに、そうしなかった。マグルをもてあそんでいただけだ。やつらの声が俺を呼び覚ました。ここ何年もなかったほど、俺の頭ははっきりしていた。俺は怒った。手には杖があった。俺は、ご主人様に忠義を尽くさなかったやつらを襲いたかった。父はテントにいなかった。マグルを助けに行ったあとだった。ウィンキーは俺が怒っているのを見て心配した。ウィンキーは自分なりの魔法を使って俺を自分の体に縛りつけた。ウィンキーは俺をテントから引っ張り出し、死喰い人から遠ざけようと森へ引っ張っていった。俺はウィンキーを引き止めようとした。俺はキャンプ場に戻りたかった。死喰い人の連中に、闇の帝王への忠義とは何かを見せつけてやりたかった。そして不忠者を罰したかった。俺は盗んだ杖で空に『闇の印』を打ち上げた」

「魔法省の役人がやってきた。四方八方に『失神の呪文』が発射された。そのうちの一つが木の間から俺とウィンキーが立っている所に届いた。俺たち二人を結んでいた絆が切れた。二人とも『失神』させられた」

「ウィンキーが見つかったとき、父は必ず俺がそばにいると知っていた。ウィンキーが見つかった灌木の中を探し、父は俺が倒れているのをさわって確かめた。父は魔法省の役人たちが森からいなくなるのを待った。そして俺に『服従の呪文』をかけ、家に連れ帰った。父はウィンキーを解雇した。ウィンキーは父の期待に添えなかった。俺に杖を持たせたし、もう少しで俺を逃がすところだった」

ウィンキーは絶望的な泣き声を上げた。

「家にはもう、父と俺だけになった。そして……そしてその時……」

クラウチの頭が、首の上でぐるりと回り、その顔に狂気の笑いが広がった。

「ご主人様が俺を探しにおいでになった……」

「ある夜遅く、ご主人様は下僕のワームテールの腕に抱かれて、俺の家にお着きになった。俺がまだ生きていることがおわかりになったのだ。ご主人様はアルバニアでバーサ・ジョーキンズを捕らえ、拷問した。あの女はいろいろとご主人様に話した。三大魔法学校対抗試合のこと、闇祓いのムーディがホグワーツで教えることになったことも話した。ご主人様は、父があの女にかけた『忘却呪文』さえ破るほどに拷問した。あの女は俺がアズカバンから逃げたことを話した。父が俺を幽閉し、ご主人様を探し求めないようにしていると、あの女が話した。そこでご主人様は、俺がまだ忠実な従者であることが――たぶん最も忠実な者であることが――おわかりになった。ご主人様はバーサの情報に基づいて、ある計画を練られた。俺が必要だった。ご主人様は真夜中近くにおいでになった。父が玄関に出た」

人生で一番楽しいときを思い出すかのように、クラウチの顔にますます笑みが広がった。ウィンキーの指の間から、恐怖で凍りついた茶色の目がのぞいていた。驚きのあまり口もきけない様子だ。

「あっという間だった。父はご主人様の『服従の呪文』にかかった。今度は父が幽閉され、管理される立場だった。ご主人様は、父がいつものように仕事を続け、何事もなかったかのように振る舞うように服従させた。そして俺は解放され、目覚めた。俺はまた自分を取り戻した。ここ何年もなかったほど生き生きした」

「そして、ヴォルデモート卿は君に何をさせたのかね？」ダンブルドアが聞いた。

「あのお方のために、あらゆる危険をおかす覚悟があるかと、俺にお聞きになった。もちろんだ。あのお方にお仕えして、俺の力をあのお方に認めていただくのが、俺の最大の夢、最大の望みだった。あのお方はホグワーツに忠実な召使いを送り込む必要があると、俺におっしゃった。三校対抗試合の間、それと気取られずに、ハリー・ポッターを誘導する召使いが必要だった。ハリー・ポッターを監視する召使い。ハリー・ポッターが確実に優勝杯にたどり着くようにする召使い。優勝杯を移動キーにし、最初にそれに触れたものをご主人様の下に連れていくようにする召使い。しかし、その前に――」

「君にはアラスター・ムーディが必要だった」

ダンブルドアの声は相変わらず落ち着いていたが、そのブルーの目は、メラメラと燃えていた。

「ワームテールと俺がやった。その前にポリジュース薬を準備しておいた。ムーディの家に出かけた。ムーディは抵抗した。騒ぎが起こった。なんとか間に合ってやつをおとなしくさせた。あいつ自身の魔法のトランクの一室にあいつを押し込んだ。あいつの髪の毛を少し取って、薬に入れた。俺がそれを飲んで、ムーディになりすました。俺はあいつの義足と『魔法の目』をつけた。準備を整えて、騒ぎを聞きつけてマグルの処理に駆けつけたアーサー・ウィーズリーに会った。俺はごみバケツを庭で暴れさせ、アーサー・ウィーズリーに、何者かが庭に忍び込んだのでごみバケツが警報を発したと言った。それから俺は、ムーディの服や闇の検知器をムーディと一緒にトランクに詰め、ホグワーツに出発した。ムーディは『服従の呪文』にかけて生かしておいた。あいつに質問したいことがあった。ダンブルドアでさえだますことができるよう、あいつの過去も、くせも学ばなければならなかった。ポリジュース薬を作るのに、あいつの髪の毛も必要だった。ほかの材料は簡単だった。毒ツルヘビの皮は地下牢から盗んだ。魔法薬の先生に研究室で見つかったときは、捜索命令を執行しているのだと言った」

「ムーディを襲ったあと、ワームテールはどうしたのかね？」ダンブルドアが聞いた。

「ワームテールは、ご主人様の世話と父の監視のために父の家に戻った」

「しかしお父上は逃げ出した」ダンブルドアが言った。

「そうだ。しばらくして、俺がやったと同じように、父は『服従の呪文』に抵抗しはじめた。何が起こっているのか、父はときどき気がついた。ご主人様は、父が家を出るのはもはや安全ではないとお考えになった。ご主人様は父に魔法省への手紙を書かせることにした。父に命じて、病気だという手紙を書かせた。しかし、ワームテールは義務をおこたった。充分に警戒していなかった。父は逃げ出した。ご主人様は父がホグワーツに向かったと判断なさった。父はダンブルドアにすべてを打ち明け、告白するつもりだった。俺をアズカバンからこっそり連れ出したと自白するつもりだった」

「ご主人様は父が逃げたと知らせをよこした。あのお方は、なんとしてでも父を止めるようにとおっしゃった。そこで俺は待機して見張っていた。ハリー・ポッターから手に入れた地図を使った。もう少しですべてをだいなしにしてしまうかもしれなかった、あの地図だ」

「地図？」ダンブルドアが急いで聞いた。

「なんの地図じゃ？」

「ポッターのホグワーツ地図だ。ポッターは俺をその地図で見つけた。ポッターは、ある晩、俺がポリジュースの材料をスネイプの研究室から盗むところを地図で見た。俺は父と同じ名前なので、ポッターは俺を父だと思った。俺はその夜、ポッターから地図を取り上げた。俺はポッターに、『クラウチ氏は闇の魔法使いを憎んでいる』と言った。ポッターは父がスネイプを追っていると思ったようだ」

「一週間、俺は父がホグワーツに着くのを待った。ついにある晩、父が校庭内に入ってくるのを、地図が示した。俺は透明マントをかぶり、父に会いに出ていった。父は禁じられた森の周りを歩いていた。その時ポッターが来た。クラムもだ。俺は待った。ポッターにけがをさせるわけにはいかない。ご主人様がポッターを必要としている。ポッターがダンブルドアを迎えに走った。俺はクラムに『失神術』をかけ、父を殺した」

「**あぁぁぁぁ！**」ウィンキーが嘆き叫んだ。

「坊ちゃま、バーティ坊ちゃま、何をおっしゃるのです？」

「君はお父上を殺したのじゃな」

ダンブルドアが依然として静かな声で言った。

「遺体はどうしたのじゃ？」

「禁じられた森の中に運んだ。透明マントで覆った。その時俺は、地図を持っていた。地図で、ポッターが城に駆け込むのが見えた。ポッターはスネイプに出会った。ダンブルドアが加わった。ポッターがダンブルドアを連れて城から出てくるのを見た。俺は森から出て、二人の後ろに回り、現場に戻って二人に会った。ダンブルドアには、スネイプが俺に現場を教えてくれたと言った」

「ダンブルドアは俺に、クラウチ氏を探せと言った。俺は父親の遺体の所に戻り、地図を見ていた。みんながいなくなってから、俺は父の遺体を変身させ、骨に変えた……。透明マントを着て、その骨を、ハグリッドの小屋の前の、掘り返されたばかりの場所に埋めた」

すすり泣きを続けるウィンキーの声以外は、物音一つしない。

やがて、ダンブルドアが言った。

「そして、今夜……」

「俺は夕食前に、優勝杯を迷路に運び込む仕事を買って出た」

バーティ・クラウチがささやくように言った。

「俺はそれを移動キーに変えた。ご主人様の計画はうまくいった。あのお方は権力の座に戻ったのだ。そして俺は、ほかの魔法使いが夢見ることもかなわぬ栄誉を、あのお方から与えられるだろう」

狂気の笑みが再び顔を輝かせ、クラウチは頭をだらりと肩にもたせかけた。そのかたわらで、ウィンキーがさめざめと泣き続けていた。

第36章　決別

ダンブルドアが立ち上がった。嫌悪の色を顔に浮かべ、しばらくバーティ・クラウチを見つめていた。そしてもう一度杖(つえ)を上げると、杖先から飛び出した縄が、ひとりでにバーティ・クラウチにぐるぐる巻きついてしっかり縛り上げた。

ダンブルドアがマクゴナガル先生のほうを見た。

「ミネルバ、ハリーを上に連れていく間、ここで見張りを頼んでもよいかの？」

「もちろんですわ」

マクゴナガル先生が答えた。たったいま誰かが嘔吐(おうと)するのを見て、自分も吐きたくなったような顔をしていた。しかし、杖を取り出してバーティ・クラウチに向けたとき、その手はしっかりしていた。

「セブルス」ダンブルドアがスネイプのほうを向いた。

「マダム・ポンフリーに、ここに下りてくるように頼んでくれんか？　アラスター・ムーディを医務室に運ばねばならん。そのあとで校庭に行き、コーネリウス・ファッジを探して、この部屋に連れてきてくれ。ファッジはまちがいなく、自分でクラウチを尋問したいことじゃろう。ファッジに、わしに用があれば、あと半時間もしたら、わしは医務室に行っておると伝えてくれ」

スネイプはうなずき、無言でサッと部屋を出ていった。

「ハリー？」ダンブルドアがやさしく言った。

ハリーは立ち上がったが、またぐらりとした。クラウチの話を聞いている間は気づかなかった痛みが、いま完全に戻ってきた。その上、体が震えているのに気づいた。ダンブルドアはハリーの腕をつかみ、介助しながら暗い廊下に出た。

「ハリー、まずわしの部屋に来てほしい」

ダンブルドアは廊下を歩きながら静かに言った。

「シリウスがそこで待っておる」

ハリーはうなずいた。一種の無感覚状態と非現実感とが、ハリーを襲っていた。しかし、ハリーは気にならなかった。むしろうれしかった。優勝杯に触れてから起こったことについて、何も考えたくなかった。写真のように鮮やかに、くっきりと、頭の中に明滅する記憶をじっくり調べてみる気にはなれなかった。トランクの中のマッド-アイ・ムーディ、手首のない腕をかばいながら地面にへたり込んでいるワームテール、湯気の立ち昇る大鍋からよみがえったヴォルデモート、セドリック……死んでいる……両親の元に返してくれと頼んだセドリック……。

「校長先生」ハリーが口ごもった。「ディゴリーさんご夫妻はどこに？」

「スプラウト先生と一緒じゃ」

ダンブルドアが言った。バーティ・クラウチを尋問している間、ずっと平静だったダンブルドアの声が、初めてわずかに震えた。

「スプラウト先生はセドリックの寮の寮監じゃ。あの子のことを一番よくご存じじゃ」

怪獣（ガーゴイル）の石像の前に来た。ダンブルドアが合言葉を言うと、石像が脇に飛びのいた。ダンブルドアとハリーは、動く螺旋（らせん）階段で樫（かし）の扉まで上っていった。ダンブルドアが扉を押し開けた。

そこに、シリウスが立っていた。アズカバンから逃亡してきたときのように、蒼白（そうはく）でやつれた顔をしている。シリウスは一気に部屋を横切ってやってきた。

「ハリー、大丈夫か？　私の思ったとおりだ――こんなことになるのではないかと思っていた――いったい何があった？」

ハリーを介助して机の前の椅子に座らせながら、シリウスの手が震えていた。

「いったい何があったのだ？」シリウスがいっそう急(せ)き込んで尋ねた。

ダンブルドアがバーティ・クラウチの話を、一部始終シリウスに語りはじめた。ハリーは半分しか聞いていなかった。つかれはて、体中の骨が痛んだ。眠りに落ちて何も考えず、何も感じなくなるまで、何時間も何時間も、邪魔されず、ひたすらそこに座っていたかった。

やわらかな羽音がした。不死鳥のフォークスが、止まり木を離れ、部屋のむこうから飛んできて、ハリーのひざに止まった。

「やあ、フォークス」

ハリーは小さな声でそう言うと、不死鳥の真紅と金色の美しい羽をなでた。フォークスは安らかに瞬(まばた)きしながらハリーを見上げた。ひざに感じる温もりと重みが心を癒やした。

ダンブルドアが話し終えた。そして、机のむこう側に、ハリーと向き合って座った。ダンブルドアはハリーを見つめた。ハリーはその目をさけた。――ダンブルドアは僕に質問するつもりだ。僕に、すべてをもう一度思い出させようとしている。

「ハリー、迷路の移動キー(ポートキー)に触れてから、何が起こったのか、わしは知る必要があるのじゃ」

ダンブルドアが言った。

「ダンブルドア、明日の朝まで待てませんか？」

シリウスが厳しい声で言った。シリウスは片方の手をハリーの肩に置いていた。

「眠らせてやりましょう。休ませてやりましょう」

ハリーはシリウスへの感謝の気持ちがどっとあふれるのを感じた。しかし、ダンブルドアはシリウスの言葉を無視した。ダンブルドアがハリーのほうに身を乗り出した。ハリーは気が進まないままに顔を上げ、ダンブルドアのブルーの瞳を見つめた。

「それで救えるのなら」ダンブルドアがやさしく言った。

「君を魔法の眠りにつかせ、今夜の出来事を考えるのを先延ばしにすることで君を救えるなら、わしはそうするじゃろう。しかし、そうではないのじゃ。一時的に痛みをまひさせれば、あとになって感じる痛みは、もっとひどい。君は、わしの期待をはるかに超える勇気を示した。もう一度その勇気を示してほしい。何が起きたか、わしらに聞かせてくれ」

不死鳥がひと声、やわらかに震える声で鳴いた。その声が空気を震わせると、ハリーは、熱い液体が一滴、のどを通り、胃に入り、体が温まり、力が湧いてくるような気がした。

ハリーは深く息を吸い込み、話しはじめた。話しながら、その夜の光景の一つ一つが、目の前にくり広げられるように感じられた。ヴォルデモートをよみがえらせたあの液体から出る火花。周囲の墓と墓の間から「姿あらわし」してくる死喰い人。優勝杯のそばに横たわるセドリックのなきがら。

ハリーの肩をしっかりつかんだまま、一、二度、シリウスが何か言いたそうな声を出した。しかし、ダンブルドアは手を上げてそれを制した。ハリーにはそのほうがうれしかった。話しだしてしまえば、続けて話してしまうほうが楽だった。ホッとすると言ってもよかった。何か毒のようなものが体から抜き取られていくような気分でさえあった。話し続けるには、ハリーの意志のすべてを振りしぼらなければならなかった。それでも、話し終われば、気持ちがすっきりするような予感がした。

ワームテールが短剣でハリーの腕を突き刺した件になると、シリウスが激しくののしった。ダンブルドアがあまりにすばやく立ち上がったので、ハリーは驚いた。ダンブルドアは机を回り込んでやってきて、ハリーに腕を出して見せるように言った。ハリーは、切り裂かれたローブと、その下の傷を二人に見せた。

「僕の血が、ほかの誰の血よりも、あの人を強くすると、ヴォルデモートが言ってました」

ハリーがダンブルドアに言った。

「僕を護(まも)っているものが――僕の母が残してくれたものが――あの人にも入るのだと言ってました。そのとおりでした――ヴォルデモートは僕にさわっても傷つきませんでした。僕の顔をさわったんです」

ほんの一瞬、ハリーはダンブルドアの目に勝ち誇ったような光を見たような気がした。しかし、次の瞬間、ハリーはきっと勘ちがいだったんだと思った。机のむこう側に戻ったダンブルドアが、ハリーがこれまで見たこともないほど老け込んで、つかれて見えたからだ。

「なるほど」

ダンブルドアは再び腰をかけた。

「ヴォルデモートはその障害については克服したというわけじゃな。ハリー、続けるのじゃ」

ハリーは話し続けた。ヴォルデモートが大鍋からどのようによみがえったのかを語り、死喰い人たちへのヴォルデモートの演説を、思い出せるかぎり話して聞かせた。それから、ヴォルデモートがハリーの縄目を解き、杖を返し、決闘しようとしたことを話した。

しかし、金色の光がハリーとヴォルデモートの杖同士をつないだ件では、ハリーはのどを詰まらせた。話し続けようとしても、ヴォルデモートの杖から現れたものの記憶が、どっとあふれ、胸がいっぱいになってしまったのだ。セドリックが出てくるのが見える。年老いた男が、バーサ・ジョーキンズが……母が……父が……。

シリウスが沈黙を破ってくれたのが、ハリーにはありがたかった。

「杖がつながった？」シリウスはハリーを見て、ダンブルドアを見た。

「なぜなんだ？」

ハリーも再びダンブルドアを見上げた。ダンブルドアは何かに強く魅かれた顔をしていた。

「直前呪文じゃな」ダンブルドアがつぶやいた。

ダンブルドアの目がハリーの目をじっと見つめた。二人の間に、目に見えない光線が走り、理解し合ったかのようだった。

「呪文逆戻し効果？」シリウスが鋭い声で言った。

「さよう」ダンブルドアが言った。

「ハリーの杖とヴォルデモートの杖には共通の芯が使ってある。それぞれに同じ不死鳥の尾羽根が一枚ずつ入っている。じつは、**この**不死鳥なのじゃ」

ダンブルドアはハリーのひざに安らかに止まっている真紅と金色の鳥を指差した。

「僕の杖の羽根は、フォークスの？」ハリーは驚いた。

「そうじゃ」ダンブルドアが答えた。

「四年前、オリバンダー翁が、君があの店を出た直後に手紙をくれての、君が二本目の杖を買ったと教えてくれたのじゃ」

「すると、杖が兄弟杖に出会うと、何が起こるのだろう？」シリウスが言った。

「お互いに相手に対して正常に作動しない」ダンブルドアが言った。

「しかし、杖の持ち主が、二つを無理に戦わせると……非常に稀な現象が起こる」

「どちらか一本が、もう一本に対して、それまでにかけた呪文を吐き出させる——逆の順序で。一番新しい呪文を最初に……そしてそれ以前にかけたものを次々に……」

ダンブルドアが確かめるような目でハリーを見た。ハリーがうなずいた。

「ということは」ダンブルドアがハリーの顔から目を離さず、ゆっくりと言った。

「セドリックがなんらかの形で現れたのじゃな?」

ハリーがまたうなずいた。

「ディゴリーが生き返った?」シリウスが鋭い声で言った。

「どんな呪文をもってしても、死者を呼び覚ますことはできぬ」

ダンブルドアが重苦しく言った。

「こだまが逆の順序で返ってくるようなことが起こったのじゃろう。生きていたときのセドリックの姿の影が杖から出てきた……そうじゃな、ハリー?」

「セドリックが僕に話しかけました」ハリーが言った。急にまた体が震えだした。

「ゴースト……セドリックのゴースト、それとも、なんだったのでしょう。それが僕に話しかけました」

「こだまじゃ」ダンブルドアが言った。

「セドリックの外見や性格をそっくり保っておる。おそらく、ほかにも同じような姿が現れたのであろうと想像するが……もっと以前にヴォルデモートの杖の犠牲になった者たちが……」

「老人が」ハリーはまだのどがしめつけられているようだった。

「バーサ・ジョーキンズが。それから……」

「ご両親じゃな?」ダンブルドアが静かに言った。

「はい」

ハリーの肩をつかんだシリウスの手に力が入り、痛いくらいだった。

「杖が殺めた最後の犠牲者たちじゃ」ダンブルドアがうなずきながら言った。

「殺めた順序と逆に。もちろん、杖のつながりをもっと長く保っていれば、もっと多くの者が現れてきたはずじゃ。よろしい、ハリー、このこだまたち、影たちは……何をしたのかね？」

ハリーは話した。杖から現れた姿が、金色のかごの内側を徘徊したこと、ヴォルデモートが影たちを恐れていたこと、ハリーの父親の影がどうしたらよいか教えてくれたこと、セドリックの最後の願いのこと。

そこまで話したとき、ハリーはもうそれ以上は続けられないと思った。シリウスを振り返ると、シリウスは両手に顔をうずめていた。

ふと気がつくと、フォークスはもうハリーのひざを離れていた。不死鳥は床に舞い降りていた。そして、その美しい頭をハリーの傷ついた脚にもたせかけ、その目からは真珠のようなとろりとした涙が、蜘蛛が残した脚の傷にこぼれ落ちていた。痛みが消えた。皮膚は元どおりになり、脚は癒えた。

「もう一度言う」

不死鳥が舞い上がり、扉のそばの止まり木に戻ると、ダンブルドアが言った。

「ハリー、今夜、君は、わしの期待をはるかに超える勇気を示した。君は、ヴォルデモートの力が最も強かった時代に戦って死んだ者たちに劣らぬ勇気を示した。一人前の魔法使いに匹敵する重荷を背負い、大人に勝るとも劣らぬ君自身を見出したのじゃ――さらに君はいま、我々が知るべきことをすべて話してくれた。わしと一緒に医務室に行こうぞ。今夜は寮に戻らぬほうがよい。魔法睡眠薬、それに安静じゃ……。シリウス、ハリーと一緒にいてくれるかの？」

シリウスがうなずいて立ち上がった。そして黒い犬に変身し、ハリー、ダンブルドアと一緒に部屋を出て、階段を下り、医務室までついていった。

ダンブルドアが医務室のドアを開けると、そこには、ウィーズリーおばさん、ビル、ロン、ハーマイオニーが、弱りきった顔をしたマダム・ポンフリーを取り囲んでいた。どうやら、「ハリーはどこか」「ハリーの身に何が起こったか」と問い詰めていた様子だ。

ハリー、ダンブルドア、そして黒い犬が入ってくると、みんないっせいに振り返った。ウィーズリーおばさんは声を詰まらせて叫んだ。

「ハリー！　ああ、ハリー！」

おばさんはハリーに駆け寄ろうとしたが、ダンブルドアが二人の間に立ちふさがった。

「モリー」ダンブルドアが手で制した。

「ちょっと聞いておくれ。ハリーは今夜、恐ろしい試練をくぐり抜けてきた。それをわしのために、もう一度再現してくれたばかりじゃ。いまハリーに必要なのは、安らかに、静かに、眠ることじゃ。もしハリーが、みんなにここにいてほしければ」

ダンブルドアはロン、ハーマイオニー、そしてビルと見回した。

「そうしてよろしい。しかし、ハリーが答えられる状態になるまでは、質問をしてはならぬぞ。今夜は絶対に、質問してはならぬ」

ウィーズリーおばさんが、真っ青な顔でうなずいた。

おばさんは、まるでロン、ハーマイオニー、ビルがうるさくしていたかのように、シーッと言って三人を叱った。

「わかったの？　ハリーは安静が必要なのよ！」

「校長先生」マダム・ポンフリーが、シリウスの変身した黒い大きな犬をにらみながら言った。

「いったいこれは――？」

「この犬はしばらくハリーのそばにいる」ダンブルドアはさらりと言った。

「わしが保証する。この犬はたいそうしつけがよい。ハリー――わしは君がベッドに入るまでここにおるぞ」

ダンブルドアがみんなに質問を禁じてくれたことに、ハリーは言葉に言い表せないほど感謝していた。みんなに、ここにいてほしくないというわけではない。しかし、もう一度あれをまざまざと思い出し、再び説明することなど、ハリーにはとてもたえられない。

「ハリー、わしは、ファッジに会ったらすぐに戻ってこよう」ダンブルドアが言った。「明日、わしが学校のみなに話をする。それまで、明日もここにおるのじゃぞ」

そして、ダンブルドアはその場を去った。

マダム・ポンフリーはハリーを近くのベッドに連れていった。一番隅のベッドに、本物のムーディが死んだように横たわっているのがちらりと見えた。木製の義足と「魔法の目」が、ベッド脇のテーブルに置いてある。

「あの人は大丈夫ですか？」ハリーが聞いた。

「大丈夫ですよ」

マダム・ポンフリーがハリーにパジャマを渡し、ベッドの周りのカーテンを閉めながら言った。ハリーはローブを脱ぎ、パジャマを着てベッドに入った。ロン、ハーマイオニー、ビル、ウィーズリーおばさん、そして黒い犬がカーテンを回り込んで入ってきて、ベッドの両側に座った。ロンとハーマイオニーは、まるで怖いものでも見るように、恐る恐るハリーを見た。

「僕、大丈夫」ハリーが二人に言った。「つかれてるだけ」

ウィーズリーおばさんは、必要もないのにベッドカバーのしわを伸ばしながら、目にいっぱい涙を浮かべていた。

マダム・ポンフリーは、いったんせかせかと事務室に行ったが、戻ってきたときには、手にゴブレットと紫色の薬が入った小瓶を持っていた。

「ハリー、これを全部飲まないといけません」マダム・ポンフリーが言った。

「この薬で、夢を見ずに眠ることができます」

ハリーはゴブレットを取り、二口、三口飲んでみた。すぐに眠くなってきた。周りのものすべてがぼやけてきた。医務室中のランプが、カーテンを通して、親しげにウィンクしているような気がした。羽根布団の温もりの中に、全身が深々と沈んでいくようだった。薬を飲み干す前に、一言も口をきく間もなく、疲労がハリーを眠りへと引き込んでいた。

目覚めたとき、あまりに温かく、まだとても眠かったので、もうひと眠りしようと、ハリーは目を開けなかった。部屋はぼんやりと灯り（あか）がともっていた。きっとまだ夜で、あまり長い時間は眠っていないのだろうと思った。

その時、そばでヒソヒソ話す声が聞こえた。

「あの人たち、静かにしてもらわないと、この子を起こしてしまうわ！」

「いったい何をわめいてるんだろう？　また何か起こるなんて、ありえないよね？」

ハリーは薄目を開けた。誰かがハリーのめがねをはずしたらしい。すぐそばにいるウィーズリーおばさんとビルの姿がぼんやり見えた。おばさんは立ち上がっている。

「ファッジの声だわ」おばさんがささやいた。

「それと、ミネルバ・マクゴナガルだわね。いったい何を言い争ってるのかしら」

もうハリーにも聞こえた。誰かがどなり合いながら医務室に向かって走ってくる。

「残念だが、ミネルバ、仕方がない――」

コーネリウス・ファッジのわめき声がする。

「絶対に、あれを城の中に入れてはならなかったのです！」

マクゴナガル先生が叫んでいる。

「ダンブルドアが知ったら――」

ハリーは医務室のドアがバーンと開く音を聞いた。ビルがカーテンを開け、みんながドアのほうを見つめた。ハリーはベッドの周りの誰にも気づかれずに、起き上がって、めがねをかけた。

ファッジがドカドカと医務室に入ってきた。すぐ後ろにマクゴナガル先生とスネイプ先生がいた。

「ダンブルドアはどこかね？」

ファッジがウィーズリーおばさんに詰め寄った。

「ここにはいらっしゃいませんわ」ウィーズリーおばさんが怒ったように答えた。

「大臣、ここは医務室です。少しお静かに――」

しかし、その時ドアが開き、ダンブルドアがサッと入ってきた。

「何事じゃ」

ダンブルドアは鋭い目でファッジを、そしてマクゴナガル先生を見た。

「病人たちに迷惑じゃろう？　ミネルバ、あなたらしくもない――バーティ・クラウチを監視するようにお願いしたはずじゃが――」

「もう見張る必要がなくなりました。ダンブルドア！」マクゴナガル先生が叫んだ。

「大臣がその必要がないようになさったのです！」

ハリーはマクゴナガル先生がこんなに取り乱した姿を初めて見た。怒りのあまりほおはまだらに赤くなり、両手は拳を握りしめ、わなわなと震えている。

「今夜の事件を引き起こした死喰い人を捕らえたと、ファッジ大臣にご報告したのですが」

スネイプが低い声で言った。

「すると、大臣はご自分の身が危険だと思われたらしく、城に入るのに吸魂鬼を一人呼んで自分に付き添わせると主張なさったのです。大臣はバーティ・クラウチのいる部屋に、吸魂鬼を連れて入った――」

「ダンブルドア、私はあなたが反対なさるだろうと大臣に申し上げました！」

マクゴナガル先生がいきり立った。

「申し上げましたとも。吸魂鬼が一歩たりとも城内に入ることは、あなたがお許しになりませんと。それなのに――」

「失礼だが！」

ファッジもわめき返した。ファッジもまた、こんなに怒っている姿をハリーは初めて見た。

「魔法大臣として、護衛を連れていくかどうかは私が決めることだ。尋問する相手が危険性のある者であれば――」

しかし、マクゴナガル先生の声がファッジの声を圧倒した。

「あの――あのものが部屋に入った瞬間」

マクゴナガル先生は、全身をわなわなと震わせ、ファッジを指差して叫んだ。

「クラウチに覆いかぶさって、そして――そして――」

マクゴナガル先生が、何が起こったのかを説明する言葉を必死に探している間、ハリーは胃が凍っていくような気がした。マクゴナガル先生が最後まで言うまでもない。ハリーは吸魂鬼が何をやったのかわかっていた。バーティ・クラウチに死の接吻(キス)をほどこしたのだ。口から魂を吸い取ったのだ。クラウチは死よりもむごい姿になった。

「どのみち、クラウチがどうなろうと、なんの損失にもなりはせん！」

ファッジがどなり散らした。

「どうせやつは、もう何人も殺しているんだ！」

「しかし、コーネリウス、もはや証言ができまい」

ダンブルドアが言った。まるで初めてはっきりとファッジを見たかのように、ダンブルドアはじっと見つめていた。

「なぜ何人も殺したのか、クラウチはなんら証言できまい」

「なぜ殺したか？　ああ、そんなことは秘密でもなんでもなかろう？」ファッジがわめいた。

「あいつは支離滅裂だ！　ミネルバやセブルスの話では、やつは、すべて『例のあの人』の命令でやったと思い込んでいたらしい！」

「**確かに**、ヴォルデモート卿が命令していたのじゃ、コーネリウス」

ダンブルドアが言った。

「何人かが殺されたのは、ヴォルデモートが再び完全に勢力を回復する計画の布石にすぎなかったのじゃ。計画は成功した。ヴォルデモートは肉体を取り戻した」

ファッジは誰かに重たいもので顔をなぐりつけられたような顔をした。ぼうぜんとして目をしばたたきながら、ファッジはダンブルドアを見つめ返した。いま聞いたことが、にわかには信じがたいという顔だ。

目を見開いてダンブルドアを見つめたまま、ファッジはブツブツ言いはじめた。

「『例のあの人』が……復活した？　バカバカしい。おいおい、ダンブルドア……」

「ミネルバもセブルスもあなたにお話ししたことと思うが」ダンブルドアが言った。

「わしらはバーティ・クラウチの告白を聞いた。真実薬の効き目で、クラウチは、わしらにいろいろ語ってくれたのじゃ。アズカバンからどのようにして隠密に連れ出されたか、ヴォルデモートが――クラウチがまだ生きていることをバーサ・ジョーキンズから聞き出し――クラウチを、どのように父親から解放するにいたったか、そして、ハリーを捕まえるのに、ヴォルデモートがいかにクラウチを利用したかをじゃ。計画はうまくいった。よいか、クラウチはヴォルデモートの復活に力を貸したのじゃ」

「いいか、ダンブルドア」ファッジが言った。

驚いたことに、ファッジの顔にはかすかな笑いさえ漂っていた。

「まさか――まさかそんなことを本気にしているのではあるまいね。『例のあの人』が――戻った？まあ、まあ、落ち着け……まったく。クラウチは『例のあの人』の命令で働いていると、**思い込んでいたのだろう**――しかし、そんなたわ言を真に受けるとは、ダンブルドア……」

「今夜ハリーが優勝杯に触れたとき、まっすぐにヴォルデモートの所に運ばれていったのじゃ」

ダンブルドアはたじろぎもせずに話した。

「ハリーが、ヴォルデモートのよみがえるのを目撃した。わしの部屋まで来てくだされば、一部始終お話しいたしますぞ」

ダンブルドアはハリーをちらりと見て、ハリーが目覚めているのに気づいた。しかし、ダンブルドアは首を横に振った。

「今夜はハリーに質問するのを許すわけにはゆかぬ」

ファッジは、奇妙な笑いを漂わせていた。

ファッジもハリーをちらりと見て、それからダンブルドアに視線を戻した。

「ダンブルドア、あなたは――アー――本件に関して、ハリーの言葉を信じるというわけですな？」

一瞬、沈黙が流れた。静寂を破って、シリウスが唸った。毛を逆立て、ファッジに向かって歯をむいて唸った。

「もちろんじゃ。わしはハリーを信じる」

ダンブルドアの目が、いまやメラメラと燃えていた。

「わしはクラウチの告白を聞き、優勝杯に触れてからの出来事をハリーから聞いた。二人の話はつじつまが合う。バーサ・ジョーキンズがこの夏に消えてから起こったことのすべてが説明できる」

ファッジは相変わらず変な笑いを浮かべている。もう一度ハリーをちらりと見て、ファッジは答えた。

「あなたはヴォルデモート卿が帰ってきたことを信じるおつもりらしい。異常な殺人者と、こんな少年の、しかも……いや……」

ファッジはもう一度すばやくハリーを見た。ハリーは突然ピンときた。

「ファッジ大臣、あなたはリータ・スキーターの記事を読んでいらっしゃるのですね」

ハリーが静かに言った。

ロン、ハーマイオニー、ウィーズリーおばさん、ビルが全員飛び上がった。ハリーが起きていることに、誰も気づいていなかったからだ。

ファッジはちょっと顔を赤らめたが、すぐに、挑戦的で、意固地な表情になった。

「だとしたら、どうだというのかね？」

ダンブルドアを見ながら、ファッジが言った。

「あなたはこの子に関する事実をいくつか隠していた。そのことを私が知ったとしたらどうなるかね？蛇語使いだって、え？　それに、城のいたる所でおかしな発作を起こすとか――」

「ハリーの傷痕が痛んだことを言いたいのじゃな？」ダンブルドアが冷静に言った。

「では、ハリーがそういう痛みを感じていたと認めるわけだな？」

すかさずファッジが言った。

「頭痛か？　悪夢か？　もしかしたら——幻覚か？」

「コーネリウス、聞くがいい」

ダンブルドアがファッジに一歩詰め寄った。クラウチの息子に「失神術」をかけた直後にハリーが感じた、あのなんとも形容しがたい力が、またしてもダンブルドアから発散しているようだった。

「ハリーは正常じゃ。あなたやわしと同じように。額の傷痕は、この子の頭脳を乱してはおらぬ。ヴォルデモート卿が近づいたとき、もしくはことさらに残忍な気持ちになったとき、この子の傷痕が痛むのだと、わしはそう信じておる」

ファッジはダンブルドアから半歩あとずさりしたが、意固地な表情は変わらなかった。

「お言葉だが、ダンブルドア、呪いの傷痕が警鐘となるなどという話は、これまでついぞ聞いたことが……」

「でも、僕はヴォルデモートが復活するのを、見たんだ！」ハリーが叫んだ。

ハリーはベッドから出ようとしたが、ウィーズリーおばさんが押し戻した。

「僕は、死喰い人を見たんだ！　名前をみんな挙げることだってできる！　ルシウス・マルフォイ——」

スネイプがピクリと動いた。しかし、ハリーがスネイプを見たときには、スネイプの目はすばやくファッジに戻っていた。

「マルフォイの潔白は証明済みだ！」

ファッジはあからさまに感情を害していた。

「由緒ある家柄だ――いろいろと立派な寄付をしている――」

「マクネア！」ハリーが続けた。

「これも潔白！　いまは魔法省で働いている！」

「エイブリー――ノット――クラッブ――ゴイル――」

「君は十三年前に死喰い人の汚名をそそいだ者の名前をくり返しているだけだ！」

ファッジが怒った。

「そんな名前は、古い裁判記録で見つけたのだろう！　たわけたことを。ダンブルドア――この子は去年も学期末に、さんざんわけのわからん話をしていた――話がだんだん大げさになってくる。それなのにあなたは、まだそんな話をうのみにしている――この子は蛇と話ができるのだぞ、ダンブルドア、それなのに、まだ信用できると思うのか？」

「愚か者！」マクゴナガル先生が叫んだ。

「セドリック・ディゴリー！　クラウチ氏！　この二人の死が、狂気の無差別殺人だとでも言うのですか！」

「反証はない！」

ファッジの怒りもマクゴナガル先生に負けず劣らずで、顔を真っ赤にして叫んだ。

「どうやら諸君は、この十三年間、我々が営々として築いてきたものを、すべて覆すような大混乱を引き起こそうという所存だな！」

ハリーは耳を疑った。ファッジはハリーにとって、常に親切な人だった。少しどなり散らすところも、尊大なところもあるが、根は善人だと思っていた。しかし、いま目の前に立っている小柄な怒れる魔法使いは、心地よい秩序だった自分の世界が崩壊するかもしれないという予測を、頭から拒否し、受け入れまいとしている――ヴォルデモートが復活したことを信じまいとしている。

「ヴォルデモートは帰ってきた」ダンブルドアがくり返した。

「ファッジ、あなたがその事実をすぐさま認め、必要な措置を講じれば、我々はまだこの状況を救えるかもしれぬ。最初に取るべき重要な措置は、アズカバンを吸魂鬼の支配から解き放つことじゃ――」

「とんでもない！」ファッジが再び叫んだ。

「吸魂鬼を取り除けと！　そんな提案をしようものなら、私は大臣職から蹴り落とされる！　魔法使いの半数が、夜安眠できるのは、吸魂鬼がアズカバンの警備に当たっていることを知っているからなのだ！」

「コーネリウス、あとの半分は、安眠できるどころではない！　あの生き物に看視されているのは、ヴォルデモート卿の最も危険な支持者たちだ。そしてあの吸魂鬼は、ヴォルデモートのひと声で、たちまちヴォルデモートと手を組むであろう」ダンブルドアが言った。

「連中はいつまでもあなたに忠誠を尽くしたりはしませんぞ、ファッジ！　ヴォルデモートはやつらに、あなたが与えているよりずっと広範囲な力と楽しみを与えることができる！　吸魂鬼を味方につけ、昔の支持者がヴォルデモートの下に帰れば、ヴォルデモートが十三年前のような力を取り戻すのを阻止するのは、至難の業ですぞ！」

ファッジは、怒りを表す言葉が見つからないかのように、口をパクパクさせていた。

「第二に取るべき措置は――」ダンブルドアが迫った。

「巨人に使者を送ることじゃ。しかも早急に」

「巨人に使者？」

ファッジがかん高く叫んだ。舌が戻ってきたらしい。

「狂気の沙汰だ！」

「友好の手を差し伸べるのじゃ、いますぐ、手遅れにならぬうちに」ダンブルドアが言った。

「さもないと、ヴォルデモートが、以前にもやったように、巨人を説得するじゃろう。魔法使いの中で自分だけが、巨人に権利と自由を与えるのだと言うてな！」

「ま、まさか本気でそんなことを！」

ファッジは息をのみ、頭(かぶり)を振り振り、さらにダンブルドアから遠ざかった。

「私が巨人と接触したなどと、魔法界にうわさが流れたら――ダンブルドア、みんな巨人を毛嫌いしているのに――私の政治生命は終わりだ――」

「あなたは、物事が見えなくなっている」

いまやダンブルドアは声を荒らげていた。手で触れられそうなほど強烈なパワーのオーラが体から発散し、その目は再びメラメラと燃えている。

「自分の役職に恋々としているからじゃ、コーネリウス！　あなたはいつでも、いわゆる純血をあまりにも大切に考えてきた。大事なのはどう生まれついたかではなく、どう育ったかなのだということを、認めることができなかった！　あなたの連れてきた吸魂鬼が、たったいま、純血の家柄の中でも旧家とされる家系の、最後の生存者を破壊した――しかも、その男は、その人生でいったい何をしようとしたか！　いま、ここではっきり言おう――わしの言う措置を取るのじゃ。そうすれば、大臣職にとどまろうが、去ろうが、あなたは歴代の魔法大臣の中で、最も勇敢で偉大な大臣として名を残すであろう。もし、行動しなければ――歴史はあなたを、営々と再建してきた世界をヴォルデモートが破壊するのを、ただ傍観しただけの男として記憶するじゃろう！」

「正気の沙汰ではない」

またしても退きながら、ファッジが小声で言った。

「狂っている……」

そして、沈黙が流れた。マダム・ポンフリーがハリーのベッドの足元で、口を手で覆い、凍りついたように突っ立っていた。ウィーズリーおばさんはハリーに覆いかぶさるようにして、ハリーの肩を手で押さえ、立ち上がらないようにしていた。ビル、ロン、ハーマイオニーはファッジをにらみつけていた。

「目をつぶろうという決意がそれほど固いなら、コーネリウス」ダンブルドアが言った。「たもとを分かつ時が来た。あなたはあなたの考えどおりにするがよい。そして、わしは——わしの考えどおりに行動する」

ダンブルドアの声には威嚇の響きはみじんもなかった。淡々とした言葉だった。しかし、ファッジは、ダンブルドアが杖を持って迫ってきたかのように、毛を逆立てた。

「いいか、言っておくが、ダンブルドア」

ファッジは人差し指を立て、脅すように指を振った。

「私はいつだってあなたの好きなように、自由にやらせてきた。あなたを非常に尊敬してきた。あなたの決定に同意しないことがあっても何も言わなかった。魔法省に相談なしに、狼(おおかみ)人間をやとったり、ハグリッドをここに置いておいたり、生徒に何を教えるかを決めたり、そうしたことをだまってやらせておく者はそう多くないぞ。しかし、あなたがその私に逆らうというのなら——」

「わしが逆らう相手は一人しかいない」

ダンブルドアが言った。

「ヴォルデモート卿だ。あなたもやつに逆らうのなら、コーネリウス、我々は同じ陣営じゃ」

ファッジはどう答えていいのか思いつかないようだった。しばらくの間、小さな足の上で、体を前後に揺すり、山高帽を両手でくるくる回していた。

ついに、ファッジが弁解がましい口調で言った。

「戻ってくるはずがない。ダンブルドア、そんなことはありえない……」

スネイプが左のそでをまくり上げながら、ずいっとダンブルドアの前に出た。そして腕を突き出し、ファッジに見せた。ファッジがひるんだ。

「見るがいい」スネイプが厳しい声で言った。

「さあ、闇の印だ。一時間ほど前には、黒く焼け焦げて、もっとはっきりしていた。しかし、いまでも見えるはずだ。死喰い人はみなこの印を闇の帝王によって焼きつけられている。互いに見分ける手段でもあり、我々を召集する手段でもあった。あの人が誰か一人の死喰い人の印に触れたときは、全員が『姿くらまし』し、すぐさまあの人の下に『姿あらわし』することになっていた。この印が、今年になってからずっと、鮮明になってきていた。カルカロフのもだ。カルカロフはなぜ今夜逃げ出したと思うか？　我々は二人ともこの印が焼けるのを感じたのだ。二人ともあの人が戻ってきたことを知ったのだ。カルカロフは闇の帝王の復讐（ふくしゅう）を恐れた。やつはあまりに多くの仲間の死喰い人を裏切った。仲間として歓迎されるはずがない」

ファッジはスネイプからもあとずさりした。頭を振っている。スネイプの言ったことの意味がわかっていないようだった。スネイプの腕の醜い印に嫌悪感を抱いたらしく、じっと見つめて、それからダンブルドアを見上げ、ささやくように言った。

「あなたも先生方も、いったい何をふざけているのやら、ダンブルドア、私にはさっぱり。しかし、もう聞くだけ聞いた。私も、もう何も言うことはない。この学校の経営について話があるので、ダンブルドア、明日連絡する。私は省に戻らねばならん」

ファッジはほとんどドアを出るところまで行ったが、そこで立ち止まった。向きを変え、つかつかと医務室を横切り、ハリーのベッドの前まで戻って止まった。

「君の賞金だ」

ファッジは大きな金貨の袋をポケットから取り出し、そっけなくそう言うと、袋をベッド脇のテーブルにドサリと置いた。

「一千ガリオンだ。授賞式が行われる予定だったが、この状況では……」

ファッジは山高帽をぐいとかぶり、ドアをバタンと閉めて部屋から出ていった。その姿が消えるや否や、ダンブルドアがハリーのベッドの周りにいる人々のほうに向きなおった。

「やるべきことがある」ダンブルドアが言った。

「モリー……あなたとアーサーは頼りにできると考えてよいかな？」

「もちろんですわ」

ウィーズリーおばさんが言った。唇まで真っ青だったが、決然とした面持ちだった。

「ファッジがどんな魔法使いか、アーサーはよく知ってますわ。アーサーはマグルが好きだから、ここ何年も魔法省で昇進できなかったのです。ファッジは、アーサーが魔法使いとしてのプライドに欠けると考えていますわ」

「ではアーサーに伝言を送らねばならぬ」ダンブルドアが言った。

「真実が何かを納得させることができる者には、ただちに知らさなければならぬ。魔法省内部で、コーネリウスとちがって先を見通せる者たちと接触するには、アーサーは格好の位置にいる」

「僕が父の所に行きます」ビルが立ち上がった。「すぐ出発します」

「それは上々じゃ」ダンブルドアが言った。

「アーサーに、何が起こったかを伝えてほしい。近々わしが直接連絡すると言うてくれ。ただし、アーサーは目立たぬように事を運ばねばならぬ。わしが魔法省の内政干渉をしていると、ファッジにそう思われると──」

「僕に任せてください」ビルが言った。

ビルはハリーの肩をポンとたたき、母親のほおにキスすると、マントを着て、足早に部屋を出ていった。

「ミネルバ」ダンブルドアがマクゴナガル先生のほうを見た。

「わしの部屋で、できるだけ早くハグリッドに会いたい。それから──もし、来ていただけるようなら──マダム・マクシームも」

マクゴナガル先生はうなずいて、だまって部屋を出ていった。

「ポピー」ダンブルドアがマダム・ポンフリーに言った。

「頼みがある。ムーディ先生の部屋に行って、そこに、ウィンキーという屋敷妖精がひどく落ち込んでいるはずじゃから、探してくれるか？　できるだけの手を尽くして、それから厨房に連れて帰ってくれ。ドビーが面倒を見てくれるはずじゃ」

「は、はい」

驚いたような顔をして、マダム・ポンフリーも出ていった。

ダンブルドアはドアが閉まっていることを確認し、マダム・ポンフリーの足音が消え去るまで待ってから、再び口を開いた。

「さて、そこでじゃ。ここにいる者の中で二名の者が、お互いに真の姿で認め合うべき時が来た。シリウス……普通の姿に戻ってくれぬか」

大きな黒い犬がダンブルドアを見上げ、一瞬で男の姿に戻った。

ウィーズリーおばさんが叫び声を上げてベッドから飛びのいた。

「シリウス・ブラック！」おばさんがシリウスを指差して金切り声を上げた。

「ママ、静かにして！」ロンが声を張り上げた。「大丈夫だから！」

スネイプは叫びもせず、飛びのきもしなかったが、怒りと恐怖の入りまじった表情だった。

「こやつ！」

スネイプに負けず劣らず嫌悪の表情を見せているシリウスを見つめながら、スネイプが唸った。

「やつがなんでここにいるのだ？」

「わしが招待したのじゃ」

ダンブルドアが二人を交互に見ながら言った。

「セブルス、君もわしの招待じゃ。わしは二人とも信頼しておる。そろそろ二人とも、昔のいざこざは水に流し、お互いに信頼し合うべき時じゃ」

ハリーには、ダンブルドアがほとんど奇跡を願っているように思えた。シリウスとスネイプは、互いにこれ以上の憎しみはないという目つきでにらみ合っている。

「妥協するとしよう」

ダンブルドアの声が少しいらいらしていた。

「あからさまな敵意をしばらく棚上げにするということでもよい。握手をするのじゃ。君たちは同じ陣営なのじゃから。時間がない。真実を知る数少ない我々が、結束して事に当たらねば、望みはないのじゃ」

ゆっくりと――しかし、互いの不幸を願っているかのようにギラギラとにらみ合い――シリウスとスネイプが歩み寄り、握手した。そして、あっという間に手を離した。

「当座はそれで充分じゃ」ダンブルドアが再び二人の間に立った。

「さて、それぞれにやってもらいたいことがある。予想していなかったわけではないが、ファッジがあのような態度を取るのであれば、すべてが変わってくる。シリウス、君にはすぐに出発してもらいたい。昔の仲間に警戒体制を取るように伝えてくれ――リーマス・ルーピン、アラベラ・フィッグ、マンダンガス・フレッチャー。しばらくはルーピンの所に潜伏していてくれ。わしからそこに連絡する」

「でも――」ハリーが言った。

シリウスにいてほしかった。こんなに早くお別れを言いたくなかった。

「またすぐ会えるよ、ハリー」シリウスがハリーを見て言った。

「約束する。しかし、私は自分にできることをしなければならない。わかるね？」

「うん」ハリーが答えた。「うん……もちろん、わかります」

シリウスはハリーの手をギュッと握り、ダンブルドアのほうにうなずくと、再び黒い犬に変身して、ひと飛びにドアに駆け寄り、前脚で取っ手を回した。そしてシリウスもいなくなった。

「セブルス」ダンブルドアがスネイプのほうを向いた。

「君に何を頼まねばならぬのか、もうわかっておろう。もし、準備ができているなら……もし、やってくれるなら……」

「大丈夫です」

スネイプはいつもより蒼ざめて見えた。冷たい暗い目が、不思議な光を放っていた。

「それでは、幸運を祈る」

ダンブルドアはそう言うと、スネイプの後ろ姿を、かすかに心配そうな色を浮かべて見送った。スネイプはシリウスのあとから、無言で、サッと立ち去った。

ダンブルドアが再び口を開いたのは、それから数分がたってからだった。

「下に行かねばなるまい」ようやくダンブルドアが言った。

「ディゴリー夫妻に会わなければのう。ハリー、残っている薬を飲むのじゃ。みんな、またあとでの」

ダンブルドアがいなくなると、ハリーはまたベッドに倒れ込んだ。ハーマイオニー、ロン、ウィーズリーおばさんが、みんなハリーを見ている。長い間、誰も口をきかなかった。

「残りのお薬を飲まないといけませんよ、ハリー」

ウィーズリーおばさんがやっと口を開いた。おばさんが、薬瓶とゴブレットに手を伸ばしたとき、ベッド脇のテーブルに置いてあった金貨の袋に手が触れた。

「ゆっくりお休み。しばらくは何かほかのことを考えるのよ……賞金で何を買うかを考えなさいな！」

「金貨なんかいらない」抑揚のない声でハリーが言った。

「あげます。誰でも欲しい人にあげる。僕がもらっちゃいけなかったんだ。セドリックのものだったんだ」

迷路を出てからずっと、必死に抑えつけてきたものが、どっとあふれそうだった。鼻の奥がツンとして、目頭が熱くなった。ハリーは目をしばたたいて、天井を見つめた。

「あなたのせいじゃないわ、ハリー」ウィーズリーおばさんがささやいた。

「僕と一緒に優勝杯を握ろうって、僕が言ったんだ」ハリーが言った。

熱い想いがのどを詰まらせた。ハリーは、ロンが目をそらしてくれればいいのにと思った。

ウィーズリーおばさんは、薬をテーブルに置いてかがみ込み、両腕でハリーを包み込んだ。ハリーはこんなふうに、抱きしめられた記憶がなかった。母さんみたいだ。ウィーズリーおばさんの胸に抱かれていると、今晩見たすべてのものの重みが、どっとのしかかってくるようだった。母さんの顔、父さんの声、地上に冷たくなって横たわるセドリックの姿。すべてが頭の中でくるくると回りはじめ、ハリーはもうがまんできなかった。胸を突き破って飛び出しそうな哀しい叫びをもらすまいと、ハリーは顔をくしゃくしゃにしてがんばった。

パーンと大きな音がした。ウィーズリーおばさんとハリーがパッと離れた。ハーマイオニーが窓辺に立っていた。何かをしっかり握りしめている。

「ごめんなさい」

ハーマイオニーが小さな声で言った。

「お薬ですよ、ハリー」

ウィーズリーおばさんは、急いで手のこうで涙をぬぐいながら言った。

ハリーは一気に飲み干した。たちまち効き目が現れた。夢を見ない深い眠りが、抵抗しがたい波のように押し寄せた。ハリーは枕に倒れ込み、もう何も考えなかった。

第37章　始まり

一か月たってから振り返ってみても、あれから数日のことは、ハリーには切れ切れにしか思い出せなかった。これ以上はとても受け入れるのが無理だというくらい、あまりにいろいろなことが起こった。断片的な記憶も、みな痛々しいものだった。一番つらかったのは、たぶん、次の朝にディゴリー夫妻に会ったことだろう。

二人とも、あの出来事に対して、ハリーを責めなかった。それどころか、セドリックの遺体を二人の元に返してくれたことを感謝した。ハリーに会っている間、ディゴリー氏はほとんどずっとすすり泣きしていたし、夫人は、涙もかれはてるほどの嘆き悲しみようだった。

「それでは、あの子はほとんど苦しまなかったのですね」

ハリーがセドリックの死んだときの様子を話すと、夫人がそう言った。

「ねえ、あなた……結局あの子は、試合に勝ったその時に死んだのですもの。きっと幸せだったにちがいありませんわ」

二人が立ち上がったとき、夫人はハリーを見下ろして言った。

「どうぞ、お大事にね」

ハリーはベッド脇のテーブルにあった金貨の袋をつかんだ。

「どうぞ、受け取ってください」ハリーが夫人に向かってつぶやいた。

「これはセドリックのものになるはずでした。セドリックが一番先に着いたんです。受け取ってください――」

しかし、夫人はあとずさりして言った。

「まあ。いいえ、それはあなたのものですよ。私はとても受け取れません……あなたがお取りなさい」

翌日の夜、ハリーはグリフィンドール塔に戻った。ハーマイオニーやロンの話によれば、ダンブルドアが、その日の朝、朝食の席で学校のみんなに話をしたそうだ。ハリーをそっとしておくよう、迷路で何が起こったかと質問したり、話をせがんだりしないようにとさとしただけだったという。大多数の生徒が、ハリーに廊下で出会うと、目を合わせないようにしてさけて通るのに、ハリーは気づいた。ハリーが通ったあとで、手で口を覆いながらヒソヒソと話をする者もいた。リータ・スキーターが書いた記事で、ハリーが錯乱していて、危険性があるということを信じている生徒が多いのだろうと、ハリーは想像した。たぶん、みんな、セドリックがどんなふうに死んだのか、自分勝手な説を作り上げているのだろう。しかし、ハリーはあまり気にならなかった。ロンやハーマイオニーと一緒にいるのが一番好きだった。三人でたわいのないことをしゃべったり、二人がチェスをするのを、ハリーがだまってそばで見ていたり、そんな時間が好きだった。三人とも、言葉に出さなくても一つの了解に達していると感じていた。つまり、三人とも、ホグワーツの外で起こっていることのなんらかの印、なんらかの便りを待っているということ――そして、何か確かなことがわかるまでは、あれこれ詮索しても仕方がないということだ。一度だけ三人がこの話題に触れたのは、ウィーズリーおばさんが家に帰る前に、ダンブルドアと会ったことを、ロンが話したときだった。

「ママは、ダンブルドアに聞きにいったんだ。君が夏休みに、まっすぐ僕んちに来ていいかって」

ロンが言った。

「だけど、ダンブルドアは、少なくとも最初だけは君がダーズリーの所に帰ってほしいんだって」

「どうして？」ハリーが聞いた。

「ママは、ダンブルドアにはダンブルドアなりの考えがあるって言うんだ」

ロンはやれやれと頭を振った。

「ダンブルドアを信じるしかないんじゃないか？」

ハリーが、ロンとハーマイオニー以外に話ができると思えたのは、ハグリッドだけだった。「闇の魔術に対する防衛術」の先生はもういないので、その授業は自由時間だった。木曜日の午後、その時間を利用して、三人はハグリッドの小屋を訪ねた。明るい、よく晴れた日だった。三人が小屋の近くまで来ると、ファングが吠(ほ)えながら、しっぽをちぎれんばかりに振って、開け放したドアから飛び出してきた。

「誰だ？」ハグリッドが戸口に姿を見せた。

「**ハリー！**」

ハグリッドは大股で外に出てきて、ハリーを片腕で抱きしめ、髪をくしゃくしゃっとなでた。

「よう来たな、おい。よう来た」

三人が中に入ると、暖炉前の木のテーブルに、バケツほどのカップと、受け皿がふた組置いてあった。

「オリンペとお茶を飲んどったんじゃ」ハグリッドが言った。

「たったいま帰ったところだ」

「誰と？」ロンが興味津々で聞いた。

「マダム・マクシームに決まっとろうが」ハグリッドが言った。

「お二人さん、仲なおりしたんだね？」ロンが言った。

「なんのこった？」

ハグリッドが食器棚からみんなのカップを取り出しながら、すっとぼけた。お茶をいれ、生焼けのビスケットをひとわたり勧めると、ハグリッドは椅子の背に寄りかかり、コガネムシのような真っ黒な目で、ハリーをじっと観察した。

「大丈夫か？」ハグリッドがぶっきらぼうに聞いた。

「うん」ハリーが答えた。

「いや、大丈夫なはずはねえ」ハグリッドが言った。

「そりゃ当然だ。しかし、じきに大丈夫になる」

ハリーは何も言わなかった。

「やつが戻ってくると、わかっとった」

ハグリッドが言った。ハリー、ロン、ハーマイオニーは、驚いてハグリッドを見上げた。

「何年も前からわかっとったんだ、ハリー。あいつはどこかにいた。時を待っとった。いずれこうなるはずだった。そんで、いま、こうなったんだ。俺たちゃ、それを受け止めるしかねえ。戦うんだ。あいつが大きな力を持つ前に食い止められるかもしれん。とにかく、それがダンブルドアの計画だ。偉大なお人だ、ダンブルドアは。俺たちにダンブルドアがいるかぎり、俺はあんまり心配してねえ」

三人が信じられないという顔をしているので、ハグリッドはぼさぼさ眉をピクピク上げた。

「くよくよ心配しても始まらん」ハグリッドが言った。

「来るもんは来る。来たときに受けて立ちゃええ。ダンブルドアが、おまえさんのやったことを話してくれたぞ、ハリー」

ハリーを見ながら、ハグリッドの胸が誇らしげにふくらんだ。

「おまえさんは、おまえの父さんと同じぐらいたいしたことをやってのけた。これ以上のほめ言葉は、俺にはねえ」

ハリーはハグリッドにニッコリほほえみ返した。ここ何日かで初めての笑顔だった。

「ダンブルドアは、ハグリッドに何を頼んだの？」ハリーが聞いた。

「ダンブルドアはマクゴナガル先生に、ハグリッドとマダム・マクシームに会いたいと伝えるようにって……あの晩」

「この夏にやる仕事をちょっくら頼まれた」ハグリッドが答えた。

「だけんど、秘密だ。しゃべっちゃなんねえ。おまえさんたちにでもだめだ。オリンペも――おまえさんたちにはマダム・マクシームだな――俺と一緒に来るかもしれん。来ると思う。俺が説得できたと思う」

「ヴォルデモートと関係があるの？」

ハグリッドはその名前の響きにたじろいだ。

「かもな」はぐらかした。

「さて……俺と一緒に、最後の一匹になったスクリュートを見にいきたいもんはおるか？　いや、冗談――冗談だ！」

みんなの顔を見て、ハグリッドがあわててつけ加えた。

プリベット通りに帰る前夜、ハリーは寮でトランクを詰めながら、気が重かった。お別れの宴が怖かった。例年なら、学期末のパーティは、寮対抗の優勝が発表される祝いの宴だった。ハリーは医務室を出て以来、大広間がいっぱいのときはさけていた。ほかの生徒にじろじろ見られるのがいやで、ほとんど人がいなくなってから食事をするようにしていた。

ハリー、ロン、ハーマイオニーが大広間に入ると、すぐに、いつもの飾りつけがないことに気づいた。

お別れの宴のときは、いつも、優勝した寮の色で大広間を飾りつける。しかし、今夜は、教職員テーブルの後ろの壁に黒の垂れ幕がかかっている。ハリーはすぐに、それがセドリックの喪に服している印だと気づいた。

本物のマッド－アイ・ムーディが教職員テーブルに着いていた。木製の義足も、「魔法の目」も元に戻っている。ムーディは神経過敏になっていて、誰かが話しかけるたびに飛び上がっていた。無理もない、とハリーは思った。もともと襲撃に対する恐怖心があったものが、自分自身のトランクに十か月も閉じ込められて、ますますひどくなったにちがいない。カルカロフ校長の席はからっぽだった。カルカロフはいったいいま、どこにいるのだろう、ヴォルデモートが捕まえたのだろうか。グリフィンドール生と一緒にテーブルに着きながら、ハリーはそんなことを考えていた。

マダム・マクシームはまだ残っていた。ハグリッドの隣に座っている。二人で静かに話していた。その二人から少し離れて、マクゴナガル先生の隣にスネイプがいた。ハリーがスネイプを見ると、スネイプの目が一瞬ハリーを見た。表情を読むのは難しかった。いつもと変わらず辛辣で不機嫌な表情に見えた。スネイプが目をそらしたあとも、ハリーはしばらくスネイプを見つめていた。

ヴォルデモートの復活の夜、ダンブルドアの命を受けてスネイプは何をしたのだろう？　それに、どうして……**どうして**……ダンブルドアはスネイプが味方だと信じているのだろう？　スネイプは味方のスパイだったと、ダンブルドアが「憂いの篩（ふるい）」の中で言っていた。スネイプは「大きな身の危険をおかして」スパイになり、ヴォルデモートに対抗した。またしてもその任務に就くのだろうか？　もしかして、死喰（しく）い人たちと接触したのだろうか？　本心からダンブルドアに寝返ったわけではない、ヴォルデモート自身と同じように、時の来るのを待っていたのだというふりをして？

ダンブルドア校長が教職員テーブルで立ち上がり、ハリーは物思いから覚めた。大広間は、いずれにしても、いつものお別れの宴よりずっと静かだったのだが、水を打ったように静かになった。

「今年度も」

ダンブルドアがみんなを見回した。

「終わりがやってきた」

ひと息置いて、ダンブルドアの目がハッフルパフのテーブルで止まった。ダンブルドアが立ち上がるまで、このテーブルが最も打ち沈んでいたし、大広間のどのテーブルより哀しげな青い顔が並んでいた。

「今夜はみなにいろいろと話したいことがある」ダンブルドアが言った。

「しかし、まずはじめに、一人の立派な生徒を失ったことを悼もう。本来ならここに座って」――ダンブルドアはハッフルパフのテーブルのほうを向いた――「みなと一緒にこの宴を楽しんでいるはずじゃった。さあ、みんな起立して、杯を挙げよう。セドリック・ディゴリーのために」

全員がその言葉に従った。椅子が床をする音がして、大広間の全員が起立した。全員がゴブレットを挙げ、沈んだ声が集まり、一つの大きな低い響きとなった。

「セドリック・ディゴリー」

ハリーは大勢の中から、チョウの顔をのぞき見た。涙が静かにチョウのほおを伝っていた。みんなと一緒に着席しながら、ハリーはうなだれてテーブルを見ていた。

「セドリックはハッフルパフ寮の特性の多くを備えた、模範的な生徒じゃった」

ダンブルドアが話を続けた。

「忠実なよき友であり、勤勉であり、フェアプレーを尊んだ。セドリックをよく知る者にも、そうでない者にも、セドリックの死はみなそれぞれに影響を与えた。それ故、わしは、その死がどのようにしてもたらされたものかを、みなが正確に知る権利があると思う」

ハリーは顔を上げ、ダンブルドアを見つめた。

「セドリック・ディゴリーはヴォルデモート卿に殺された」

大広間に、恐怖にかられたざわめきが走った。みんないっせいに、まさかという面持ちで、恐ろしそうにダンブルドアを見つめていた。みんながひとしきりざわめき、また静かになるまで、ダンブルドアは平静そのものだった。

「魔法省は」

ダンブルドアが続けた。

「わしがこのことをみなに話すことを望んでおらぬ。みなのご両親の中には、わしが話したということで驚愕なさる方もおられるじゃろう――その理由は、ヴォルデモート卿の復活を信じられぬから、または、みなのようにまだ年端もゆかぬ者に話すべきではないと考えるからじゃ。しかし、わしは、たいていの場合、真実はうそに勝ると信じておる。さらに、セドリックが事故や、自らの失敗で死んだと取りつくろうことは、セドリックの名誉を汚すものだと信ずる」

驚き、恐れながら、いまや大広間の顔という顔がダンブルドアを見ていた……ほとんど全員の顔が。スリザリンのテーブルでは、ドラコ・マルフォイがクラッブとゴイルに何事かコソコソ言っているのを、ハリーは目にした。むかむかする熱い怒りがハリーの胃にあふれた。ハリーは無理やりダンブルドアのほうに視線を戻した。

「セドリックの死に関連して、もう一人の名前を挙げねばなるまい」

ダンブルドアの話は続いた。

「もちろん、ハリー・ポッターのことじゃ」

大広間にさざなみのようなざわめきが広がった。何人かがハリーのほうを見て、また急いでダンブルドアに視線を戻した。

「ハリー・ポッターは、からくもヴォルデモート卿の手を逃れた」ダンブルドアが言った。

「自分の命を賭して、ハリー・ポッターは、セドリックのなきがらをホグワーツに連れ帰ったのじゃ。ヴォルデモート卿に対峙した魔法使いの中で、あらゆる意味でこれほどの勇気を示した者は、そう多くはない。そういう勇気を、ハリー・ポッターは見せてくれた。それが故に、わしはハリー・ポッターをたたえたい」

ダンブルドアは厳かにハリーのほうを向き、もう一度ゴブレットを挙げた。大広間のほとんどすべての者がダンブルドアに続いた。セドリックのときと同じく、みんながハリーの名を唱和し、杯を挙げた。しかし、起立した生徒たちの間から、ハリーはマルフォイ、クラッブ、ゴイル、それにスリザリンのほかの多くの生徒が、かたくなに席に着いたまま、ゴブレットに手も触れずにいるのを見た。ダンブルドアでも、「魔法の目」を持たない以上、それは見えなかった。

みんなが再び席に着くと、ダンブルドアは話を続けた。

「三大魔法学校対抗試合の目的は、魔法界の相互理解を深め、進めることじゃ。このたびの出来事――ヴォルデモート卿の復活じゃが――それに照らせば、そのような絆(きずな)は以前にも増して重要になる」

ダンブルドアは、マダム・マクシームからハグリッドへ、フラー・デラクールからボーバトンの生徒たちへ、スリザリンのテーブルのビクトール・クラムからダームストラング生へと、視線を移していった。ダンブルドアが厳しいことを言うのではないかと恐れているかのように、クラムが目をそらしているのをハリーは見た。

「この大広間にいるすべての客人は」

ダンブルドアは視線をダームストラングの生徒たちにとどめながら言った。

「好きなときにいつでもまた、おいでくだされ。みなにもう一度言おう――ヴォルデモート卿の復活に鑑みて、我々は結束すれば強く、バラバラでは弱い」

「ヴォルデモート卿は、不和と敵対感情を蔓延(まんえん)させる能力に長(た)けておる。それと戦うには、同じぐらい強い友情と信頼の絆を示すしかない。目的を同じくし、心を開くならば、習慣や言葉のちがいはまったく問題にはならぬ」

「わしの考えでは――まちがいであってくれればと、これほど強く願ったことはないのじゃが――我々は暗く困難な時を迎えようとしている。この大広間にいる者の中にも、すでに直接ヴォルデモート卿の手にかかって苦しんだ者もおる。みなの中にも、家族を引き裂かれた者も多くいる。一週間前、一人の生徒が我々のただ中から奪い去られた」

「セドリックを忘れるでないぞ。正しきことと、易きこととのどちらかの選択を迫られたとき、思い出すのじゃ。一人の善良な、親切で勇敢な少年の身に何が起こったかを。たまたまヴォルデモート卿の通り道に迷い出たばかりに。セドリック・ディゴリーを忘れるでないぞ」


ハリーはトランクを詰め終わった。ヘドウィグはかごに収まり、トランクの上だ。ハリー、ロン、ハーマイオニーは、混み合った玄関ホールでほかの四年生と一緒に馬車を待った。馬車はホグズミード駅までみんなを運んでくれる。今日もまた、美しい夏の一日だった。夕方プリベット通りに着くころは、暑くて、緑が濃く、花壇は色とりどりの花が咲き乱れているだろうと、ハリーは思った。そう思っても、なんの喜びも湧いてこなかった。

「アリー！」

ハリーはあたりを見回した。フラー・デラクールが急ぎ足で石段を上ってくるところだった。その後ろの、校庭のずっとむこうで、ハリーは、ハグリッドがマダム・マクシームを手伝って巨大な馬たちの中の二頭に馬具をつけているのを見た。ボーバトンの馬車が、まもなく出発するところだった。

「まーた、会いましょーね」

フラーが近づいて、ハリーに片手を差し出しながら言った。

「わたーし、英語が上手になりたーいので、ここであたらけるようにのぞんでいます」

「もう充分に上手だよ」

ロンがのどをしめつけられたような声を出した。フラーがロンにほほえんだ。ハーマイオニーが顔をしかめた。

「さようなら、アリー」フラーは帰りかけながら言った。

「あなたに会えて、おんとによかった！」

ハリーは少し気分が明るくなって、フラーを見送った。フラーは太陽に輝くシルバーブロンドの髪を波打たせ、急いで芝生を横切り、マダム・マクシームの所へ戻っていった。

「ダームストラングの生徒はどうやって帰るんだろ？」ロンが言った。

「カルカロフがいなくても、あの船の舵取りができると思うか？」

「カルカロフヴぁ、舵を取っていなかった」ぶっきらぼうな声がした。

「あの人ヴぁ、自分がキャビンにいて、ヴぉくたちに仕事をさせた」

クラムはハーマイオニーに別れを言いに来たのだ。

「ちょっと、いいかな？」クラムが頼んだ。

「え……ええ……いいわよ」

ハーマイオニーは少しうろたえた様子で、クラムについて人混みの中に姿を消した。

「急げよ！」ロンが大声でその後ろ姿に呼びかけた。「もうすぐ馬車が来るぞ！」

そのくせ、ロンはハリーに馬車が来るかどうかを見張らせて、自分はそれから数分間、クラムとハーマイオニーがいったい何をしているのかと、人群れの上に首を伸ばしていた。

二人はすぐに戻ってきた。ロンはハーマイオニーをじろじろ見たが、ハーマイオニーは平然としていた。

「ヴぉく、ディゴリーが好きだった」突然クラムがハリーに言った。「ヴぉくに対して、いつも礼儀正しかった。いつも。ヴぉくがダームストラングから来ているのに――カルカロフと一緒に」

クラムは顔をしかめた。

「新しい校長はまだ決まってないの？」ハリーが聞いた。

クラムは肩をすぼめて、知らないというしぐさをした。クラムもフラーと同じように手を差し出して、ハリーと握手し、それからロンと握手した。

ロンは何やら内心の葛藤に苦しんでいるような顔をした。クラムがもう歩きだしたとき、ロンが突然叫んだ。

「サイン、もらえないかな？」

ハーマイオニーが横を向き、ちょうど馬車道を近づいてきた馬なしの馬車のほうを見てほほえんだ。クラムは驚いたような顔をしたが、うれしそうに羊皮紙の切れ端にサインした。

キングズ・クロス駅に向かう戻り旅の今日の天気は、一年前の九月にホグワーツに来たときと天と地ほどにちがっていた。空には雲一つない。ハリー、ロン、ハーマイオニーは、なんとか三人だけで一つのコンパートメントを独占できた。ホーホーと鳴き続けるピッグウィジョンをだまらせるために、またしてもロンのドレスローブがかごを覆っていた。ヘドウィグは頭を羽にうずめてうとうとしていた。クルックシャンクスは空いている席に丸まって、オレンジ色の大きなふわふわのクッションのようだ。

列車が南に向かって速度を上げだすと、ハリー、ロン、ハーマイオニーは、ここ一週間なかったほど自由に、たくさんの話をした。ダンブルドアのお別れの宴での話が、なぜかハリーの胸に詰まっていたものを取り除いてくれたような気がした。いまは、あの時の出来事を話すのがそれほど苦痛ではなかった。三人は、ダンブルドアがヴォルデモートを阻止するのに、いまこの時にもどんな措置を取っているだろうかと、ランチのカートが回ってくるまで話し続けた。

ハーマイオニーがカートから戻り、お釣りを鞄(かばん)にしまうとき、そこにはさんであった「日刊予言者新聞」が落ちた。

読みたいような読みたくないような気分で、ハリーは新聞に目をやった。それに気づいたハーマイオニーが、落ち着いて言った。

「なんにも書いてないわ。自分で見てごらんなさい。でもほんとになんにもないわ。私、毎日チェックしてたの。第三の課題が終わった次の日に、小さな記事で、あなたが優勝したって書いてあっただけ。セドリックのことさえ書いてない。あのことについては、なあんにもないわ、私の見るところじゃ。ファッジがだまらせてるのよ」

「ファッジはリータをだまらせられないよ」ハリーが言った。「こういう話だもの、無理だ」

「あら、リータは第三の課題以来、なんにも書いてないわ」

ハーマイオニーが変に抑えた声で言った。

「実はね」

ハーマイオニーの声が、今度は少し震えていた。

「リータ・スキーターはしばらくの間、何も書かないわ。私に**自分の**秘密をばらされたくないならね」

「どういうことだい？」ロンが聞いた。

「学校の敷地に入っちゃいけないはずなのに、あの女がどうやって個人的な会話を盗み聞きしたのか、私、突き止めたの」ハーマイオニーが一気に言った。

ハーマイオニーは、ここ数日、これが言いたくてうずうずしていたのだろう。しかしほかの出来事の重大さから判断して、ずっとがまんしてきたのだろう、とハリーは思った。

「どうやって聞いてたの？」ハリーがすぐさま聞いた。

「君、どうやって突き止めたんだ？」ロンがハーマイオニーをまじまじと見た。

「そうね、実は、ハリー、あなたがヒントをくれたのよ」ハーマイオニーが言った。

「僕が？」ハリーは面食らった。「どうやって？」

「**盗聴器**、つまり『虫』よ」ハーマイオニーがうれしそうに言った。

「だけど、君、それはできないって言ったじゃない――」

「ああ、**機械の**虫じゃないのよ。そうじゃなくて、あのね……リータ・スキーターは」ハーマイオニーは、静かな勝利の喜びに声を震わせていた――「無登録の『動物もどき(アニメーガス)』なの。あの女は変身して――」

ハーマイオニーは鞄から密封した小さなガラスの広口瓶を取り出した。

「――コガネムシになるの」

「うそだろう」ロンが言った。「まさか君……あの女がまさか……」

「いいえ、そうなのよ」

ハーマイオニーが、ガラス瓶を二人の前で見せびらかしながら、うれしそうに言った。

中には小枝や木の葉と一緒に、大きな太ったコガネムシが一匹入っていた。

「まさかこいつが――君、冗談だろ――」

ロンが小声でそう言いながら、瓶を目の高さに持ち上げた。

「いいえ、本気よ」ハーマイオニーがニッコリした。

「医務室の窓枠の所で捕まえたの。よく見て。触角の周りの模様が、あの女がかけていたいやらしいめがねにそっくりだから」

ハリーがのぞくと、確かにハーマイオニーの言うとおりだった。それに、思い出したことがあった。

「ハグリッドがマダム・マクシームに自分のお母さんのことを話すのを、僕たちが聞いちゃったあの夜、石像にコガネムシが止まってたっけ！」

「そうなのよ」ハーマイオニーが言った。

「それに、ビクトールが湖のそばで私と話したあとで、私の髪から、ゲンゴロウだと言ってコガネムシを取り除いてくれたわ。それに、私の考えがまちがってなければ、あなたの傷痕が痛んだ日、『占い学』の教室の窓枠にリータが止まっていたはずよ。この女、この一年、ずっとネタ探しにブンブン飛び回っていたんだわ」

「僕たちが木の下にいるマルフォイを見かけたとき……」ロンが考えながら言った。

「マルフォイは手の中のリータに話していたのよ」ハーマイオニーが言った。

「マルフォイはもちろん、知ってたんだわ。だからリータはスリザリンの連中からあんなにいろいろおあつらえ向きのインタビューが取れたのよ。スリザリンは、私たちやハグリッドのとんでもない話をリータに吹き込めるなら、あの女が違法なことをしようがどうしようが、気にしないんだわ」

ハーマイオニーはロンから広口瓶を取り戻し、コガネムシに向かってニッコリした。コガネムシは怒ったように、ブンブン言いながらガラスにぶつかった。

「私、ロンドンに着いたら出してあげるって、リータに言ったの」ハーマイオニーが言った。

「ガラス瓶に『破れない呪文』をかけたの。ね、だから、リータは変身できないの。それから、私、これから一年間、羽根ペンは持たないようにって言ったの。他人のことで嘘八百を書くくせが治るかどうか見るのよ」

落ち着き払ってほほえみながら、ハーマイオニーはコガネムシを鞄に戻した。

コンパートメントのドアがすうっと開いた。

「なかなかやるじゃないか、グレンジャー」ドラコ・マルフォイだった。

クラッブとゴイルがその後ろに立っている。三人とも、これまで以上に自信たっぷりで、傲慢で、威嚇的だった。

「それじゃ」

マルフォイはおもむろにそう言いながら、コンパートメントに少し入り込み、唇の端に薄笑いを浮かべて、中を見回した。

「哀れな新聞記者を捕らえたってわけだ。そしてポッターはまたしてもダンブルドアのお気に入りか。けっこうなことだ」

マルフォイのニヤニヤ笑いがますます広がった。クラッブとゴイルは横目で見ている。

「考えないようにすればいいってわけかい？」

マルフォイが三人を見回して、低い声で言った。

「なんにも起こらなかった。そういうふりをするわけかい？」

「出ていけ」ハリーが言った。

ダンブルドアがセドリックの話をしている最中に、マルフォイがクラッブとゴイルにヒソヒソと話していたのを見て以来、ハリーは初めてマルフォイとこんなに近くで顔を合わせた。ハリーはじんじん耳鳴りがするような気がした。ローブの下で、ハリーは杖を握りしめた。

「君は負け組を選んだんだ、ポッター！　言ったはずだぞ！　友達は慎重に選んだほうがいいと、僕が言ったはずだ。覚えてるか？　ホグワーツに来る最初の日に、列車の中で出会ったときのことを？　まちがったのとはつき合わないことだって、そう言ったはずだ！」

マルフォイがロンとハーマイオニーのほうをあごでしゃくった。

「もう手遅れだ、ポッター！　闇の帝王が戻ってきたからには、そいつらは最初にやられる！　穢れた血やマグル好きが最初だ！　いや——二番目か——ディゴリーが最——」

誰かがコンパートメントで花火をひと箱爆発させたような音がした。四方八方から発射された呪文の、目のくらむような光、バンバンと連続して耳をつんざく音。ハリーは目をパチパチさせながら床を見た。

ドアの所に、マルフォイ、クラッブ、ゴイルが三人とも気を失って転がっていた。

ハリー、ロン、ハーマイオニーの三人とも立ち上がって、別々の呪いをかけていた。しかもやったのは三人だけではなかった。

「こいつら三人が何をやってるのか、見てやろうと思ったんだよ」

フレッドがゴイルを踏みつけてコンパートメントに入りながら、ごくあたりまえの顔で言った。杖を手にしていた。ジョージもそうだった。フレッドに続いてコンパートメントに入るとき、絶対にマルフォイを踏んづけるように気をつけた。

「おもしろい効果が出たなあ」

クラッブを見下ろして、ジョージが言った。

「誰だい、『できもの』の呪いをかけたのは？」

「僕」ハリーが言った。

「変だな」

ジョージが気楽な調子で言った。

「俺は『くらげ足』を使ったんだがなあ。どうもこの二つは一緒に使ってはいけないらしい。こいつ、顔中にくらげの足が生えてるぜ。おい、こいつらここに置いとかないほうがいいぞ。装飾には向かないからな」

ロン、ハリー、ジョージが気絶しているマルフォイ、クラッブ、ゴイルを――呪いがごた混ぜにかかって、一人一人が相当ひどいありさまになっていたが――蹴飛ばしたり、転がしたり、押したりして廊下に運び出し、それからコンパートメントに戻ってドアを閉めた。

「爆発スナップして遊ばないか？」フレッドがカードを取り出した。

五回目のゲームの途中で、ハリーは思いきって聞いてみた。

「ねえ、教えてくれないか？」ハリーがジョージに言った。

「誰を脅迫していたの？」

「あぁ」ジョージが暗い顔をした。「**あのこと**」

「なんでもないさ」フレッドがいらいらと頭を振った。

「たいしたことじゃない。少なくともいまはね」

「俺たちあきらめたのさ」ジョージが肩をすくめた。

しかし、ハリー、ロン、ハーマイオニーはしつこく聞いた。ついにフレッドが言った。

「わかった、わかった。そんなに知りたいのなら……ルード・バグマンさ」

「バグマン？」

ハリーが鋭く聞いた。

「ルードが関係してたっていうこと？」

「いーや」ジョージが暗い声を出した。

「そんな深刻なことじゃない。あのマヌケ。あいつにそんなことにかかわる脳みそはないよ」

「それじゃ、どういうこと？」ロンが聞いた。

フレッドはためらったが、ついに言った。

「俺たちがあいつと賭けをしたこと、覚えてるか？　クィディッチ・ワールドカップで？　アイルランドが勝つけど、クラムがスニッチを捕るって？」

「うん」ハリーとロンが思い出しながら返事した。

「それが、あのろくでなし、アイルランドのマスコットのレプラコーンが降らせた金貨で俺たちに支払ったんだ」

「それで？」

「それで」

フレッドがいらいらと言った。

「消えたよ、そうだろ？　次の朝にはパーさ！」

「だけど――まちがいってこともあるんじゃない？」ハーマイオニーが言った。

ジョージが苦々しく笑った。

「ああ、俺たちも最初はそう思った。あいつに手紙を書いて、まちがってましたよって言えば、しぶしぶ払ってくれると思ったさ。ところが、全然だめ。手紙は無視された。ホグワーツでも何度も話をつけようとしたけど、そのたびに口実を作って俺たちから逃げたんだ」

「とうとう、あいつ、相当汚い手に出た」フレッドが言った。

「俺たちは賭け事をするには若すぎる、だからなんにも払う気がないって言うのさ」

「だから俺たちは、元金を返してくれって頼んだんだ」ジョージが苦い顔をした。

「まさか断らないわよね！」ハーマイオニーが息をのんだ。

「そのまさかだ」フレッドが言った。

「だって、あれは全財産だったじゃないか！」ロンが言った。

「言ってくれるじゃないか」ジョージが言った。

「もちろん、俺たちも最後にゃ、わけがわかったさ。リー・ジョーダンの父さんもバグマンから取り立てるのにちょっとトラブったことがあるらしい。バグマンは小鬼（ゴブリン）たちと大きな問題を起こしてたってことがわかったんだ。大金を借りてた。小鬼の一団がワールドカップのあとでバグマンを森で追い詰めて、持ってた金貨を全部ごっそり取り上げた。それでも借金の穴埋めには足りなかったんだ。小鬼たちがホグワーツまではるばる追ってきて、バグマンを監視してた。バグマンはギャンブルで、すっからかんになってた。財布を逆さに振ってもなんにも出ない。それであのバカ、どうやって小鬼に返済しようとしたか、わかるか？」

「どうやったの？」ハリーが聞いた。

「君を賭けにしたのさ」フレッドが言った。

「君が試合に優勝するほうに、大金を賭けたんだ。小鬼を相手にね」

「そうか。**それで**バグマンは僕が勝つように助けようとしてたんだ！」ハリーが言った。

「でも――僕、勝ったよね？　それじゃ、バグマンは君たちに金貨を支払ったんだよね！」

「どういたしまして」ジョージが首を振った。

「小鬼もさる者。あいつらは、君とディゴリーが引き分けに終わったって言い張ったんだ。バグマンは君の単独優勝に賭けた。だから、バグマンは、逃げ出すしかない。第三の課題が終わった直後に、トンズラしたよ」

ジョージは深いため息をついて、またカードを配りはじめた。

残りの旅は楽しかった。事実、ハリーはこのままで夏が過ぎればいい、キングズ・クロスに着かないでほしいと思った……しかし、ハリーが今年苦しい経験から学んだように、何かいやなことが待ち受けているときには、時間はけっしてゆっくり過ぎてはくれない。あっという間に、ホグワーツ特急は九と四分の三番線に入線していた。生徒が列車を降りるときの、いつもの混雑と騒音が廊下にあふれた。ロンとハーマイオニーは、トランクを抱えてマルフォイ、クラッブ、ゴイルをまたぐのに苦労していた。しかし、ハリーはじっとしていた。

「フレッド――ジョージ――ちょっと待って」

双子が振り返った。ハリーはトランクを開けて、対抗試合の賞金を取り出した。

「受け取って」ハリーはジョージの手に袋を押しつけた。

「なんだって？」フレッドがびっくり仰天した。

「受け取ってよ」ハリーがきっぱりとくり返した。「僕、いらないんだ」

「狂ったか」ジョージが袋をハリーに押し返そうとした。

「ううん、狂ってない」ハリーが言った。

「君たちが受け取って、発明を続けてよ。これ、いたずら専門店のためさ」

「やっぱり狂ってるぜ」フレッドがほとんど畏れをなしたように言った。

「いいかい」ハリーが断固として言った。「君たちが受け取ってくれないなら、僕、これをどぶに捨てちゃう。僕、欲しくないし、必要ないんだ。でも、僕、少し笑わせてほしい。僕たち全員、笑いが必要なんだ。僕の感じでは、まもなく、僕たち、これまでよりもっと笑いが必要になる」

「ハリー」

ジョージが両手で袋の重みを量りながら、小さい声で言った。

「これ、一千ガリオンもあるはずだ」

「そうさ」ハリーがニヤリと笑った。

「カナリア・クリームがいくつ作れるかな」

双子が目を見張ってハリーを見た。

「ただ、おばさんにはどこから手に入れたか、内緒にして……。もっとも、考えてみれば、おばさんはもう、君たちを魔法省に入れることには、そんなに興味がないはずだけど……」

「ハリー」フレッドが何か言おうとした。しかし、ハリーは杖を取り出した。

「さあ」ハリーがきっぱりと言った。

「受け取れ、さもないと呪いをかけるぞ。いまならすごい呪いを知ってるんだから。ただ、一つだけお願いがあるんだけど、いいかな？　ロンに新しいドレスローブを買ってあげて。君たちからだと言って」

二人が二の句が継げないでいるうちに、ハリーはマルフォイ、クラッブ、ゴイルをまたぎ、コンパートメントの外に出た。三人とも全身呪いの痕だらけで、まだ廊下に転がっていた。

壁のむこうでバーノンおじさんが待っていた。ウィーズリーおばさんがそのすぐそばにいた。おばさんはハリーを見るとしっかり抱きしめ、耳元でささやいた。

「夏休みの後半は、あなたが家に来ることを、ダンブルドアが許してくださると思うわ。連絡をちょうだいね、ハリー」

「じゃあな、ハリー」ロンがハリーの背中をたたいた。

「さよなら、ハリー！」

ハーマイオニーは、これまで一度もしたことのないことをした。ハリーのほおにキスしたのだ。

「ハリー——ありがと」

ジョージがもごもご言う隣で、フレッドが猛烈にうなずいていた。

ハリーは二人にウィンクして、バーノンおじさんのほうに向かい、だまっておじさんのあとについて駅を出た。いま心配してもしかたがない。ダーズリー家の車の後部座席に乗り込みながら、ハリーは自分に言い聞かせた。

ハグリッドの言うとおりだ。来るもんは来る……来たときに受けて立てばいいんだ。

J.K. ローリング

J.K. ローリングは、不朽の人気を誇る「ハリー・ポッター」シリーズの著者。1990年、旅の途中の遅延した列車の中で「ハリー・ポッター」のアイデアを思いつくと、全7冊のシリーズを構想して執筆を開始。1997年に第1巻『ハリー・ポッターと賢者の石』が出版、その後、完結までにはさらに10年を費やし、2007年に第7巻となる『ハリー・ポッターと死の秘宝』が出版された。シリーズは現在85の言語に翻訳され、発行部数は6億部を突破、オーディオブックの累計再生時間は10億時間以上、制作された8本の映画も大ヒットとなった。また、シリーズに付随して、チャリティのための短編『クィディッチ今昔』と『幻の動物とその生息地』(ともに慈善団体〈コミック・リリーフ〉と〈ルーモス〉を支援)、『吟遊詩人ビードルの物語』(〈ルーモス〉を支援)も執筆。『幻の動物とその生息地』は魔法動物学者ニュート・スキャマンダーを主人公とした映画「ファンタスティック・ビースト」シリーズが生まれるきっかけとなった。大人になったハリーの物語は舞台劇『ハリー・ポッターと呪いの子』へと続き、ジョン・ティファニー、ジャック・ソーンとともに執筆した脚本も書籍化された。その他の児童書に『イッカボッグ』(2020年)『クリスマス・ピッグ』(2021年)があるほか、ロバート・ガルブレイスのペンネームで発表し、ベストセラーとなった大人向け犯罪小説「コーモラン・ストライク」シリーズも含め、その執筆活動に対し多くの賞や勲章を授与されている。J.K. ローリングは、慈善信託〈ボラント〉を通じて多くの人道的活動を支援するほか、性的暴行を受けた女性の支援センター〈ベイラズ・プレイス〉、子供向け慈善団体〈ルーモス〉の創設者でもある。
J.K. ローリングに関するさらに詳しい情報はjkrowlingstories.comで。

松岡佑子 訳

翻訳家。国際基督教大学卒、モントレー国際大学院大学国際政治学修士。日本ペンクラブ会員。スイス在住。訳書に「ハリー・ポッター」シリーズ全7巻のほか、「少年冒険家トム」シリーズ、映画オリジナル脚本版「ファンタスティック・ビースト」シリーズ、『ブーツをはいたキティのはなし』『とても良い人生のために』『イッカボッグ』『クリスマス・ピッグ』(以上静山社)がある。

ハリー・ポッターと炎のゴブレット〈25周年記念特装版〉

2024年12月1日　第1刷発行

著者　J.K. ローリング
訳者　松岡佑子
発行者　松岡佑子
発行所　株式会社静山社
〒102-0073 東京都千代田区九段北1-15-15
電話・営業 03-5210-7221　https://www.sayzansha.com

装丁　城所潤+大谷浩介(ジュン・キドコロ・デザイン)
装画　カワグチタクヤ
組版　アジュール
印刷　中央精版印刷株式会社
製本　株式会社ブックアート

　ISBN978-4-86389-921-6　Not to be Sold Separately